WÖRTERBUCH FRANZÖSISCH

FRANZÖSISCH-DEUTSCH
DEUTSCH-FRANZÖSISCH

AXEL JUNCKER VERLAG

Bearbeitet von
André Kraif

Inhaltsverzeichnis – *Table des matières*

Printed in Germany
ISBN 3-558-72066-0

Vorbemerkungen

Die Tilde (**~**, bei veränderter Groß- bzw. Kleinschreibung **2**) ersetzt entweder das ganze Stichwort oder den vor dem senkrechten Strich (|) stehenden Teil davon.

z. B. **local ...; ~ité** (= **localité**)
poids ...; ~ *lourd* (= ***poids lourd***)
mair|e ...; ~ie (= **mairie**)

fett ...; ~arm (= **fettarm**); **2fleck** (= **Fettfleck**)
Funk ...; *über* ~ (= ***über Funk***)
alt|modisch ...; 2papier (= **Altpapier**)

Das grammatische Geschlecht wird bei den Übersetzungen nur dann angegeben, wenn es nicht mit dem des Stichwortes übereinstimmt.

Für die Rechtschreibung der französischen Wörter dienen als Grundlage die Regeln der **Académie française**.
Für das Deutsche gelten die Regeln der neuen amtlichen Rechtschreibung, gültig ab dem 1.8.1998.

Als Warenzeichen geschützte Wörter sind durch „Warenzeichen" kenntlich gemacht. Ein Fehlen dieses Hinweises ist keine Gewähr dafür, dass dieses Wort als Handelsname frei verwendet werden darf.

Abkürzungen – *Abréviations*

a auch, aussi
A Akkusativ, accusatif
Abk Abkürzung, abréviation
adj Adjektiv, adjectif
adv Adverb, adverbe
Agr Landwirtschaft, agriculture
Anat Anatomie, anatomie
Arch Baukunst, architecture

Biol Biologie, biologie
Bot Botanik, botanique
bsd besonders, notamment

Chem Chemie, chimie
cj Konjunktion, conjonction

D Dativ, datif

e-e eine, une
El Elektrizität, électricité
e-m einem, à un(e)
e-n einen, un(e)
e-r einer, d'un(e), à un(e)
e-s eines, d'un(e)
et etwas, quelque chose
f weiblich, féminin

F *umgangssprachlich*, langage familier
fig figürlich, bildlich, figuré
Flgw Flugwesen, aviation
Fot Fotografie, photographie
f/pl weibliche Mehrzahl, féminin pluriel
fut Zukunft, futur

G Genitiv, génitif
Geogr Geographie, géographie
Gr Grammatik, grammaire

Hdl Handel, commerce

inf Infinitiv, infinitif
Inform Informatik, informatique

j jemand, quelqu'un
j-m jemandem, à quelqu'un
j-n jemanden, quelqu'un
j-s jemandes, de quelqu'un
jur Rechtswissenschaft, jurisprudence, droit

Kfz Kraftfahrzeug(wesen), automobile
Kochk Kochkunst, cuisine

m männlich, masculin
Mal Malerei, peinture
Mar Marine, Schifffahrt, marine, navigation
Math Mathematik, mathématiques
Med Medizin, médicine
Mil Militär, militaire
m/pl männliche Mehrzahl, masculin pluriel
mst meist(ens), le plus souvent
Mus Musik, musique

n sächlich, neutre
n/pl sächliche Mehrzahl, neutre pluriel

od oder, ou
österr österreichisch, autrichien

P *derb, populär*, langage populaire
péj verächtlich, herabsetzend, péjoratif

Phys Physik, physique
pl Mehrzahl, pluriel
Pol Politik, politique
p/p Partizip der Vergangenheit, participe passé
prés Gegenwart, présent
pron Pronomen, pronom
prp Präposition, préposition

q jemand, quelqu'un
qc etwas, quelque chose

Rel Religion, religion

s siehe, voir
sg Einzahl, singulier
s-n seinen, son, sa
Sp Sport, sports
su substantiviertes Adjektiv (männlich und weiblich), adjectif substantivé (masculin et féminin)
subj Konjunktiv, subjonctif

Tech Technik, technique
Tel Fernsprechwesen, téléphonie
TV Fernsehen, télévision

u und, et
usw und so weiter, et cetera

v von, de
v/i intransitives Zeitwort, verbe intransitif
v/t transitives Zeitwort, verbe transitif

Wi Wirtschaft, économie

z B zum Beispiel, par exemple
Zo Zoologie, zoologie

Die Aussprache des Französischen

1. Vokale

a	[a]	valise, déjà courage	kurz und hell wie in Ratte lang und hell wie in Straße
	[ɑ]	bas pâte	kurzes dunkles **a** langes dunkles **a**
ai	[e]	j'**ai**	geschlossenes **e** wie in schwer
	[ɛ]	raison, chaîne	offen wie in Bär
au	[o]	faux, chaud	geschlossenes **o** wie in Lohn
	[ɔ]	**Paul**	offenes **o** wie in Tonne
e	[e]	**été**, arriver, rendez-vous	geschlossenes **e** wie in Feder (das *-r* bzw. *-z* bleibt stumm)
	[ɛ]	cher, après fenêtre, mère	offen wie in gähnen offen wie in fällen
	[ə]	**le**, **que**	kurzes dumpfes **ö**
ei	[ɛ]	peine	offen wie in gähnen
eau	[o]	bateau	geschlossenes **o** wie in Boot
eu	[ø]	**feu**	geschlossenes **ö** wie in Öse
	[œ]	fleur	offenes **ö** wie in öfter
i	[i]	cri dire	kurz und hell wie in Wind lang und hell wie in Dieb
o	[o]	pot, hôtel	geschlossen wie in Sohle
	[ɔ]	fort	offen wie in Tonne
œu	[ø] [œ]	nœud **œuf**	geschlossenes **ö** wie in Öse offenes **ö** wie in öfter
ou	[u]	goût, tour	geschlossenes **u** wie in Mut
u	[y]	sûr, mur	wie deutsches **ü** in für

2. Gleitlaute

oi	[wa]	choisir	kurzes, gleitendes **o** + **a**
oui	[wi]	**oui**	kurzes, gleitendes **u** + **i**
ui	[ɥi]	suite, fuir	kurzes, gleitendes **u** + **i**

3. Nasale

Sie sind eine Eigentümlichkeit der französischen Sprache, für die es keine vergleichbaren Laute im Deutschen gibt.

[ɑ̃]	chambre, chanter, membre, entente
[ɛ̃]	cinq, timbre, train, éteindre, nymphe

	[wɛ̃]	**coin**, m**oins**	
	[õ]	b**om**be, f**on**d	
	[œ̃]	**un**, h**um**ble (oft wie [ɛ̃] gesprochen)	

4. Konsonanten

c	[k]	**c**al**c**ul	vor *a, o, u* und vor Konsonanten wie **k**
	[s]	**c**itron	vor *e* oder *i* wie stimmloses **s**
ç	[s]	fa**ç**on	vor *a* oder *o* wie stimmloses **s**
ch	[ʃ]	**ch**er**ch**er	wie deutsches **sch** in **Sch**ule
g	[g]	**g**ant	vor *a, o, u* und vor Konsonanten wie **g**
	[ʒ]	**g**enre	vor *e* oder *i* wie stimmhaftes **sch** in **G**enie
gn	[ɲ]	ga**gn**er	wie deutsches **nj** in Champa**gn**er
h	[-]	horizon	h ist immer stumm
j	[ʒ]	**j**ournal	wie stimmhaftes **sch** in **G**enie
ll	[l]	vi**ll**e	wie deutsches **l** in Spie**l**
	[j]	fi**ll**e	wie schwaches **j** in **J**acke
ph	[f]	**ph**are	wie **f** in **F**ahrt
qu	[k]	**qu**and	wie deutsches **k** in **k**önnen
s	[s]	**s**ervice	am Wortanfang stimmlos wie in Bu**s**
	[z]	rai**s**on	zwischen Vokalen stimmhaft wie in Ro**s**e
t	[s]	na**t**ion	vor *i* + Vokal oft wie stimmloses **s** in Pa**ss**ion
v	[w]	**v**ariable	wie deutsches **w** in **W**agen
x	[ks]	te**x**te	vor Konsonanten stimmlos wie in Te**x**t
	[gz]	e**x**amen	vor Vokalen stimmhaft wie in lan**gs**am
y	[j]	pa**y**er	vor Vokalen wie deutsches **j**
	[i]	t**y**pique	vor Konsonanten wie **i** in L**i**lie
z	[z]	**z**éro	wie stimmhaftes **s** in **S**onne

Ein **Betonungszeichen** ['] wird bei den französischen Stichwörtern nicht gesetzt, da das Französische nicht die eindeutige und ausgeprägte Wortbetonung des Deutschen besitzt. Im Französischen werden die aufeinander folgenden Silben gleichmäßig schwebend betont. Der etwas stärkere Ton auf der letzten Silbe eines Einzelwortes verschwindet, wenn dieses nicht mehr am Ende einer Wortgruppe steht: vergleiche etwa ***rembourser*** [rɑ̃bur'se] und ***rembourser ses dettes*** [rɑ̃bursese'dɛt].

Ebenso werden bei den französischen Stichwörtern keine **Vokallängen** [:] angegeben, da diese für die Bedeutungsunterscheidung im Französischen ohne Belang sind. Vergleiche dagegen im Deutschen ***Rate*** ['ra:tə] und ***Ratte*** ['ratə], ***zählen*** ['tsɛ:lən] und ***Zellen*** ['tsɛlən] usw.

Die Aussprache der Alphabete
La prononciation des alphabets

	français	*allemand*		*français*	*allemand*
a	[a]	[a]	**o**	[o]	[o]
b	[be]	[be]	**p**	[pe]	[pe]
c	[se]	[tse]	**q**	[ky]	[ku]
d	[de]	[de]	**r**	[ɛr]	[ɛr]
e	[ø]	[e]	**s**	[ɛs]	[ɛs]
f	[ɛf]	[ɛf]	**ß**	—	[ɛstsɛt]
g	[ʒe]	[ge]	**t**	[te]	[te]
h	[aʃ]	[hɑ]	**u**	[y]	[u]
i	[i]	[i]	**v**	[ve]	[fau]
j	[ʒi]	[jɔt]	**w**	[dublәve]	[ve]
k	[ka]	[kɑ]	**x**	[iks]	[iks]
l	[ɛl]	[ɛl]	**y**	[igrɛk]	[ypsilɔn]
m	[ɛm]	[ɛm]	**z**	[zɛd]	[tsɛt]
n	[ɛn]	[ɛn]			

A

a [a] *prés von* ***avoir***
à [a] in, an, auf (*D od A*); **~ *la mer*** am (ans) Meer; **~ *Paris*** in (nach) Paris; **~ *la maison*** zu (nach) Hause; ***au printemps*** im Frühling; **~ *5 heures*** um 5 (Uhr); **~ *demain!*** bis morgen!
abaisser [abɛse] senken
abandon [abɑ̃dɔ̃] *m* Aufgabe *f* (*a Sp*); ***à l'~*** verwahrlost
abandonn|é [abɑ̃dɔne] *lieu* verlassen; *chat*, *voiture* herrenlos; **~er** [~e] verlassen, im Stich lassen; *études*, *Sp* aufgeben
abattre [abatr(ə)] *maison* niederreißen; *arbre* fällen; *animal* schlachten; *tuer* niederschießen
abattu [abaty] niedergeschlagen
abbaye [abei] *f* Abtei
abcès [apsɛ] *m* Abszess
abdomen [abdɔmɛn] *m* Bauch, Unterleib
abeille [abɛj] *f* Biene
abîm|e [abim] *m* Abgrund; **~er** [~e] beschädigen; ***s'~*** beschädigt werden; *fruits* verderben
abolir [abɔlir] abschaffen, aufheben
abominable [abɔminabl(ə)] abscheulich
abond|ance [abɔ̃dɑ̃s] *f* Überfluss *m*; **~ant** [~ɑ̃] reichlich; *nourriture* reichhaltig
abonné(e) [abɔne] *m(f)* Abonnent(in); *Tel* Teilnehmer(in)
abonner [abɔne] ***s'~ à qc*** et. abonnieren; ***être abonné à qc*** et abonniert haben
abonnement [abɔnmɑ̃] *m* Abonnement *n*; *Tel* Anschluss
abord [abɔr] ***d'~*** zuerst
aborder [abɔrde] *personne* ansprechen; *sujet* angehen; *Mar* anlegen
aboutir [abutir] zu e-m Ergebnis führen; **~ *à*** führen zu
aboyer [abwaje] bellen
abrég|é [abreʒe] *m* Kurzfassung *f*; **~er** [~e] abkürzen
abréviation [abrevjasjɔ̃] *f* Abkürzung
abri [abri] *m* Schutz(dach *n*, -raum); *habitation* Unterschlupf; ***à l'~ de*** sicher vor (*D*)
abricot [abriko] *m* Aprikose *f*
abriter [abrite] ***s'~*** Schutz suchen (***de*** vor *D*); *de la pluie* sich unterstellen

abrupt [abrypt] steil
abruti [abryti] benommen; F *stupide* blöd
absence [apsɑ̃s] *f* Abwesenheit
absent [apsɑ̃] abwesend
absenter [apsɑ̃te] **s'~** weggehen
absolu [apsɔly] absolut; **~ment** [~mɑ̃] unbedingt; *entièrement* völlig
absorber [apsɔrbe] *liquide* aufnehmen; *nourriture* zu sich nehmen
abstenir [apstənir] **s'~** *Pol* sich der Stimme enthalten; **s'~ de qc** et (*A*) unterlassen
abstrait [apstrɛ] abstrakt
absurde [apsyrd] absurd
abus [aby] *m* Missbrauch
abuser [abyse] **~ de qc** et missbrauchen; F *exagérer* zu weit gehen
accablant [akablɑ̃] *chaleur* drückend; *preuves* erdrückend
accabler [akable] **~ de** überhäufen mit
accélér|ateur [akseleratœr] *m* Gaspedal *n*; **~er** [~e] beschleunigen; *Kfz* Gas geben
accent [aksɑ̃] *m* Akzent; Betonung *f*
accepter [aksɛpte] annehmen; **~ de** (+ *inf*) zusagen zu
accès [aksɛ] *m* Zugang; *d'une autoroute* Zufahrt *f*; *Med* Anfall
accessoires [aksɛswar] *m/pl* Zubehör *n*
accident [aksidɑ̃] *m* Unfall; **~ de la route** Verkehrsunfall
accompagn|ateur [akõpaɲatœr] *m*, **~atrice** [~atris] *f de touristes* Reiseleiter(in) *m(f)*; *d'enfants* Begleitperson *f*; **~ement** [~əmɑ̃] *m Mus* Begleitung *f*; *Kochk* Beilage *f*; **~er** [~e] begleiten
accomplir [akõ'plir] ausführen; *devoir* erfüllen
accord [akɔr] *m acceptation* Zustimmung *f*; *traité* Abkommen *n*; *Mus* Akkord; **d'~!** einverstanden!; **se mettre d'~** sich einigen (**sur** über *A*)
accorder [akɔrde] bewilligen
accoster [akɔste] (ungeniert) ansprechen; *Mar* anlegen
accotement [akɔtmɑ̃] *m* Randstreifen
accouch|ement [akuʃmɑ̃] *m* Entbindung *f*; **~er** [~e] entbinden
accourir [akurir] herbeieilen
accoutumer [akutyme] (**s'~** sich) gewöhnen (**à** an *A*)
accrochage [akrɔʃaʒ] *m* (leichter) Zusammenstoß
accrocher [akrɔʃe] *tableau* aufhängen; *remorque* anhängen; *Kfz* streifen; **s'~ à** sich festhalten an (*D*)
accueil [akœj] *m* Empfang
accueill|ant [akœjɑ̃] gastfreundlich; *maison* gemütlich; **~ir** [~ir] empfangen; *film, nouvelle* aufnehmen

accumuler [akymyle] anhäufen
accus [aky] *m/pl* F *Kfz* Batterie *f*
accus|é(e) [akyze] *m(f)* Angeklagte(r) *su*; **~er** [~e] anklagen
achat [aʃa] *m* Kauf; ***faire des ~s*** Einkäufe machen, einkaufen
achet|er [aʃte] kaufen; **~eur** [~œr] *m* Käufer
achever [aʃve] beenden; *œuvre* vollenden
acide [asid] **1.** sauer; **2.** *m* Säure *f*
acier [asje] *m* Stahl
acompte [akõt] *m* Anzahlung *f*
acquérir [akerir] erwerben
acquitt|ement [akitmɑ̃] *m* Freispruch; **~er** [~e] freisprechen
acte [akt] *m action* Tat *f*; Handlung *f*; *document* Urkunde *f*; *théâtre* Akt
acteur [aktœr] *m* Schauspieler
actif [aktif] aktiv; *médicament* wirksam
action [aksjõ] *f* Tat, Handlung; *effet produit* Wirkung; *en bourse* Aktie
activité [aktivite] *f* Aktivität, Tätigkeit
actualité [aktɥalite] *f* Zeitgeschehen *n*; **~s** *pl* Nachrichten *f/pl*
actuel [aktɥɛl] aktuell; *présent* gegenwärtig; **~lement** [~lmɑ̃] zur Zeit
adapt|ateur [adaptatœr] *m* Bearbeiter; *Tech* Adapter; **~er** [~e] (**s'~** sich) anpassen (**à** *D od* an *A*); *TV usw* bearbeiten
addition [adisjõ] *f au restaurant* Rechnung; *Math* Addition; ***l'~, s'il vous plaît!*** zahlen, bitte!
additionner [adisjɔne] zusammenzählen, addieren
adhérent [aderɑ̃] *m* Mitglied *n*
adieu [adjø] **~!** leb (*od* leben Sie) wohl!; **~x** *m/pl* Abschied *m*
adjectif [adʒɛktif] *m* Adjektiv *n*
adjoint(e) [adʒwɛ̃ (-ɛ̃t)] *m(f)* Stellvertreter(in)
admettre [admɛtr(ə)] zulassen; *à une école* aufnehmen (**à** in *A*); *reconnaître* zugeben; *supposer* annehmen
administration [administrasjõ] *f* Verwaltung; *service* Behörde
admirer [admire] bewundern
admission [admisjõ] *f* Zulassung
adolesc|ence [adɔlɛsɑ̃s] *f* Jugend(alter *n*); **~ent(e)** [~ɑ̃(t)] *m(f)* Jugendliche(r) *su*
adopter [adɔpte] adoptieren
adorable [adɔrabl(ə)] entzückend, süß
adorer [adɔre] über alles lieben; **~ *faire qc*** et für sein Leben gern tun
adoucir [adusir] mildern; *peau* weich machen

adresse [adrɛs] *f* Adresse, Anschrift; *habileté* Geschick *n*; ~ ***de vacances*** Urlaubsanschrift
adresser [adrese] ~ ***à*** richten, senden an (*A*); ***s'~ à*** sich wenden an (*A*)
adroit [adrwa] geschickt
adulte [adylt] **1.** erwachsen; **2.** *m*, *f* Erwachsene(r) *su*
adverbe [advɛrb] *m* Adverb *n*
adversaire [advɛrsɛr] *m*, *f* Gegner(in) *m(f)*
aér|ation [aerasjõ] *f* Lüftung; **~er** [~e] lüften; **~ien** [~jɛ̃] Luft...; Flug...
aéro|drome [aerɔdrom] *m* Flugplatz; **~gare** [~gar] *f* Terminal *m od n*; **~glisseur** [~glisœr] *m* Luftkissenfahrzeug *n*; **~port** [~pɔr] *m* Flughafen
affaiblir [afɛblir] schwächen; ***s'~*** schwächer werden
affaire [afɛr] *f* Angelegenheit, Sache (*a jur*); *Hdl* Geschäft *n*; *scandale* Affäre; **~s** *pl objets personnels* Sachen; *Hdl* Geschäft(e) *n(pl)*; ***avoir ~ à q*** mit j-m zu tun haben
affamé [afame] ausgehungert
affection [afɛksjõ] *f* Zuneigung; *Med* Erkrankung
affectueux [afɛktɥø] liebevoll
affich|e [afiʃ] *f* Plakat *n*; **~er** [~e] *Plakate* anschlagen; *Inform* anzeigen
affirm|er [afirme] behaupten, versichern; **~ation** [~asjõ] *f* Behauptung
affluence [aflɥɑ̃s] *f* Andrang *m*, Ansturm *m*; ***heures*** *f/pl* ***d'~*** Stoßzeit
affluent [aflɥɑ] *m* Nebenfluss
affoler [afɔle] ***s'~*** sich aufregen
affranchir [afrɑ̃ʃir] frankieren
affréter [afrete] chartern
affreux [afrø] schrecklich, abscheulich
affronter [afrõte] ~ ***q*** j-m gegenübertreten, *Sp* ***auf j-n*** treffen; ***s'~*** sich gegenüberstehen (*a Sp*)
afin [afɛ̃] ~ ***de*** um zu; ~ ***que*** (+ *subj*) damit
africain [afrikɛ̃] **1.** afrikanisch; **2.** **♀** *m* Afrikaner
Afrique [afrik] *f* ***l'~*** Afrika *n*
agacer [agase] ärgern
âge [aʒ] *m* Alter *n*; ***quel ~ avez-vous?*** wie alt sind Sie?
âgé [aʒe] alt; ~ ***de 5 ans*** 5 Jahre alt
agence [aʒɑ̃s] *f* Agentur; *succursale* Geschäftsstelle; **~ *immobilière*** Maklerbüro *n*; ~ ***de voyages*** Reisebüro *n*
agenda [aʒɛ̃da] *m* Taschenkalender
agent [aʒɑ̃] *m* ~ (***de police***) (Verkehrs-)Polizist; ~ ***d'assurances*** Versicherungsagent
agglomération [aglɔmerasjõ] *f ville* Ortschaft; *métropole* Ballungsraum *m*; ***l'~ parisienne*** das Pariser Ballungsgebiet

aggrav|ation [agravasjõ] *f* Verschlechterung (*a Med*); **~er** [~e] verschlimmern; ***s'~*** sich verschlechtern
agile [aʒil] gewandt
agir [aʒir] handeln; ***il s'agit de ...*** es handelt sich um ...
agitation [aʒitasjõ] *f* Unruhe (*a Pol*)
agit|é [aʒite] unruhig (*a mer*); **~er** [~e] schütteln; *mouchoir* schwenken
agneau [aɲo] *m* Lamm *n*; *viande* Lammfleisch *n*
agraf|e [agraf] *f de bureau* Heftklammer; *Med* Klammer; **~er** [~e] (zusammen)heften
agrand|ir [agrɑ̃dir] vergrößern; **~issement** [~ismɑ̃] *m* Vergrößerung (*a Fot*)
agréable [agreabl(ə)] angenehm
agréer [agree] genehmigen; ***veuillez ~, Monsieur, mes salutations distinguées*** mit freundlichen Grüßen
agress|er [agrɛse] *dans la rue* überfallen; *verbalement* angreifen; **~eur** [~œr] *m* Angreifer; **~if** [~if] aggressiv; **~ion** [~jõ] *f* Überfall *m*
agri|cole [agrikɔl] landwirtschaftlich, Agrar...; **~culteur** [~kyltœr] *m* Landwirt; **~culture** [~kyltyr] *f* Landwirtschaft
agrumes [agrym] *m/pl* Zitrusfrüchte *f/pl*
ai [e] *prés von* ***avoir***
aide [ɛd] *f* Hilfe; ***à l'~ de*** mit Hilfe von
aider [ɛde] helfen (***q*** j-m, ***à faire qc*** et zu tun *od* bei et)
aïe! [aj] au!
aigle [ɛgl(ə)] *m* Adler
aiglefin [ɛgləfɛ̃] *m* Schellfisch
aigre [ɛgr(ə)] sauer
aigre-doux [ɛgrədu] süßsauer
aigreurs [ɛgrœr] *f/pl* ***~ (d'estomac)*** saures Aufstoßen *n*
aigri [ɛgri] verbittert
aigu [egy] spitz; *voix* schrill; *Med* akut; *douleur* stechend
aiguillage [egɥijaʒ] *m* Weiche *f*
aiguille [egɥij] *f* Nadel; *d'une montre* Zeiger *m*; ***~ à tricoter*** Stricknadel
aiguilleur [egɥijœr] *m* ***~ du ciel*** Fluglotse
aiguiser [egize] *couteau* schleifen; *appétit* anregen
ail [aj] *m* Knoblauch
aile [ɛl] *f* Flügel *m*; *Kfz* Kotflügel *m*
ailleurs [ajœr] anderswo(hin), woanders(hin); ***nulle part ~*** sonst nirgends; ***d'~*** übrigens
ailloli [ajɔli] *m* Knoblauchmayonnaise *f*
aimable [ɛmabl(ə)] liebenswürdig, freundlich
aimant [ɛmɑ̃] *m* Magnet
aimer [ɛme] lieben; ***~ bien*** mögen; ***~ la bière*** gern Bier trinken; ***~ faire qc*** gern et

tun; ***j'aimerais*** ich möchte *od* würde gern; **~ *mieux*** lieber mögen, haben; **~ *mieux faire qc*** et lieber tun
aine [ɛn] *f Anat* Leiste
aîné [ɛne] ältere(r, -s); *le plus âgé* älteste(r, -s)
ainsi [ɛ̃si] so; **~ *que*** sowie
aïoli *s* ***ailloli***
air [ɛr] *m* Luft *f*; *apparence* Aussehen *n*; *mine* Miene *f*; *mélodie* Melodie *f*; **~ *conditionné*** Klimaanlage *f*; ***en l'~*** in die Luft; ***en plein ~*** im Freien; ***avoir l'~*** aussehen (***de*** wie); ***avoir l'~ de*** (+ *inf*) scheinen zu
aire [ɛr] *f* **~ *de jeu*** Spielplatz *m*; **~ *de repos*** Rastplatz *m*
airelle [ɛrɛl] *f* Heidelbeere
aise [ɛz] *f* ***être*** (***mal***) ***à l'~*** sich (nicht) wohl fühlen
aisé [ɛze] *facile* leicht; *riche* wohlhabend
ait [ɛ] *subj von* ***avoir***
Aix-la-Chapelle [ɛkslaʃapɛl] Aachen
ajouter [aʒute] hinzufügen
alarme [alarm] *f* Alarm *m*
album [albɔm] *m* Album *n*
alcool [alkɔl] *m* Alkohol; ***sans ~*** alkoholfrei; **~ *à brûler*** Brennspiritus
alcoolique [alkɔlik] *m*, *f* Alkoholiker(in) *m(f)*
alcoolisé [alkɔlize] alkoholhaltig; ***boisson f ~e*** (***non ~e***) alkoholisches (alkoholfreies) Getränk *n*
alcootest [alkɔtɛst] *m* Alkoholtest
alentours [alɑ̃tur] *m/pl* Umgebung *f*; ***aux ~ de*** in der Gegend von; *environ* um ... herum
alert|e [alɛrt] **1.** rege, flink; **2.** *f* Alarm *m*; **~er** [~e] alarmieren
algèbre [alʒɛbr(ə)] *f* Algebra
Algérie [alʒeri] *f* ***l'~*** Algerien *n*
algérien [alʒerjɛ̃] **1.** algerisch; **2.** **♀** *m* Algerier
algue [alg] *f* Alge
alibi [alibi] *m* Alibi *n*
aliment [alimɑ̃] *m* Nahrungsmittel *n*
alimentation [alimɑ̃tasjõ] *f* Ernährung; *nourriture* Nahrung; ***magasin m d'~*** Lebensmittelgeschäft *n*
alimenter [alimɑ̃te] ernähren; *eau, électricité* versorgen (***en*** mit)
allaiter [alɛte] stillen
allécher [aleʃe] (an)locken
allée [ale] *f* Allee
allég|é [alɛʒe] *produit* light; **~er** [~e] leichter machen
Allemagne [almaɲ] *f* ***l'~*** Deutschland *n*
allemand [almɑ̃] **1.** deutsch; **2.** *m langue* ***l'~*** Deutsch *n*; **3.** **♀(e)** [~(d)] *m(f)* Deutsche(r) *su*
aller [ale] **1.** *à pied* gehen; (*dans un*) *véhicule* fahren (***en voiture*** mit dem Auto; ***à Nice*** nach Nizza); **~ *à q*** *vête-*

ment j-m stehen, passen; ~ **chercher** holen; ~ ***voir q*** j-n besuchen; ***s'en*** ~ weg-, fortgehen; (***comment***) ***ça va?*** wie geht's?; ***ça va*** es geht (ganz gut); ***je vais bien*** (***mal, mieux***) es geht mir gut (schlecht, besser); ~ ***faire*** (***qc***) gleich (et) tun; **2.** *m* Hinfahrt *f*; ~ (***simple***) einfache Fahrkarte *f*; ~ (***et***) ***retour*** Hin- und Rückfahrt *f*, Rückfahrkarte *f*; ***match*** *m* ~ Hinspiel *n*
allerg|ie [alɛrʒi] *f* Allergie; **~ique** [~ik] allergisch
alliance [aljɑ̃s] *f Pol* Bündnis *n*; *anneau* Trauring *m*
allô [alo] *Tel* ja, bitte? *en Allemagne, on donne son nom*
allocation [alɔkasjõ] *f* Unterstützung; **~s** *pl* ***familiales*** Kindergeld *n*
allonger [alõʒe] verlängern; ***s'~*** *jours* länger werden; *se coucher* sich hinlegen; ***être allongé*** liegen
allum|age [alymaʒ] *m* Zündung *f*; **~er** [~e] anzünden; *lumière, radio, TV* einschalten; **~ette** [~ɛt] *f* Streich-, Zündholz *n*
allure [alyr] *f vitesse* Tempo *n*; *air* Aussehen *n*; *classe* Stil *m*; ***à toute*** ~ mit vollem Tempo
allusion [alyzjõ] *f* Anspielung (**à** auf *A*)
alors [alɔr] *à cette époque* damals; *en conséquence* dann; ***et ~?*** na und?; ~ ***que*** während, wo(hin)gegen
alouette [alwɛt] *f* Lerche
alourdir [alurdir] schwer(er) machen
aloyau [alwajo] *m* Lende *f*
alpage [alpaʒ] *m* Alm *f*
Alpes [alp] *f/pl* ***les*** ~ die Alpen
alphabet [alfabɛ] *m* Alphabet *n*
alpin|isme [alpinism(ə)] *m* Bergsteigen *n*; **~iste** [~ist] *m*, *f* Bergsteiger(in) *m(f)*
Alsace [alzas] *f* ***l'~*** das Elsass
alsacien [alzasjɛ̃] **1.** elsässisch; ♀ **2.** *m* Elsässer
alternance [altɛrnɑ̃s] *f* Wechsel *m*; ***en*** ~ im Wechsel, abwechselnd
altern|ative [altɛrnativ] *f* Alternative; **~ativement** [~ativmɑ̃] abwechselnd; **~er** [~e] abwechseln (***avec*** mit)
altitude [altityd] *f* Höhe
aluminium [alyminjɔm] *m* Aluminium *n*
amabilité [amabilite] *f* Liebenswürdigkeit
amaigri [amɛgri] abgemagert
amande [amɑ̃d] *f* Mandel
amant [amɑ̃] *m* Liebhaber, Geliebte(r)
amarrer [amare] *f Mar* festmachen
amas [ama] *m* Haufen
amasser [amase] anhäufen
amateur [amatœr] *m* Liebhaber; *Sp* Amateur

ambassad|e [ɑ̃basad] *f* Botschaft; **~eur** [~œr] *m* Botschafter
ambiance [ɑ̃bjɑ̃s] *f* Stimmung
ambigu [ɑ̃bigy] zweideutig
ambitieux [ɑ̃bisjø] ehrgeizig
ambition [ɑ̃bisjõ] *f* Ehrgeiz *m*
ambulance [ɑ̃bylɑ̃s] *f* Krankenwagen *m*
ambulatoire [ɑ̃bylatwar] ambulant
âme [am] *f* Seele
amélior|ation [ameljɔrasjõ] *f* (Ver-)Besserung; **~er** [~e] verbessern; **s'~** besser werden; sich bessern
aménager [amenaʒe] *appartement* einrichten
amende [amɑ̃d] *f* Geldstrafe
amener [amne] mitbringen; *entraîner* mit sich bringen
amer [amɛr] bitter (*a fig*)
américain [amerikɛ̃] **1.** amerikanisch; **2.** ♀ *m* Amerikaner
Amérique [amerik] *f* **l'~** Amerika *n*; ***l'~ du Sud*** Südamerika *n*; ***l'~ latine*** Lateinamerika *n*
ameublement [amœbləmɑ̃] *m* (Zimmer-, Wohnungs-) Einrichtung *f*
ami(e) [ami] *m(f)* Freund(in)
amiable [amjabl(ə)] **à l'~** einvernehmlich, gütlich
amiante [amjɑ̃t] *m* Asbest
amical [amikal] freundschaftlich; **~ement** [~mɑ̃] mit herzlichem Gruß
amidon [amidõ] *m* Stärke *f*
amincir [amɛ̃sir] schlank machen; *v/i* dünner werden
amitié [amitje] *f* Freundschaft; **~s** *pl* freundliche, herzliche Grüße *m/pl*
amoindrir [amwɛ̃drir] verringern, vermindern
amont [amõ] ***en ~*** fluss-, stromaufwärts; ***en ~ de*** oberhalb von
amorcer [amɔrse] in Gang bringen; **s'~** in Gang kommen
amort|ir [amɔrtir] *choc, bruit* dämpfen; *Hdl* amortisieren; **~isseur** [~isœr] *m* Stoßdämpfer
amour [amur] *m* Liebe *f*; ***faire l'~ avec q*** mit j-m schlafen
amoureux [amurø] verliebt (***de*** in *A*); ***tomber ~ de*** sich verlieben in (*A*)
amour-propre [amurprɔpr(ə)] *m* Selbstachtung *f*
amphithéâtre [ɑ̃fiteɑtr(ə)] *m* *université* Hörsaal; *arènes* Amphitheater *n*
ampl|e [ɑ̃pl(ə)] *vêtement* weit; **~eur** [~œr] *f* Weite; *fig* Umfang *m*, Ausmaß *n*
ampli(ficateur) [ɑ̃pli(fikatœr)] *m* Verstärker
amplifier [ɑ̃plifje] verstärken (*a Tech*)
ampoule [ɑ̃pul] *f lampe* Glühbirne; *cloque* Blase; *médicament* Ampulle
amusant [amyzɑ̃] unterhaltend, lustig

amuse-gueule [amyzgœl] *m* Appetithäppchen *n*
amuser [amyze] unterhalten; *qc* Spaß machen (*q* j-m); ***s'~*** sich amüsieren; *jouer* spielen; ***pour s'~*** zum Spaß
amygdales [ami(g)dal] *f/pl Anat* Mandeln
an [ɑ̃] *m* Jahr *n*; ***jour*** *m* ***de l'~*** Neujahrstag; ***à vingt ~s*** mit zwanzig (Jahren); ***par ~*** im *od* pro Jahr; ***tous les ~s*** jedes Jahr; ***avoir dix ~s*** zehn (Jahre alt) sein
analgésique [analʒezik] **1.** schmerzstillend; **2.** *m* Schmerzmittel *n*
analyse [analiz] *f* Analyse; ***~ de sang*** Blutuntersuchung
analyser [analize] analysieren, untersuchen
ananas [anana(s)] *m* Ananas *f*
anchois [ɑ̃ʃwa] *m* Sardelle *f*, Anschovis *f*
ancien [ɑ̃sjɛ̃] alt; *précédent* ehemalig
ancre [ɑ̃kr(ə)] *f* Anker *m*
andouill|e [ɑ̃duj] *f* Kuttelwurst; F Dummkopf *m*; **~ette** [~ɛt] *f* Kuttelbratwurst
âne [ɑn] *m* Esel
anéantir [aneɑ̃tir] vernichten; *fig* niederschmettern
anémie [anemi] *f* Blutarmut
anesthésie [anɛstezi] *f* Betäubung, Narkose; ***~ locale*** örtliche Betäubung; ***~ générale*** Vollnarkose
aneth [anɛt] *m* Dill
ange [ɑ̃ʒ] *m* Engel
angine [ɑ̃ʒin] *f* Angina
anglais [ɑ̃glɛ] **1.** englisch; **2. ♀** *m* Engländer
angle [ɑ̃gl(ə)] *m coin* Ecke *f*; *Math* Winkel; ***sous cet ~*** unter diesem Blickwinkel
Angleterre [ɑ̃glətɛr] *f* ***l'~*** England *n*
angoiss|e [ɑ̃gwas] *f* Angst(gefühl) *f(n)*; **~er** [~e] (***s'~*** sich) ängstigen
anguille [ɑ̃gij] *f* Aal *m*; ***~ fumée*** Räucheraal *m*
animal [animal] **1.** *m* (*pl* ***-aux*** [-o]) Tier *n*; **2.** *adj* tierisch, Tier...
anima|teur [animatœr] *m*, **~trice** [~tris] *f d'une émission* Moderator(in) *m(f)*; *d'un groupe* Betreuer(in) *m(f)*; *d'un débat* Diskussionsleiter(in) *m(f)*
anim|é [anime] *rue* belebt; *discussion* lebhaft; **~er** [~e] beleben; *émission* moderieren; *groupe* betreuen; *débat* leiten
anis [ani(s)] *m* Anis; **~ette** [~zɛt] *f* Anislikör *m*
ankylosé [ɑ̃kiloze] *Med* steif
anneau [ano] *m* Ring
année [ane] *f* Jahr *n*; ***~ scolaire*** Schuljahr *n*; ***bonne ~!*** ein gutes neues Jahr!
annexe [anɛks] *f bâtiment* Nebengebäude *n*; ***~s*** *pl d'un dossier usw* Anlagen
anniversaire [anivɛrsɛr] *m* Geburtstag; *d'un événement*

Jahrestag; ***bon ~!*** alles Gute zum Geburtstag!
annonce [anõs] *f* Ankündigung; ***petite ~*** Anzeige; ***petites ~s*** *pl rubrique* Anzeigenteil *m*
annoncer [anõse] ankündigen
annuaire [anɥɛr] *m* Jahrbuch *n*; ***~ du téléphone*** Telefonbuch *n*
annuel [anɥɛl] jährlich, Jahres...
annulaire [anylɛr] *m* Ringfinger
annul|é [anyle] fällt aus; **~er** [~e] *réservation* annullieren; *rendez-vous* absagen; *voyage* abbestellen; *vol* streichen; *commande* stornieren
anorak [anorak] *m* Anorak
A.N.P.E. [aɛnpeə] *f* (*Agence nationale pour l'emploi*) Arbeitsamt *n*
Antarctique [ɑ̃tarktik] *m* ***l'~*** die Antarktis
antenne [ɑ̃tɛn] *f* Antenne; *Zo* Fühler *m*; ***~ de télévision*** Fernsehantenne; ***~ parabolique*** Parabolantenne
antérieur [ɑ̃terjœr] vordere(r,-s), Vorder...; *d'avant* frühere(r,-s); ***~ à*** früher als
antibiotiques [ɑ̃tibjɔtik] *m/pl* Antibiotika *n/pl*
antibrouillard [ɑ̃tibrujar] *m phare* Nebelscheinwerfer; *feu arrière* Nebelschlussleuchte *f*
anticyclone [ɑ̃tisiklon] *m* Hoch(druckgebiet) *n*
anticiper [ɑ̃tisipe] vorwegnehmen (***sur qc*** et); *paiement* im Voraus leisten
antidote [ɑ̃tidɔt] *m* Gegenmittel *n*, -gift *n*
antigel [ɑ̃tiʒɛl] *m* Frostschutzmittel *n*
antipathique [ɑ̃tipatik] unsympathisch
antiquaire [ɑ̃tikɛr] *m* Antiquitätenhändler
antique [ɑ̃tik] antik
Antiquité [ɑ̃tikite] *f* Altertum *n*, Antike; **℘s** *pl* Antiquitäten
antiseptique [ɑ̃tiseptik] antiseptisch, keimtötend
antivol [ɑ̃tivɔl] *m* Diebstahlsicherung *f*
anus [anys] *m* After
Anvers [ɑ̃vɛr] Antwerpen
anxi|été [ɑ̃ksjete] *f* Angst; **~eux** [~ø] ängstlich
août [u(t)] *m* August
apaiser [apɛze] beruhigen; *maux de dents* lindern
apercevoir [apɛrsəvwar] *discerner* erkennen; *brièvement* (flüchtig) sehen; ***s'~ de qc*** et merken
aperçu [apɛrsy] *m* kurzer Überblick
apéritif [aperitif] *m* Aperitif
aplanir [aplanir] planieren, ebnen
aplatir [aplatir] platt drücken
apoplexie [apɔplɛksi] *f* Schlaganfall *m*
apostrophe [apɔstrɔf] *f* Apostroph *m*

apparaître [aparɛtr(ə)] erscheinen
appareil [aparɛj] *m* Apparat (*a Tel*), Gerät *n*; *avion* Maschine *f*; **~ (de) *photo*** Fotoapparat, Kamera *f*
appareiller [apareje] *Mar* ablegen, auslaufen (***pour*** nach)
apparence [aparɑ̃s] *f* Aussehen *n*; **~s** *pl* (An-)Schein *m*; ***en ~*** scheinbar
apparent [aparɑ̃] *visible* sichtbar; *en apparence* scheinbar
apparition [aparisjõ] *f* Erscheinen *n*; *vision* Erscheinung
appartement [apartəmɑ̃] *m* Wohnung *f*; **~-*témoin*** [~temwɛ̃] *m* Musterwohnung
appartenir [apartənir] **~ *à*** gehören (*D*); *faire partie de* angehören (*D*)
appât [apɑ] *m* Köder
appel [apɛl] *m* Ruf; *Tel* Anruf; *jur* Berufung *f*; ***~ au secours*** Hilferuf; ***faire ~ à q*** j-n heranziehen; ***faire un ~ de phares*** die Lichthupe betätigen
appeler [aple] rufen; *nommer* nennen; *Tel* anrufen; ***s'~*** heißen
appellation [apɛlasjõ] *f* **~ (*d'origine*) *contrôlée*** geprüfte Herkunftsbezeichnung
appendicite [apɛ̃disit] *f* Blinddarmentzündung
appétissant [apetisɑ̃] appetitlich
appétit [apeti] *m* Appetit; ***bon ~!*** guten Appetit!
applaud|ir [aplodir] Beifall klatschen (***q*** j-m); **~*issements*** [~ismɑ̃] *m/pl* Applaus *m*, Beifall *m*
appliqué [aplike] fleißig
appliquer [aplike] *produit* auftragen; *loi*, *méthode* anwenden (***à*** auf); ***s'~*** fleißig sein; ***s'~ à*** gelten für; ***s'~ à*** (+ *inf*) sich bemühen zu
apporter [apɔrte] (mit)bringen
apprécier [apresje] schätzen
apprendre [aprɑ̃dr(ə)] lernen; *nouvelle* erfahren (***par q*** durch j-n); ***~ qc à q*** *enseigner* j-m et beibringen; *annoncer* j-m et mitteilen
apprent|i [aprɑ̃ti] *m* Lehrling; **~*issage*** [~isaʒ] *m* Lehre *f*
apprêter [aprɛte] ***s'~ à partir*** gerade im Begriff sein wegzugehen
apprivoiser [aprivwaze] *animal* zähmen
approch|e [aprɔʃ] *f* ***à l'~ de*** beim Herannahen (+ *G*); **~*er*** [~e] heranrücken; ***s'~ de*** sich nähern (*D*)
approfondir [aprɔfõdir] vertiefen
approprié [aprɔprije] angemessen, passend
approuver [apruve] billigen, gutheißen; ***~ q*** j-m zustimmen
approvisionner [aprɔvizjɔne] versorgen (***en*** mit)
approximatif [aprɔksimatif] annähernd

appui [apɥi] *m* Stütze *f*; *fig* Unterstützung *f*
appui(e)-tête [apɥitɛt] *m* Kopfstütze *f*
appuyer [apɥije] lehnen (***contre*** gegen), (an)lehnen (***an*** *A*); **~ *sur*** drücken auf (*A*); ***s'~ sur*** sich stützen auf (*A*) (*a fig*)
après [aprɛ] nach, hinter; *adv* nachher; ***d'~*** gemäß; **~ *que*** nachdem
après|-demain [aprɛdmɛ̃] übermorgen; **~-guerre** [~gɛr] *m od f* Nachkriegszeit *f*; **~-midi** [~midi] *m od f* Nachmittag *m*; **~-ski** [~ski] *m* Schneestiefel; Après-Ski *n*
aptitude [aptityd] *f* Fähigkeit
aquarelle [akwarɛl] *f* Aquarell *n*
aquarium [akwarjɔm] *m* Aquarium *n*
aqueduc [akdyk] *m* Aquädukt
arabe [arab] **1.** arabisch; **2.** ♀ *m* Araber
araignée [arɛɲe] *f* Spinne
arbitraire [arbitrɛr] willkürlich
arbitre [arbitr(ə)] *m* Schlichter; *Sp* Schiedsrichter
arbitrer [arbitre] *conflit* schlichten; *Sp* Schiedsrichter sein (***qc*** bei et)
arbre [arbr(ə)] *m* Baum; **~ *de Noël*** Weihnachtsbaum
arbuste [arbyst] *m* (kleiner) Strauch
arc [ark] *m* Bogen
arc-en-ciel [arkɑ̃sjɛl] *m* Regenbogen
archéologie [arkeɔlɔʒi] *f* Archäologie
archevêque [arʃəvɛk] *m* Erzbischof
architect|e [arʃitɛkt] *m* Architekt; **~ure** [~yr] *f* Architektur
archives [arʃiv] *f*/*pl* Archiv *n*
Arctique [arktik] *m* ***l'~*** die Arktis
ardent [ardɑ̃] glühend
ardeur [ardœr] *f* Glut, Hitze
ardoise [ardwaz] *f* Schiefer *m*
arène(s) [arɛn] *f*(*pl*) Arena *f*
arête [arɛt] *f* Gräte
argent [arʒɑ̃] *m* Silber *n*; *monnaie* Geld *n*; **~ *liquide*** Bargeld *n*; **~ *de poche*** Taschengeld *n*
argenté [arʒɑ̃te] silbern
argile [arʒil] *f* Ton *m*
argot [argo] *m* Argot *n od m*; Jargon *m*
aride [arid] trocken (*a fig*), ausgedörrt
arme [arm] *f* Waffe; **~ *à feu*** Feuer-, Schusswaffe
armé [arme] bewaffnet; ***béton*** *m* **~** Eisenbeton
armée [arme] *f* Armee
armer [arme] bewaffnen; *pays* aufrüsten; *arme à feu, appareil photo* spannen
armistice [armistis] *m* Waffenstillstand
armoire [armwar] *f* Schrank *m*; **~ *à pharmacie*** Hausapotheke *f*

armoiries [armwari] *f/pl* Wappen *n*
aromat|e [arɔmat] *m* Gewürz *n*; **~ique** [~ik] aromatisch
arôme [arom] *m* Aroma *n*, Duft
arr. (*arrondissement*) Stadtbezirk
arracher [araʃe] (her)ausreißen; *pommes de terre* ernten; *dent* ziehen; ~ ***qc à q*** j-m et entreißen (*a fig*)
arranger [arɑ̃ʒe] (wieder) in Ordnung bringen; *organiser* arrangieren; ***ça m'arrange*** (***bien***) das kommt mir sehr gelegen; ***s'~*** (wieder) in Ordnung kommen; ***s'~ avec q*** sich mit j-m einigen; ***s'~ pour*** (+ *inf*) es so einrichten, dass
arrestation [arɛstasjõ] *f* Verhaftung, Festnahme
arrêt [arɛ] *m* Anhalten *n*; Stehenbleiben *n*; *de bus* Haltestelle *f*; *train* Aufenthalt; ***sans ~*** ununterbrochen
arrêter [arɛte] anhalten; *moteur* abstellen; *j-n* verhaften; ***s'~*** stehen bleiben; *bruit* aufhören; *faire halte* Halt machen; *train* halten (***à*** in); (***s'***)***~ de*** (+ *inf*) aufhören zu; ***arrête!*** hör auf!
arrhes [ar] *f/pl* Anzahlung *f*
arrière [arjɛr] **1.** *adj* Hinter..., Rück...; **2.** *m* Heck *n*; *Sp* Verteidiger; ***en ~*** rückwärts, zurück, nach hinten; ***à l'~*** hinten
arriéré [arjere] rückständig; *enfant* zurückgeblieben
arrière|-goût [arjɛrgu] *m* Nachgeschmack; **~-grand-mère** [~grɑ̃mɛr] *f* Urgroßmutter; **~-pays** [~pei] *m* Hinterland *n*; **~-pensée** [~pɑ̃se] *f* Hintergedanke *m*; **~-plan** [~plɑ̃] *m* Hintergrund; **~-saison** [~sɛzõ] *f* Nachsaison
arrivée [arive] *f* Ankunft
arriver [arive] ankommen; *malheur* passieren (***à q*** j-m); ***~ à*** (+ *inf*) es schaffen zu ...
arrondir [arõdir] abrunden
arrondissement [arõdismɑ̃] *m* (Stadt-)Bezirk
arros|er [aroze] (be)gießen; **~oir** [~war] *m* Gießkanne *f*
art [ar] *m* Kunst *f*
artère [artɛr] *f Anat* Arterie; *Kfz* Hauptverkehrsstraße
artichaut [artiʃo] *m* Artischocke *f*; ***fond m d'~*** Artischockenboden
article [artikl(ə)] *m* Artikel; ***~s** pl* ***de voyage*** Reisebedarf *m*; ***~s** pl* ***de cuir*** Lederwaren *f/pl*; ***~s** pl* ***de sport*** Sportartikel *f/pl*
articulation [artikylasjõ] *f* Gelenk *n*
artificiel [artifisjɛl] künstlich
artis|an [artizɑ̃] *m* Handwerker; **~anal** [anal] handwerklich
artist|e [artist] *m, f* Künstler(in) *m(f)*; **~ique** [~ik] künstlerisch
as¹ [as] *m* Ass *n* (*a* F *fig*); *Sp a* Kanone *f*

as² [a] *prés von* **avoir**
ascenseur [asɑ̃sœr] *m* Aufzug, Fahrstuhl
ascension [asɑ̃sjõ] *f* Besteigung; *fig* Aufstieg *m*; **l'**♀ (Christi) Himmelfahrt
asiatique [azjatik] **1.** asiatisch; **2.** ♀ *m* Asiat
Asie [azi] *f* **l'**~ Asien *n*
asile [azil] *m* Asyl *n*; ~ (*d'aliénés*) Irrenanstalt *f*
aspect [aspɛ] *m* Aussehen *n*, Anblick; *point de vue* Aspekt, Gesichtspunkt
asperge [aspɛrʒ] *f* Spargel *m*
asphyxier [asfiksje] ersticken
aspirateur [aspiratœr] *m* Staubsauger
aspirer [aspire] *air* einatmen; *liquide, poussière* ansaugen; ~ **à** streben nach
aspirine [aspirin] *f* Aspirin *n*
assaillir [asajir] angreifen, überfallen; *fig* bestürmen (**de** mit)
assaisonn|ement [asɛzɔnmɑ̃] *m* Würzen *n*; *ingrédients* Gewürze *n/pl*; *vinaigrette* Salatsoße *f*; **~er** [~e] würzen; *salade* anmachen
assassin [asasɛ̃] *m* Mörder
assassin|at [asasina] *m* Mord; **~er** [~e] ermorden
assemblée [asɑ̃ble] *f* Versammlung
assembler [asɑ̃ble] zusammenfügen, -bauen; **s'**~ sich versammeln
asseoir [aswar] *enfant* setzen; **s'**~ sich (hin)setzen
assez [ase] genug; *plutôt* ziemlich; ~ ***d'argent*** genug Geld; ***j'en ai*** ~ ich habe es satt
assiette [asjɛt] *f* Teller *m*; ~ ***anglaise*** *Platte mit kaltem Braten und Rohkost*
assis [asi] sitzend; **être** ~ sitzen
assistant(e) [asistɑ̃(t)] *m(f)* Assistent(in); **~*e sociale*** Sozialarbeiterin
assister [asiste] ~ ***q*** j-m beistehen; ~ **à** *spectacle* sich ansehen (*A*); *dispute* dabei sein bei
association [asɔsjasjõ] *f* Verein *m*; *Wi* Verband *m*
associer [asɔsje] verbinden; ~ ***q* à** j-n beteiligen an (*D*); **s'**~ ***avec*** sich zusammenschließen mit
assoiffé [aswafe] durstig
assommer [asɔme] bewusstlos schlagen
Assomption [asõpsjõ] *f* **l'**~ Mariä Himmelfahrt
assortiment [asɔrtimɑ̃] *m* Auswahl *f*; ~ ***de charcuterie*** Wurstplatte *f*
assoupir [asupir] **s'**~ einschlummern
assouplir [asuplir] lockern (*a fig*); *linge* weich machen
assurance [asyrɑ̃s] *f* Versicherung; *confiance en soi* (Selbst-)Sicherheit; ~ ***auto*** Kfz-Versicherung; ~ ***maladie*** Krankenversicherung; ~ ***responsabilité civile*** Haft-

pflichtversicherung; ~ ***tous risques*** Vollkaskoversicherung
assurément [asyremɑ̃] sicher(lich)
assurer [asyre] versichern; *garantir* sichern; **s'~** sich versichern (***contre*** gegen); ***s'~ de*** sich vergewissern (*G*)
asthme [asm(ə)] *m* Asthma *n*
astre [astr(ə)] *m* Gestirn *n*
astronaute [astronot] *m* Astronaut, Raumfahrer
astucieux [astysjø] raffiniert; *personne* einfallsreich
atelier [atəlje] *m* Werkstatt *f*; *d'artiste* Atelier *n*; *groupe de travail* Arbeitsgruppe *f*
athée [ate] *m* Atheist
athl|ète [atlɛt] *m* (Leicht-) Athlet; **~étisme** [~etism(e)] *m* Leichtathletik *f*
Atlantique [atlɑ̃tik] *m* ***l'(océan)*** ~ der Atlantik
atlas [atlas] *m* Atlas
atmosphère [atmɔsfɛr] *f* Atmosphäre
atome [atom] *m* Atom *n*
atomique [atɔmik] Atom...
atout [atu] *m* Trumpf
atroce [atrɔs] entsetzlich
attacher [ataʃe] festmachen, fest-, anbinden (**à** an *D*); *lacets* zubinden; *tablier* umbinden; *Kochk* ansetzen; ***~ sa ceinture*** sich anschnallen; ***s'~ à*** hängen an (*D*)
atta|quant [atakɑ̃] *m Sp* Angriffsspieler; **~que** [~k] *f* Angriff *m*; *Med* Anfall *m*
attaquer [atake] angreifen, *dans la rue* überfallen; *fig* ***s'~ à qc*** et anpacken
attarder [atarde] **s'~** sich zu lange aufhalten
atteindre [atɛ̃dr(ə)] erreichen; *projectile* treffen; *Med* befallen; *fig toucher* treffen
attendant [atɑ̃dɑ̃] ***en ~*** in der Zwischenzeit
attendre [atɑ̃dr(ə)] warten (***q*** auf j-n); ***~ que*** (+*subj*) warten, bis; ***~ de*** erwarten von; ***s'~ à*** gefasst sein auf (*A*)
attendrir [atɑ̃drir] rühren
attente [atɑ̃t] *f* Warten *n* (***de*** auf *A*); *durée* Wartezeit; *espoir* Erwartung; ***file*** *f* ***d'~*** Schlange
attentif [atɑ̃tif] aufmerksam; ***être ~ à*** achten auf (*A*)
attention [atɑ̃sjõ] *f* Aufmerksamkeit; ***~!*** Vorsicht!, Achtung!; ***faire ~*** aufpassen, achten (**à** auf *A*)
atténuer [atenɥe] abschwächen, mildern; *bruit* dämpfen; *douleur* lindern
atterrir [atɛrir] *Flgw* landen
attestation [atɛstasjõ] *f* Bescheinigung
attir|ance [atirɑ̃s] *f* Anziehungskraft; **~ant** [~ɑ̃] anziehend
attirer [atire] anziehen; ***~ l'attention sur*** die Aufmerksamkeit lenken auf (*A*)
attitude [atityd] *f* Haltung
attrait [atrɛ] *m* Reiz

attraper [atrape] fangen; *balle a* auffangen; *train, bus* erreichen; F *maladie* sich holen; ***être attrapé*** hereinfallen
attrayant [atrɛjɑ̃] anziehend
attribuer [atribɥe] *donner* zuweisen; *comme cause* zurückführen (***à qc*** auf et *A*)
au [o] = ***à + le***
aube [ob] *f* Morgendämmerung
auberge [obɛrʒ] *f* (Land-) Gasthof *m*; ***~ de (la) jeunesse*** Jugendherberge
aubergine [obɛrʒin] *f* Aubergine
auc|un [okɛ̃, -kœ̃], **~une** [~yn] (***ne ... ~, ~ ... ne***) kein(e); *employé seul* keine(r,-s)
aucunement [okynmɑ̃] keineswegs
audacieux [odasjø] kühn
au-delà [od(ə)la] ***~ de*** jenseits (*G*); *fig* über ... hinaus
au-dessous [od(ə)su] darunter; ***~ de*** unter (*D od A*)
au-dessus [od(ə)sy] darüber; ***~ de*** über (*D od A*)
auditeur [oditœr] *m* Zuhörer
augmentation [ɔgmɑ̃tasjõ] *f* Zunahme; *des prix* Erhöhung; ***~ de salaire*** Lohn-, Gehaltserhöhung
augmenter [ɔgmɑ̃te] erhöhen; *v/i population* zunehmen; *prix* steigen
aujourd'hui [oʒurdɥi] heute; *de nos jours* heutzutage
aumône [omon] *f* Almosen *n*
auparavant [oparavɑ̃] vorher, zuvor
auprès [oprɛ] ***~ de*** bei
aurai [ɔre] *fut von* ***avoir***
aurore [ɔrɔr] *f* Morgenröte
ausculter [ɔskylte] *Med* abhorchen
aussi [osi] auch; *cj* daher; ***~ ... que*** (eben)so ... wie
aussitôt [osito] sofort, (so)gleich; ***~ que*** sobald
austère [ostɛr] streng
Australie [ostrali] *f* ***l'~*** Australien *n*
australien [ostraljɛ̃] **1.** australisch; **2.** ♀ *m* Australier
autant [otɑ̃] ***~ (que)*** soviel (wie); *souffrir* so sehr (wie); ***~ de ... (que)*** soviel ... (wie); ***d'~ plus que*** um so mehr als
autel [otɛl] *m* Altar
auteur [otœr] *m* Autor(in) *m(f)*, Verfasser(in) *m(f)*; ***~ du crime*** Täter(in) *m(f)*
authentique [otɑ̃tik] echt
auto [oto] *f* Auto *n*; **~bus** [~bys] *m* Bus; **~car** [~kar] *m* (Reise-, Überland-)Bus
autocuiseur [otokɥizœr] *m* Schnellkochtopf
auto-école [otoekɔl] *f* Fahrschule
auto|graphe [otograf] *m* Autogramm *n*; **~matique** [~matik] automatisch
automne [otɔn] *m* Herbst
automobil|e [otomɔbil] *adj* Auto(mobil)..., Kraftfahrzeug...; **~iste** [~ist] *m* Auto-, Kraftfahrer

autopsie [otɔpsi] *f* Obduktion
autoradio [otoradjo] *m* Autoradio *n*
autoris|ation [otorizasjõ] *f* Genehmigung; **~er** [~e] erlauben (***qc*** et; ***q à faire qc*** j-m, et zu tun)
autorités [otorite] *f/pl* Behörden
autoroute [otɔrut] *f* Autobahn
auto-stop [otostɔp] *m* ***faire de l'~*** per Anhalter fahren
auto-stopp|eur [otostɔpœr] *m*, **~euse** [~øz] *f* Anhalter(in) *m(f)*
autour [otur] d(a)rum herum; ***~ de*** um ... (herum); F *environ* um ... herum
autre [otr(ə)] andere(r, -s); *de plus* weitere(r, -s); ***une ~ bière*** noch ein Bier; ***~ chose*** etwas anderes; ***rien d'~*** nichts anderes, sonst nichts; ***entre ~s*** unter anderem
autrefois [otrəfwa] früher
autrement [otrəmɑ̃] anders; *sinon* sonst
Autriche [otriʃ] *f* ***l'~*** Österreich *n*
autrichien [otriʃjɛ̃] **1.** österreichisch; **2.** ♀ *m* Österreicher
autruche [otryʃ] *f Zo* Strauß *m*
aval [aval] ***en ~*** fluss-, stromabwärts; ***en ~ de*** unterhalb von (*od G*)
avalanche [avalɑ̃ʃ] *f* Lawine
avaler [avale] (hinunter)schlucken; *involontairement* verschlucken; ***~ de travers*** sich verschlucken
avance [avɑ̃s] *f course* Vorsprung *m*; *argent* Vorschuss *m*; ***à l'~, d'~*** im Voraus; ***en ~*** zu früh
avancement [avɑ̃smɑ̃] *m progrès* Fortschritt; *dans la carrière* Beförderung *f*
avancer [avɑ̃se] vorrücken; *argent* vorstrecken; *rendez-vous* vorverlegen; *v/i* vorankommen (*a dans le travail*); *montre* vorgehen; ***s'~*** näherkommen; ***s'~ vers*** zugehen auf (*A*)
avant [avɑ̃] **1.** *prp* vor (*D od A*); *adv* vorher; *adj* Vorder...; ***~ tout*** vor allem; ***en ~*** vorwärts, nach vorn; ***à l'~*** vorn; ***~ que*** (+ *subj*), ***~ de*** (+ *inf*) bevor; **2.** *m* Vorderteil *n od m*; *Sp* Stürmer
avantag|e [avɑ̃taʒ] *m* Vorteil; **~er** [~e] begünstigen; **~eux** [~ø] vorteilhaft
avant|-bras [avɑ̃bra] *m* Unterarm; **~-dernier** [~dɛrnje] vorletzte(r, -s); **~-goût** [~gu] *m* Vorgeschmack
avant-hier [avɑ̃tjɛr] vorgestern
avare [avar] geizig
avarié [avarje] verdorben
avec [avɛk] mit; ***et ~ ça?*** sonst noch was?
avenir [avnir] *m* Zukunft *f*; ***à l'~*** in Zukunft

aventur|e [avɑ̃tyr] *f* Abenteuer *n*; *en amour* (Liebes-)Affäre; **~er** [~e] **s'~** sich wagen; **~ier** [~je] *m* Abenteurer
avenue [avny] *f* Avenue, Prachtstraße
avérer [avere] **s'~** (+ *adj*) sich als ... erweisen
averse [avɛrs] *f* (Regen-) Schauer *m*
aversion [avɛrsjõ] *f* Abneigung (**pour** gegen)
avert|ir [avɛrtir] benachrichtigen (**de** von); *mettre en garde* warnen; **~issement** [~ismɑ̃] *m* Warnung *f*
avertisseur [avɛrtisœr] *m Kfz* Hupe *f*; **~ *d'incendie*** Feuermelder
aveu [avø] *m* Geständnis *n*
aveugl|e [avœgl(ə)] **1.** blind; **2.** *m*, *f* Blinde(r) *su*; **~er** [~e] *lumière* blenden; *fig* blind machen
avia|teur [avjatœr] *m* Flieger; **~tion** [~sjõ] *f* Luftfahrt
avid|e [avid] gierig (**de** nach); **~ité** [~ite] *f* Gier
avion [avjõ] *m* Flugzeug *n*; **~ *de ligne*** Linienmaschine *f*; ***prendre l'~*** fliegen; ***par ~*** mit, per Luftpost
aviron [avirõ] *m rame* Ruder *n*; *Sp* Rudersport
avis [avi] *m* Meinung *f*; *information* Bekanntmachung *f*; ***à mon ~*** meiner Meinung nach; **~ *de tempête*** Sturmwarnung *f*
avocat¹ [avɔka] *m Bot* Avocado *f*
avoc|at² [avɔka] *m* (Rechts-) Anwalt; **~ate** [~at] *f* (Rechts-)Anwältin
avoine [avwan] *f* Hafer *m*
avoir [avwar] **1.** haben; *obtenir* bekommen; F *tromper* reinlegen; ***il y a*** es gibt; ***il y a 2 ans*** vor 2 Jahren; **~ *15 ans*** 15 Jahre alt sein; **2.** *m* Guthaben *n*
avortement [avɔrtəmɑ̃] *m* Abtreibung *f*
avorter [avɔrte] ***se faire ~*** abtreiben (lassen)
avouer [avwe] (ein)gestehen; zugeben; *jur* gestehen
avril [avril] *m* April
axe [aks] *m* Achse *f*
ayez [ɛje] *subj von* ***avoir***
azote [azɔt] *m* Stickstoff

B

baba [baba] *m* **~ *au rhum*** *rumgetränkter Napfkuchen*
bâbord [babɔr] *m* Backbord; **à ~** backbord(s)
baby-foot [babifut] *m* Tischfußball
babysitter [bebisitœr] *m*, *f* Babysitter *m*
bac [bak] *m bateau* Fähre *f*; *récipient* Wanne *f*

bac(calauréat) [bak(alorea)] *m* Abi(tur) *n*
bâche [baʃ] *f* Plane
bacille [basil] *m* Bazillus
baeckeoffe [bɛkəofe] *m Elsässer Fleischeintopf mit Kartoffeln*
bâcler [bɑkle] F hinschludern
bactérie [bakteri] *f* Bakterie [-riə]
badminton [badmintɔn] *m* Federball, Badminton *n*
baffle [bafl(ə)] *m* Lautsprecherbox *f*
bagages [bagaʒ] *m/pl* Gepäck *n*; **~ *accompagnés*** Reisegepäck *n*
bagarre [bagar] *f* Schlägerei
bagnole [baɲɔl] *f* F Karre
bague [bag] *f* (Finger-)Ring *m*
baguette [bagɛt] *f* Stab *m*; *pour manger* (Ess-)Stäbchen *n*; *pain* Stangenweißbrot *n*, Baguette *n*
baie [bɛ] *f* Bucht; *Bot* Beere
baign|ade [bɛɲad] *f* Baden *n*; **~er** [~e] ***se* ~** baden; **~oire** [~war] *f* Badewanne
bâiller [bɑje] gähnen
bain [bɛ̃] *m* Bad *n*; ***salle f de ~s*** Badezimmer *n*; **~ *de pieds*** Fußbad *n*; **~ *de soleil*** Sonnenbad *n*; ***prendre un ~*** ein Bad nehmen, (sich) baden
bain-marie [bɛ̃mari] *m Kochk* Wasserbad *n*
baiser¹ [bɛze] *m* Kuss
baiser² [bɛze] P bumsen
baisse [bɛs] *f* Sinken *n*, Fallen *n*; ***être en ~ prix*** fallen
baisser [bɛse] *vitre, store* herunterlassen; *gaz, lumière* kleiner stellen; *radio* leiser stellen; *v/i température, prix* sinken, fallen; ***se* ~** sich bücken
bal [bal] *m* Ball
balad|e [balad] *f* F Spaziergang *m*; *en voiture* Spazierfahrt; **~er** [~e] spazierengehen, -fahren; **~eur** [~œr] *m* Walkman (Warenzeichen)
balai [balɛ] *m* Besen
balanc|e [balɑ̃s] *f* Waage; **~er** [~e] schwenken; ***se* ~** schaukeln
balançoire [balɑ̃swar] *f* Schaukel
balayer [balɛje] (aus-, weg)fegen
balcon [balkõ] *m* Balkon
Bâle [bɑl] Basel
baleine [balɛn] *f* Wal *m*
balise [baliz] *f* Bake; *d'un sentier* Markierung
balle [bal] *f* Ball *m*
ballet [balɛ] *m* Ballett *n*
ballon [balõ] *m* (großer) Ball; *jouet* Luftballon; *Flgw* Ballon; F *Kfz* ***souffler dans le ~*** in die Tüte *od* ins Röhrchen blasen
balnéaire [balneɛr] ***station f ~*** Seebad *n*
Baltique [baltik] ***la mer ~*** die Ostsee
balustrade [balystrad] *f* Geländer *n*, Balustrade
banane [banan] *f* Banane

banc [bɑ̃] *m* (Sitz-)Bank *f*; ~ ***de sable*** Sandbank *f*
bancaire [bɑ̃kɛr] Bank...
bandage [bɑdaʒ] *m* Verband
bande [bɑ̃d] *f groupe* Schar; *péj* Bande; *ruban* Band *n*, Streifen *m*; *Med* Binde; ~ ***magnétique*** Magnet-, Tonband *n*; *Kfz* ~ ***d'arrêt d'urgence*** Standspur; ~ ***dessinée*** Comics *pl*
band|eau [bɑ̃do] *m* Stirnband *n*; *pour les yeux* Augenbinde *f*; **~er** [~e] verbinden
banlieue [bɑ̃ljø] *f* Vororte *m/pl*; ***train*** *m* ***de*** ~ Vorortzug
banque [bɑ̃k] *f Hdl* Bank; *Inform* ~ ***de données*** Datenbank
banquet [bɑ̃kɛ] *m* Bankett *n*, Festessen *n*
banquette [bɑ̃kɛt] *f* Bank; ~ ***arrière*** Rücksitz *m*
banquier [bɑ̃kje] *m* Bankier
bapt|ême [batɛm] *m* Taufe *f*; **~iser** [~ize] taufen
bar [bar] *m* Stehkneipe *f*; *d'un hôtel* Bar *f*; *comptoir* Theke *f*
barbe [barb] *f* Bart *m*; ~ ***à papa*** Zuckerwatte
barbecue [barbəkju] *m appareil* Holzkohlengrill; *repas* Grillparty *f*
barbelé [barbəle] ***fil*** *m* ***de fer*** ~ *od* ~ *m* Stacheldraht
barbu [barby] bärtig
baril [baril] *m* Fass *n*
barman [barman] *m* Barkeeper [-ki-]; *garçon* Kellner
baromètre [barɔmɛtr(e)] *m* Barometer *n*
baroque [barɔk] Barock...
barque [bark] *f* Kahn *m*, Boot *n*
barrage [baraʒ] *m* Staudamm, Talsperre *f*; *barrière* Sperre *f*; *d'une route* Straßensperre *f*
barre [bar] *f* Stange; *Mar* Ruderpinne; *Sp* ~ ***fixe*** Reck *n*; **~s** *pl* ***parallèles*** Barren *m*
barreau [baro] *m* Gitterstab
barrer [bare] versperren; *police* sperren; *rayer* (aus-, durch)streichen
barrière [barjɛr] *f* Schranke (*a Bahn*), Sperre; *fig* Barriere
bas¹ [bɑ] **1.** niedrig; *inférieur* untere(r, -s); *parler* leise; ***en*** ~ unten; **2.** *m* unterer Teil
bas² [bɑ] *m* (Damen-)Strumpf
bascul|e [baskyl] *f* Wippe; **~er** [~e] kippen
base [bɑz] *f* Basis (*a Mil*)
baskets [baskɛt] *m/pl* Turn-, Sportschuhe
basket(-ball) [basket(bol)] *m* Basketball
basque [bask] **1.** baskisch; ***le Pays*** ~ das Baskenland; **2.** ♀ *m* Baske
basse-cour [baskur] *f* Hühnerhof *m*
bassin [basɛ̃] *m* Becken *n*
bastingage [bastɛ̃gaʒ] *m* Reling *f*
bas-ventre [bɑvɑ̃tr(ə)] *m* Unterleib
bataille [batɑj] *f* Schlacht

bâtard [bɑtar] *m chien* Promenadenmischung *f*; *pain* Stangenweißbrot *n* (*von e-m Pfund*)
bateau [bato] *m* Schiff *n*; *non ponté* Boot *n*; ~ **à voiles** Segelschiff *n*, -boot *n*
bateau-mouche [batomuʃ] *m* kleines Ausflugsschiff *n* (*auf der Seine*)
bâtiment [bɑtimɑ̃] *m* Gebäude *n*, Bau; *secteur* Baubranche *f*
bâtir [bɑtir] bauen
bâton [bɑtõ] *m* Stock; ~ **de ski** Skistock *m*
battant [batɑ̃] *m* (Tür-, Fenster-)Flügel
battement [batmɑ̃] *m* Schlagen *n*
batterie [batri] *f Kfz* Batterie; *Mus* Schlagzeug *n*; ~ **de cuisine** Kochtöpfe *m/pl* und Pfannen *f/pl*
battre [batr(ə)] schlagen (*a Gegner*); *cartes* mischen; *maltraiter* verprügeln; **se** ~ sich schlagen (**mit j-m** avec q)
baume [bom] *m* Balsam
bavard [bavar] **1.** geschwätzig; **2.** ~**(e)** [~(d)] *m(f)* Schwätzer(in)
bavard|age [bavadaʒ] *m* Geschwätz *n*; ~**er** [~e] schwatzen
bav|e [bav] *f* Speichel *m*, F Sabber *m*; ~**er** [~e] sabbern; ~**ette** [~ɛt] *f* Lätzchen *n*
Bavière [bavjɛr] **la** ~ Bayern *n*
bd *s* **boulevard**
B.D. [bede] *f* (*bande dessinée*) F Comics *pl*
beau [bo] (*vor Vokal* **bel,** *f* **belle** [bɛl]) schön; **il fait** ~ es ist schön(es Wetter)
beaucoup [boku] *travailler* viel; *décevoir* sehr; ~ **de** viel(e)
beau|-fils [bofis] *m* Schwiegersohn; *d'un remariage* Stiefsohn; ~**-frère** [~frɛr] *m* Schwager; ~**-père** [~pɛr] *m* Schwiegervater; *d'un remariage* Stiefvater
beauté [bote] *f* Schönheit
beaux|-arts [bozar] *m/pl* **les** ~ die bildende Kunst *f*; ~**-parents** [~parɑ̃] *m/pl* Schwiegereltern *pl*
bébé [bebe] *m* Baby *n*
bec [bɛk] *m* Schnabel
bêche [bɛʃ] *f* Spaten *m*
bécoter [bekɔte] F **se** ~ knutschen
bégayer [begɛje] stottern
beige [bɛʒ] beige
beignet [bɛɲɛ] *m* Krapfen
bel *s* **beau**
belge [bɛlʒ] **1.** belgisch; **2.** ♀ *m* Belgier
Belgique [bɛlʒik] **la** ~ Belgien *n*
bélier [belje] *m* Widder
belle [bɛl] *s* **beau**
belle|-fille [bɛlfij] *f* Schwiegertochter; *d'un remariage* Stieftochter; ~**-mère** [~mɛr] *f* Schwiegermutter; *d'un remariage* Stiefmutter; ~**-sœur** [~sœr] *f* Schwägerin

belon [bəlõ] *m geschätzte Austernart*
belote [bəlɔt] *f beliebtes Kartenspiel*
belvédère [bɛlvedɛr] *m* Aussichtspunkt
bénédiction [benediksjõ] *f* Segen *m*
bénéfic|e [benefis] *m* Gewinn; *avantage* Vorteil; **~ier** [~je] **~ de** genießen (*A*); *profiter de* Vorteil ziehen aus
bénévole [benevɔl] ehrenamtlich
bénin [benɛ̃] (*f* **bénigne** [beniɲ]) harmlos; *Med* gutartig
bénir [benir] segnen
bénit [beni] geweiht; **eau** *f* **~e** Weihwasser *n*
béquille [bekij] *f* Krücke
berc|eau [bɛrso] *m* Wiege *f*; **~er** [~e] *bébé* wiegen, schaukeln; **~euse** [~øz] *f* Wiegenlied *n*
béret [berɛ] *m* Baskenmütze *f*
berge [bɛrʒ] *f* Böschung
berger [bɛrʒe] *m* Schäfer; **~ allemand** (deutscher) Schäferhund
Berlin [bɛrlɛ̃] Berlin [-lin]
berline [bɛrlin] *f* Limousine
besogne [bəzɔɲ] *f* Arbeit
besoin [bəzwɛ̃] *m* Bedürfnis *n*; **~s** *pl* Bedarf *m* (**en** an *D*); **avoir ~ de** brauchen (*A*); **au ~** notfalls, bei Bedarf
bestiole [bɛstjɔl] *f* Tierchen *n*, *bsd* Insekt *n*
bétail [betaj] *m* Vieh *n*
bête [bɛt] **1.** dumm; **2.** *f* Tier *n*
bêtise [bɛtiz] *f* Dummheit
béton [betõ] *m* Beton
betterave [bɛtrav] *f* Rübe; **~ rouge** Rote Bete
beurr|e [bœr] *m* Butter *f*; **petit ~** Butterkeks; **~er** [~e] mit Butter bestreichen; **~ier** [~je] *m* Butterdose *f*
biais [bjɛ] **de** *od* **en ~** schräg
biberon [bibrõ] *m* (Saug-)Flasche *f*
Bible [bibl(ə)] *f* Bibel
bibliothèque [biblijɔtɛk] *f* Bücherei, Bibliothek; *meuble* Bücherschrank *m*
bicarbonate [bikarbɔnat] *m* **~ (de soude)** Natron *n*
biche [biʃ] *f* Hirschkuh
bicyclette [bisiklɛt] *f* Fahrrad *n*; **aller à ~** Rad fahren
bidon [bidõ] *m* (Benzin-, Öl-)Kanister
bidonville [bidõvil] *m* Elendsviertel *n*
bielle [bjɛl] *f* Pleuel(stange) *m* (*f*)
bien [bjɛ̃] **1.** gut; *très* sehr; *beaucoup* viel; F **un type ~** ein prima Kerl; **manger ~** gut essen; **être, se sentir ~** sich wohl fühlen; **~ meilleur, ~ mieux** viel besser; **je veux ~!** gerne!; **2.** *m* Gute(s) *n*; **~s** *pl fortune* Vermögen *n*; **dire du ~ de** Gutes sagen über (*A*); **faire du ~ à** gut, wohl tun (*D*); **pour son ~** zu s-m Besten
bien-être [bjɛ̃nɛtr(ə)] *m* Wohlbefinden *n*

bien que [bjɛ̃kə] (+ *subj*) obwohl, obgleich
bientôt [bjɛ̃to] bald; **à ~!** bis bald!
bienveillant [bjɛ̃vɛjɑ̃] wohlwollend
bienvenu [bjɛ̃v(ə)ny] willkommen
bienvenue [bjɛ̃v(ə)ny] *f* Willkommen *n*; ***souhaiter la ~ à q*** j-n willkommen heißen
bière [bjɛr] *f* Bier *n*; **~ *blonde, brune*** helles, dunkles Bier; **~ (*à la*) *pression*** Bier vom Fass
bifteck [biftɛk] *m* (Beef-)Steak *n*; **~ *haché*** Hacksteak *n*
bifur|cation [bifyrkasjõ] *f* Abzweigung; **~er** [~ke] sich gabeln; *voiture* abbiegen (***vers, à*** nach)
bigorneau [bigɔrno] *m* Strandschnecke *f*
bigoudi [bigudi] *m* Lockenwickler
bijou [biʒu] *m* Schmuckstück *n*; **~x** *pl* Schmuck *m*
bijout|erie [biʒutri] *f* Schmuck(waren)geschäft *n*; **~ier** [~je] *m* Juwelier
bikini [bikini] *m* Bikini
bilan [bilɑ̃] *m* Bilanz *f*
bile [bil] *f* Galle
bilingue [bilɛ̃g] zweisprachig
billard [bijar] *m* Billard *n*
bille [bij] *f* Kugel
billet [bijɛ] *m bus, train* Fahrkarte *f*; *avion* Flugticket *n*; *cinéma* Eintrittskarte *f*; **~ (*de banque*)** (Geld-)Schein, Banknote *f*; **~ *aller*** einfache Fahrkarte *f*; **~ *aller-retour*** Rückfahrkarte *f*
bi|mensuel [bimɑ̃sɥɛl] zweimal monatlich; **~moteur** [~mɔtœr] zweimotorig
biniou [binju] *m* (bretonischer) Dudelsack
biolog|ie [bjɔlɔʒi] *f* Biologie; **~ique** [~ik] biologisch; Bio...
biotope [bjɔtɔp] *m* Biotop *n*
bis [bis] **~!** Zugabe!, ***habiter au 12 ~*** Nummer 12 a wohnen
biscotte [biskɔt] *f* Zwieback *m*
biscuit [biskɥi] *m* Keks; **~ *de Savoie*** Biskuit *m*
bise[1] [biz] *f* Nord(ost)wind *m*
bise[2] [biz] *f*, **bisou** [bizu] *m* Kuss *m*, Küsschen *n*
bisque [bisk] *f* **~ *d'écrevisses*** Krebssuppe
bistro [bistro] *m* F Kneipe *f*
bizarre [bizar] seltsam
blague [blag] *f* Witz *m*; *farce* Streich *m*; ***sans ~!*** im Ernst!
blaguer [blage] Witze machen
blaireau [blɛro] *m* Rasierpinsel; *Zo* Dachs
blâmer [blame] tadeln
blanc [blɑ̃] (*f* ***blanche*** [blɑ̃ʃ]) **1.** weiß; **2.** *m* Weiß *n*; *vin* Weißwein; **~ *d'œuf*** Eiweiß *n*; **~ *de poulet*** Hähnchenbrust *f*; **♀** *m*, ***Blanche*** *f* Weiße(r) *su*
blanch|ir [blɑ̃ʃir] weiß machen; *mur* weißen; *personne*

weiß werden; **~issage** [~isaʒ] *m* Waschen *n* (*von Wäsche*); **~isserie** [~isri] *f* Wäscherei
blanquette [blɑ̃kɛt] *f* **~ *de veau*** (*Art*) Kalbsragout *n*
blé [ble] *m* Weizen; *céréales* Getreide *n*
blême [blɛm] bleich
blennorragie [blenɔraʒi] *f* Tripper *m*, Gonorrhö
bless|é [blɛse] **1.** verletzt; **2.** **~(e)** *m*(*f*) Verletzte(r) *su*; **~er** [~e] verletzen (*a fig*); **~ure** [~yr] *f* Verletzung
bleu [blø] **1.** blau; **2.** *m* Blau *n*; *sur la peau* blauer Fleck; *fromage* Blauschimmelkäse
blindé [blɛ̃de] **1.** gepanzert; **2.** *m Mil* Panzer
bloc [blɔk] *m* Block; *hôpital* **~ *opératoire*** Operationstrakt
blockhaus [blɔkos] *m* Bunker
bloc-notes [blɔknɔt] *m* Notizblock
blond [blõ] blond
bloquer [blɔke] blockieren; ***rester bloqué*** stecken bleiben, festsitzen
blouse [bluz] *f* Kittel *m*
blouson [bluzõ] *m* Blouson *n*
bobine [bɔbin] *f* Spule
blue-jean [bludʒin] *m* Bluejeans *pl*
bocal [bɔkal] *m* (*pl* ***-aux*** [-o]) Einmachglas *n*
bœuf [bœf, *pl* bø] *m* Ochse; *viande* Rindfleisch *n*; **~ *bourguignon*** *Rindfleischtopf auf Burgunderart*
bœuf-mode [bœfmɔd] *m* Rinderschmorbraten
bohémien [bɔemjɛ̃] *m* Zigeuner
boire [bwar] trinken; F **~ *un coup*** einen trinken
bois [bwa] *m* Holz *n*; *forêt* Wald; *Zo* Geweih *n*
boisson [bwasõ] *f* Getränk *n*
boîte [bwat] *f en carton* Schachtel; *en métal, plastique* Dose, Büchse; F *discothèque* Disko; **~ *de conserve*** Konservenbüchse, -dose; **~ *d'allumettes*** Schachtel Streichhölzer; **~ *à ordures*** Mülleimer *m*; **~ *de nuit*** Nachtlokal *n*; **~ *de vitesses*** (***automatique*** Automatik-) Getriebe *n*; *Kfz* **~ *à gants*** Handschuhfach *n*; **~ *aux lettres*** Briefkasten *m*; **~ *postale*** Postfach *n*; *Inform* **~ *à lettres électronique*** elektronischer Briefkasten *m*, Mailbox
boîter [bwate] hinken
bol [bɔl] *m* Trinkschale *f*
bombe [bõb] *f* Bombe; **~ *insecticide*** Insektenspray *n*
bon [bõ] **1.** (*f* ***bonne*** [bɔn]) gut; ***à quoi ~?*** wozu?; ***ah ~!*** ach so!; **2.** *m* Gutschein; **~ *d'essence*** Benzingutschein; **~ *de caisse*** Kassenbon; **~ *de commande*** Bestellschein
bonbon [bõbõ] *m* Bonbon *m od n*
bond [bõ] *m* Sprung, Satz
bondé [bõde] überfüllt

bonheur [bɔnœr] *m* Glück *n*
bonhomme [bɔnɔm] *m* F Kerl; *dessiné* Männchen *n*; **~ de neige** Schneemann
bonjour [bõʒur] *m* **~!** guten Tag!; *le matin* guten Morgen!; F Gruß (*an j-n*); **donne lui le ~ de ma part!** grüße ihn (*od* sie) von mir
bonne *s* **bon**
bonnet [bɔnɛ] *m* Mütze *f*; **~ de bain** Bademütze
bonsoir [bõswar] *m* **~!** guten Abend!
bonté [bõte] *f* Güte
bord [bɔr] *m* Rand; *d'un fleuve* Ufer *n*; **à ~ (de)** an Bord (*G*); **au ~ de la mer** am Meer
bordure [bɔrdyr] *f* Einfassung
borne [bɔrn] *f kilométrique* Kilometerstein *m*; F Kilometer *m*
borné [bɔrne] beschränkt
borner [bɔrne] **se ~ à** sich beschränken auf (*A*)
bosse [bɔs] *f* Beule; *d'un bossu* Buckel *m*
bosser [bɔse] F schuften
botte [bɔt] *f* Stiefel *m*; *de radis* Bund *n*
bouc [buk] *m* Ziegenbock
bouche [buʃ] *f* Mund *m*; **~ d'égout** Gully *m*; **~ de métro** U-Bahn-Eingang *m*
bouche-à-bouche [buʃabuʃ] *m* Mund-zu-Mund-Beatmung *f*
bouchée [buʃe] *f* Bissen *m*; **~ à la reine** Königinpastete
boucher[1] [buʃe] verstopfen; *bouteille* zu-, verkorken; *route* versperren
boucher[2] [buʃe] *m* Fleischer, Metzger
boucherie [buʃri] *f* Fleischerei, Metzgerei
bouchon [buʃõ] *m* Stöpsel; *de liège* Korken; *Kfz* Stau
boucle [bukl(ə)] *f de cheveux* Locke; *de ceinture* Schnalle; *lacet* Schleife; **~ d'oreille** Ohrring *m*
boucl|é [bukle] lockig; **~er** [~e] *ceinture* zuschnallen
bouder [bude] schmollen (*q* mit j-m)
boudin [budɛ̃] *m* Blutwurst *f*; **~ blanc** Weißwurst *f*
boue [bu] *f* Schlamm *m*; (Straßen-)Schmutz *m*; F Dreck *m*
bouée [bwe] *f* Boje; **~ de sauvetage** Rettungsring *m*
bouff|e [buf] F *f* Essen *n*; P Fressen *n*; **~er** [~e] F essen, futtern
boug|é [buʒe] *Fot* verwackelt; **~er** [~e] sich bewegen, sich rühren; *meuble* (ver)rücken; *dent* wackeln
bougie [buʒi] *f* Kerze; *Kfz* Zündkerze
bouillabaisse [bujabɛs] *f Marseiller* Fischsuppe
bouill|ant [bujɑ̃] kochend heiß; **~ie** [buji] *f* Brei *m*; **~ir** [~ir] sieden, kochen; **~oire** [~war] *f* Wasserkessel *m*

bouillon [bujõ] *m* Brühe *f*; **~ *gras*** Fleischbrühe *f*
bouillotte [bujɔt] *f* Wärmflasche
boulang|er [bulɑ̃ʒe] *m* Bäcker; **~erie** [~ri] *f* Bäckerei
boule [bul] *f* Kugel; **~ *de neige*** Schneeball *m*; ***jouer aux ~s*** Boule spielen
bouleau [bulo] *m* Birke *f*
boulette [bulɛt] *f* *Kochk* Fleischklößchen *n*
boulevard [bulvar] *m* breite (Ring-)Straße *f*, Boulevard
bouleverser [bulvɛrse] *changer* tiefgreifend verändern; **~ *q*** j-n erschüttern
boulon [bulõ] *m* Schraube *f* (mit Mutter)
boulot [bulo] *m* F Arbeit *f*
bouquet [bukɛ] *m* (Blumen-)Strauß; *d'un vin* Bukett *n*
bouquin [bukɛ̃] F *m* Buch *n*; F Schmöker
bourdon [burdõ] *m* Hummel *f*
bourdonner [burdɔne] summen
bourgeois [burʒwa] **1.** bürgerlich; *péj* spießig; **2.** *m* Bürger; *péj* Spießer
bourgeon [burʒõ] *m* Knospe *f*
Bourgogne [burgɔɲ] **1. *la* ~** Burgund *n*; **2. ♀** *m* Burgunder(wein)
bourrasque [burask] *f* Bö
bourré [bure] gestopft voll; F *ivre* voll
bourrer [bure] vollstopfen
bourse [burs] *f d'études* Stipendium *n*; *porte-monnaie* Geldbeutel *m*
Bourse [burs] *f* Börse
bousculer [buskyle] *heurter* anstoßen; *brusquer* hetzen; ***se* ~** drängeln
boussole [busɔl] *f* Kompass *m*
bout [bu] *m* Ende *n*; *morceau* Stück *n*; ***au* ~ *de*** am Ende (+ *G*); ***au* ~ *d'un an*** nach e-m Jahr; ***jusqu'au* ~** (konsequent) bis zum Ende
bouteille [butɛj] *f* Flasche; **~ *de gaz*** Gasflasche; **~ *consignée*** Pfandflasche; **~ *non consignée*** Einwegflasche
boutique [butik] *f* Laden *m*, Geschäft *n*; **~ *'hors taxes*** Duty-free-Shop *m*
bouton [butõ] *m* Knopf (*a El*); *Bot* Knospe *f*; *Med* Pickel
boutonn|er [butɔne] zuknöpfen; **~ière** [~jɛr] *f* Knopfloch *n*
bouton-pression [butõprɛsjõ] *m* Druckknopf
box|e [bɔks] *f* Boxen *n*; **~er** [~e] boxen; **~eur** [~œr] *m* Boxer
bracelet [braslɛ] *m* Armband *n*, Armreif
braconnier [brakɔnje] *m* Wilddieb, Wilderer
brader [brade] verschleudern
brailler [braje] grölen
braise [brɛz] *f* (Holzkohlen-)Glut
braiser [brɛze] schmoren;

bœuf *m* ***braisé*** Rinderschmorbraten
brancard [brɑ̃kar] *m* Tragbahre *f*
branche [brɑ̃ʃ] *f* Ast *m*; *domaine* Fach *n*; *Hdl* Branche
branch|ement [brɑ̃ʃmɑ̃] *m* Anschluss; **~er** [~e] anschließen (***sur*** an *A*)
brandade [brɑ̃dad] *f* ~ (***de morue***) *provenzalisches Stockfischgericht*
braquer [brake] *Kfz* einschlagen (***à droite*** nach rechts); ~ ***bien*** (***mal***) e-n kleinen (zu großen) Wendekreis haben
bras [bra] *m* Arm; *Anat* Oberarm
brasse [bras] *f* Brustschwimmen *n*
brasserie [brasri] *f* Brauerei; *café-restaurant* Gaststätte (*mit durchgehend warmer Küche*)
brave [brav] tapfer; F nett
break [brɛk] *m* Kombi(wagen)
brebis [brəbi] *f* Schaf *n*
bref [brɛf] (*f* ***brève*** [brev]) kurz
Bretagne [brətaɲ] ***la*** ~ die Bretagne
bretelle [brətɛl] *f lingerie* Träger *m*; *autoroute* Zubringer *m*; **~s** *pl* Hosenträger *m/pl*
breton [brətõ] **1.** bretonisch; **2.** ♀ *m* Bretone
brève *s* ***bref***
brevet [brəvɛ] *m* Diplom *n*; *d'invention* Patent *n*; ~ ***de pilote*** Pilotenschein
bribes [brib] *f/pl* Brocken *m/pl*
bric-à-brac [brikabrak] *m* Trödel
bricol|er [brikɔle] basteln; **~eur** [~œr] *m* Bastler, Heimwerker
bride [brid] *f* Zaum *m*, Zügel *m*
bridge [bridʒ] *m jeu* Bridge *n*; *prothèse dentaire* Brücke *f*
brie [bri] *m* Brie(käse)
brièvement [brijɛvmɑ̃] kurz
brigand [brigɑ̃] *m* Räuber
brill|ant [brijɑ̃] **1.** glänzend (*a fig*); **2.** *m* Brillant; **~er** [~e] glänzen (*a fig*); *soleil* scheinen
brin [brɛ̃] *m* Halm; *fig* ***un*** ~ ***de*** ein bisschen
brioche [brijɔʃ] *f* (*ein*) Hefekuchen *m*
brique [brik] *f* Ziegel(stein) *m*, Backstein *m*
briquet [brikɛ] *m* Feuerzeug *n*
brise [briz] *f* Brise
briser [brize] (zer)brechen
britannique [britanik] **1.** britisch; **2.** ♀ *m* Brite
brocant|e [brɔkɑ̃t] *f* (Handel *m* mit) Trödelwaren *f/pl*; **~eur** [~œr] *m* Trödler
broche [brɔʃ] *f* Bratspieß *m*; *bijou* Brosche; ***à la*** ~ am Spieß (gebraten)
brochet [brɔʃɛ] *m* Hecht
brochette [brɔʃɛt] *f Kochk* kleiner Bratspieß *m*; *plat* Schaschlik *n od m*

brochure [brɔʃyr] *f* Broschüre
brocoli [brɔkɔli] *m* Brokkoli *pl*
brod|er [brɔde] sticken; **~erie** [~ri] *f* Stickerei
bronch|es [brõʃ] *f/pl* Bronchien; **~ite** [~it] *f* Bronchitis
bronzage [brõzaʒ] *m* Bräune *f*
bronze [brõz] *m* Bronze *f*
bronzer [brõze] bräunen; braun werden; **se faire ~** sich braun brennen lassen
brosse [brɔs] *f* Bürste; **~ à dents** Zahnbürste; **~ à habits** Kleiderbürste
brosser [brɔse] (ab-, aus)bürsten
brouette [bruɛt] *f* Schubkarre
brouillard [brujar] *m* Nebel
brouillé [bruje] *f* zerstritten, verfeindet (**avec q** mit j-m); *Kochk* **œufs** *m/pl* **~s** Rührei(er) *n(pl)*
brouiller [bruje] durcheinander bringen; *émission de radio* stören; **se ~** *souvenirs* durcheinander geraten; *amis* sich überwerfen (**avec q** mit j-m)
brouillon [brujõ] *m* Konzept *n*
broussailles [brusaj] *f/pl* Gestrüpp *n*
brousse [brus] *f* Busch *m* (*in den Tropen*)
broyer [brwaje] zerkleinern, zerquetschen, zerreiben
brugnon [bryɲõ] *m* Nektarine *f*
bruin|e [brɥin] *f* Sprühregen *m*; **~er** [~e] nieseln
bruit [brɥi] *m* Lärm; *rumeur* Gerücht *n*; **un ~** ein Geräusch
brûlant [brylɑ̃] heiß
brûler [bryle] verbrennen; *maison* brennen; *Kochk* anbrennen; **se ~** sich verbrennen; *Kfz* **~ le feu rouge** bei Rot durchfahren
brûlure [brylyr] *f Med* Verbrennung; *dans un tissu* Brandfleck *n*; **~s** *pl* **d'estomac** Sodbrennen *n*
brum|e [brym] *f* Dunst *m*; **~eux** [~mø] dunstig
brun [brɛ̃, brœ̃] (*f* **~e** [bryn]) braun; *personne* braun-, dunkelhaarig; **~ir** [~ir] bräunen
brusque [brysk] *ton* barsch; *départ* plötzlich
brut [bryt] roh; *champagne* trocken; *cidre* herb; *Hdl* Brutto...
brutal [brytal] brutal; **~iser** [~ize] misshandeln
Bruxelles [bry(k)sɛl] Brüssel
bruyant [brɥijɑ̃] laut
bruyère [brɥijɛr, bry-] *f* Heidekraut *n*
bu [by] *p/p von* **boire**
bûche [byʃ] *f* (Holz-)Scheit *n*; **~ de Noël** Weihnachtskuchen *m* (*Buttercremetorte in Form e-s Holzscheits*)
buée [bɥe] *f* Beschlag *m*; **couvert de ~** beschlagen
budget [bydʒɛ] *m* Haushalt;

de q finanzielle Mittel *n/pl*
buffet [byfɛ] *m* Büfett *n*; ~ (***de la gare***) Bahnhofsrestaurant *n*; ~ ***froid*** kaltes Büfett *n*
building [bildiŋ] *m* Hochhaus *n*
buisson [bɥisõ] *m* Busch; ~**s** *pl* Gebüsch *n*
bulldozer [byldozɛr] *m* Planierraupe *f*
bulle [byl] *f* Blase
bulletin [byltɛ̃] *m* ~ ***météorologique*** Wetterbericht; ~ ***d'information*** Kurznachrichten *f/pl*; ~ ***de bagages*** Gepäckschein; ~ ***de vote*** Stimmzettel
bungalow [bœ̃galo, bɛ̃-] *m* Bungalow
bureau [byro] *m meuble* Schreibtisch; *lieu de travail* Büro *n*; *pièce* Arbeitszimmer *n*; ~ ***de change*** Wechselstube *f*; ~ ***de location*** Theaterkasse *f*; ~ ***de poste*** Postamt *n*; ~ ***de tabac*** Tabakladen *m*
bus [bys] *m* Bus
buste [byst] *m* Oberkörper; *sculpture* Büste *f*
but [byt, by] *m* Zweck, Ziel *n*; *Sp* Tor *n*; ***dans le*** ~ ***de*** (+*inf*) in der Absicht zu
buter [byte] stoßen (**contre** an *A*)
butane [bytan] *m* Butan(gas) *n*
butin [bytɛ̃] *m* Beute *f*
buv|able [byvabl(ə)] trinkbar; ~**ard** [~ar] *m* Löschblatt *n*; ~**ette** [~ɛt] *f* Erfrischungsstand *m*, Ausschank *m*; ~**eur** [~œr] *m* Trinker
buvez [byve] *prés von* ***boire***

C

c' [s] *s* **ce²**
ça [sa] F (= ***cela***) das; ~ ***y est*** es ist soweit; ~ ***alors!*** na so was!; ***c'est*** ~***!*** richtig!
cabane [kaban] *f* Hütte
cabaret [kabarɛ] *m* Nachtlokal *n*
cabillaud [kabijo] *m* Kabeljau
cabine [kabin] *f* Kabine; ~ ***d'essayage*** Anprobekabine; ~ (***téléphonique***) Telefonzelle; ~ ***intérieure*** Innenkabine; ~ ***extérieure*** Außenkabine
cabinet [kabinɛ] *m médical* Praxis *f*; ~**s** *pl* Toilette *f*
câble [kɑbl(ə)] *m* Kabel *n*; (***télévision*** *f* ***par***) ~ Kabelfernsehen *n*; *Kfz* ~ ***de frein*** Bremsseil *n*
cabriolet [kabriɔlɛ] *m Kfz* Kabrio(lett) *n*
cacah(o)uète [kakawɛt] *f* Erdnuss
cacao [kakao] *m* Kakao
cache-nez [kaʃne] *m* (Woll-)Schal
cacher [kaʃe] (***se*** ~ sich) ver-

stecken; ~ ***qc à q*** j-m et verheimlichen
cachet [kaʃɛ] *m* Stempel; *comprimé* Tablette *f*
cachette [kaʃɛt] *f* Versteck *n*; ***en*** ~ heimlich
cactus [kaktys] *m* Kaktus
c.-à-d. (*c'est-à-dire*) d.h. (*das heißt*)
cadavre [kadɑvr(ə)] *m* Leiche *f*
caddie [kadi] *m* Einkaufswagen; *à l'aéroport* Kofferkuli
cadeau [kado] *m* Geschenk *n*; ***faire un*** ~ ***à q, faire*** ~ ***de qc à q*** j-m et schenken
cadenas [kadna] *m* Vorhängeschloss *n*
cadran [kadrɑ̃] *m* ~ ***solaire*** Sonnenuhr *f*
cadre [kɑdr(ə)] *m* Rahmen; *d'une entreprise* Führungskraft *m*; ***dans le*** ~ ***de*** im Rahmen (*G*)
cafard [kafar] *m* *Zo* (Küchen-)Schabe *f*; F ***avoir le*** ~ einen Moralischen haben
café [kafe] *m* Kaffee; *lieu public* Lokal *n*; *plus élégant* Café *n*; ~ ***noir*** schwarzer Kaffee; ~ ***crème,*** ~ ***au lait*** Milchkaffee; ~ ***liégeois*** Eiskaffee; ***faire du*** ~ Kaffee kochen; ***prendre le*** ~ Kaffee trinken
café-restaurant [kaferɛstɔrɑ̃] *m* Gaststätte *f*
cafétéria [kafeterja] *f* Cafeteria
cafetière [kaftjɛr] *f* Kaffeekanne; ~ ***électrique*** Kaffeemaschine
cage [kaʒ] *f* Käfig *m*
cahier [kaje] *m* Heft *n*
caille [kaj] *f* Wachtel
cailler [kaje] (***se***) ~ gerinnen; F ***ça caille*** es ist eiskalt
caillou [kaju] *m* Kiesel(stein), Stein(chen) *m*(*n*)
caisse [kɛs] *f* Kiste; *argent* Kasse; ~ ***d'épargne*** Sparkasse; ~ ***d'assurance maladie*** Krankenkasse
caissier [kɛsje] *m* Kassierer
cake [kɛk] *m* englischer Sandkuchen
calamar [kalamar] *m* Tintenfisch
calcaire [kalkɛr] **1.** kalkhaltig, Kalk...; **2.** *m* Kalk(stein); *tartre* Kesselstein
calcul[1] [kalkyl] *m* Rechnung *f*; *école* Rechnen *n*; *fig intérêt* Berechnung *f*
calcul[2] [kalkyl] *m* *Med* ~ ***biliaire*** Gallenstein; ~ ***rénal*** Nierenstein
calculer [kalkyle] aus-, berechnen; *risque* einkalkulieren; ~ ***de tête*** im Kopf rechnen
calculette [kalkylɛt] *f* Taschenrechner *m*
cale [kal] *f* Keil *m*
caleçon [kalsõ] *m* Unterhose *f*; *pantalon pour femmes* Leggin(g)s *pl*
calendrier [kalɑ̃drije] *m* Kalender

caler [kale] *moteur* absterben; *roue* blockieren
calmant [kalmɑ̃] *m* Beruhigungsmittel *n*
calmar *s* ***calamar***
calme [kalm] **1.** ruhig; still; **2.** *m* Ruhe *f*; Stille *f*
calmer [kalme] *personne* beruhigen; *douleur* lindern
calomnier [kalɔmnje] verleumden
calorie [kalɔri] *f* Kalorie
calvados [kalvados] *m* Calvados, Apfelbranntwein
camarade [kamarad] *m*, *f* Kamerad(in) *m(f)*; ~ ***d'école*** Schulfreund(in) *m(f)*
cambrioleur [kɑ̃brijɔlœr] *m* Einbrecher
camembert [kamɑ̃bɛr] *m* Camembert
caméra [kamera] *f* (Film-, Fernseh-)Kamera
caméscope [kameskɔp] *m* Camcorder
camion [kamjõ] *m* Lastwagen
camionnette [kamjɔnɛt] *f* Lieferwagen *m*
camomille [kamɔmij] *f* Kamille
camp [kɑ̃] *m* Lager *n*; ~ ***de vacances*** Ferienlager *n*; F ***foutre le*** ~ abhauen
campagne [kɑ̃paɲ] *f* Land *n*; ~ ***publicitaire*** Werbekampagne; ***à la*** ~ auf dem (*od* aufs) Land
camp|er [kɑ̃pe] campen, zelten; **~eur** [~œr] *m*, **~euse** [~øz] *f* Camper(in) *m(f)*
camping [kɑ̃piŋ] *m* Camping *n*, Campen *n*, Zelten *n*; ~ ***sauvage*** wildes Campen *n*, Zelten *n*; (***terrain*** *m* ***de***) ~ Campingplatz; ***faire du*** ~ campen, zelten
camping|-car [kɑ̃piŋkar] *m* Wohnmobil *n*; **~-gaz** [~gaz] *m* Campinggaskocher
Canada [kanada] ***le*** ~ Kanada *n*
canadien [kanadjɛ̃] **1.** kanadisch; **2.** ♀ *m* Kanadier
canal [kanal] *m* Kanal
canapé [kanape] *m* Couch [kautʃ] *f*, Sofa *n*; *Kochk* Kanapee *n*; ~ ***convertible*** = **~-lit** [~li] *m* Schlafcouch *f*
canard [kanar] *m* Ente *f*
cancer [kɑ̃sɛr] *m Med* Krebs
candidat [kɑ̃dida] *m* Kandidat
candidature [kɑ̃didatyr] *f* Bewerbung; ***poser sa*** ~ sich bewerben (***à*** um *A*)
caniche [kaniʃ] *m* Pudel
canicule [kanikyl] *f* Gluthitze
canif [kanif] *m* Taschenmesser *n*
canine [kanin] *f* Eckzahn *m*
canne [kan] *f* (Spazier-)Stock *m*; *Bot* Rohr *n*; ~ ***blanche*** Blindenstock *m*; ~ ***à pêche*** Angelrute; ~ ***à sucre*** Zuckerrohr *n*
cannelle [kanɛl] *f* Zimt *m*
canoë [kanɔe] *m* Kanu *n*; **~-kayak** [~kajak] *m* Kajak
canot [kano] *m* Boot *n*, Kahn; ~ ***pneumatique*** Schlauch-

boot *n*; ~ ***à moteur*** Motorboot *n*; ~ ***de sauvetage*** Rettungsboot *n*
cantatrice [kɑ̃tatris] *f* Sängerin
caoutchouc [kautʃu] *m* Gummi *n* (*a m*); ***de*** *od* ***en*** ~ Gummi...
cap [kap] *m* Kap *n*; *Mar, Flgw* Kurs
C.A.P. [seape] *m etwa* Facharbeiter- *od* Gesellenbrief
capable [kapabl(ə)] fähig (***de*** zu)
capacité [kapasite] *f* Fähigkeit; *contenance* Fassungsvermögen *n*
capitaine [kapitɛn] *m Mil* Hauptmann; *Mar* Kapitän; *Sp* Mannschaftskapitän
capital [kapital] (*pl* ***-aux*** [-o]) **1.** Haupt ..., entscheidend; **2.** *m* Kapital *n*; ***capitaux*** *pl* Gelder *n/pl*
capitale [kapital] *f* Hauptstadt; *lettre* Großbuchstabe *m*
capot [kapo] *m Kfz* Motorhaube *f*
capote [kapɔt] *f Kfz* Verdeck *n*; P ~ (***anglaise***) Pariser *m*
câpre [kɑpr(ə)] *f* Kaper
capric|e [kapris] *m* Laune *f*; **~ieux** [~jø] launenhaft
capsule [kapsyl] *f* Kapsel; *de bouteilles* Kronenverschluss *m*
capter [kapte] *radio, TV* empfangen
captiver [kaptive] *fig* fesseln
capturer [kaptyre] fangen; *arrêter* festnehmen; *faire prisonnier* gefangen nehmen
capuchon [kapyʃɔ̃] *m* Kapuze *f*
car[1] [kar] *m* (Reise-, Überland-)Bus
car[2] [kar] denn
caractère [karaktɛr] *m* Charakter; ~ ***d'imprimerie*** Druckbuchstabe
carafe [karaf] *f* Karaffe
carambolage [karɑ̃bɔlaʒ] *m* (Massen-)Karambolage *f*
caravane [karavan] *f* Wohnwagen *m*
carbone [karbɔn] *m* Kohlenstoff
carbur|ant [karbyrɑ̃] *m* Kraftstoff; **~ateur** [~atœr] *m* Vergaser
cardiaque [kardjak] **1.** Herz...; **2.** *m, f* Herzkranke(r) *su*
cardiologue [kardjolɔg] *m, f* Herzspezialist(in) *m(f)*
carême [karɛm] *m* Fastenzeit *f*
caresser [karɛse] streicheln
car-ferry [karfɛri] *m* Autofähre *f*
cargaison [kargɛzɔ̃] *f* Schiffsladung
cargo [kargo] *m* Frachter
carie [kari] *f* Karies
carillon [karijɔ̃] *m* Glockenspiel *n*
carnaval [karnaval] *m* Karneval, Fasching
carnet [karnɛ] *m* Notizbuch *n*; ~ (***de tickets***) Fahrschein-

heft *n*; ~ ***de chèques*** Scheckheft *n*; ~ ***de vaccination*** Impfpass
carotte [karɔt] *f* Möhre, Karotte; ~***s*** *pl* ***râpées*** *Salat aus geriebenen Möhren*
carpe [karp] *f* Karpfen *m*
carré [kare] **1.** quadratisch; ***mètre*** *m* ~ Quadratmeter *m od n*; **2.** *m* Quadrat *n*
carreau [karo] *m vitre* (Fenster-)Scheibe *f*; *dalle* Fliese *f*; *dessin, cartes* Karo *n*
carrefour [karfur] *m* (Straßen-)Kreuzung *f*
carrelage [karlaʒ] *m* Fliesenbelag
carrière [karjɛr] *f* Steinbruch *m*; *profession* Laufbahn
carrosserie [karɔsri] *f* Karosserie
carte [kart] *f* Karte; *au restaurant* (Speise-)Karte; ***à la*** ~ nach der Karte; ~ ***grise*** Kraftfahrzeugschein *m*; ~ ***d'identité*** Personalausweis *m*; ***carte d'étudiant*** Studentenausweis *m*; ~ ***de séjour*** Aufenthaltserlaubnis; ~ ***postale*** Postkarte; ~ ***de crédit*** Kreditkarte; ~ ***d'embarquement*** Bordkarte; ~ (***de visite***) Visitenkarte; ~ ***orange*** Netz-, Zeitkarte (*in Paris*); ~ ***vermeil*** Seniorenpass *m*; ~ ***jeune*** Juniorpass *m*; ~ ***à mémoire*** Magnet(streifen)karte; ~ ***à puce*** Chipkarte
carton [kartõ] *m* Pappe *f*; *boîte* (Papp-)Schachtel *f*
cartouche [kartuʃ] *f* Patrone; *cigarettes* Stange
cas [kɑ] *m* Fall; Kasus; ***en tout*** (***aucun***) ~ auf jeden (keinen) Fall
cascade [kaskad] *f* Wasserfall *m*
case [kɑz] *f jeux* Feld *n*
casier [kɑzje] *m* Fach *n*; ~ ***judiciaire*** Strafregister *n*
casino [kazino] *m* Spielkasino *n*
casque [kask] *m* Helm; *de motard* Sturzhelm; *radio* Kopfhörer; *séchoir* Trockenhaube *f*
casquette [kakɛt] *f* (Schirm-)Mütze
cassé [kase] kaputt
casse-croûte [kɑskrut] *m* Imbiss
casser [kɑse] zerbrechen; *œuf* aufschlagen; ***se*** ~ (zer)brechen, F kaputtgehen; *verre* zersplittern; *fil* reißen; ***se*** ~ ***la jambe*** sich das Bein brechen
casserole [kasrɔl] *f* (Stiel-)Topf *m*; Kasserolle
cassette [kasɛt] *f* Kassette
cassis [kasis] *m* schwarze Johannisbeere *f*
cassoulet [kasulɛ] *m Bohneneintopf mit Fleisch*
castor [kastɔr] *m* Biber
catastrophe [katastrɔf] *f* Katastrophe
catalogue [katalɔg] *m* Katalog
catégorie [kategɔri] *f* Kategorie, Klasse

cathédrale [katedral] *f* Dom *m*, Kathedrale, Münster *n*
catholique [katɔlik] **1.** katholisch; **2.** *m*, *f* Katholik(in) *m(f)*
cauchemar [koʃmar] *m* Albtraum
cause [koz] *f* Ursache, Grund *m*; **à ~ de** wegen (*G*)
causer [koze] verursachen; *parler* reden (**de** über *A*)
cavalier [kavalje] *m* Reiter; *danse* Tanzpartner; *échecs* Springer
cave [kav] *f* Keller *m*; *à vin* Weinkeller *m*
caverne [kavɛrn] *f* Höhle
caviar [kavjar] *m* Kaviar
C.C.P. [sesepe] *m* (*compte chèque postal*) Postgirokonto [-ʒi-] *n*
CD [sede] *m* CD *f*
CD-ROM [sederɔm] *m* CD-ROM *f*
ce¹ [sə] (*vor Vokal* **cet** [sɛt], *f* **cette** [sɛt], *pl* **ces** [se]) diese(r, -s); **~ soir** heute Abend
ce² [sə] (*vor Vokal* **c'**) das, es; **c'est** das ist, es ist; **~ que, ~ qui** (das,) was
ceci [səsi] das, dieses, dies
céder [sede] nachgeben; *sa place* abtreten
cedex *od* **CEDEX** [sedɛks] *m* *Postadresscode für Großkunden*
C.E.E. [seəə] **la ~** die E(W)G
C.E.I. [seəi] **la ~** die GUS
ceinture [sɛ̃tyr] *f* Gürtel *m*; **~ de sécurité** Sicherheitsgurt *m*
cela [səla, sla] das (da)
célèbre [selɛbr(ə)] berühmt
célébrer [selebre] feiern
célébrité [selebrite] *f* Berühmtheit (*a Person*)
céleri [selri] *m* Sellerie *m od f*
célibataire [selibatɛr] **1.** ledig; **2.** *m* Junggeselle
celle(s) *s* **celui**
cellule [sɛlyl] *f* Zelle
cellulose [sɛlyloz] *f* Zellstoff *m*
celui [səlɥi] (*f* **celle** [sɛl], *pl* **ceux** [sø], **celles** [sɛl]) der, die, das(jenige); **~-ci** [~si] der, die, das (hier), diese(r, -s); **~-là** [~la] der, die, das (da, dort), jene(r, -s)
cendre [sɑ̃dr(ə)] *f* Asche
cendrier [sɑ̃drije] *m* Aschenbecher
censé [sɑ̃se] **il est ~ être malade** er soll krank sein
cent [sɑ̃] hundert; **cinq pour ~** fünf Prozent
centaine [sɑ̃tɛn] *f* Hundert *n*; **une ~ de** etwa hundert
centenaire [sɑ̃tnɛr] *m* Hundertjahrfeier *f*
centième [sɑ̃tjɛm] **1.** hundertste(r, -s); **2.** *m* Hundertstel *n*
centime [sɑ̃tim] *m* Centime
centimètre [sɑ̃timɛtrə] *m* Zentimeter *n*
central [sɑ̃tral] **1.** zentral, Zentral...; **2.** *m* Telefonzentrale *f*
centrale [sɑ̃tral] *f* **~ (électrique)** Kraftwerk *n*; **~ nu-**

cléaire Atom-, Kernkraftwerk *n*
centre [sɑ̃tr(ə)] *m* Mitte *f*; *d'une ville* Stadtmitte *f*, (Stadt-)Zentrum *n*; ***au ~ de*** in der Mitte (*G*); ***~ de rééducation*** Rehabilitationszentrum *n*; ***~ commercial*** Einkaufszentrum *n*
centre-ville [sɑ̃trəvil] *m* Stadtmitte *f*
cèpe [sɛp] *m* Steinpilz
cependant [s(ə)pɑ̃dɑ̃] jedoch, dennoch
céramique [seramik] *f* Keramik
cercle [sɛrkl(ə)] *m* Kreis
cercueil [sɛrkœj] *m* Sarg
céréales [sereal] *f/pl* Getreide *n*; *au petit déjeuner* Getreideflocken *pl*
cérébral [serebral] Gehirn...
cerf [sɛr] *m* Hirsch
cerf-volant [sɛrvɔlɑ̃] *m* (Papier-)Drachen
ceris|e [s(ə)riz] *f* Kirsche; **~ier** [~je] *m* Kirschbaum
cernes [sɛrn] *m/pl* Ringe (um die Augen)
ce que [səkə] was
ce qui [səki] was
certain [sɛrtɛ̃] sicher; *devant le nom* gewisse(r,-s); ***~s*** *pl* einige
certainement [sɛrtɛnmɑ̃] sicher(lich)
certificat [sɛrtifika] *m* Bescheinigung *f*, Zeugnis *n*; ***~ médical*** ärztliches Attest *n*
certifier [sɛrtifje] bescheinigen
certitude [sɛrtityd] *f* Gewissheit
cerveau [sɛrvo] *m* Gehirn *n*
cervelas [sɛrvəla] *m* Fleischwurst *f*
cervelle [sɛrvɛl] *f* Hirn *n* (*a Kochk*)
ces *s* ***ce¹***
cesse [sɛs] *f* ***sans ~*** ununterbrochen
cesser [sese] aufhören
c'est-à-dire [sɛtadir] das heißt
cet(te) *s* ***ce¹***
ceux *s* ***celui***
chacun(e) [ʃakɛ̃ *od* ~œ̃ (-yn)] jede(r, -s)
chagrin [ʃagrɛ̃] *m* Kummer
chaîne [ʃɛn] *f* Kette; *TV* Programm *n*, Sender *m*; ~ (***de montagne***) Gebirgskette; ~ (***d'hôtels***) Hotelkette; ~ (***stéréo***) Stereoanlage *f*; ~ (***de vélo***) Fahrradkette; *Kfz* ***~s*** *pl* Schneeketten
chair [ʃɛr] *f* Fleisch *n*; ***avoir la ~ de poule*** e-e Gänsehaut haben
chaire [ʃɛr] *f* Kanzel
chaise [ʃɛz] *f* Stuhl *m*; ***~ longue*** Liegestuhl *m*
châle [ʃɑl] *m* Umschlag(e)tuch *n*, Stola *f*
chalet [ʃalɛ] *m* Chalet *n*
chaleur [ʃalœr] *f* Hitze; Wärme
chaleureux [ʃalørø] herzlich
chambre [ʃɑ̃br(ə)] *f* Zimmer *n* (*mit Bett*); ***~ à coucher*** Schlafzimmer *n*; ***~ d'hôtel***

Hotelzimmer *n*; ~ ***double*** Doppelzimmer *n*; ~ ***individuelle*** Einzelzimmer *n*; ~ ***et petit déjeuner*** Übernachtung mit Frühstück; ~ ***à air*** Schlauch *m*; ~ ***de commerce*** Handelskammer *f*

chameau [ʃamo] *m* Kamel *n*

chamois [ʃamwa] *m* Gämse *f*; ***peau f de*** ~ Fenster-, Autoleder *n*

champ [ʃɑ̃] *m* Feld *n*; ~ ***de course*****(s)** (Pferde-)Rennbahn *f*; ~ ***de foire*** Rummelplatz

Champagne [ʃɑ̃paɲ] ***la*** ~ die Champagne; ♀ *m* Champagner

champignon [ʃɑ̃piɲõ] *m* Pilz; ~ ***de Paris*** Champignon

champion(ne) [ʃɑ̃pjõ (-ɔn] *m(f) Sp* Meister(in)

championnat [ʃɑ̃pjɔna] *m* Meisterschaft *f*

chance [ʃɑ̃s] *f* Glück *n*; ~***s*** *pl* Chancen, Aussichten; ***avoir de la*** ~ Glück haben; ***bonne*** ~! viel Glück

chancelier [ʃɑ̃səlje] *m* Kanzler

chandail [ʃɑ̃daj] *m* Pullover

chandelier [ʃɑ̃dəlje] *m* Leuchter

chandelle [ʃɑ̃dɛl] *f* Kerze

change [ʃɑ̃ʒ] *m* Tausch; *Hdl* Umtausch, (Geld-)Wechsel

changement [ʃɑ̃ʒmɑ̃] *m* (Ver-)Änderung *f*; ~ ***de vitesse*** Gangschaltung *f*

changer [ʃɑ̃ʒe] tauschen (**contre** gegen); *argent* wechseln (**en** in *A*), umtauschen (gegen); *bébé* trockenlegen; *transformer* verändern; *se transformer* sich (ver)ändern; ~ ***de qc*** et (*A*) wechseln; ~ ***d'adresse*** umziehen; ~ (***de train***) umsteigen; ~ ***de vitesse*** schalten; ***se*** ~ sich umziehen

chanson [ʃɑ̃sõ] *f* Lied *n*, Chanson *n*; *à la mode* Schlager *m*

chansonnier [ʃɑ̃sɔnje] *m* Kabarettist

chant [ʃɑ̃] *m* Gesang

chantage [ʃɑ̃taʒ] *m* Erpressung *f*

chanter [ʃɑ̃te] singen; ***faire*** ~ ***q*** j-n erpressen

chanterelle [ʃɑ̃trɛl] *f* Pfifferling *m*

chant|eur [ʃɑ̃tœr] *m*, ~**euse** [~øz] *f* Sänger(in) *m(f)*

chantier [ʃɑ̃tje] *m* Baustelle *f*; ~ ***naval*** Werft *f*

chapeau [ʃapo] *m* Hut

chapelle [ʃapɛl] *f* Kapelle

chantilly [ʃɑ̃tiji] *f* (**crème** *f*) ~ Schlagsahne

chapiteau [ʃapito] *m* (Zirkus-)Zelt *n*

chapitre [ʃapitr(ə)] *m* Kapitel *n*

chaque [ʃak] jede(r, -s)

char [ʃar] *m Mil* Panzer; *au carnaval* (geschmückter) Wagen

charbon [ʃarbõ] *m* Kohle *f*

charcuterie [ʃarkytri] *f*

Wurstwaren *f/pl*; *magasin* Wurstwarengeschäft *n*; ***as-siette** f **de** ~* Wurstplatte
chardon [ʃardõ] *m* Distel *f*
charge [ʃarʒ] *f* (Höchst-, Nutz-)Last; *El*, *d'une arme* Ladung; ***~s** pl* Nebenkosten
chargement [ʃarʒəmɑ̃] *m* (Be-, Ver-)Laden *n*; *cargaison* Ladung *f*, Fracht *f*
charger [ʃarʒe] *véhicule* beladen; *arme*, *batterie*, *Inform* laden; ***~ q de qc*** j-n mit et beauftragen; ***se ~ de qc*** et übernehmen
chariot [ʃarjo] *m* Karren; *machine à écrire* Wagen; *bagages* Kofferkuli; *achats* Einkaufswagen
charité [ʃarite] *f* Mild-, Wohltätigkeit
charm|e [ʃarm] *m* Reiz; *d'une personne* Charme; **~er** [~e] bezaubern
charlotte [ʃarlɔt] *f Süßspeise aus Löffelbiskuits, Früchten und Vanillecreme*
charpentier [ʃarpɑ̃tje] *m* Zimmermann
charrette [ʃarɛt] *f* Karren *m*
charrue [ʃary] *f* Pflug *m*
charter [ʃartɛr] **1.** Charter...; **2.** *m vol* Charterflug; *avion* Chartermaschine *f*
chasse [ʃas] *f* Jagd; ***~ d'eau*** Wasserspülung (*WC*)
chasse-neige [ʃasnɛʒ] *m* Schneepflug (*a Skisp*)
chass|er [ʃase] jagen; **~eur** [~œr] *m* Jäger
châssis [ʃɑsi] *m* (Tür-)Rahmen; *Kfz* Fahrgestell *n*
chasteté [ʃastəte] *f* Keuschheit
chat [ʃa] *m* Katze *f*
châtai|gne [ʃɑtɛɲ] *f* Kastanie; **~gnier** [~ɲe] *m* Kastanienbaum
châtain [ʃɑtɛ̃] kastanienbraun
château [ʃɑto] *m* Schloss *n*; ***~ fort*** Burg *f*; ***~ d'eau*** Wasserturm
chatouiller [ʃatuje] kitzeln
chaud [ʃo] **1.** warm; *très*, *trop* ~ heiß; ***j'ai ~*** mir ist warm, heiß; ***il fait ~*** es ist warm; **2.** *m* Wärme *f*; ***être*** (***bien***) ***au ~*** im Warmen sein
chaudière [ʃodjɛr] *f* (Dampf-, Heiz-)Kessel *m*
chauffage [ʃofaʒ] *m* Heizung *f*; ***~ central*** Zentralheizung *f*; ***~ au mazout*** Ölheizung *f*
chauffard [ʃofar] *m* Verkehrsrowdy [-raudi]
chauffe-eau [ʃofo] *m* Heiß-, Warmwasserbereiter
chauffer [ʃofe] (er)wärmen; *maison* heizen; *eau* erhitzen (*v/i* warm werden); *moteur* heißlaufen; ***se ~*** sich wärmen; ***faire ~*** (auf)wärmen
chauffeur [ʃofœr] *m* Fahrer, Chauffeur; ***~ de taxi*** Taxifahrer
chaussée [ʃose] *f* Fahrbahn
chausse-pied [ʃospje] *m* Schuhanzieher
chauss|er [ʃose] ***~ du 40***

Schuhgröße 40 haben; **~ette** [~ɛt] *f* Socke
chausson [ʃosõ] *m* Hausschuh; *Kochk* **~ aux pommes** Apfeltasche *f*
chaussure [ʃosyr] *f* Schuh *m*; **~s** *pl* **de montagne** Bergschuhe *m/pl*; **magasin** *m* **de ~s** Schuhgeschäft *n*
chauve [ʃov] kahl(köpfig)
chauve-souris [ʃovsuri] *f* Fledermaus
chaux [ʃo] *f* Kalk *m*
chef [ʃɛf] *m* Leiter, Chef; **~ d'entreprise** Unternehmer; **~ (cuisinier)** Küchenchef, Chefkoch; **~ de gare** Bahnhofsvorsteher; **~ d'orchestre** Dirigent
chef-d'œuvre [ʃɛdœvr(ə)] *m* Meisterwerk *n*
chef-lieu [ʃɛfljø] *m* Hauptort
chemin [ʃ(ə)mɛ̃] *m* Weg; **~ du retour** Heimweg; **~ de fer** (Eisen-)Bahn *f*
cheminée [ʃəmine] *f* Schornstein *m*; *au coin du feu* Kamin *m*
chemise [ʃ(ə)miz] *f* Hemd *n*; *dossier* Aktendeckel *m*; **~ de nuit** Nachthemd *n*
chemisier [ʃ(ə)mizje] *m* Bluse *f*
chêne [ʃɛn] *m* Eiche *f*
chenille [ʃ(ə)nij] *f* Raupe
chèque [ʃɛk] *m* Scheck; **~ barré** Verrechnungsscheck; **~ de voyage** Reisescheck
chèque-restaurant [ʃɛkrɛstɔrɑ̃] *m* Essen(s)marke *f*
cher [ʃɛr] teuer; *personne* lieb; *dans une lettre* **Chère Madame** Liebe Frau (+ *nom*)
chercher [ʃɛrʃe] suchen; **aller ~** holen
chéri(e) [ʃeri] *m(f)* Liebling *m*
chétif [ʃetif] schmächtig
cheval [ʃ(ə)val] *m* (*pl* **-aux** [-o]) Pferd *n*; **~ de course** Rennpferd *n*; **aller à ~, faire du ~** reiten
chevalier [ʃəvalje] *m* Ritter
cheval-vapeur [ʃ(ə)valvapœr] *m* (*Abk* **ch**) *Tech* Pferdestärke *f* (*Abk* PS)
chevelure [ʃəvlyr] *f* Haar *n*
cheveu [ʃ(ə)vø] *m* (Kopf-)Haar *n*; **~x** *pl* Haar(e) *n(pl)*
cheville [ʃ(ə)vij] *f* (Fuß-)Knöchel *m*; *Tech* Dübel *m*
chèvre [ʃɛvr(ə)] *f* Ziege
chevreuil [ʃəvrœj] *m* Reh *n*
chez [ʃe] bei; *direction* zu; **~ moi** bei *od* zu mir, zu *od* nach Hause; **~ le médecin** beim *od* zum Arzt
chic [ʃik] schick
chicorée [ʃikɔre] *f plante* Zichorie; *salade* Endivie
chien [ʃjɛ̃] *m* Hund
chiffon [ʃifõ] *m* Lappen *m*, Lumpen *m*
chiffre [ʃifr(ə)] *m* Ziffer *f*; *total* Zahl *f*; *code* Chiffre *f*; **~ d'affaires** Umsatz
chimie [ʃimi] *f* Chemie
Chine [ʃin] **la ~** China *n*
chinois [ʃinwa] **1.** chinesisch; **2.** **♀** *m* Chinese

chips [ʃips] *m/pl* (Kartoffel-) Chips
chirurgien [ʃiryrʒjɛ̃] *m* Chirurg
chlore [klɔr] *m* Chlor *n*
choc [ʃɔk] *m* Zusammenstoß; *Med* Schock
chocolat [ʃɔkɔla] *m* Schokolade *f*; *boisson a* Kakao *m*; **~s** *pl* Pralinen *f/pl*; **~ au lait** Vollmilchschokolade *f*; **glace** *f* **au ~** Schokolade(n)eis *n*
chœur [kœr] *m* Chor
choisir [ʃwazir] (aus)wählen; *décider* sich entscheiden
choix [ʃwa] *m* Wahl *f*; *sélection* Auswahl *f*; **au ~** zur Auswahl
choléra [kɔlera] *m* Cholera *f*
cholestérol [kɔlɛsterɔl] *m* Cholesterin *n*
chômage [ʃomaʒ] *m* Arbeitslosigkeit *f*; **allocation** *f* **(de) ~** Arbeitslosengeld *n*; **être au ~** arbeitslos sein
chôm|eur [ʃomœr] *m*, **~euse** [~øz] *f* Arbeitslose(r) *su*
choqu|ant [ʃɔkɑ̃] schockierend; *révoltant* empörend; **~er** [~e] schockieren
chose [ʃoz] *f* Ding *n*, Sache
chou [ʃu] *m* Kohl; **~ rouge** Rotkohl; **~ de Bruxelles** Rosenkohl; **~ à la crème** Windbeutel mit Schlagsahne; **pâte** *f* **à ~** Brandteig *m*
choucroute [ʃukrut] *f* Sauerkraut *n*; **~ garnie** Sauerkraut *n* auf elsässische Art (*mit Würsten und Schweinerippchen*)
chou|-fleur [ʃuflœr] *m* Blumenkohl; **~-rave** [~rav] *m* Kohlrabi
chouette [ʃwɛt] **1.** *f* Eule; **2.** *adj* F toll, prima
chrétien [kretjɛ̃] **1.** christlich; **2. ~(ne)** [~ (-ɛn)] *m(f)* Christ(in)
chronique [krɔnik] **1.** chronisch (*a Med*); **2.** *f* Chronik
chronomètre [krɔnɔmɛtr(ə)] *m* Stoppuhr *f*
C.H.U. [seaʃy] *m* (*centre hospitalier universitaire*) Universitätsklinikum *n*
chuchoter [ʃyʃɔte] flüstern
chute [ʃyt] *f* Sturz *m*; **~ d'eau** Wasserfall *m*; **~s** *pl* **de neige** Schneefälle *m/pl*; **~ de pierres** Steinschlag *m*
ci [si] **à cette heure-~** um diese Zeit
cible [sibl(ə)] *f* Zielscheibe
ciboulette [sibulɛt] *f* Schnittlauch *m*
cicatrice [sikatris] *f* Narbe
cicatriser [sikatrize] **(se) ~** vernarben
ci|-contre [sikɔ̃tr(ə)] nebenstehend; **~-dessous** [~d(ə)su] unten stehend, weiter unten; **~-dessus** [~d(ə)sy] oben stehend, weiter oben
cidre [sidr(ə)] *m* Apfelwein; *de France* Cidre
ciel [sjɛl] *m* Himmel
cierge [sjɛrʒ] *m* Kerze *f*
cigale [sigal] *f Zo* Grille
cigar|e [sigar] *m* Zigarre *f*; **~ette** [~ɛt] *f* Zigarette

cigogne [sigɔɲ] *f* Storch *m*
ci-joint [siʒwɛ̃] anliegend, anbei
cil [sil] *m* Wimper *f*
cime [sim] *f d'une montagne* Gipfel *m*; *d'un arbre* Wipfel *m*
ciment [simɑ̃] *m* Zement
cimetière [simtjɛr] *m* Friedhof
ciné [sine] *m* F Kino *n*
cinéma [sinema] *m* Kino *n*; F *fig* Theater *n*; ***aller au*** ~ ins Kino gehen
cinq [sɛ̃k] fünf
cinquantaine [sɛ̃kɑ̃tɛn] *f âge* Fünfzig; ***une*** ~ **(*de* ...)** etwa fünfzig (...)
cinquant|e [sɛ̃kɑ̃t] fünfzig; **~ième** [~jɛm] fünfzigste(r, -s)
cinquième [sɛ̃kjɛm] **1.** fünfte(r, -s); **2.** *m Math* Fünftel *n*; *étage* fünfter Stock; **3.** *f Kfz* fünfter Gang *m*
cintre [sɛ̃tr(ə)] *m Arch* Bogen; *vêtements* Kleiderbügel
cirage [siraʒ] *m* Schuhcreme *f*
circonstances [sirkɔ̃stɑ̃s] *f/pl* Umstände *m/pl*; ***dans ces*** ~ unter diesen Umständen
circuit [sirkɥi] *m* ~ **(*touristique*)** Rundreise *f*, -fahrt *f*; *Sp* ~ **(*automobile*)** Autorennstrecke *f*; ~ **(*électrique*)** Stromkreis
circulaire [sirkylɛr] **1.** kreisförmig; **2.** *f* Rundschreiben *n*
circulation [sirkylasjɔ̃] *f* (Auto-, Straßen-)Verkehr *m*; ~ ***en sens inverse*** Gegenverkehr *m*; *Med* ~ ***du sang*** (Blut-)Kreislauf *m*
circuler [sirkyle] *piétons* gehen; *voitures, conducteurs* fahren; *sang* fließen; *bruit* umgehen; ***circulez!*** weitergehen!
ci|re [sir] *f* Wachs *n*; **~er** [~e] *chaussures* wichsen, putzen; *parquet* bohnern
cirque [sirk] *m* Zirkus
ciseaux [sizo] *m/pl* Schere *f*
citadin [sitadɛ̃] *m* Städter
citation [sitasjɔ̃] *f* Zitat *n*
cité [site] *f* Stadt; *immeubles* (Wohn-)Siedlung *f*
citer [site] *auteur* zitieren; *nommer* nennen
citoyen [sitwajɛ̃] *m* (Staats-)Bürger
citron [sitrɔ̃] *m* Zitrone *f*
citrouille [sitruj] *f* Kürbis *m*
civet [sivɛ] *m* ~ ***de lièvre*** Hasenpfeffer
civette [sivɛt] *f* Schnittlauch *m*
civière [sivjɛr] *f* Tragbahre
civil [sivil] **1.** Zivil..., bürgerlich; ***bureau*** *m* ***de l'état*** ~ Standesamt *n*; **2.** *m* Zivilist; ***en*** ~ in Zivil
civilisation [sivilizasjɔ̃] *f* Zivilisation
clafoutis [klafuti] *m* Kirschauflauf
clair [klɛr] **1.** klar; *couleur, chambre* hell; **2.** *m* ~ ***de lune*** Mondschein

clairière [klɛrjɛr] *f* Lichtung
clandestin [klɑ̃dɛstɛ̃] heimlich
claque [klak] *f* Ohrfeige
claquer [klake] *porte* zuschlagen (*a v/t*); *volet* schlagen; ***se ~ un muscle*** sich e-n Muskel zerren
clarté [klarte] *f* Licht *n*; *de l'eau, du ciel, fig* Klarheit
classe [klɑs] *f* Klasse (*a fig*); (***salle*** *f* ***de***) ~ Klasse(nzimmer) *f(n)*; ***aller en ~*** in die, zur Schule gehen; ***~ de neige*** Skilager *n*; ***~ verte*** Schullandheim *n*; ***~ économique*** Economyklasse; ***~ affaires*** Businessklasse
class|ement [klasmɑ̃] *m école, Sp* (Be-)Wertung *f*; **~er** [~e] ordnen (***par*** nach)
classeur [klasœr] *m* Ordner
classique [klasik] **1.** klassisch; **2.** *m* Klassiker
clavicule [klavikyl] *f* Schlüsselbein *n*
clavier [klavje] *m* Tastatur *f*
clé, clef [kle] *f* Schlüssel *m* (*a Tech, fig, Mus*); ***~ de contact*** Zündschlüssel *m*; ***~ de voiture*** Autoschlüssel *m*; ***fermer à ~*** abschließen, -sperren
clergé [klɛrʒe] *m* Klerus
client(e) [klijɑ̃(t)] *m(f)* Kunde *m*, Kundin *f*; *d'un hôtel, d'un restaurant* Gast *m*
clientèle [klijɑ̃tɛl] *f* Kundschaft
cligner [kliɲe] ***~ des yeux*** (mit den Augen) blinzeln
clignotant [kliɲɔtɑ̃] *m* Blinker
climat [klima] *m* Klima *n*
climatisation [klimatizasjõ] *f* Klimaanlage
clin d'œil [klɛ̃dœj] *m* Zwinkern *n*; ***en un ~*** im Nu
clinique [klinik] **1.** klinisch; **2.** *f* Klinik
cloch|e [klɔʃ] *f* Glocke; **~er** [~e] *m* Glocken-, Kirchturm; **~ette** [~ɛt] *f* Glöckchen *n*
cloison [klwazõ] *f* Zwischenwand
cloître [klwɑtr(ə)] *m Arch* Kreuzgang; *monastère* Kloster *n*
clôture [klotyr] *f* Zaun *m*
cloque [klɔk] *f* (Haut-)Blase
clou [klu] *m* Nagel; *fig* Clou; F **~s** *pl* Fußgängerüberweg *m*; ***~ de girofle*** Gewürznelke *f*
clouer [klue] an-, festnageln
club [klœb] *m* Klub
coaguler [koagyle] **(se)** ~ gerinnen
cobaye [kɔbaj] *m* Meerschweinchen *n*
coca [kɔka] *m* Cola *f*
coccinelle [kɔksinɛl] *f* Marienkäfer *m*
cocher [kɔʃe] abhaken
cochon [kɔʃõ] *m* Schwein *n*; ***~ d'Inde*** Meerschweinchen *n*
coco [kɔko] *m* ***noix*** *f* ***de ~*** Kokosnuss
cocotte [kɔkɔt] *f* Schmortopf *m*; **~-minute** [~minyt] *f* Schnellkochtopf *m*
code [kɔd] *m* Code *od* Kode;

jur Gesetzbuch *n*; *Kfz* **~s** *pl* Abblendlicht *n*; **~ *secret*** Geheimcode; **~ *de la route*** Straßenverkehrsordnung *f*; **~ *postal*** Postleitzahl *f*; ***se mettre en* ~** abblenden

cœur [kœr] *m* Herz *n*; ***au* ~ *de*** mitten in (*D*); ***de bon* ~** von Herzen gern; ***par* ~** auswendig; ***j'ai mal au* ~** mir ist übel; ***cela lui tient à* ~** das liegt ihm *od* ihr am Herzen

coffre [kɔfr(ə)] *m meuble* Truhe *f*; *Kfz* Kofferraum

coffre-fort *m* Safe, Tresor

cognac [kɔɲak] *m* Cognac *od* Kognak

cogner [kɔɲe] schlagen; *moteur* klopfen; ***se* ~** sich stoßen (***contre*** an *D*)

cohérent [kɔerɑ̃] zusammenhängend

cohue [kɔy] *f* Gedränge *n*

coiff|er [kwafe] (***se*** ~ sich) frisieren; **~eur** [~œr] *m* Friseur; **~euse** [~øz] *f* Friseuse; **~ure** [~yr] *f* Frisur

coin [kwɛ̃] *m* Ecke *f*; **~ *fenêtre*** Fensterplatz; ***au* ~ *de la rue*** an der Straßenecke

coincer [kwɛ̃se] einklemmen; *Tech* ver-, festkeilen; ***être coincé*** verklemmt sein (*a fig*)

coing [kwɛ̃] *m* Quitte *f*

col [kɔl] *m* Kragen; *de montagne* Pass

colère [kɔlɛr] *f* Zorn *m*, Wut; ***être en* ~** zornig, wütend sein (***contre q*** auf, über j-n); ***se mettre en* ~** zornig, wütend werden

coléreux [kɔlerø] jähzornig

colin [kɔlɛ̃] *m* Seehecht

colique [kɔlik] *f* Kolik

colis [kɔli] *m* Paket *n*

collaborer [kɔlabɔre] mitarbeiten (**à** an *D*)

collant [kɔlɑ̃] **1.** klebend, Klebe...; *doigts* klebrig; *robe, jeans* hauteng; F *personne* aufdringlich; **2.** *m* Strumpfhose *f*

colle [kɔl] *f* Klebstoff *m*

collect|ion [kɔlɛksjõ] *f* Sammlung; **~ionner** [~jɔne] sammeln

collège [kɔlɛʒ] *m* Realschule *f*

collègue [kɔlɛg] *m* Kollege

coller [kɔle] (an-, auf-, zusammen-, zu)kleben; *adhérer* kleben (**à** an *D*)

collier [kɔlje] *m* Halskette *f*

colline [kɔlin] *f* Hügel *m*

collision [kɔlizjõ] *f* Zusammenstoß *m*

Cologne [kɔlɔɲ] Köln

colombe [kɔlõb] *f* Taube

colonie [kɔlɔni] *f* Kolonie; **~ (*de vacances*)** Ferienlager *n*

colonne [kɔlɔn] *f* Säule; *d'un journal* Spalte; **~ *Morris*** Litfaßsäule *f*; *Anat* **~ *vertébrale*** Wirbelsäule *f*, Rückgrat *n*

color|ant [kɔlɔrɑ̃] **1.** Farb...; **2.** *m* Farbstoff; **~er** [~e] färben; **~ier** [~je] *dessin* ausmalen; **~is** [~i] *m* Kolorit *n*

combat [kõba] *m* Kampf;

~tant [~tɑ̃] *m* Kämpfer; **~tre** [~tr(ə)] (be)kämpfen
combien [kõbjɛ̃] wie viel; *à quel point* wie (sehr); ~ ***de*** wie viel; ~ ***de fois*** wie oft; ~ ***de temps*** wie lange
combinaison [kõbinɛzõ] *f* Kombination, Zusammenstellung; *vêtement* Overall *m*; *de femme* Unterrock *m*; ~ ***de ski*** Skianzug *m*
comble [kõbl(ə)] **1.** (gedrängt) voll; **2.** *m* Gipfel
combler [kõble] *trou* zuschütten; *lacune* ausfüllen; ~ ***de*** überschütten mit
combust|ible [kõbystibl(ə)] **1.** brennbar; **2.** *m* Brennmaterial *n*; **~ion** [~jõ] *f* Verbrennung
comédie [kɔmedi] *f* Komödie; *fig* Theater *n*; ~ ***musicale*** Musical [mjuzikəl] *n*
comédien(ne) [kɔmedjɛ̃ (-ɛn)] *m(f)* Schauspieler(in)
comestible [kɔmɛstibl(ə)] **1.** essbar; **2. ~s** *m/pl* Lebensmittel *n/pl*
comique [kɔmik] komisch
comité [kɔmite] *m* Ausschuss; ~ ***d'entreprise*** Betriebsrat
commandant [kɔmɑ̃dɑ̃] *m* Major, Kommandant; *Flgw* ~ ***de bord*** Flugkapitän
command|e [kɔmɑ̃d] *f* Bestellung; **~er** [~e] *ordonner* befehlen; *au café*, *Hdl* bestellen
comme [kɔm] wie; *en tant que* als; *au moment où* als; *parce que* da; ~ ***si*** als ob
commencement [kɔmɑ̃smɑ̃] *m* Anfang
commencer [kɔmɑ̃se] beginnen, anfangen (***à*** zu, ***par*** mit, ***qc*** [mit] et); ~ ***par faire qc*** zuerst et tun
comment [kɔmɑ̃] wie
commentaire [kɔmɑ̃tɛr] *m* Kommentar
commerçant [kɔmɛrsɑ̃] **1.** Geschäfts...; **2.** *m* (***petit***) ~ Einzelhändler
commerce [kɔmɛrs] *m* Handel; *magasin* Geschäft *n*
commercial [kɔmɛrsjal] Handels...; *directeur* kaufmännisch; *chaîne* Privat...
commettre [kɔmɛtr(ə)] begehen
commiss|aire [kɔmisɛr] *m* ~ (***de police***) Kommissar; **~ariat** [~arja] *m* ~ (***de police***) Polizeirevier *n*
commission [kɔmisjõ] *f* Kommission; *Hdl* Provision; **~s** *pl courses* Besorgungen *f/pl*; ***faire une*** ~ ***à q*** j-m et bestellen
commode [kɔmɔd] **1.** bequem; **2.** *f* Kommode
commotion [kɔmosjõ] *f* ~ ***cérébrale*** Gehirnerschütterung
commun [kɔmœ̃] gemeinsam, Gemeinschafts...; *ordinaire* gewöhnlich (*a péj*); ***en*** ~ gemeinsam; ***peu, pas*** ~ außer-, ungewöhnlich
communauté [kɔmynote] *f* Gemeinschaft

commune [kɔmyn] *f Pol* Gemeinde
communication [kɔmynikasjõ] *f* Kommunikation, Verständigung; *message* Mitteilung; *Tel ligne* Verbindung; *conversation* Gespräch *n*
communion [kɔmynjõ] *f* Kommunion; ***première*** ~ Erstkommunion
communiqu|é [kɔmynike] *m* Kommuniqué *n*; **~er** [~e] *renseignements* mitteilen; *se faire comprendre* sich verständigen
commun|isme [kɔmynism(ə)] *m* Kommunismus; **~iste** [~ist] *m* Kommunist
commutateur [kɔmytatœr] *m* Schalter
compagne [kõpaɲ] *f* Gefährtin; *d'un homme* Lebensgefährtin
compagnie [kõpaɲi] *f* Gesellschaft; ~ ***aérienne*** Fluggesellschaft; ***en*** ~ ***de*** in Begleitung von
compagnon [kõpaɲõ] *m* Gefährte; *d'une femme* Lebensgefährte
compar|aison [kõparɛzõ] *f* Vergleich *m*; **~er** [~e] vergleichen (**à, *avec*** mit)
compartiment [kõpartimɑ̃] *m case* Fach *n*; *train* Abteil *n*; ~ (***non***) ***fumeurs*** (Nicht-)Raucherabteil *n*; ~ ***congélateur*** Gefrierfach *n*
compas [kõpɑ] *m Math* Zirkel; *Mar* Kompass
compassion [kõpasjõ] *f* Mitleid *n*
compatible [kõpatibl(ə)] vereinbar; *Inform* kompatibel
compatriote [kõpatrijɔt] *m, f* Landsmann *m*, -männin *f*
compenser [kõpɑ̃se] ausgleichen
compétent [kõpetɑ̃] kompetent; *jur* zuständig
compétition [kõpetisjõ] *f* Wettbewerb *m*; *Sp* Wettkampf *m*
complément [kõplemɑ̃] *m* Ergänzung *f*; *Gr* ~ ***d'objet direct*** Akkusativobjekt *n*
complet [kõplɛ] **1.** *entier* vollständig; *plein* voll, besetzt; *hôtel* belegt; *théâtre* ausverkauft; **2.** *m* Anzug
complètement [kõplɛtmɑ̃] völlig
compléter [kõplete] vervollständigen
complexe [kõplɛks] **1.** kompliziert; **2.** *m* Komplex
compliment [kõplimɑ̃] *m* Kompliment *n*
compliqué [kõplike] kompliziert
comporter [kõpɔrte] enthalten; *impliquer* mit sich bringen; **se** ~ sich verhalten
composer [kõpoze] zusammensetzen; *former* bilden; *Tel numéro* wählen; *Mus* komponieren; **se** ~ ***de*** bestehen aus
compositeur [kõpozitœr] *m* Komponist

compost|er [kõpɔste] entwerten; **~eur** [~œr] *m* Entwerter
comprendre [kõprɑ̃dr(ə)] verstehen; *comporter* umfassen
compresse [kõprɛs] *f* Kompresse
comprimé [kõprime] *m* Tablette *f*
comprimer [kõprime] *air* verdichten; *substance* zusammenpressen, -drücken
compris [kõpri] inbegriffen (***dans*** in *D*); ***tout ~*** alles inbegriffen; ***service non ~*** ohne Bedienung; ***y ~*** einschließlich
comptabilité [kõtabilite] *f* Buchführung
compt|able [kõtabl(ə)] *m* Buchhalter; **~ant** [~ɑ̃] bar
compte [kõt] *m calcul* Berechnung *f*; *en banque* Konto *n*; ***~ courant*** Girokonto *n*; ***~ chèque postal*** Postgirokonto [-ʒi] *n*; ***se rendre ~ de*** sich klar werden über (*A*); ***tenir ~ de*** berücksichtigen (*A*)
compter [kõte] zählen; *prévoir* rechnen (mit); *facturer* berechnen (***à q*** j-m); ***~*** (+ *inf*) beabsichtigen zu; ***~ sur*** zählen, rechnen auf (*A*)
compteur [kõtœr] *m* Zähler; *de vitesse* Tachometer
comptoir [kõtwar] *m café* Theke *f*; *magasin* Ladentisch
comte [kõt] *m* Graf
comté [kõte] *m Art Schweizer Käse aus der Franche-Comté*
comtesse [kõtɛs] *f* Gräfin
con [kõ] P (*f* ***conne*** [kɔn]) saublöd
concéder [kõsede] zugestehen
concentr|ation [kõsɑ̃trasjõ] *f* Konzentration; **~er** [~e] (***se ~*** sich) konzentrieren (***sur*** auf *A*)
conception [kõsɛpsjõ] *f idée* Vorstellung; *création* Entwurf *m*
concerner [kõsɛrne] betreffen, angehen
concer|t [kõsɛr] *m* Konzert *n*; **~to** [~to] *m* Konzert *n*
concession [kõsɛsjõ] *f* Konzession, Zugeständnis *n*
concessionnaire [kõsesjɔnɛr] *m* Vertragshändler
concevoir [kõsəvwar] *comprendre* begreifen; *imaginer* entwerfen
concierge [kõsjɛrʒ] *m, f* Hausmeister(in) *m(f)*
conclure [kõklyr] *marché* abschließen; *discours* beschließen; *déduire* ***~ qc de*** et schließen aus
conclusion [kõklyzjõ] *f* Schluss *m*; ***en ~*** abschließend
concombre [kõkõbr(ə)] *f* Gurke; ***salade f de ~s*** Gurkensalat *m*
concorder [kõkɔrde] *f* übereinstimmen
concourir [kõkurir] ***~ à*** mitwirken an; ***~ pour*** sich bewerben um
concours [kõkur] *m* Wettbewerb; Preisausschreiben *n*

concurr|ence [kõkyrɑ̃s] *f* Konkurrenz; **~ent** [~ɑ̃] *m* Konkurrent
condamner [kõdane] verurteilen (**à** zu)
condiment [kõdimɑ̃] *m* Gewürz *n*
condition [kõdisjõ] *f* Bedingung; **à ~ que** (+ *subj*), **à ~ de** (+ *inf*) unter der Bedingung, dass
condoléances [kõdɔleɑ̃s] *f/pl* Beileid *n*
conduc|teur [kõdyktœr] *m*, **~trice** [~tris] *f* Fahrer(in) *m(f)*
conduire [kõdɥir] führen; *entreprise* leiten; *voiture*, fahren; **~ à** führen zu; **se ~** sich benehmen
conduite [kõdɥit] *f comportement* Benehmen *n*; *canalisation* Leitung; *Kfz* Fahren *n*, Fahrweise; **~ en état d'ivresse** Trunkenheit am Steuer
cône [kon] *m* Kegel
confect|ion [kõfɛksjõ] *f* Anfertigung; *vêtements* Konfektion; **~ionner** [~jɔne] anfertigen
conférence [kõferɑ̃s] *f* Konferenz; *exposé* Vortrag *m*
confess|er [kõfɛse] gestehen; **se ~** beichten (**de qc** et); **~ion** [~jõ] *f* Beichte
confiance [kõfjɑ̃s] *f* Vertrauen *n*; **avoir ~ en** Vertrauen haben zu; **faire ~ à** vertrauen (*D*)
confiant [kõfjɑ̃] vertrauensvoll
confidence [kõfidɑ̃s] *f* **faire une ~ à q** j-m et anvertrauen
confidentiel [kõfidɑ̃sjɛl] vertraulich
confier [kõfje] **~ qc à q** j-m et anvertrauen; **se ~ à q** sich j-m anvertrauen
confirm|ation [kõfirmasjõ] *f* Bestätigung; *Rel* Konfirmation; **~er** [~e] bestätigen
confiserie [kõfizri] *f* Süßigkeit; *magasin* Süßwarengeschäft *n*
confisquer [kõfiske] beschlagnahmen
confit [kõfi] **1.** *fruits* kandiert; **2.** *m* **~ de canard** *im eigenen Fett konservierte Entenstücke*
confiture [kõfityr] *f* Marmelade
conflit [kõfli] *m* Konflikt
confondre [kõfõdr(ə)] verwechseln
conform|e [kõfɔrm] **~ à** gemäß (*D*), entsprechend (*D*); **~ément** [~emɑ̃] **~ à** gemäß (*D*), laut (*D*)
confort [kõfɔr] *m* Komfort
confortable [kõfɔrtabl(ə)] bequem, komfortabel
confronter [kõfrõte] gegenüberstellen
confu|s [kõfy] *forme, bruit* undeutlich; *idées* unklar; *embarrassé* verlegen; **~sion** [~zjõ] *f* Verwirrung; *erreur* Verwechslung
congé [kõʒe] *m* Urlaub; **~s pl payés** bezahlter Urlaub;

être en** ~* im, in Urlaub sein; ***prendre** ~ **de sich verabschieden von
congélateur [kõʒelatœr] *m* Tiefkühltruhe *f*; *armoire* Gefrierschrank
congeler [kõʒle] ge-, einfrieren, tiefkühlen
congère [kõʒɛr] *f* Schneeverwehung
congrès [kõgrɛ] *m* Kongress, Tagung *f*
conjonctivite [kõʒõktivit] *f* Bindehautentzündung
conjugal [kõʒygal] ehelich
connaissance [kɔnɛsɑ̃s] *f* Kenntnis; *conscience* Bewußtsein *n*; *personne* Bekannte(r) *su*; **~s** *pl* Kenntnisse
connaisseur [kɔnɛsœr] *m* Kenner
connaître [kɔnɛtr(ə)] kennen; *personne* kennenlernen
conne *s* ***con***
connu [kɔny] bekannt
conqu|érir [kõkerir] erobern; **~ête** [~kɛt] *f* Eroberung
consacrer [kõsakre] **(se)** ~ **à** (sich) widmen (*D*)
conscienc|e [kõsjɑ̃s] *f* Bewusstsein *n*; *morale* Gewissen *n*; **~ieux** [~jø] gewissenhaft
conscient [kõsjɑ̃] bewusst
conseil [kõsɛj] *m* Rat (-schlag); *assemblée* Rat; *réunion* Ratsversammlung *f*
conseiller [kõsɛje] **1.** raten; ~ ***q*** j-n beraten; **2.** *m* Berater
consentir [kõsɑ̃tir] einwilligen (**à *qc*** in et *A*)
conséqu|ence [kõsekɑ̃s] *f* Konsequenz, Folge; **~ent** [~ɑ̃] ***par*** ~ folglich
conservatoire [kõsɛrvatwar] *m* Musikhochschule *f*
conserv|e [kõsɛrv] *f* Konserve; **~er** [~e] behalten
considérable [kõsiderabl(ə)] beträchtlich
considération [kõsiderasjõ] *f* Überlegung, Erwägung; *estime* Achtung; ***prendre en*** ~ berücksichtigen
considérer [kõsidere] betrachten (***comme*** als); *estimer* achten; ~ ***que*** finden, dass
consigne [kõsiɲ] *f instruction* Anweisung; *de bouteilles* Pfand *n*; *pour les bagages* Gepäckaufbewahrung; ~ ***automatique*** Schließfächer *n/pl*
consister [kõsiste] ~ ***en*** bestehen aus; ~ **à** (+ *inf*) darin bestehen zu (+ *inf*)
consol|ation [kõsɔlasjõ] *f* Trost *m*; **~er** [~e] trösten
consomma|teur [kõsɔmatœr] *m*, **~trice** [~tris] *f* Verbraucher(in) *m(f)*
consommation [kõsɔmasjõ] *f* Verbrauch *m*; Konsum *m*; *au café* Getränk *n*, Verzehr *m*; *tarif affiché* **~s** *pl* Getränkepreise *m/pl*
consommé [kõsɔme] *m* Kraftbrühe *f*

consommer [kõsɔme] verbrauchen; *au café* verzehren
consonne [kõsɔn] *f* Konsonant *m*
conspiration [kõspirasjõ] *f* Verschwörung
const|amment [kõstamɑ̃] ständig; **~ant** [kõstɑ̃] (be)ständig; *température* konstant
Constance [kõstɑ̃s] Konstanz; *le lac de* ~ der Bodensee
constat [kõsta] *m* (amtliches) Protokoll *n*; *Kfz* Unfallprotokoll *n*
constater [kõstate] feststellen
consterné [kõstɛrne] bestürzt
constipation [kõstipasjõ] *f* *Med* Verstopfung
constit|uer [kõstitɥe] bilden; **~ution** [~ysjõ] *f* *Pol* Verfassung
construction [kõstryksjõ] *f* Bau *m*
construire [kõstrɥir] bauen
consulat [kõsyla] *m* Konsulat *n*
consult|ation [kõsyltasjõ] *f* Beratung; *Med* Sprechstunde; **~er** [~e] um Rat fragen, zu Rate ziehen
contact [kõtakt] *m* Kontakt; ***faux*** ~ Wackelkontakt; ***prendre* ~ *avec q*** sich mit j-m in Verbindung setzen; *Kfz* ***mettre le*** ~ die Zündung einschalten
contagieux [kõtaʒjø] ansteckend
contaminer [kõtamine] anstecken; *eau* verseuchen
conte [kõt] *m* Erzählung *f*; ~ (***de fées***) Märchen *n*
contempler [kõtɑ̃ple] (aufmerksam) betrachten
contemporain [kõtɑ̃pɔrɛ̃] zeitgenössisch
contenir [kõtnir] enthalten; *réservoir*, *stade* fassen
content [kõtɑ̃] zufrieden
contenter [kõtɑ̃te] zufriedenstellen; ***se*** ~ sich begnügen (***de*** mit)
contenu [kõtny] *m* Inhalt
contester [kõtɛste] bestreiten
contigu [kõtigy] angrenzend (***à*** an *A*)
continent [kõtinɑ̃] *m* Kontinent
continuel [kõtinɥɛl] (be)ständig; **~lement** [~mɑ̃] ständig
continuer [kõtinɥe] *qc* fortsetzen; *personne* weitermachen, -arbeiten, -fahren *usw*; *durer* andauern; ~ ***à*** *od* ***de*** (+ *inf*) weiter... (+ *inf*)
contours [kõtur] *m/pl* Umrisse, Konturen *f/pl*
contraceptif [kõtrasɛptif] *m* Verhütungsmittel *n*
contracter [kõtrakte] zusammenziehen; *alliance* schließen; *assurance* abschließen
contradic|tion [kõtradiksjõ] *f* Widerspruch *m*; **~toire** [~twar] widersprüchlich
contraindre [kõtrɛ̃dr(ə)] zwingen (***à*** zu)
contrainte [kõtrɛ̃t] *f* Zwang *m*

contraire [kõtrɛr] **1.** entgegengesetzt; **2.** *m* Gegenteil *n*; ***au*** ~ im Gegenteil; **~ment** [~mɑ̃] ~ **à** im Gegensatz zu
contrarier [kõtrarje] (ver)ärgern
contraste [kõtrast] *m* Kontrast
contrat [kõtra] *m* Vertrag
contravention [kõtravɑ̃sjõ] *f* Verstoß *m* (**à** gegen); *amende* gebührenpflichtige Verwarnung
contre [kõtr(ə)] gegen (*A*); (***tout***) ~ dicht bei, neben; ***par*** ~ andererseits
contrebande [kõtrəbɑ̃d] *f* Schmuggel *m*; ***faire de la*** ~ schmuggeln; ***passer, introduire en*** ~ einschmuggeln
contrecœur [kõtrəkœr] **à** ~ ungern, widerwillig
contredire [kõtrədir] widersprechen (***q*** j-m)
contrée [kõtre] *f* Gegend
contremaître [kõtrəmɛtr(ə)] *m* Werkführer
contresens [kõtrəsɑ̃s] *m* Sinnwidrigkeit *f*; ***en*** ~ gegen die Fahrtrichtung
contribuable [kõtribyabl(ə)] *m* Steuerzahler
contribuer [kõtribɥe] beitragen (**à** zu)
contribution [kõtribysjõ] *f* Beitrag *m*
contrôle [kõtrol] *m* Kontrolle *f*; *école* Klassenarbeit *f*; ~ ***des billets*** Fahrscheinkontrolle *f*; ~ ***des passeports*** Passkontrolle *f*; ~ ***d'identité*** Ausweiskontrolle *f*; *Kfz* ~ ***technique*** *etwa* TÜV
contrôl|er [kõtrole] kontrollieren; **~eur** [~œr] *m* Kontrolleur; *train* Schaffner
contusion [kõtyzjõ] *f Med* Prellung, Quetschung
convaincre [kõvɛ̃kr(ə)] überzeugen (***q de qc*** j-n von et)
convalescence [kõvalesɑ̃s] *f* Genesung
convenable [kõvnabl(ə)] *approprié* passend; *acceptable* (recht) ordentlich; *décent* anständig
convenir [kõvnir] ~ ***à q*** j-m passen; ~ ***à qc*** sich für et eignen, für et geeignet sein; ~ ***de qc*** et vereinbaren; *admettre* et zugeben
conversation [kõvɛrsasjõ] *f* Unterhaltung, Gespräch *n*
conviction [kõviksjõ] *f* Überzeugung
convoi [kõvwa] *m* Konvoi
convoiter [kõvwate] begehren
convoquer [kõvɔke] *employé* kommen lassen, rufen; *jur* (vor)laden
coopérer [koɔpere] zusammenarbeiten; ~ ***à qc*** an et (*D*) mitarbeiten
copain [kɔpɛ̃] F *m* Freund
copie [kɔpi] *f* Kopie; *école* (Klassen-)Arbeit
copier [kɔpje] kopieren; *élève* abschreiben (***sur*** von)
copieux [kɔpjø] reichlich

copine [kɔpin] F *f* Freundin
coq [kɔk] *m* Hahn; *Kochk* **~ au vin** Hähnchen *n* in Burgunder
coque [kɔk] *f œuf, noix* Schale; *bateau* Rumpf *m*; **œuf** *m* **à la ~** weiches Ei *n*
coquelicot [kɔkliko] *m* Klatschmohn
coqueluche [kɔklyʃ] *f* Keuchhusten *m*
coquetier [kɔktje] *m* Eierbecher
coquillage [kɔkijaʒ] *m* Muschel(schale) *f*
coquille [kɔkij] *f* Schale; *Kochk* **~ Saint-Jacques** Jakobsmuschel
cor [kɔr] *m* Horn *n*; *Med* Hühnerauge *n*
corail [kɔraj] *m* (*pl* **-aux** [-o]) Koralle *f*
Coran [kɔrɑ̃] *m* Koran
corbeau [kɔrbo] *m* Rabe
corbeille [kɔrbɛj] *f* Korb *m*; **~ à papier** Papierkorb *m*
corbillard [kɔrbijar] *m* Leichenwagen
corde [kɔrd] *f* Leine, Strick *m*; *épaisse* Seil *n*; *ficelle* Schnur; *Mus* Saite; **~ à linge** Wäscheleine *f*
cordial [kɔrdjal] herzlich
cordon [kɔrdõ] *m* Schnur *f*
cordonnier [kɔrdɔnje] *m* Schuhmacher
coriace [kɔrjas] zäh
corne [kɔrn] *f* Horn *n*
corneille [kɔrnɛj] *f* Krähe
corner [kɔrnɛr] *m Sp* Eckball
cornet [kɔrnɛ] *m* Tüte *f*
corniche [kɔrniʃ] *f* kurvenreiche Küstenstraße
cornichon [kɔrniʃõ] *m* Essiggürkchen *n*, Cornichon *n*
corporel [kɔrpɔrɛl] körperlich
corps [kɔr] *m* Körper
correct [kɔrɛkt] richtig, korrekt
correction [kɔrɛksjõ] *f* Korrektheit; *amélioration* Verbesserung, Korrektur
correspondance [kɔrɛspõdɑ̃s] *f* Korrespondenz; *lettres* Briefwechsel *m*; (aus-, eingehende) Post; *train* Anschluss(zug) *m*
correspondant [kɔrɛspõdɑ̃] **1.** entsprechend; **2. ~(e)** [~(t)] *m(f)* Briefpartner(in); *école* Brieffreund(in); *Tel* Gesprächspartner(in)
correspondre [kɔrɛspõdr(ə)] **~ à qc** e-r Sache (*D*) entsprechen; **~ avec q** mit j-m in Briefwechsel stehen
corrida [kɔrida] *f* Stierkampf *m*
corridor [kɔridɔr] *m* Korridor, Flur
corriger [kɔriʒe] verbessern; *école* korrigieren
corrosif [kɔrozif] ätzend
corsage [kɔrsaʒ] *m* Bluse *f*
Corse [kɔrs] **la ~** Korsika *n*
cortège [kɔrtɛʒ] *m* (Fest-, Um-)Zug
corvée [kɔrve] *f* lästige Pflicht; **~ de vaisselle** Küchendienst *m*

cosmétique [kɔsmetik] **1.** kosmetisch; **2.** *m* Schönheitsmittel *n*
costume [kɔstym] *m* Anzug; *théâtre* Kostüm *n*; *régional* Tracht *f*
côte [kot] *f mer* Küste; *colline* Hang *m*; *montée* Steigung; *Anat* Rippe; *Kochk* Kotelett *n*; *de bœuf* Rippenstück *n*; ***la*** ♀ (***d'Azur***) die Côte d'Azur
côté [kote] *m* Seite *f*; ***à ~ de*** neben; ***à ~*** nebenan; ***de l'autre ~*** auf der anderen Seite; ***du ~ de*** in der Nähe von
côtelette [kɔtlɛt] *f* Kotelett *n*
côtier [kotje] Küsten...
cotis|ation [kɔtizasjõ] *f* Beitrag *m*; **~er** [~e] Beitrag zahlen; ***se ~*** sammeln
coton [kɔtõ] *m* Baumwolle *f*; ~ (***hydrophile***) Watte *f*; (***morceau*** *m* ***de***) ~ Wattebausch
cou [ku] *m* Hals
couche [kuʃ] *f* Schicht; *pour bébés* Windel; *Med* ***fausse ~*** Fehlgeburt
couché [kuʃe] liegend; ***être ~*** liegen; *au lit* im Bett sein
coucher [kuʃe] **1.** *étendre* hinlegen (***sur*** auf *A*); *enfant* zu Bett bringen; *passer la nuit* schlafen, übernachten; ***se ~*** schlafen gehen; *soleil* untergehen; F ***~ avec q*** mit j-m schlafen; **2.** *m* ***~ du soleil*** Sonnenuntergang
couchette [kuʃɛt] *f* Koje; *train* Platz *m* im Liegewagen; ***~s*** *pl* Liegewagen *m*
coude [kud] *m* Ellbogen
coudre [kudr(ə)] nähen; *bouton* annähen (***à*** an *A*)
couler [kule] fließen; *robinet* tropfen; *nez* laufen; *bateau* sinken
couleur [kulœr] *f* Farbe
couleuvre [kulœvr(ə)] *f* Natter
couloir [kulwar] *m* Flur
coup [ku] *m* Schlag; *de couteau* Stich; *de feu* Schuss; *échecs* Zug; ***~ de poing*** Faustschlag; ***~ de pied*** (Fuß-)Tritt; ***~ d'œil*** Blick; ***~ de soleil*** Sonnenbrand; *Sp* ***~ franc*** Freistoß; ***~ de téléphone*** (F ***de fil***) Anruf; ***boire un ~*** einen trinken; ***tenir le ~*** durchhalten; ***tout à ~*** plötzlich; ***du premier ~*** (gleich) beim ersten Mal; ***après ~*** hinterher
coupable [kupabl(ə)] **1.** schuldig (***de*** *G*); **2.** *m*, *f* Schuldige(r) *su*
coupe¹ [kup] *f* (Obst-, Sekt-)Schale; *Sp* Pokal *m*, Cup [kap] *m*; ***~ glacée*** Eisbecher *m*
coupe² [kup] *f* ***~*** (***de cheveux***) Haarschnitt *m*
coupe-circuit [kupsirkɥi] *m* Sicherung *f*
couper [kupe] schneiden (*a v/i*); *morceau* abschneiden; *eau*, *gaz* abstellen; *conversation*, *Tel* unterbrechen; *vin* verdünnen; *cartes* abheben;

prendre un raccourci e-e Abkürzung nehmen; ~ ***en deux*** teilen
couple [kupl(ə)] *m* Paar *n*; *mari et femme* Ehepaar *n*
couplet [kuplɛ] *m* Strophe *f*
coupole [kupɔl] *f* Kuppel
coupon [kupõ] *m* Abschnitt
coupure [kupyr] *f blessure* Schnitt(wunde) *m*(*f*); ~ ***de courant*** Stromsperre
cour [kur] *f* Hof *m*; *jur* Gericht(shof) *n*(*m*)
courage [kuraʒ] *m* Mut
couramment [kuramɑ̃] fließend; *souvent* häufig
courant [kurɑ̃] **1.** üblich; **2.** *m* Strömung *f*; *El* Strom; ~ ***d'air*** Luftzug; ***être au*** ~ auf dem Laufenden sein (**de** über *A*)
courbatures [kurbatyr] *f*/*pl* Muskelkater *m*
courb|e [kurb] **1.** gebogen; **2.** *f* Kurve; **~er** [~e] biegen
cour|eur [kurœr] *m* Läufer; *automobile, cycliste* Rennfahrer; **~euse** [~øz] *f* Läuferin
courge [kurʒ] *f* Kürbis *m*
courgette [kurʒɛt] *f* Zucchini
courir [kurir] laufen, rennen; *bruit* umgehen; *danger* sich aussetzen (*D*); *risque* eingehen; ~ ***le danger, le risque de*** (+ *inf*) Gefahr laufen zu
couronne [kurɔn] *f* Krone; *de fleurs* Kranz *m*
courrier [kurje] *m* Post *f*
courroie [kurwa] *f* Riemen *m*
cours [kur] *m* Kurs; *leçon* (Unterrichts-)Stunde *f*; ~ ***de langue*** Sprachkurs; ~ ***du change*** Wechselkurs; ***au*** ~ ***de*** im Laufe (*G*); ***en*** ~ ***de route*** unterwegs
course [kurs] *f Sp* Rennen *n*; *à pied* Lauf *m*; **~*s*** *pl* Einkäufe; ***faire la*** ~ e-n Wettlauf machen; ***faire des*** **~*s*** einkaufen
court [kur] **1.** kurz; **2.** *m* ~ (***de tennis***) Tennisplatz
court-circuit [kursirkɥi] *m* Kurzschluss
couscous [kuskus] *m nordafrikanisches Gericht aus Grieß mit Gemüse und Fleisch*
cousin [kuzɛ̃] *m* Cousin, Vetter; *Zo* (Stech-)Mücke *f*
cousine [kuzin] *f* Cousine
coussin [kusɛ̃] *m* Kissen *n*
coût [ku] *m* Kosten *pl*
coûtant [kutɑ̃] ***prix*** *m* ~ Selbstkostenpreis
couteau [kuto] *m* Messer *n*
coûter [kute] kosten; ~ ***cher*** teuer sein
coutume [kutym] *f* Gewohnheit; Brauch *m*, Sitte
coutur|e [kutyr] *f* Naht; (*a Med*); *occupation* Nähen *n*, Schneidern *n*; Schneiderei; **~ier** [~je] *m* Modeschöpfer; **~ière** [~jɛr] *f* Schneiderin
couvent [kuvɑ̃] *m* Kloster *n*
couver [kuve] ~ (***ses œufs***) brüten
couvercle [kuvɛrkl(ə)] *m* Deckel

couvert [kuvɛr] **1.** bedeckt; *marché m* ~ Markthalle *f*; **être bien** ~ warm angezogen sein; **2.** *m* Besteck *n*
couverture [kuvɛrtyr] *f* Decke; *livre* Einband *m*; *magazine* Titelseite
couvre-lit [kuvrəli] *m* Tagesdecke *f*
couvrir [kuvrir] zu-, bedecken (**de** mit); *fig* überschütten (**de** mit); *frais* decken; *distance* zurücklegen; **se** ~ *personne* sich warm anziehen; *ciel* sich bedecken
crabe [krab] *m* Krabbe *f*
cracher [kraʃe] spucken
craie [krɛ] *f* Kreide
craindre [krɛ̃dr(ə)] fürchten, sich fürchten vor (*D*); *chaleur* nicht vertragen; **~ que ... ne** (+ *subj*) (be)fürchten, dass
crainte [krɛ̃t] *f* Furcht, Angst; **~s** *pl* Befürchtungen
craintif [krɛ̃tif] ängstlich
crampe [krɑ̃p] *f* Krampf *m*
cramponner [krɑ̃pɔne] **se ~ à** sich klammern an (*A*)
crâne [krɑn] *m* Schädel
crâner [krane] F angeben
crapaud [krapo] *m* Kröte *f*
craquer [krake] knacken, krachen; *parquet* knarren; *couture* platzen; *fig personne* zusammenbrechen
crasse [kras] *f* Dreck *m*
cratère [kratɛr] *m* Krater
cravate [kravat] *f* Krawatte
crayon [krɛjõ] *m* Bleistift; **~ feutre** Filzstift; **~ de couleur** Buntstift; **~ à sourcils** Augenbrauenstift
création [kreasjõ] *f* Gründung, Schaffung; *mode* Kreation; *théâtre* Erstinszenierung
crèche [krɛʃ] *f Rel* Krippe; *garderie* Kinderkrippe
crédible [kredibl(ə)] glaubwürdig
crédit [kredi] *m* Kredit; **à ~** auf Kredit
créditer [kredite] gutschreiben (**q de 300 F** j-m 300 Franc)
crédule [kredyl] *f* Leichtgläubigkeit
créer [kree] gründen; *emplois, problèmes* schaffen
crème [krɛm] *f* Sahne; **~ glacée** Eiscreme; **~ caramel** Karamelpudding *m*; **~ d'asperges** Spargelcremesuppe; **~ à raser** Rasiercreme; **~ hydratante** Feuchtigkeitscreme; **~ solaire** Sonnen(schutz)creme
crémerie [krɛmri] *f* Milchgeschäft *n*
créneau [kreno] *m* Schießscharte *f*; *Kfz* Parklücke *f*; **faire un ~** einparken
crêpe [krɛp] *f Kochk* Crêpe (*dünner Pfannkuchen*)
crépuscule [krepyskyl] *m* (Abend-)Dämmerung *f*
cresson [krɛsõ] *m* Kresse *f*
Crète [krɛt] **la ~** Kreta *n*
crête [krɛt] *f* (Hahnen-, Berg-) Kamm *m*

crétin [kretɛ̃] F *m* Dummkopf
creuser [krøze] graben; *fruit* aushöhlen; ***se ~ la tête*** sich den Kopf zerbrechen
creux [krø] **1.** hohl; leer; **2.** *m* Höhlung *f*; Vertiefung *f*
crevaison [krəvɛzõ] *f* Reifenpanne
crevasse [krəvas] *f* Riss *m*
crever [krəve] platzen lassen; *pneu* zerstechen; *v/i* platzen; F *mourir* verrecken; *Kfz* ***j'ai crevé*** ich habe e-n Platten
crevette [krəvɛt] *f* Garnele
cri [kri] *m* Schrei
crible [kribl(ə)] *m* Sieb *n*
cric [krik] *m* Wagenheber
crier [krije] schreien
crim|e [krim] *m* Verbrechen *n*; **~inel** [~inɛl] **1.** kriminell; **2.** *m* Verbrecher
crinière [krinjɛr] *f* Mähne
criquet [krikɛ] *m* Heuschrecke *f*
crise [kriz] *f* Krise; ***~ cardiaque*** Herzanfall *m*
critique [kritik] **1.** kritisch; **2.** *m* Kritiker; **3.** *f* Kritik
critiquer [kritike] kritisieren
crochet [krɔʃɛ] *m* Haken; ***faire un ~*** e-n Abstecher machen
crocodile [krɔkɔdil] *m* Krokodil *n*
croire [krwar] glauben (***qc*** et *A*, ***q*** j-m); **~ à, ~ en** glauben an (*A*); ***se ~ malin*** sich für klug halten
croisement [krwazmɑ̃] *m* Kreuzung *f*
croiser [krwaze] kreuzen; **~ *q*** j-m begegnen; ***mots croisés*** Kreuzworträtsel *n*
croisière [krwazjɛr] *f* Kreuzfahrt
croissance [krwasɑ̃s] *f* Wachstum *n*
croissant [krwasɑ̃] *m* Hörnchen *n*, Croissant *n*; ***~ de lune*** Mondsichel *f*
croix [krwa] *f* Kreuz *n*
Croix-Rouge [krwaruʒ] ***la ~*** das Rote Kreuz
croqu|ant [krɔkɑ̃] knusprig, knackig; **~e-monsieur** [~məsjø] *m* Schinkentoast mit Käse
croquette [krɔkɛt] *f* Krokette
croquis [krɔki] *m* Skizze *f*
crotte [krɔt] *f* Kot *m*; ***~ en od de chocolat*** Praline
croustillant [krustijɑ̃] knusprig
croûte [krut] *f du pain* Kruste; *du fromage* Rinde; *pâté* ***en ~*** im Teigmantel
croûton [krutõ] *m* (Brot-)Kanten; *Kochk* gerösteter Brotwürfel, Croûton
croyant [krwajɑ̃] gläubig
C.R.S. [seɛrɛs] *m* Bereitschaftspolizist; ***les ~*** *pl* die Bereitschaftspolizei
cru¹ [kry] **1.** roh; **2.** *m* Wein(bau)gebiet *n*; *vin* Wein
cru² [kry] *p/p von* ***croire***
cruauté [kryote] *f* Grausamkeit
cruche [kryʃ] *f* Krug *m*
crucifier [krysifje] kreuzigen

crudités [krydite] *f/pl* Rohkost *f*; ***assiette f de ~*** Salatplatte
crue [kry] *f* Hochwasser *n*; ***être en ~*** Hochwasser führen
cruel [kryɛl] grausam
crustacés [krystase] *m/pl* Krustentiere *n/pl*
cube [kyb] *m* Würfel; ***mètre*** *m* ~ Kubikmeter
cueillir [kœjir] pflücken
cuillère [kɥijɛr] *f* Löffel *m*; ***petite ~*** Teelöffel *m*
cuillerée [kɥijere] *f* Löffel *m* voll
cuir [kɥir] *m* Leder *n*
cuire [kɥir] *à l'eau* kochen (*a v/i*); *à la poêle* braten; *pain, gâteau* backen (*a v/i*)
cuisine [kɥizin] *f* Küche; Kochen *n*; ***faire la ~*** kochen
cuisin|é [kyizine] ***plat ~*** Fertiggericht *n*; **~er** [~e] kochen; **~ier** [~je] *m* Koch; **~ière** [~jɛr] *f* Köchin; *appareil* (Elektro-, Gas-)Herd *m*
cuisse [kɥis] *f Anat* (Ober-)Schenkel *m*; *Kochk* Keule; ***~s pl de grenouille*** Froschschenkel *m/pl*
cuisson [kɥisõ] *f* Kochen *n*; Backen *n*
cuit [kɥi] gekocht, gar; ***~ au four*** gebacken
cuivre [kɥivr(ə)] *m* Kupfer *n*
cul [ky] *m* P Arsch
cul-de-sac [kydsak] *m* Sackgasse *f*
culinaire [kylinɛr] kulinarisch
culotte [kylɔt] *f* (kurze) Hose; *femme* Schlüpfer *m*
culpabilité [kylpabilite] *f* Schuld
culte [kylt] *m Rel* Kult (*a fig*); *confession* Konfession *f*; *service* Gottesdienst
cultivateur [kyltivatœr] *m* Landwirt
cultiv|é [kyltive] gebildet; *champ* bebaut; **~er** [~e] *champ* bebauen; *céréales* anbauen; ***se ~*** sich bilden
culture [kyltyr] *f* Kultur; *de la terre* Bebauung; *de légumes* Anbau *m*
culturel [kyltyrɛl] kulturell
cumin [kymɛ̃] *m* Kümmel
cure [kyr] *f* Kur; ***~ d'amaigrissement*** Abmagerungskur
curé [kyre] *m* (katholischer) Pfarrer
cure-dent [kyrdɑ̃] *m* Zahnstocher
curieux [kyrjø] neugierig; *bizarre* seltsam
curiosité [kyrjozite] *f* Neugier; ***~s*** *pl d'une ville* Sehenswürdigkeiten
cuvette [kyvɛt] *f* Waschbecken *n*
CV *m* (*cheval fiscal*) Steuer-PS *n*
C.V. *m* (*curriculum vitae*) Lebenslauf
cyclable [siklabl(ə)] ***piste f ~*** Rad(fahr)weg *m*
cycl|isme [siklism(ə)] *m* Radsport; **~iste** [~ist] *m, f* Radfahrer(in) *m(f)*

cyclomoteur [siklomɔtœr] *m* Mofa *n*
cyclone [siklon] *m* Wirbelsturm
cygne [siŋ] *m* Schwan
cylindr|e [silɛ̃dr(ə)] *m* Zylinder; **~ée** [~e] *f* Hubraum *m*
cynique [sinik] zynisch
cyprès [siprɛ] *m* Zypresse *f*
cystite [sistit] *f* Blasenentzündung

D

d' [d] *s* ***de***[1]
dactylo [daktilo] *f* Schreibkraft
daim [dɛ̃] *m Zo* Damhirsch; *cuir* Wildleder *n*
dalle [dal] *f* Fliese
dame [dam] *f* Dame
dancing [dɑ̃siŋ] *m* Tanzlokal *n*
Danemark [danmark] ***le ~*** Dänemark *n*
danger [dɑ̃ʒe] *m* Gefahr *f*
dangereux [dɑ̃ʒrø] gefährlich
danois [danwa] **1.** dänisch; **2.** ♀ *m* Däne
dans [dɑ̃] *lieu* in (*D od A*); *temps* in (*D*); ***~ la rue*** auf der Straße; *boire* ***~ un verre*** aus e-m Glas
dans|e [dɑ̃s] *f* Tanz *m*; **~er** [~e] tanzen; **~eur** [~œr] *m*, **~euse** [~øz] *f* Tänzer(in) *m* (*f*)
Danube [danyb] ***le ~*** die Donau
dard [dar] *m* Stachel
date [dat] *f* Datum *n*; ***~ de naissance*** Geburtsdatum *n*; ***~ limite de vente*** Mindesthaltbarkeitsdatum *n*
dater [date] datieren
datte [dat] *f* Dattel
daube [dob] *f* ***bœuf*** *m* ***en ~*** Rinderschmorbraten
dauphin [dofɛ̃] *m* Delfin
daurade [dorad] *f* Goldbrassen *m*
davantage [davɑ̃taʒ] mehr
de[1] [də] (*vor Vokal* **d'**) *prp* von (*od G*); *provenance, matière* aus, von; *cause* vor (*D*); ***le train ~ Paris*** der Zug aus Paris; ***le train ~ banlieue*** der Nahverkehrszug; ***le train du matin*** der Morgenzug; ***~ ... à*** von ... bis ...
de[2] [də] *article partitif* ***~ l'eau*** Wasser; ***du pain*** Brot; ***des épinards*** Spinat
dé [de] *m* Würfel; ***~ (à coudre)*** Fingerhut *m*
déballer [debale] auspacken
débarcadère [debarkadɛr] *m* Landungsbrücke *f*
débarquer [debarke] an Land gehen; *décharger* ausladen; ***~ de*** aussteigen aus
débarrasser [debarase] ausräumen; ***~ (la table)*** den

Tisch abräumen; ***se ~ de*** loswerden (*A*); *chose*(*s*) wegwerfen (*A*)
débat [deba] *m* Debatte *f*
débile [debil] F schwachsinnig
débit [debi] *m* Absatz, Vertrieb; ***~ de boissons*** Ausschank
débiter [debite] belasten (***q de 300 F*** j-n mit 300 Franc)
déblayer [debleje] wegräumen
déboiser [debwaze] abholzen
déboîter [debwate] *Med* ver-, ausrenken; *Kfz* ausscheren
déborder [debɔrde] *rivière* über die Ufer treten; *eau*, *lait* überlaufen
déboucher [debuʃe] *bouteille* aufmachen; ***~ de*** (heraus-) kommen aus; ***~ sur*** führen zu (*a fig*)
débouchés [debuʃe] *m/pl Wi* Absatzmärkte; *emplois* Berufsaussichten *f/pl*
debout [dəbu] stehend, aufrecht(stehend); ***être ~*** stehen; *levé* auf(gestanden) sein
déboutonner [debutɔne] aufknöpfen
débraillé [debraje] nachlässig, salopp
débrancher [debrɑ̃ʃe] *Tech* abschalten
débrayer [debreje] *Kfz* auskuppeln
débris [debri] *m/pl* Scherben *f/pl*; *d'un avion* Trümmer *pl*
débrouiller [debruje] ***se ~*** zurechtkommen
début [deby] *m* Anfang; ***au ~*** anfangs, am Anfang
début|ant(e) [debytɑ̃(t)] *m/f* Anfänger(in); **~er** [~e] anfangen (***par*** mit)
décaféiné [dekafeine] **1.** koffeinfrei; **2.** *m* (*Abk* F ***déca***) koffeinfreier Kaffee
décapotable [dekapɔtabl(ə)] *f* Kabrio(lett) *n*
décapsuleur [dekapsylœr] *m* Flaschenöffner
décédé [desede] verstorben
décembre [desɑ̃br(ə)] *m* Dezember
décent [desɑ̃] anständig
déception [desɛpsjõ] *f* Enttäuschung
décerner [desɛrne] *prix* verleihen
décès [desɛ] *m* Tod(esfall)
décevoir [des(ə)vwar] enttäuschen
déchaîné [deʃɛne] *personne* außer Rand und Band; ***~ contre*** aufgebracht gegen
décharg|e [deʃarʒ] *f* **~** (***électrique*** elektrischer) Schlag *m*; **~** (***publique***) Müllkippe *f*; **~er** [~e] *camion*, *arme* entladen; *bagages* ausladen (***de*** aus)
déchausser [deʃose] ***se ~*** sich die Schuhe ausziehen
déchets [deʃɛ] *m/pl* Abfälle; ***~ radioactifs*** Atommüll *m*
déchiffrer [deʃifre] entziffern; *code* entschlüsseln
déchir|er [deʃire] **~** *u* ***se ~*** zerreißen; **~ure** [~yr] *f* Riss *m*

décidé [deside] entschlossen; *ton* entschieden

décider [deside] ~ **qc** et beschließen; ~ **de qc** über et (*A*) entscheiden; ~ **de** (+ *inf*) beschließen zu; **se** ~ **à** (+ *inf*) sich entschließen zu

décis|if [desizif] entscheidend; **~ion** [~jõ] *f* Entscheidung

déclarer [deklare] erklären; *naissance* anmelden; *à la douane* verzollen; **se** ~ sich äußern; *maladie* ausbrechen

déclencher [deklɑ̃ʃe] auslösen; **se** ~ ausgelöst werden

décoll|age [dekɔlaʒ] *m Flgw* Start; **~er** [~e] *timbre* ablösen; *avion* starten

décombres [dekõbr(ə)] *m/pl* Trümmer *pl*, Schutt *m*

décommander [dekɔmɑ̃de] absagen (**qc** et *A*, **q** j-m); *Hdl* abbestellen; **se** ~ absagen

décomposer [dekõpoze] zerlegen; **se** ~ verwesen

décon|certer [dekõsɛrte] verwirren; **~geler** [~ʒəle] auftauen

déconseiller [dekõsɛje] abraten (**qc à q** j-m von et)

décor [dekɔr] *m* Ausstattung *f*, Dekor; *fig* Umgebung *f*; **~s** *pl théâtre* Bühnenbild *n*

décor|ation [dekɔrasjõ] *f* Ausstattung; Dekoration; *médaille* Orden *m*; **~er** [~e] schmücken (**de** mit)

découler [dekule] ~ **de** sich ergeben aus

découper [dekupe] *rôti, gâteau* aufschneiden; *poulet* tranchieren; *article* ausschneiden

décourager [dekuraʒe] entmutigen

décousu [dekusy] *fig* zusammenhanglos

découvert [dekuvɛr] unbedeckt, offen; *compte* **à** ~ überzogen

découverte [dekuvɛrt] *f* Entdeckung

découvrir [dekuvrir] entdecken; **se** ~ *en dormant* sich aufdecken

décrire [dekrir] beschreiben

décrocher [dekrɔʃe] *wagon, tableau* abhängen; *rideaux, Tel* abnehmen

déçu [desy] enttäuscht

dédaign|er [dedɛɲe] verachten; **~eux** [~ø] verächtlich

dedans [dədɑ̃] **1.** darin; drinnen; *déplacement* hinein *od* herein, F rein; **2.** *m* Innere(s) *n*

déd|icace [dedikas] *f* Widmung; **~ier** [~je] widmen

dédommager [dedɔmaʒe] entschädigen (**de** für)

dédouaner [dedwane] verzollen

déduction [dedyksjõ] *f conclusion* Ableitung, (Schluss-) Folgerung; *soustraction* Abzug *m*

déduire [dedɥir] *conclure* ableiten (**de** von); *soustraire* abziehen (**de** von)

déesse [de'ɛs] *f* Göttin
défaillance [defajɑ̃s] *f* Schwächeanfall *m*
défaire [defɛr] *ceinture, paquet* aufmachen; *valise* auspacken; *lit* abziehen
défaite [defɛt] *f* Niederlage
défaut [defo] *m* Fehler; *inconvénient* Nachteil
défavor|able [defavɔrabl(ə)] ungünstig; *réponse* negativ; **~iser** [~ize] benachteiligen
défectueux [defɛktɥø] fehlerhaft; *machine* defekt
défen|dre [defɑ̃dr(ə)] verteidigen; *interdire* verbieten; **se ~** sich verteidigen, sich wehren; **~du** [~dy] verboten
défense [defɑ̃s] *f* Verteidigung; *interdiction* Verbot *n*; **~ de fumer** Rauchen verboten!
défi [defi] *m* Herausforderung *f*
défiance [defjɑ̃s] *f* Misstrauen *n*
defilé [defile] *m Mil* Aufmarsch; **~ de mode** Modenschau *f*
définir [definir] *mot* definieren; *sentiment* genau beschreiben
définitif [definitif] endgültig
déformation [defɔrmasjõ] *f* Verformung
défunt [defɛ̃] verstorben
dégager [degaʒe] befreien (**de** aus); *rue, nez* freimachen; **se ~** sich befreien (**de** aus); *rue, nez* frei werden; *ciel* aufklaren; *gaz* ausströmen (aus); *fumée* aufsteigen (aus)
dégât [dega] *m* Schaden; **~s** *pl* **matériels** Sachschaden
dégel [deʒɛl] *m* Tauwetter *n*
dégeler [deʒle] auftauen
dégivrer [deʒivre] abtauen; entfrosten
dégoût [degu] *m* Ekel
dégoûtant [degutɑ̃] widerlich
dégoûter [degute] anekeln; **~ q de qc** j-m et verleiden
dégonflé [degõfle] **le pneu est ~** der Reifen hat Luft verloren
degré [dəgre] *m* Grad; **11 ~s** *température* 11 Grad, *vin* 11 Prozent
déguiser [degize] **se ~** sich verkleiden (**en** als)
dégustation [degystasjõ] *f* **~ de vins** Weinprobe
déguster [degyste] kosten; *savourer* genießen
dehors [dəɔr] **1.** draußen; *déplacement* hinaus *od* heraus, nach draußen, F raus; **2.** *m* Äußere(s) *n*; **en ~ de** außerhalb (*G*); *à part* außer (*D*)
déjà [deʒa] schon
déjeuner [deʒœne] **1.** (zu) Mittag essen; **2.** *m* Mittagessen *n*; **petit ~** Frühstück *n*
délabré [delabre] verfallen
délai [delɛ] *m* Frist *f*; *prolongation* Aufschub; **sans ~** fristlos
délasser [delɑse] entspannen; **se ~** sich erholen

délayer [delɛje] verdünnen
délibérément [deliberemɑ̃] absichtlich
délibérer [delibere] ~ ***sur qc*** (über) et (*A*) beraten
délicat [delika] zart; *problème* heikel; *avec tact* feinfühlig; *difficile* wählerisch
délic|e [delis] *m* Genuss; **~ieux** [~jø] köstlich
délimiter [delimite] abgrenzen
délinquant [delɛ̃kɑ̃] *m* Straffällige(r)
délire [delir] *m* Wahn
délit [deli] *m* Vergehen *n*; ~ ***de fuite*** Fahrerflucht *f*
délivrer [delivre] befreien; *passeport* ausstellen
déloyal [delwajal] unfair; *ami* treulos
deltaplane [dɛltaplan] *m* (Flug-)Drachen; *sport* Drachenfliegen *n*
déluge [delyʒ] *m* Sintflut *f*
demain [d(ə)mɛ̃] morgen; ~ ***matin*** (***soir***) morgen früh (Abend)
demande [d(ə)mɑ̃d] *f* Bitte; *écrite* Antrag *m*; ~ ***d'emploi*** Stellengesuch *n*; ***faire une*** ~ e-n Antrag stellen
demander [d(ə)mɑ̃de] bitten (***qc à q*** j-n um et); *réclamer* verlangen (***qc à q*** et von j-m); *vouloir savoir* fragen (***qc à q*** j-n nach et)
démanger [demɑ̃ʒe] jucken
démarche [demarʃ] *f* Gang *m*; *fig* **~s** *pl* Schritte *m/pl*
démarr|age [demaraʒ] *m* Anfahren *n*; **~er** [~e] *voiture* anfahren; *moteur* anspringen; *fig* beginnen; **~eur** [~œr] *m Kfz* Anlasser
déménag|ement [demenaʒmɑ̃] *m* Umzug; **~er** [~e] umziehen
dément [demɑ̃] wahnsinnig
démesuré [deməzyre] riesig; *fig* maßlos
démettre [demɛtr(ə)] *bras* aus-, verrenken
demeurer [d(ə)mœre] *habiter* wohnen; *rester* bleiben
demi [d(ə)mi] **1.** halbe(r, -s); ***une heure et ~e*** anderthalb Stunden; ***il est onze heures et ~e*** es ist halb zwölf; **2.** *m bière* ***un*** ~ ein (kleines) Glas Bier
demi|-douzaine [d(ə)miduzɛn] *f* halbes Dutzend *n*; **~-heure** [~jœr] *f* halbe Stunde; **~-pension** [~pɑ̃sjɔ̃] *f* Halbpension
démiss|ion [demisjɔ̃] *f* Rücktritt *m*; **~ionner** [~jɔne] zurücktreten (***de*** aus)
demi-tour [d(ə)mitur] *m* ***faire*** ~ umkehren
démocratie [demɔkrasi] *f* Demokratie
démodé [demɔde] altmodisch
demoiselle [d(ə)mwazɛl] *f* Fräulein *n*
démolir [demɔlir] ab-, niederreißen; *casser* kaputtmachen
démon [demɔ̃] *m* Teufel

démonter [demõte] auseinander nehmen, zerlegen; *tente* abbrechen
démontrer [demõtre] beweisen
dénigrer [denigre] herabsetzen
dénivelé(e) [denivle] *m(f)* Höhenunterschied *m*
dénoncer [denõse] denunzieren
dense [dɑ̃s] dicht
dent [dɑ̃] *f* Zahn *m*; **~ *de lait*** Milchzahn *m*; **~ *de sagesse*** Weisheitszahn *m*
dentelle [dɑ̃tɛl] *f* Spitze
dent|ier [dɑ̃tje] *m* (künstliches) Gebiss *n*; **~ifrice** [~ifris] *m* Zahnpasta *f*; **~iste** [~ist] *m* Zahnarzt; **~ition** [~isjõ] *f Anat* Gebiss *n*
déodorant [deɔdɔrɑ̃] *m* Deo(dorant) *n*
dépannage [depanaʒ] *m* Reparatur *f*; ***entreprise f de ~*** Abschleppdienst *m*
dépanner [depane] reparieren; *remorquer* abschleppen; F *fig* aushelfen (***q*** j-m)
dépanneuse [depanøz] *f* Abschleppwagen *m*
départ [depar] *m* Abfahrt *f*; *avion* Abflug; *en voyage* Abreise *f*; *Sp* Start; *début* Anfang; ***au ~*** am Anfang, anfangs
département [departəmɑ̃] *m* Departement *n*; *service* Abteilung *f*
dépasser [depɑse] *doubler* überholen; *être plus grand* überragen; *somme*, *temps* überschreiten; *fig* übertreffen
depêcher [depɛʃe] **se ~** sich beeilen
dépendre [depɑ̃dr(ə)] abhängen (***de*** von); ***cela dépend(ra) du temps*** es kommt auf das Wetter an
dépens [depɑ̃] *m/pl* ***aux ~ de*** auf Kosten von
dépens|e [depɑ̃s] *f* Ausgabe; *de temps* Aufwand *m* (***de*** an); **~er** [~e] ausgeben; *consommer* verbrauchen; **se ~** sich (physisch) verausgaben
dépérissement [deperismɑ̃] *m* ***~ des forêts*** Waldsterben *n*
dépist|age [depistaʒ] *m Med* Früherkennung *f*, Vorsorge *f*; **~er** [~e] aufspüren
déplac|é [deplase] unpassend; **~er** [~e] umstellen; *reporter* verlegen; **se ~** *pour son travail* (geschäftlich) unterwegs sein
déplaire [deplɛr] **~ *à q*** j-m nicht gefallen, missfallen
dépliant [deplijɑ̃] *m* Faltprospekt
déplorable [deplɔrabl(ə)] beklagenswert
déporter [depɔrte] *personne* deportieren; *véhicule* abdrängen; **se ~** ausscheren
déposer [depoze] abstellen, ablegen; *argent* einzahlen; *personne* absetzen; **se ~** *boue* sich ablagern

dépouiller [depuje] berauben (***de*** *G*)
dépourvu [depurvy] ~ ***de*** ohne; ...los; ***prendre au*** ~ (völlig) überraschen
dépression [depresjõ] *f Med* Depression(en) *f(pl)*; *météo* Tief *n*; ~ ***nerveuse*** Nervenzusammenbruch *m*
déprimer [deprime] deprimieren; F down sein
depuis [dəpɥi] *prp* seit (*D*), *lieu* von ... aus; *adv* seitdem; *cj* ~ ***que*** seit(dem); ~ ***quand?*** seit wann?, wie lange (schon)?
député [depyte] *m* Abgeordnete(r) *su*
déraciner [derasine] entwurzeln
déraill|er [derɑje] entgleisen; **~eur** [~jœr] *m vélo* Gangschaltung *f*
déranger [derɑ̃ʒe] stören; *objets* in Unordnung bringen
déraper [derape] *voiture* ins Schleudern kommen; *piéton* ausrutschen
dérégler [deregle] verstellen; ***se*** ~ nicht mehr richtig funktionieren
dérive [deriv] *Mar* ***aller à la*** ~ treiben
dériver [derive] *Mar*, *Flgw* abgetrieben werden
dermatologue [dɛrmatɔlɔg] *m* Hautarzt
dernier [dɛrnje] letzte(r, -s); *après nom* vergangen, vorig; *employé seul* ***le*** ~, ***la dernière*** der, die, das Letzte; ***en*** ~ zuletzt
dernièrement [dɛrnjɛrmɑ̃] neulich
dérouler [derule] aufrollen; ***se*** ~ sich abspielen
derrière [dɛrjɛr] **1.** *prp* hinter (*D od A*); *adv* hinten; ***de*** ~ Hinter...; ***par*** ~ von hinten; **2.** *m* Rückseite *f*; F *postérieur* Hintern
des [de] = ***de*** + ***les***
dès [dɛ] von ... an; ~ ***que*** sobald
désaccord [dezakɔr] *m* Uneinigkeit *f*
désagréable [dezagreabl(ə)] unangenehm
désaltérer [dezaltere] ***se*** ~ s-n Durst stillen
désapprouver [dezapruve] missbilligen
désarmement [dezarməmɑ̃] *m* Abrüstung *f*
désastr|e [dezastr(ə)] *m* Katastrophe *f*; **~eux** [~ø] katastrophal
désavantag|e [dezavɑ̃taʒ] *m* Nachteil; **~er** [~e] benachteiligen
descendant [desɑ̃dɑ̃] *m* Nachkomme
descendre [desɑ̃dr(ə)] hinunter- *od* heruntergehen, *en voiture* -fahren; *objet* hinunter- *od* herunterbringen; *route* abwärts gehen; *température* fallen; *marée* zurückgehen; ~ ***de*** *train* aussteigen aus, *origine* abstammen von

descente [desɑ̃t] *f du train* Aussteigen *n*; *pente* abschüssige Strecke; *ski* Abfahrtslauf *m*
description [dɛskripsjõ] *f* Beschreibung
désert [dezɛr] **1.** einsam, öde, leer; **2.** *m* Wüste *f*
déserter [dezɛrte] verlassen; *Mil* desertieren
désespéré [dezɛspere] verzweifelt
désespoir [dezɛspwar] *m* Verzweiflung *f*
déshabiller [dezabije] (**se ~** sich) ausziehen
désigner [deziɲe] bezeichnen; bestimmen
désinfectant [desɛ̃fɛktɑ̃] *m* Desinfektionsmittel *n*
désintéressé [dezɛ̃terɛse] uneigennützig
désintoxication [dezɛ̃tɔksikasjõ] *f* **cure** *f* **de ~** Entziehungskur
désir [dezir] *m* Wunsch
désirer [dezire] wünschen; ***vous désirez?*** was darf es sein?
désobéir [dezɔbeir] ungehorsam sein; **~ à q** j-m nicht gehorchen
désodorisant [dezɔdɔrizɑ̃] *m* Deodorant *n*
désolé [dezɔle] (tief) betrübt (**de** über *A*); *région* trostlos; (**je suis**) **~** (es) tut mir Leid
désordre [dezɔrdr(ə)] *m* Unordnung *f*; **en ~** in Unordnung
désormais [dezɔrmɛ] von nun an
dessécher [deseʃe] **~** *und* **se ~** austrocknen
desserrer [desɛre] lockern, lösen
dessert [desɛr] *m* Nachtisch
desservir [desɛrvir] *village* (regelmäßig) fahren zu; *gare* halten an (*D*); *port* anlaufen; *aéroport* anfliegen
dessin [desɛ̃] *m* Zeichnung *f*; Plan; Muster *n*; **~ animé** Zeichentrickfilm
dessiner [desine] zeichnen
dessous [dəsu] **1.** darunter; **en ~** darunter; **en ~ de** unter (*D*); **2.** *m* Unterseite *f*
dessus [dəsy] **1.** darauf; **2.** *m* Oberseite *f*
destin [dɛstɛ̃] *m* Schicksal *n*
destinataire [dɛstinatɛr] *m* Empfänger
destination [dɛstinasjõ] *f* Bestimmungsort *m*; **à ~ de Paris** nach Paris
destin|ée [dɛstine] *f* Schicksal *n*; **~er** [~e] **~ à** bestimmen für
destruction [dɛstryksjõ] *f* Zerstörung, Vernichtung
détachant [detaʃɑ̃] *m* Fleck(en)entferner
détacher [detaʃe] lösen, losmachen; *chien* losbinden; *feuille* abreißen (**de** von); **se ~** sich lösen; *chien* sich losreißen; **se ~ sur** sich abzeichnen gegen
détail [detaj] *m* Einzelheit *f*; *sans importance* Kleinigkeit

f; ***en ~*** ausführlich; ***au ~*** stückweise
déteindre [detɛ̃dr(ə)] ausbleichen; ***~ sur*** abfärben auf (*A*)
détendre [detɑ̃dr(ə)] (***se ~*** sich) entspannen
détenir [detənir] besitzen; *record* halten; *secret* bewahren; *criminel* gefangen halten
détente [detɑ̃t] *f* Entspannung
détention [detɑ̃sjõ] *f* Haft
détenu [detəny] *m* Häftling
déterminer [detɛrmine] bestimmen, festlegen; ***~ q à*** (+ *inf*) j-n veranlassen zu
détester [detɛste] hassen
détonation [detɔnasjõ] *f* Knall *m*
détour [detur] *m* Umweg
détourner [deturne] *circulation* umleiten; ***~ q de qc*** j-n von et abbringen
détresse [detrɛs] *f* Not
détroit [detrwa] *m* Meerenge *f*
détruire [detrɥir] zerstören
dette [dɛt] *f* Schuld
deuil [dœj] *m* Trauer *f*
deux [dø] zwei; ***les ~*** beide
deuxième [døzjɛm] zweite(r, -s)
deux-points [døpwɛ̃] *m* Doppelpunkt
dévaliser [devalize] ausrauben
devancer [d(ə)vɑ̃se] ***~ q*** j-m voraus sein (***de*** um); *aller au devant de* j-m zuvorkommen
devant [d(ə)vɑ̃] **1.** *prp* vor (*D od A*); *adv* vorn(e); ***de ~*** Vorder...; **2.** *m* Vorderseite *f*, vorderer Teil
devanture [d(ə)vɑ̃tyr] *f* Auslage
dévaster [devaste] verwüsten
développ|ement [devlɔpmɑ̃] *m* Entwicklung *f*; ***~er*** [~e] entwickeln
devenir [dəvnir] werden
déviation [devjasjõ] *f* Umleitung
dévier [devje] *Kfz* umleiten; *projectile* (von s-r Richtung) abweichen
devin|er [d(ə)vine] (er)raten; ***~ette*** [~ɛt] *f* Rätsel *n*
devis [d(ə)vi] *m* Kostenvoranschlag
devises [d(ə)viz] *f/pl* Devisen
dévisser [devise] ab-, losschrauben
dévoiler [devwale] enthüllen
devoir [dəvwar] **1.** müssen; *conseil*, *regret* sollen; *intention* wollen; *argent* schulden; *vie* verdanken; ***tu devrais ...*** du solltest ...; **2.** *m* Pflicht *f*; *école* ***~s*** *pl* (Haus-)Aufgaben *f/pl*
dévorer [devɔre] verschlingen (*a fig*)
dévoué [devwe] ergeben
dévouer [devwe] ***se ~*** sich aufopfern (***pour*** für)
diabète [djabɛt] *m* Zuckerkrankheit *f*, Diabetes
diable [djabl(ə)] *m* Teufel
diabolique [djabɔlik] teuflisch
diagnostic [djagnɔstik] *m* Diagnose *f*

dialecte [djalɛkt] *m* Dialekt
dialogue [djalɔg] *m* Dialog
diamant [djamɑ̃] *m* Diamant
diamètre [djamɛtr(ə)] *m* Durchmesser
diapo(sitive) [djapo(zitiv)] *f* Dia(positiv) *n*
diarrhée [djare] *f Med* Durchfall *m*
dict|ée [dikte] *f* Diktat *n*; **~er** [~e] diktieren
dictionnaire [diksjɔnɛr] *m* Wörterbuch *n*
diesel [djezɛl] *m* Dieselmotor; Diesel(fahrzeug) *m*(*n*)
diète [djɛt] *f* Diät
Dieu [djø] *m* Gott
différ|ence [diferɑ̃s] *f* Unterschied *m*; **~ent** [~ɑ̃] unterschiedlich, verschieden; *autre* anders, andere(r, -s); **~s** *pl* verschiedene; **~ de** anders als
difficile [difisil] schwierig
difficulté [difikylte] *f* Schwierigkeit
diffuser [difyze] verbreiten; *radio* ausstrahlen, senden
digérer [diʒere] verdauen (*a fig*)
digest|e [diʒɛst] leicht verdaulich; **~if** [~if] *m* Digestiv, Verdauungsschnaps; **~ion** [~jõ] *f* Verdauung
digne [diɲ] würdig (**de** *G*)
digue [dig] *f* Damm *m*, Deich *m*
dilater [dilate] ausdehnen
dimanche [dimɑ̃ʃ] *m* Sonntag; **le ~** sonntags
dimension [dimɑ̃sjõ] *f* Dimension
diminuer [diminɥe] verringern, *prix* senken; *v/i* abnehmen; *prix* sinken; *température* zurückgehen; *chaleur* nachlassen
dind|e [dɛ̃d] *f* Pute; **~on** [~dõ] *m* Truthahn, Puter
dîner [dine] **1.** zu Abend essen; **2.** *m* Abendessen *n*
diplomate [diplɔmat] *m* Diplomat
diplôme [diplom] *m* Diplom *n*; *de fin d'études* Abschluss(zeugnis) *m*(*n*)
dire [dir] sagen; ***vouloir*** **~** bedeuten; ***pour ainsi*** **~** sozusagen
direct [dirɛkt] direkt, unmittelbar
directeur [dirɛktœr] *m* Direktor, Leiter
direction [dirɛksjõ] *f* Leitung; *dirigeants* Geschäftsleitung; *sens* Richtung; *Kfz* Lenkung; ***toutes*** **~s** *panneau* alle Richtungen, Durchgangsverkehr; **~ *assistée*** Servolenkung
directrice [dirɛktris] *f* Leiterin
diriger [diriʒe] leiten; *véhicule* lenken
discerner [disɛrne] unterscheiden
discipline [disiplin] *f* Disziplin; *matière* Fach *n*
discothèque [diskɔtɛk] *f* Diskothek

discours [diskur] *m* Rede *f*
discret [diskrɛ] diskret
discussion [diskysjõ] *f* Diskussion
discuter [diskyte] diskutieren
dispar|aître [disparɛtr(ə)] verschwinden; *animaux* aussterben; **~ition** [~isjõ] *f* Verschwinden *n*; Aussterben *n*
dispensaire [dispɑ̃sɛr] *m* Ambulanz *f*
dispenser [dispɑ̃se] befreien (**de** von)
disperser [dispɛrse] zerstreuen
disponible [dispɔnibl(ə)] verfügbar; *libre* frei; *argent* flüssig
disposé [dispoze] **~ à** (+ *inf*) bereit zu
disposer [dispoze] anordnen; **~ *de*** verfügen über (*A*)
disposit|if [dispositif] *m* Vorrichtung *f*; **~ion** [~sjõ] *f* Verfügung
disproportion [disprɔpɔrsjõ] *f* Missverhältnis *n*
disput|e [dispyt] *f* Streit *m*; **~er** [~e] *match* austragen; **se ~** (sich) streiten
disquaire [diskɛr] *m* Schallplattenhändler
disque [disk] *m* *Mus* (Schall-)Platte *f*; *Tech* Scheibe *f*; *Sp* Diskus; *Inform* Platte *f*; **~ *compact*** CD *f*; **~ *dur*** Festplatte *f*; *Kfz* **~ *de stationnement*** Parkscheibe *f*
disquette [diskɛt] *f* Diskette
dissertation [disɛrtasjõ] *f* *école* Aufsatz *m*
dissimuler [disimyle] (**se ~** sich) verbergen
dissip|é [disipe] unaufmerksam; **~er** [~e] **se ~** *brume* sich auflösen
dissolvant [disɔlvɑ̃] *m* Nagellackentferner
dissoudre [disudr(ə)] auflösen
dissuader [disɥade] (***q de qc*** j-m von et) abraten
distance [distɑ̃s] *f* Abstand *m*, Entfernung; Distanz (*a fig*)
distinct [distɛ̃(kt)] unterschiedlich; *voix* deutlich
distinction [distɛ̃ksjõ] *f* Unterscheidung; *différence* Unterschied *m*; *élégance* Vornehmheit
distingu|é [distɛ̃ge] vornehm; **~er** [~e] unterscheiden
distraction [distraksjõ] *f* Zerstreutheit; *détente* Ablenkung; **~s** *pl* Zeitvertreib *m*
distraire [distrɛr] ablenken (**de** von); *public* unterhalten; **se ~** sich ablenken
distrait [distrɛ] zerstreut
distribu|er [distribɥe] aus-, verteilen; *courrier* austragen; **~teur** [~tœr] *m* Automat
divan [divɑ̃] *m* Couch *f*
diverger [divɛrʒe] abweichen
divers [divɛr] verschieden
divert|ir [divɛrtir] (**se ~** sich) unterhalten; **~issement** [~ismɑ̃] *m* Vergnügen *n*
divin [divɛ̃] göttlich
divis|er [divize] teilen (**en** in *A*, **par** durch); *partager* auf-

teilen (**entre** unter *D*); *fig personnes* entzweien, *groupe* spalten; **~ion** [~jõ] *f* (Auf-)Teilung; *football* Liga
divorc|e [divɔrs] *m* (Ehe-)Scheidung *f*; **~er** [~e] sich scheiden lassen (**de** von)
dix [dis, di] zehn
dixième [dizjɛm] *f* **une ~ (de)** etwa zehn
docile [dɔsil] folgsam
docteur [dɔktœr] *m* Doktor, Arzt
document [dɔkymɑ̃] *m* Dokument *n*; **~s** *pl* Unterlagen *f*/*pl*
documentaire [dɔkymɑ̃tɛr] *m* Dokumentarfilm
doigt [dwa] *m* Finger; **~ de pied** Zeh(e) *m*(*f*)
dois [dwa] *prés von* **devoir**
domaine [dɔmɛn] *m propriété* (Land-)Gut *n*; *fig* Gebiet *n*, Bereich
dôme [dom] *m* Kuppel *f*
domestique [dɔmɛstik] **1.** Haus..., häuslich; **2.** *m*, *f* Hausangestellte(r) *su*
domicil|e [dɔmisil] *m* Wohnsitz; **~ié** [~je] **~ à** wohnhaft in
dominer [dɔmine] beherrschen; *Sp* dominieren; *prédominer* überwiegen, vorherrschen; **se ~** sich beherrschen
dommage [dɔmaʒ] *m* Schaden; **~s** *pl* **et intérêts** Schadenersatz; (**c'est**) **~** (es ist) schade; **quel ~!** wie schade!
dompter [dõte] bändigen
D.O.M.-T.O.M. [dɔmtɔm] *m*/*pl* (*départements et territoires d'outre-mer*) überseeische Departements und Gebiete
don [dõ] *m* Spende *f*; *talent* Begabung *f*
donation [dɔnasjõ] *f* Schenkung
donc [dõk] also; **pourquoi ~?** warum denn?; **tais-toi ~!** halt doch den Mund!
donjon [dõʒõ] *m* Bergfried
données [dɔne] *m*/*pl* Daten *n*/*pl*
donner [dɔne] geben (**qc à q** j-m et); *cadeau* schenken; **~ sur** hinausgehen auf (*A*)
dont [dõ] von dem, von der, von denen, wovon; *complément d'un nom a* dessen, deren
dopage [dɔpaʒ] *m* Doping *n*
dorade *s* **daurade**
dorénavant [dɔrenavɑ̃] von jetzt an, künftig
dorer [dɔre] vergolden
dormir [dɔrmir] schlafen
dortoir [dɔrtwar] *m* Schlafsaal
dos [do] *m* Rücken; *chèque* Rückseite *f*; *chaise* Rücken-, Stuhllehne *f*
dose [doz] *f* Dosis
dossier [dosje] *m* Rückenlehne *f*; *documents* Akten *f*/*pl*
douan|e [dwan] *f* Zoll(amt) *m*(*n*); **~ier** [~je] **1.** Zoll...; **2.** *m* Zollbeamte(r)
double [dubl(ə)] **1.** doppelt; **2.** *m* Duplikat *n*; *tennis* Doppel *n*; **le ~** das Doppelte

doubler [duble] verdoppeln; *vêtement* füttern; *Kfz* überholen; *film* synchronisieren
douce *s* ***doux***
doucement [dusmɑ̃] sanft, behutsam; *parler* leise; *rouler* langsam
douceur [dusœr] *f* Sanftmut
douch|e [duʃ] *f* Dusche; **~er** [~e] duschen
doué [dwe] begabt
doul|eur [dulœr] *f* Schmerz *m*; **~oureux** [~urø] schmerzhaft
doute [dut] *m* Zweifel; ***sans ~*** wahrscheinlich; ***sans aucun ~*** zweifellos
douter [dute] zweifeln (***de*** an *D*); ***se ~ de*** ahnen
douteux [dutø] zweifelhaft
doux [du] (*f* ***douce*** [dus]) *fruit* süß; *temps* mild; *personne*, *musique* sanft; *peau* zart
douzaine [duzɛn] *f* ***une ~*** (***de*** ...) ein Dutzend *n* (...); *environ douze* etwa zwölf (...)
douze [duz] zwölf
draguer [drage] F *filles* anmachen
drame [dram] *m* Drama *n*
drap [dra] *m* **~** (***de lit***) (Bett-)Laken *n*; **~s** *pl* Bettwäsche *f*
drapeau [drapo] *m* Fahne *f*
dresser [drɛse] aufstellen; *tête* aufrichten; *animal* dressieren; *Kochk* anrichten; ***se ~*** *personne* sich aufrichten; *montagne* emporragen
drogue [drɔg] *f* Droge(n) *f(pl)*, Rauschgift *n*
drogu|é(e) [drɔge] *m(f)* Drogen-, Rauschgiftsüchtige(r) *su*; **~er** [~e] ***se ~*** Drogen, Rauschgift nehmen
droit [drwa] **1.** rechte(r, -s); *ligne* gerade; *vertical*, *personne* aufrecht; ***tout ~*** geradeaus; **2.** *m* Recht *n*; *taxe* Gebühr *f*; ***avoir le ~ de*** das Recht haben zu, dürfen; ***avoir ~ à*** ein (An-)Recht haben auf (*A*)
droite [drwat] *f* Rechte (*a Pol*), rechte Seite; ***à ~*** rechts (***de*** von)
drôle [drol] lustig; *bizarre* seltsam, komisch; ***un ~ de ...*** ein komischer ...
du [dy] = ***de*** + ***le***
dû [dy] *p/p von* ***devoir***
duc [dyk] *m* Herzog
duchesse [dyʃɛs] *f* Herzogin
dune [dyn] *f* Düne
duper [dype] betrügen
dur [dyr] hart; *difficile* schwierig; *sévère* streng; *climat* rau; *viande* zäh
durable [dyrabl(ə)] dauerhaft
durant [dyrɑ̃] während (*G*)
durcir [dyrsir] hart machen, härten; (***se***) **~** hart werden
durée [dyre] *f* Dauer
durer [dyre] dauern; *beau temps* anhalten
dureté [dyrte] *f* Härte
duvet [dyvɛ] *m* Flaum; *sac de couchage* Schlafsack
dynamo [dinamo] *f* Dynamo *m*; *Kfz* Lichtmaschine

E

eau [o] *f* Wasser *n*; **~ *chaude*** Warmwasser *n*; **~ *courante*** fließendes Wasser *n*; **~ *du robinet*** Leitungswasser *n*; **~ *minérale*** Mineralwasser *n*; **~ *gazeuse*** Sprudel *m*; **~ *non potable*** kein Trinkwasser
eau-de-vie [odwi] *f* Schnaps *m*
ébauche [eboʃ] *f* Entwurf *m*
éblouir [ebluir] blenden; *fig* hinreißen
éboulement [ebulmɑ̃] *m* Einsturz, Erdrutsch
écaille [ekɑj] *f* Schuppe
écart [ekar] *m* Abstand; *différence* Unterschied; *Sp* ***grand*** **~** Spagat; ***à l'*~** abseits
écarter [ekarte] *jambes* spreizen; *table* wegrücken (**de** von); **s'~ *de*** sich entfernen von, **s'~ *du chemin*** vom Weg abkommen
ecclésiastique [ɛklezjastik] kirchlich
échafaudage [eʃafodaʒ] *m* Gerüst *n*
échalote [eʃalɔt] *f* Schalotte
échange [eʃɑ̃ʒ] *m* Austausch; ***faire un*** **~** tauschen (**avec** mit)
échanger [eʃɑ̃ʒe] austauschen (**contre** gegen); *lettres, alliances* wechseln; *soldes* ***ni repris ni échangés*** vom Umtausch ausgeschlossen
échangeur [eʃɑ̃ʒœr] *m* Autobahnkreuz *n*
échantillon [eʃɑ̃tijõ] *m* Probe *f*, Muster *n*
échappement [eʃapmɑ̃] *m* Auspuff
échapper [eʃape] **~ *à*** entkommen (*D*); *obligations* sich entziehen (*D*); **~ *à q mots*** j-m entschlüpfen; *nom* j-m nicht einfallen; **s'~** entkommen (**de** aus)
écharde [eʃard] *f* Splitter *m*
écharpe [eʃarp] *f* Schal *m*; *Med* (Arm-)Binde
échauffer [eʃofe] *Sp* **s'~** sich warm laufen
échéance [eʃeɑ̃s] *f* Fälligkeit
échec [eʃɛk] *m* Misserfolg
échecs [eʃɛk] *m/pl* (***jeu m d'***)**~** Schach(spiel) *n*; ***jouer aux*** **~** Schach spielen
échelle [eʃɛl] *f* Leiter; *carte* Maßstab *m*; *fig niveau* Ebene
écho [eko] *m* Echo *n*
échouer [eʃwe] scheitern; *à un examen* durchfallen
éclair [eklɛr] *m* Blitz; *gâteau* Eclair *n*, Liebesknochen *m*
éclairage [eklɛraʒ] *m* Beleuchtung *f*
éclaircie [eklɛrsi] *f* (vorübergehende) Aufheiterung
éclaircir [eklɛrsir] aufhellen; *fig* (auf)klären; **s'~** *ciel* sich aufhellen, -heitern

éclairer [eklɛre] be-, erleuchten; aufklären
éclat [ekla] *m morceau* Splitter; *de la neige* Helligkeit *f*; *du métal, des yeux* Glanz
éclater [eklate] platzen; *coup de feu* knallen; *incendie* ausbrechen; **~ de rire** laut auflachen
éclipse [eklips] *f* **~ de soleil** Sonnenfinsternis; **~ de lune** Mondfinsternis
écluse [eklyz] *f* Schleuse
école [ekɔl] *f* Schule; **~ maternelle** Kindergarten *m*; **~ primaire** Grundschule
écol|ier [ekɔlje] *m*, **~ière** [~jɛr] *f* Schüler(in) *m(f)*
écolog|ie [ekɔlɔʒi] *f* Umweltschutz *m*; **~iste** [~ist] *m, f* Umweltschützer(in) *m(f)*
économe [ekɔnɔm] sparsam
économie [ekɔnɔmi] *f* Wirtschaft; **~s** *pl* Ersparnisse; **faire des ~** sparen
économi|que [ekɔnɔmik] Wirtschafts...; **~ser** [~ze] sparen
écorce [ekɔrs] *f* Rinde; *d'orange* Schale
écorch|er [ekɔrʃe] *peau* aufschürfen; **~ure** [~yr] *f* Schürfwunde
écossais [ekɔsɛ] **1.** schottisch; **2.** ♀ *m* Schotte
Écosse [ekɔs] *f* **l'~** Schottland *n*
écout|er [ekute] hören; *concert a* sich anhören; **~ q** j-m zuhören; *obéir* auf j-n hören; **~eur** [~œr] *m Tel* Hörer
écran [ekrɑ̃] *m* Bildschirm (*a Inform*); *cinéma* Leinwand *f*; **le petit ~** das Fernsehen
écraser [ekraze] zerdrücken; *Kfz* überfahren; **s'~** (**au sol**) abstürzen
écrémé [ekreme] entrahmt
écrevisse [ekrəvis] *f* (Fluss-)Krebs *m*
écrier [ekrije] **s'~** ausrufen
écrire [ekrir] schreiben (**à q** j-m); **s'~** geschrieben werden
écrit [ekri] *m* Schrift(stück); **par ~** schriftlich
écriteau [ekrito] *m* Schild *n*
écriture [ekrityr] *f* Schrift
écrivain [ekrivɛ̃] *m* Schriftsteller
écrouler [ekrule] **s'~** einstürzen; *fig. personne* zusammenbrechen
écume [ekym] *f* Schaum *m*
écureuil [ekyrœj] *m* Eichhörnchen *n*
écurie [ekyri] *f* Pferdestall *m*
eczéma [ɛgzema] *m* Ekzem *n*
édifice [edifis] *m* Gebäude *n*
édifier [edifje] erbauen
édi|ter [edite] herausgeben; **~teur** [~tœr] *m* Verleger; **~tion** [~sjõ] *f* Ausgabe; *tirage* Auflage; **~s** *pl* Verlag *m*
édredon [edrədõ] *m* Federbett *n*
éducation [edykasjõ] *f* Erziehung; *culture* Bildung
effacer [efɑse] (aus)löschen; *gommer* ausradieren; *enregistrement* löschen; **s'~** verwischen; *couleur* verblassen

effect|if [efɛktif] **1.** wirklich, tatsächlich; **2.** *m od* **~s** *pl* Personalbestand *m*; *d'un parti* Mitgliederzahl *f*; **~ivement** [~ivmɑ̃] tatsächlich
effectuer [efɛktɥe] aus-, durchführen; **s'~** erfolgen
effet [efɛ] *m* Wirkung *f*; *impression* Eindruck; **~s** *pl* **secondaires** Nebenwirkungen *f/pl*; **faire son ~** wirken; **faire de l'~** beeindrucken; **en ~** in der Tat
efficace [efikas] wirksam
effleurer [eflœre] streifen
effondrer [efõdre] **s'~** einstürzen; *personne* zusammenbrechen
efforcer [efɔrse] **s'~** sich bemühen (**de** zu)
effort [efɔr] *m* Anstrengung *f*; **faire un ~** sich anstrengen
effray|ant [efrɛjɑ̃] schrecklich; **~er** [~e] (**s'~** sich) erschrecken
effronté [efrõte] frech
effroyable [efrwajabl(ə)] entsetzlich
égal [egal] gleich; *vitesse* gleichmäßig; **ça m'est ~** das ist mir gleich(gültig), egal
également [egalmɑ̃] ebenfalls
égalité [egalite] *f* Gleichheit
égard [egar] *m* **~s** *pl* Rücksicht *f*; **à l'~ de** gegenüber (**q** j-m); **à cet ~** in dieser Beziehung
égarer [egare] *qc* verlegen; **s'~** sich verirren, sich verlaufen; *en voiture* sich verfahren
égayer [egɛje] aufheitern
église [egliz] *f* Kirche
égoïste [egɔist] **1.** egoistisch; **2.** *m, f* Egoist(in) *m(f)*
égoutter [egute] abtropfen lassen
égratign|er [egratiɲe] (**s'~** sich) zerkratzen; **~ure** [~yr] *f* Kratzer *m*
Égypte [eʒipt] *f* **l'~** Ägypten *n*
égyptien [eʒipsjɛ̃] **1.** ägyptisch; **2.** ♀ *m* Ägypter
élan [elɑ̃] *m* Schwung; *Sp* Anlauf; *Zo* Elch
élancer [elɑ̃se] **s'~** sich stürzen
élargir [elarʒir] verbreitern; *fig.* erweitern
élastique [elastik] **1.** elastisch; **2.** *m* Gummiband *n*
élec|teur [elɛktœr] *m*, **~trice** [~tris] *f* Wähler(in) *m(f)*
élections [elɛksjõ] *f/pl* Wahlen
électr|icien [elɛktrisjɛ̃] *m* Elektriker; **~icité** [~isite] *f* Elektrizität; **~ique** [~ik] elektrisch
électrocardiogramme [elɛktrɔkardjɔgram] *m* EKG *n*
électroménager [elɛktrɔmenage] *m* elektrische Haushaltsgeräte *n/pl*
élégance [elegɑ̃s] *f* Eleganz
élément [elemɑ̃] *m* Element *n*
éléphant [elefɑ̃] *m* Elefant
élevage [elvaʒ] *m* Zucht *f*; *du bétail* Viehzucht *f*
élève [elɛv] *m, f* Schüler(in) *m (f)*

élevé [elve] hoch; ***bien*** (***mal***) ~ gut (schlecht) erzogen
élever [elve] *mur* errichten; *enfants* großziehen; *animaux* aufziehen; *voix* heben; **s'~** sich erheben; *température* (an)steigen; **s'~ à** betragen (*A*)
éleveur [elvœr] *m* Viehzüchter
éliminer [elimine] *obstacle* beseitigen; *adversaire* ausschalten; *Sp* ***être éliminé*** ausscheiden (müssen)
élire [elir] wählen
elle(s) [ɛl] *f(pl)* sie
éloge [elɔʒ] *m* Lob *n*; ***faire l'~ de*** (sehr) loben (*A*)
éloign|é [elwaɲe] entlegen; **~er** [~e] entfernen
élu [ely] *p/p* von ***élire***
email [emaj] *m* (*pl* **-aux** [-o]) Email *n*; *dents* (Zahn-)Schmelz
emball|age [ɑ̃balaʒ] *m* Verpackung *f*; **~er** [~e] ein-, verpacken; F *public* hinreißen; F *fille* herumkriegen
embarcadère [ɑ̃barkadɛr] *m* Anlegeplatz
embarqu|ement [ɑ̃barkəmɑ̃] *m* Verladung *f*; Einschiffung *f*; **~er** [~e] an Bord gehen; **s'~** sich einschiffen (***sur*** auf *D*, ***pour*** nach)
embarras [ɑ̃barɑ] *m* Verlegenheit *f*
embarrassant [ɑ̃barasɑ̃] peinlich
embarrass|é [ɑ̃barase] verlegen; **~er** [~e] stören, behindern; *troubler* in Verlegenheit bringen
embaucher [ɑ̃boʃe] ein-, anstellen
embellir [ɑ̃bɛlir] verschönern
embêt|ant [ɑ̃bɛtɑ̃] ärgerlich; **~er** [~e] ärgern; **s'~** sich langweilen
embouchure [ɑ̃buʃyr] *f* Mündung
embouteillage [ɑ̃butɛjaʒ] *m* (Verkehrs-)Stau
emboutir [ɑ̃butir] *Kfz* eindrücken, zerbeulen
embrasser [ɑ̃brase] (**s'~** sich) küssen
embray|age [ɑ̃brɛjaʒ] *m* Kupplung *f*; **~er** [~e] kuppeln
embrouiller [ɑ̃bruje] verwirren
embué [ɑ̃bɥe] *vitre* beschlagen
éméché [emeʃe] beschwipst
émeraude [emrod] *f* Smaragd *m*
émerger [emɛrʒe] auftauchen (*a fig*)
émetteur [emɛtœr] *m* Sender
émettre [emɛtr(ə)] ausstrahlen; *opinion* äußern
émeute [emøt] *f* Aufruhr *m*
émigrer [emigre] auswandern
émin|cé [emɛ̃se] *m* **~ *de veau*** Kalbsgeschnetzelte(s) *n*; **~cer** [~se] in dünne Scheiben schneiden

éminent [eminɑ̃] hervorragend
émission [emisjõ] *f radio, TV* Sendung
emménager [ɑ̃menaʒe] einziehen (***dans*** in *A*)
emmener [ɑ̃mne] mitnehmen
émotion [emosjõ] *f excitation* Aufregung; *attendrissement* Rührung
émouvoir [emuvwar] *toucher* rühren; *bouleverser* tief bewegen
empaqueter [ɑ̃pakte] einpacken
emparer [ɑ̃pare] ***s'~ de*** in s-e Gewalt bringen (*A*), an sich reißen (*A*)
empêcher [ɑ̃pɛʃe] ~ ***qc*** et verhindern; ~ ***q de*** (+ *inf*) j-n daran hindern zu; (***il***) ***n'empêche que*** trotz allem; ***je ne peux m'~ de*** (+ *inf*) ich muss einfach (+ *inf*)
empereur [ɑ̃prœr] *m* Kaiser
empester [ɑ̃pɛste] stinken
empiffrer [ɑ̃pifre] F ***s'~*** sich vollstopfen (***de*** mit)
empiler [ɑ̃pile] aufstapeln
empire [ɑ̃pir] *m* Reich *n*; ***l'≈*** das Erste Kaiserreich
empirer [ɑ̃pire] sich verschlimmern
emplacement [ɑ̃plasmɑ̃] *m* Stelle *f*
emploi [ɑ̃plwa] *m* Gebrauch; *travail* Stelle *f*; ~ ***du temps*** Zeitplan; *école* Stundenplan; ~ ***à plein temps*** Vollzeit-, Ganztagsbeschäftigung *f*
employ|é(e) [ɑ̃plwaje] *m(f)* Angestellte(r) *su*; **~er** [~e] verwenden; *moyen* anwenden; ***s'~*** *mot* gebraucht werden; **~eur** [~œr] *m* Arbeitgeber
empoisonner [ɑ̃pwazɔne] vergiften
emporter [ɑ̃pɔrte] mitnehmen; *courant* fortreißen; ***l'~*** siegen (***sur*** über *A*); ***s'~*** aufbrausen; ***s'~ contre*** loswettern gegen
empreinte [ɑ̃prɛ̃t] *f* Abdruck *m*; ~ ***digitale*** Fingerabdruck *m*
empresser [ɑ̃prɛse] ***s'~ de*** (+ *inf*) sich beeilen zu
emprisonner [ɑ̃prizɔne] einsperren
emprunt [ɑ̃prɛ̃, ɑ̃prœ̃] *m* Anleihe *f*
emprunter [ɑ̃prɛ̃te, -prœ̃-] ~ ***qc à q*** sich et von j-m (aus)leihen; ~ ***de l'argent à q*** sich bei j-m Geld leihen
en¹ [ɑ̃] *prp lieu* in (*D od A*), nach; *durée* in (*D*), innerhalb von (*od G*); *matériau* aus; ~ ***ville*** in der (die) Stadt; ~ ***France*** in (nach) Frankreich; ~ ***été*** im Sommer; ~ ***1945*** (im Jahre) 1945; ~ ***mangeant*** beim Essen
en² [ɑ̃] *adv u pron* **1.** *de cet endroit* ***j'~ reviens*** ich komme von dort; **2.** *de cela* ***qu'en pensez-vous?*** was halten

Sie davon?; ***je m'en souviens*** ich erinnere mich daran
encadrer [ãkadre] einrahmen
encaisser [ãkɛse] kassieren; *chèque* einlösen
enceinte [ãsɛ̃t] schwanger
encens [ãsã] *m* Weihrauch
enchanté [ãʃãte] entzückt; ***~!*** sehr erfreut!
enchère [ãʃɛr] *f* ***vente aux ~s*** Auktion, Versteigerung
encolure [ãkɔlyr] *f* Kragenweite
encombr|ant [ãkõbrã] sperrig; **~ement** [~əmã] *m Kfz* Stau
encombrer [ãkõbre] *couloir* versperren; *rue* verstopfen; ***s'~ de*** sich herumschleppen mit
encore [ãkɔr] noch; *toujours* immer noch; ***~ une fois*** noch einmal, nochmals; ***pas ~*** noch nicht
encourager [ãkuraʒe] ermutigen
encre [ãkr(ə)] *f* Tinte
endetté [ãdɛte] verschuldet
endive [ãdiv] *f* Chicorée *m*
endommager [ãdɔmaʒe] beschädigen
endormir [ãdɔrmir] einschläfern; *Med* betäuben; ***s'~*** einschlafen
endroit [ãdrwa] *m lieu* Ort; *place* Stelle *f*; *étoffe* rechte Seite *f*
enduire [ãdɥir] ***~ de*** bestreichen mit; ***s'~ de*** sich einreiben mit
enduit [ãdɥi] *m* Überzug
endurance [ãdyrãs] *f* Ausdauer
endurer [ãdyre] ertragen
énerg|ie [enɛrʒi] *f* Energie; **~ique** [~ik] energisch
énerver [enɛrve] nervös machen
enfance [ãfãs] *f* Kindheit
enfant [ãfã] *m*, *f* Kind *n*
enfantin [ãfãtɛ̃] kindlich; *facile* kinderleicht
enfer [ãfɛr] *m* Hölle *f*
enfermer [ãfɛrme] (***s'~*** sich) einschließen
enfiler [ãfile] *perles* auffädeln; *aiguille* einfädeln; F *vêtement* (sich) rasch überziehen
enfin [ãfɛ̃] zuletzt; *soulagement* endlich; *résignation* nun (ja); *conclusion* kurz
enflammer [ãflame] anzünden; ***s'~*** sich entzünden
enfler [ãfle] anschwellen
enfoncer [ãfõse] *clou* einschlagen; *pieu* einrammen; *porte* eindrücken; *v/i* versinken (***dans*** in *D*)
enfouir [ãfwir] vergraben
enfreindre [ãfrɛ̃dr(ə)] übertreten, verstoßen gegen
enfuir [ãfɥir] ***s'~*** fliehen
enfumé [ãfyme] verräuchert
engager [ãgaʒe] *embaucher* an-, einstellen; *conversation* anknüpfen; ***s'~ à*** (+ *inf*) sich verpflichten zu

engelure [ãʒlyr] *f* Frostbeule
engendrer [ãʒãdre] erzeugen
engin [ãʒɛ̃] *m* Gerät *n*
englober [ãglɔbe] umfassen
engloutir [ãglutir] verschlingen (*a fig*)
engourdi [ãgurdi] gefühllos, taub
engrais [ãgrɛ] *m* Dünger, Dung
engraisser [ãgrɛse] mästen; *grossir* Fett ansetzen
engrenage [ãgrənaʒ] *m* Getriebe *n*
engueuler [ãgœle] P (**s'~** sich) anschnauzen
énigme [enigm(ə)] *f* Rätsel *n*
enjeu [ãʒø] *m* Einsatz
enjoliveur [ãʒɔlivœr] *m* Radkappe *f*
enlèvement [ãlɛvmã] *m* Abtransport; *rapt* Entführung *f*
enlever [ãlve] entfernen; wegnehmen; *vêtement* ausziehen; *kidnapper* entführen
enneig|é [ãneʒe] verschneit; **~ement** [~mã] *m* Schneehöhe *f*, -verhältnisse *n/pl*
ennemi [ɛnmi] **1.** feindlich; **2.** *m* Feind
ennui [ãnɥi] *m* Langeweile *f*; **~s** *pl* Ärger *m*
ennuyer [ãnɥije] langweilen; *embêter* ärgern; **s'~** sich langweilen
ennuyeux [ãnɥijø] langweilig, *embêtant* ärgerlich
énorm|e [enɔrm] enorm, ungeheuer; **~ément** [~emã] ungeheuer; **~ de** enorm viel(e)
enquête [ãkɛt] *f* Untersuchung; *sondage* Umfrage; *de police* Ermittlungen *f/pl*
enragé [ãraʒe] tollwütig; *fig* besessen, fanatisch
enregistrement [ãrəʒistrəmã] *m disque* Aufnahme *f*, *vidéo* Aufzeichnung *f*; **~ *des bagages*** Gepäckabfertigung *f*
enregistrer [ãrəʒistre] eintragen, registrieren; *émission* aufnehmen, aufzeichnen; *bagages* aufgeben
enrhum|é [ãryme] erkältet; **~er** [~e] **s'~** sich erkälten
enrichir [ãriʃir] bereichern
enrou|é [ãrwe] heiser; **~er** [~e] **s'~** heiser werden
enrouler [ãrule] *tapis* zusammenrollen; *fil* aufwickeln; **~ *autour de*** wickeln um
enseignant(e) [ãsɛɲã(t)] *m(f)* Lehrer(in)
enseigne [ãsɛɲ] *f* Schild *n*
enseign|ement [ãsɛɲmã] *m* Unterricht; *institution* Schulwesen *n*; **~er** [~e] unterrichten (***qc à q*** j-n in et *D*)
ensemble [ãsãbl(ə)] **1.** zusammen; *en commun* gemeinsam; *en même temps* gleichzeitig; **2.** *m* Ganze(s) *n*, Gesamtheit *f*; *tailleur* Kostüm *n*; ***l'~ du personnel*** das ganze, gesamte Personal; ***dans l'~*** insgesamt
ensevelir [ãsəvlir] begraben
ensoleillé [ãsɔlɛje] sonnig

ensuite [ɑ̃sɥit] dann, darauf
entaille [ɑ̃tɑj] *f* Kerbe; *blessure* Schnittwunde
entamer [ɑ̃tame] *pain* anschneiden; *bouteille* anbrechen
entasser [ɑ̃tɑse] auf-, anhäufen; ***s'~** courrier* sich stapeln; *personnes* sich (dicht zusammen)drängen
entendre [ɑ̃tɑ̃dr(ə)] hören; ***~ par*** verstehen unter (*D*); ***~ parler de*** hören von; ***s'~*** sich verstehen; *se mettre d'accord* sich einigen (***sur*** über *A*)
entendu [ɑ̃tɑ̃dy] ***~!*** abgemacht!; ***bien ~*** selbstverständlich
enterrement [ɑ̃tɛrmɑ̃] *m* Beerdigung *f*
enterrer [ɑ̃tere] vergraben; *mort* beerdigen
en-tête [ɑ̃tɛt] *m* Briefkopf
entêté [ɑ̃tete] eigen-, starrsinnig, stur
entêter [ɑ̃tete] ***s'~ dans*** sich versteifen auf (*A*)
enthousiasm|e [ɑ̃tuzjasm(ə)] *m* Begeisterung *f*; **~er** [~e] begeistern; ***s'~*** sich begeistern (***pour*** für)
ent|ier [ɑ̃tje] ganz; *liberté* völlig; ***en ~*** ganz; **~ièrement** [~jɛrmɑ̃] ganz, völlig
entonnoir [ɑ̃tɔnwar] *m* Trichter
entorse [ɑ̃tɔrs] *f* Verstauchung; ***se faire une ~ au pied*** sich den Fuß verstauchen
entortiller [ɑ̃tɔrtije] einwickeln
entour|age [ɑ̃turaʒ] *m* Umgebung *f*; **~er** [~e] umgeben (***mit*** de)
entracte [ɑ̃trakt] *m* Pause *f*
entraider [ɑ̃trɛde] ***s'~*** sich (gegenseitig) helfen, beistehen
entrain [ɑ̃trɛ̃] *m* Schwung
entraîn|er [ɑ̃trɛne] mit sich fortreißen; *Sp* trainieren; **~eur** [~œr] *m*, **~euse** [~øz] *f* Trainer(in) *m(f)*
entre [ɑ̃tr(ə)] zwischen (*D od A*); *parmi* unter (*D*); ***d'~*** von
entre|bâiller [ɑ̃trəbɑje] halb öffnen; *porte* anlehnen; **~choquer** [~ʃɔke] aneinander stoßen
entrecôte [ɑ̃trəkot] *f* Rippenstück *n*; ***~ marchand de vin*** *Rippenstück in Rotweinsauce*
entrecouper [ɑ̃trəkupe] unterbrechen
entrée [ɑ̃tre] *f* Eintritt *m*, *porte* Eingang *m*; *couloir* Diele; *billet* Eintrittskarte; *Kochk* Vorspeise; ***~ libre, gratuite*** Eintritt frei
entrelarder [ɑ̃trəlarde] spicken
entremets [ɑ̃trəmɛ] *m* Süßspeise *f*, Pudding *m*
entrepôt [ɑ̃trəpo] *m* Lager(halle) *n(f)*
entre|prendre [ɑ̃trəprɑ̃dr(ə)] unternehmen; **~preneur** [~prənœr] *m* Unternehmer; **~prise** [~priz] *f* Unternehmen *n*

entrer [ɑ̃tre] eintreten, hereinkommen, hineingehen; *objets* (hinein)passen (***dans*** in *A*); *Inform* eingeben; ***entrez!*** herein!
entresol [ɑ̃trəsɔl] *m* Zwischen-, Halbgeschoss *n*
entre-temps [ɑ̃trətɑ̃] inzwischen
entretenir [ɑ̃trətnir] *routes, maison* instand halten; *Tech* warten; *vêtements, relations* pflegen; ***s'~ de qc*** sich über et (*A*) unterhalten
entretien [ɑ̃trətjɛ̃] *m* Instandhaltung *f*; Wartung *f*; Pflege *f*; *conversation* Gespräch *n*
entrevue [ɑ̃trəvy] *f* Begegnung; *entretien* Unterredung
énumérer [enymere] aufzählen
envahir [ɑ̃vair] *pays* einfallen in (*A*); ***être envahi par*** *vacanciers, moustiques* heimgesucht werden von
envelopp|e [ɑ̃vlɔp] *f* Hülle; (Brief-)Umschlag *m*; **~er** [~e] einwickeln, -hüllen
envergure [ɑ̃vɛrgyr] *f* Spannweite; *fig* Format *n*
envers [ɑ̃vɛr] **1.** gegenüber (*D*); **2.** *m* Rückseite *f*; ***à l'~*** verkehrt (herum)
envie [ɑ̃vi] *f* Lust; *jalousie* Neid *m*; ***avoir ~*** Lust haben (***de qc*** auf et *A*, ***de faire qc*** et zu tun); ***faire ~ à q*** j-n reizen
envi|er [ɑ̃vje] beneiden (***qc à q*** j-n um et *A*); **~eux** [~ø] neidisch
environ [ɑ̃virõ] **1.** ungefähr; **2.** ***~s*** *m/pl* Umgebung *f*; ***aux ~s de*** in der Nähe von
environnement [ɑ̃virɔnmɑ̃] *m* Umwelt *f*
envisager [ɑ̃vizaʒe] ins Auge fassen
envoi [ɑ̃vwa] *m* Sendung *f*
envoler [ɑ̃vɔle] ***s'~*** wegfliegen; *avion* abfliegen
envoyer [ɑ̃vwaje] schicken; *balle* werfen
épais [epɛ] (*f* ***-aisse*** [-ɛs]) dick; *brouillard* dicht
épanouir [epanwir] ***s'~*** aufblühen (*a fig*); *se développer* sich entfalten
épargner [eparɲe] sparen; ***~ qc à q*** j-m et ersparen
épatant [epatɑ̃] großartig
épaule [epol] *f* Schulter
épave [epav] *f* Wrack *n*
épée [epe] *f* Schwert *n*
épeler [eple] buchstabieren
éperons [eprõ] *m/pl* Sporen
épi [epi] *m* Ähre *f*; ***~ de maïs*** Maiskolben
épic|e [epis] *f* Gewürz *n*; **~er** [~e] würzen
épic|erie [episri] *f* Lebensmittelgeschäft *n*; **~ier** [~je] *m* Lebensmittelhändler
épidémie [epidemi] *f* Epidemie, Seuche
épier [epje] belauern
épilepsie [epilɛpsi] *f* Epilepsie
épiler [epile] enthaaren; *sourcils* auszupfen
épinards [epinar] *m/pl* Spinat *m*

épine [epin] *f* Dorn *m*; ~ ***dorsale*** Rückgrat *n*
épingle [epɛ̃gl(ə)] *f* Nadel; ~ ***de nourrice*** *od* ***de sûreté*** Sicherheitsnadel; ~ ***à cheveux*** Haarnadel
Épiphanie [epifani] *f* Dreikönigsfest *n*
épisode [epizɔd] *f* Episode
épluch|er [eplyʃe] *légumes* putzen; *fruits, pommes de terre* schälen; **~ures** [~yr] *f/pl* Schalen; *de légumes* Abfälle *m/pl*
éponge [epõʒ] *f* Schwamm *m*
époque [epɔk] *f* Zeit; ***à l'~ de*** zur Zeit (G); ***à notre*** ~ heutzutage
epous|e [epuz] *f* Gattin; **~er** [~e] heiraten
épouvant|able [epuvɑ̃tabl(ə)] entsetzlich; **~er** [~e] entsetzen
époux [epu] *m* Gatte; *pl* Eheleute
épreuve [eprœv] *f* Prüfung; *Sp* Wettkampf *m*; *Fot* Abzug *m*; ***mettre à l'~*** auf die Probe stellen
éprouver [epruve] prüfen, erproben; *ressentir* empfinden; ~ ***q*** j-n (sehr) mitnehmen
épuis|é [epɥize] erschöpft; *livre* vergriffen; **~er** [~e] erschöpfen
équateur [ekwatœr] *m* Äquator *m*
équilibre [ekilibr(ə)] *m* Gleichgewicht *n*
équilibr|é [ekilibre] ausgeglichen; **~er** [~e] *roue* auswuchten
équipage [ekipaʒ] *m Mar, Flgw* Besatzung *f*
équipe [ekip] *f* Team *n*; *Sp* Mannschaft
équip|ement [ekipmɑ̃] *m* Ausrüstung *f*; **~er** [~pe] ausstatten, ausrüsten (**de** mit)
équitable [ekitabl(ə)] gerecht
équitation [ekitasjõ] *f* Reiten *n*
équival|ent [ekivalɑ̃] **1.** gleichwertig (**à** mit); **2.** *m* Äquivalent *n*; **~oir** [~war] ~ **à** entsprechen (*D*)
érafl|er [erafle] zerkratzen; **~ure** [~yr] *f* Kratzer *m*
érot|ique [erɔtik] erotisch; **~isme** [~ism(ə)] *m* Erotik *f*
errer [ɛre] umherirren
erreur [ɛrœr] *f* Fehler *m*; *idée fausse* Irrtum *m*; ***par*** ~ aus Versehen
éruption [erypsjõ] *f* Ausbruch *m*; *Med* Ausschlag *m*
es [ɛ] *prés von* **être**
escabeau [ɛskabo] *m* Hocker; *échelle* Tritthocker
escalad|e [ɛskalad] *f* Besteigung; *Sp* Klettern *n*; **~er** [~e] besteigen
escalator [ɛskalatɔr] *m* Rolltreppe *f*
escale [ɛskal] *f* Zwischenaufenthalt *m*; *Flgw* Zwischenlandung; ***vol*** *m* ***sans*** ~ Direktflug, Non-Stop-Flug; ***faire ~ à Francfort*** in Frankfurt zwischenlanden

escalier [ɛskalje] *m* Treppe *f*; ~ ***roulant*** Rolltreppe
escalope [ɛskalɔp] *f* Schnitzel *n*
escargot [ɛskargo] *m* Schnecke *f*; ~ ***de Bourgogne*** Weinbergschnecke *f*
escarpé [ɛskarpe] steil
escrime [ɛskrim] *f* Fechten *n*
escroc [ɛskro] *m* Betrüger
escroqu|er [ɛskrɔke] betrügen (***q*** j-n, ***qc à q*** j-n um et); **~erie** [~ri] *f* Gaunerei
espace [ɛspas] *m* Raum; *cosmos* Weltraum; *intervalle* Zwischenraum; **~s** *pl* ***verts*** Grünflächen *f/pl*
espadrille [ɛspadrij] *f* Leinenschuh *m*
Espagne [ɛspaɲ] *f* **l'~** Spanien *n*
espagnol [ɛspaɲɔl] **1.** spanisch; **2.** ℒ *m* Spanier
espèce [ɛspɛs] *f* Art; **~s** *pl* Bargeld *n*; ***une ~ de*** (...) e-e Art (...); ***en ~s*** (in) bar
espérer [ɛspere] hoffen (***qc*** auf et *A*)
espion [ɛspjõ] *m* Spion
espionner [ɛspjɔne] ausspionieren
espoir [ɛspwar] *m* Hoffnung *f*
esprit [ɛspri] *m* Geist; *humour* Witz
esquisse [ɛskis] *f* Skizze
essai [esɛ] *m test* Probe *f*; *tentative* Versuch (*a Sp*); *littérature* Essay
essaim [esɛ̃] *m* Schwarm
essay|age [esɛjaʒ] *m* Anprobe *f*; **~er** [~e] versuchen; *vêtement* (an)probieren
essence [esɑ̃s] *f* Benzin *n*; ***prendre de l'~*** tanken
essentiel [esɑ̃sjɛl] **1.** wesentlich; **2.** *m* Hauptsache *f*
essieu [esjø] *m* Achse *f*
essor [esɔr] *m* Aufschwung
essor|er [esɔre] schleudern; **~euse** [~øz] *f* (Wäsche-, Trocken-)Schleuder
essoufflé [esufle] außer Atem
essuie|-glace [esɥiglas] *m* Scheibenwischer; **~-mains** [~mɛ̃] *m* Handtuch *n*
essuyer [esɥije] *vaisselle, mains* abtrocknen; *table* abwischen; *lunettes* putzen; ***s'~*** sich abtrocknen
est[1] [ɛ] *prés von* ***être***
est[2] [ɛst] *m* Osten; ***à l'~*** im Osten; ***à l'~ de*** östlich von
est-ce que [ɛskə] ***~ tu sais qui ...?*** weißt du, wer ...?; ***~ tu viens?*** kommst du?
esthéticienne [ɛstetisjɛn] *f* Kosmetikerin
estimation [ɛstimasjõ] *f* Schätzung; *Hdl* Kostenvoranschlag *m*
estime [ɛstim] *f* Achtung (***pour q*** vor j-m)
estimer [ɛstime] schätzen; ***~ que*** der Meinung sein, dass
estiv|al [ɛstival] Sommer...; **~ant** [~vɑ̃] *m* Sommergast
estomac [ɛstɔma] *m* Magen
estrade [ɛstrad] *f* Podium *n*; Podest *n*
et [e] und

étable [etabl(ə)] *f* Stall *m*
établi [etabli] *m* Werkbank *f*
établ|ir [etablir] *usine* einrichten; *devis, record* aufstellen; *liaison* herstellen; **s'~** sich niederlassen; **~issement** [~ismɑ̃] *m* (Kur-, Lehr-)Anstalt
étage [etaʒ] *m* Stock(werk) *m* (*n*), Etage *f*
étagère [etaʒɛr] *f* Regalbrett *n*; *meuble* Regal *n*
étain [etɛ̃] *m* Zinn *n*
étalage [etalaʒ] *m* Auslage *f*
étaler [etale] ausbreiten; *vacances* verteilen; *beurre* streichen (***sur*** auf *A*)
étanche [etɑ̃ʃ] wasserdicht
étang [etɑ̃] *m* Teich
état [eta] *m* Zustand; **~ *des routes*** Straßenzustand; **~ *civil*** Familienstand; **2** Staat
États-Unis [etazyni] *m/pl* ***les*** ~ die Vereinigten Staaten
etc. [ɛtsetera] (*et cetera*) usw. (*und so weiter*)
été¹ [ete] *m* Sommer; ***en*** ~ im Sommer
été² [ete] *p/p von* ***être***
éteindre [etɛ̃dr(ə)] *feu* löschen; *lumière, télé, cigarette* ausmachen; **s'~** ausgehen
étendre [etɑ̃dr(ə)] *blessé* legen; *bras, jambes* (aus)strecken; *linge* aufhängen; **s'~** *personne* sich hinlegen; *tissu* sich (aus)dehnen; *épidémie* sich ausbreiten; *forêt* sich erstrecken (***jusqu'à*** bis [zu])
étend|u [etɑ̃dy] ausgedehnt, weit; **~ue** [~y] *f* Ausdehnung, Größe; *région* Fläche; *d'une catastrophe* Ausmaß *n*
étern|el [etɛrnɛl] ewig; **~ité** [~ite] *f* Ewigkeit
éternuer [etɛrnɥe] niesen
éther [etɛr] *m* Äther
étinceler [etɛ̃sle] funkeln
étincelle [etɛ̃sɛl] *f* Funke *m*
étiquette [etikɛt] *f* Etikett *n*
étoffe [etɔf] *f* Stoff *m*
étoile [etwal] *f* Stern *m*; **~ *de mer*** Seestern *m*; ***hôtel*** *m* ***trois ~s*** Dreisternehotel *n*
étonnant [etɔnɑ̃] erstaunlich
étonné [etɔne] erstaunt
étonner [etɔne] erstaunen, wundern; **s'~** sich wundern (***de*** über *A*)
étouff|ant [etufɑ̃] schwül; **~er** [~e] ersticken
étourd|i [eturdi] zerstreut; **~issement** [~ismɑ̃] *m* ***j'ai un*** ~ mir wird schwindlig
étrange [etrɑ̃ʒ] seltsam
étrang|er [etrɑ̃ʒe] **1.** ausländisch; *inconnu* fremd; **2.** *m* Ausland *n*; ***à l'~*** im (ins) Ausland; **3.** *m*, **~ère** [~ɛr] *f* Ausländer(in) *m(f)*; *inconnu(e)* Fremde(r) *su*
étrangler [etrɑ̃gle] erwürgen
être [ɛtr(ə)] sein
étrennes [etrɛn] *f/pl* Neujahrsgeschenk(e) *n(pl)*
étroit [etrwa] schmal; *vêtements* eng; *borné* kleinlich
étude [etyd] *f* Lernen *n*; *analyse* Untersuchung; **~s** *pl* Studium *n*; ***faire ses ~s*** studieren

étudiant(e) [etydjɑ̃(t)] *m(f)* Student(in)
étudier [etydje] studieren; *piano* spielen lernen; *langue* (er)lernen
étui [etɥi] *m* Etui *n*
eu [y] *p/p von* ***avoir***
eurochèque [ørɔʃɛk] *m* Eurocheque
Europe [ørɔp] *f* ***l'~*** Europa *n*
européen [ørɔpeɛ̃n] **1.** europäisch; **2.** ♀ *m* Europäer
eut [y] *passé simple von* ***avoir***
eux [ø] sie (*A*), ihnen (*D*)
évader [evade] ***s'~*** ausbrechen, (ent)fliehen
évaluer [evalɥe] schätzen
évanou|ir [evanwir] ***s'~*** ohnmächtig werden; **~issement** [~ismɑ̃] *m* Ohnmacht *f*
évaporer [evapɔre] ***s'~*** verdunsten, verdampfen
évasion [evazjõ] *f* Flucht
éveiller [evɛje] wecken; ***s'~*** erwachen
événement [evɛnmɑ̃] *m* Ereignis *n*
éventuel(lement) [evɑ̃tɥɛl-(mɑ̃)] eventuell
évêque [evɛk] *m* Bischof
évid|emment [evidamɑ̃] selbstverständlich; **~ent** [~ɑ̃] offensichtlich
évier [evje] *m* Spülbecken *n*
éviter [evite] *erreur, accident* vermeiden; *obstacle* ausweichen (*D*); *personne* meiden; ***~ de faire qc*** vermeiden, et zu tun; ***~ qc à q*** j-m et ersparen
évol|uer [evɔlɥe] sich entwickeln; **~ution** [~ysjõ] *f* Entwicklung
évoquer [evɔke] in Erinnerung bringen; *souvenirs* wachrufen
exact [ɛgzakt] genau, exakt; *réponse* richtig; *personne* pünktlich
exagérer [ɛgzaʒere] übertreiben
exam|en [ɛgzamɛ̃] *m* Prüfung *f*; *Med* Untersuchung *f*; **~iner** [~ine] prüfen, untersuchen (*a Med*)
excédent [ɛksedɑ̃] *m* Überschuss; ***~ de bagages*** Übergepäck *n*
excéder [ɛksede] *dépasser* überschreiten, übersteigen; *énerver* wütend machen
excellent [ɛksɛlɑ̃] hervorragend, ausgezeichnet
excepté [ɛksɛpte] außer (*D*)
exception [ɛksɛpsjõ] *f* Ausnahme
exceptionnel [ɛksɛpsjɔnɛl] außergewöhnlich
excès [ɛksɛ] *m* Übermaß *n*; ***~ de vitesse*** Geschwindigkeitsüberschreitung *f*
excessif [ɛksɛsif] übermäßig; *exagéré* übertrieben; *loyer, vitesse* überhöht
exciter [ɛksite] erregen (*a sexuellement*); *appétit* anregen
exclamer [ɛksklame] ***s'~*** ausrufen
exclu|re [ɛksklyr] ausschließen; **~sion** [~zjõ] *f* Ausschluss *m*

excursion [ɛkskyrsjõ] *f* Ausflug *m*
excuse [ɛkskyz] *f* Entschuldigung
excuser [ɛkskyze] (**s'**~ sich) entschuldigen; ***excusez-moi!*** entschuldigen Sie (bitte)!
exécuter [ɛgzekyte] *ordre, projet* ausführen; *personne* hinrichten
exemplaire [ɛgzɑ̃plɛr] **1.** vorbildlich; **2.** *m* Exemplar *n*
exemple [ɛgzɑ̃pl(ə)] *m* Beispiel *n*; ***par*** ~ zum Beispiel
exempt [ɛgzɑ̃] ~ ***de douane*** zollfrei
exercer [ɛgzɛrse] ausüben; *mémoire* üben; **s'**~ üben; **s'**~ ***à faire qc*** sich in et (*D*) üben
exercice [ɛgzɛrsis] *m* Übung *f*
exig|eant [ɛgziʒɑ̃] anspruchsvoll; **~er** [~ʒe] *réclamer* fordern; *nécessiter* erfordern
exist|ence [ɛgzistɑ̃s] *f* Existenz; *vie* Leben *n*; **~er** [~e] existieren; ***il existe*** es gibt
exp. (*expéditeur*) Abs. (*Absender*)
expédier [ɛkspedje] versenden; *lettre* absenden; *travail* (zügig) erledigen
expéditeur [ɛkspeditœr] *m* Absender
expérience [ɛksperjɑ̃s] *f* Erfahrung; *scientifique* Experiment *n*
expert [ɛkspɛr] **1.** sach-, fachkundig; **2.** *m* Sachverständige(r); *spécialiste* Fachmann
expertis|e [ɛkspɛrtiz] *f* Gutachten *n*; **~er** [~e] ein Gutachten abgeben über (*A*)
expirer [ɛkspire] ausatmen; *passeport* ablaufen
explication [ɛksplikasjõ] *f* Erklärung
expliquer [ɛksplike] erklären
exploit [ɛksplwa] *m* (hervorragende) Leistung
exploit|ation [ɛksplwatasjõ] *f* *entreprise* Betrieb *m*; *péj* Ausbeutung; **~er** [~e] *commerce* betreiben; *situation* ausnutzen; *ouvriers* ausbeuten
explorer [ɛksplɔre] erforschen
explos|er [ɛksploze] explodieren; **~if** [~if] **1.** explosiv (*a fig*); **2.** *m* Sprengstoff; **~ion** [~jõ] *f* Explosion
export|ation [ɛkspɔrtasjõ] *f* Ausfuhr, Export *m*; **~er** [~e] exportieren
expos|é [ɛkspoze] *m* Darlegung *f*; *école* Referat *n*; **~er** [~e] *dessins, produits* ausstellen; *problème* darlegen; (**s'**)~ **à** (sich) aussetzen (*D*); **~ition** [~isjõ] *f* Ausstellung
exprès[1] [ɛksprɛ] absichtlich; *spécialement* extra
exprès[2] [ɛksprɛs] (***par***) ~ Eilzustellung *f*, durch Eilboten; ***lettre*** *f* ~ Eilbrief *m*
express [ɛksprɛs] **1.** Schnell-...; **2.** *m* *train* Schnellzug, D-Zug; *café* Espresso
express|if [ɛksprɛsif] ausdrucksvoll; **~ion** [~jõ] *f* Ausdruck *m*

exprimer [ɛksprime] ausdrücken
expulser [ɛkspylse] vertreiben; *étranger* ausweisen
exquis [ɛkski] auserlesen; *plat* köstlich; *personne* charmant
exténué [ɛkstenɥe] ermattet, erschöpft
extérieur [ɛksterjœr] **1.** äußere(r, -s); Außen...; **2.** *m* Äußere(s) *n*; ***à l'~*** (dr)außen; ***à l'~ de*** außerhalb (*G*)
externe [ɛkstɛrn] äußere(r, -s); ***à usage ~*** zur äußeren Anwendung
extincteur [ɛkstɛ̃ktœr] *m* Feuerlöscher
extraire [ɛkstrɛr] *charbon* fördern; *dent* ziehen
extrait [ɛkstrɛ] *m* Auszug; *d'une plante* Extrakt
extraordinaire [ɛkstraɔrdinɛr] außerordentlich
extrême [ɛkstrɛm] **1.** äußerste(r, -s); **2.** *m* Extrem *n*
extrêmement [ɛkstrɛmmɑ̃] äußerst
extrémiste [ɛkstremist] *m*, *f Pol* Radikale(r) *su*; Extremist(in) *m*(*f*)

F

F (*franc*[*s*]) F (*Franc*[*s*])
fable [fabl(ə)] *f* Fabel
fabric|ant [fabrikɑ̃] *m* Fabrikant; Hersteller; **~ation** [~asjõ] *f* Herstellung
fabriqu|e [fabrik] *f* Fabrik; **~er** [~e] herstellen
fabuleux [fabylø] märchen-, sagenhaft
façade [fasad] *f* Fassade
face [fas] *f* Gesicht *n*; ***de ~*** von vorn; ***en ~ de*** vor (*D od A*); gegenüber (*D*); ***~ à*** zu (*D*) hin
fâché [fɑʃe] böse (***contre*** auf *A*); *brouillé* verzankt (***avec*** mit)
fâcher [fɑʃe] ärgern; ***se ~*** böse werden; ***se ~ contre q*** mit j-m schimpfen; ***se ~ avec q*** sich mit j-m verzanken
facil|e [fasil] leicht, mühelos; **~ité** [~ite] *f* Leichtigkeit; **~iter** [~ite] erleichtern
façon *f* Art, Weise; ***de ~ que*** (*od **à ce que** + subj*) so..., dass; ***de toute ~*** auf jeden Fall; ***de cette ~*** auf diese Art; ***de quelle ~?*** wie?; **~s** *pl* Benehmen *n*; ***sans ~s*** zwanglos; ***faire des ~s*** Umstände machen
facteur [faktœr] *m* Briefträger
factur|e [faktyr] *f* Rechnung; **~er** [~e] berechnen
facultatif [fakyltatif] ***arrêt*** *m* **~** Bedarfshaltestelle *f*
faculté [fakylte] *f* Fähigkeit; *université* Fakultät
fade [fad] fad(e) (*a fig*)
faibl|e [fɛbl(ə) **1.** schwach; **2.** *m* Schwäche *f* (***pour*** für);

~esse [~ɛs] *f* Schwäche; **~ir** [~ir] schwächer werden, nachlassen
faillir [fajir] ***j'ai failli tomber*** ich wäre beinahe gefallen
faillite [fajit] *f* Konkurs *m*
faim [fɛ̃] *f* Hunger *m*
faire [fɛr] machen, tun; *sport* treiben; *tennis* spielen; **~ ~** machen lassen; **~ *jeune*** jung aussehen; ***il fait chaud*** es ist warm; **se ~ *à qc*** sich an et (*A*) gewöhnen; ***pour quoi ~?*** wozu?, wofür?
faisan [fəzɑ̃] *m* Fasan
fait [fɛ] *m* Tatsache *f*; ***en ~*** [ɑ̃fɛ(t)] in Wirklichkeit; ***au ~*** [ofɛ(t)] übrigens
falaise [falɛz] *f* Steilküste
falloir [falwar] ***il faut*** (+ *inf*) man muss; ***il ne faut pas*** man darf nicht; ***il me faut qc*** ich brauche et; ***il faut que j'y aille*** ich muss jetzt gehen
falsifier [falsifje] fälschen
fameux [famø] berühmt; *excellent* hervorragend
familial [familjal] Familien.., familiär
familier [familje] vertraut; *irrespectueux* (allzu) vertraulich; *expression* umgangssprachlich
famille [famij] *f* Familie
famine [famin] *f* Hungersnot
fan [fan] *m*, *f* Fan [fɛn] *m*
faner [fane] **se ~** welken
fantaisie [fɑ̃tɛzi] *f originalité* Fantasie; *caprice* Laune
fantôme [fɑ̃tom] *m* Gespenst *n*
far [far] *m* **~ (*breton*)** Milch-Eier-Auflauf (*mit Backpflaumen*)
farce [fars] *f tour* Streich *m*; *Kochk* Füllung
farci [farsi] *Kochk* gefüllt
fard [far] *m* Schminke *f*; ***~ à paupières*** Lidschatten
farine [farin] *f* Mehl *n*
fart [fart] *m* Skiwachs *n*
fasciner [fasine] faszinieren
fasse [fas] *subj von* ***faire***
fatal [fatal] verhängnisvoll; *mortel* tödlich; *inévitable* zwangsläufig, unvermeidlich
fatigant [fatigɑ̃] ermüdend; *personne* lästig
fatigue [fatig] *f* Müdigkeit; **~s** *pl* Strapazen
fatigué [fatige] müde
fatiguer [fatige] ermüden; *énerver* auf die Nerven gehen (***q*** j-m); *ennuyer* langweilen; **se ~** müde werden
faubourg [fobur] *m* Vorstadt *f*, Vorort
faucher [foʃe] *Agr* mähen; *piéton* umfahren; F *voler* klauen
faucon [fokõ] *m* Falke
faudra [fodra] *fut von* ***falloir***
fausse [fos] *s* ***faux***
faut [fo] *prés von* ***falloir***
faute [fot] *f* Fehler *m*; *responsabilité* Schuld; **~ *de*** aus Mangel an (*D*), mangels (*G*)
fauteuil [fotœj] *m* Sessel; ***~ roulant*** Rollstuhl

fauve [fov] *m* Raubtier *n*
faux[1] [fo] *f Agr* Sense
faux[2] [fo] **1.** (*f* **fausse** [fos]) falsch; **2.** *m* Fälschung *f*
faveur [favœr] *f* Gefälligkeit; **en ~ de** zugunsten von
favorable [favɔrabl(ə)] günstig
favor|i [favɔri] Lieblings...; **~iser** [~ize] begünstigen
fax [faks] *m* Fax *n*; **~er** [~e] faxen
fébrile [febril] fieberhaft
fécond [fekõ] fruchtbar (*a fig*)
fédér|al [federal] Bundes...; **~ation** [~asjõ] *f* Bund *m*
fêler [fɛle] **se ~** e-n Sprung *od* Sprünge bekommen
félicit|ations [felisitasjõ] *f/pl* Glückwunsch *m*; **~er** [~e] **~ q** j-m gratulieren (**pour, de** zu)
fêlure [fɛlyr] *f* Sprung *m*, Riss *m*
femelle [fəmɛl] *Zo* **1.** weiblich; **2.** *f* Weibchen *n*
féminin [feminɛ̃] weiblich, Frauen...; *mode* Damen...
femme [fam] *f* Frau; *épouse* Ehefrau; **~ de chambre** Zimmermädchen *n*; **~ de ménage** Putzfrau; **~ médecin** Ärztin
fendre [fɑ̃dr(ə)] spalten
fenêtre [f(ə)nɛtrə] *f* Fenster *n*
fenouil [fənuj] *m* Fenchel
fente [fɑ̃t] *f* Spalte; Spalt *m*; *d'une boîte aux lettres, d'une jupe* Schlitz *m*
fer [fɛr] *m* Eisen *n*; **~ à repasser** Bügeleisen *n*; **~ à cheval** Hufeisen *n*
ferai [f(ə)re] *fut von* **faire**
férié [ferje] **jour** *m* **~** Feiertag
ferme [fɛrm] **1.** fest; *personne* standhaft; **2.** *f* Bauernhof *m*
fermenter [fɛrmɑ̃te] gären
fermer [fɛrme] schließen; *à clé* abschließen; *radio, télé, lumière* ausschalten
fermeture [fɛrmətyr] *f des magasins* Ladenschluss(zeit) *m*(*f*); *définitive* Schließung; *de sac à main* Verschluss *m*; **~ éclair** Reißverschluss *m*; **~ annuelle** Betriebsferien *pl*; **jour** *m* **de ~** Ruhetag
ferm|ier [fɛrmje] *m* Bauer; **~ière** [~jɛr] *f* Bäuerin
féroce [ferɔs] wild; *homme* grausam; *appétit* unbändig
ferraille [fɛrɑj] *f* Schrott *m*
ferroviaire [fɛrɔvjɛr] Eisenbahn...
ferry [fɛri] *m* Fährschiff *n*; *bac* Fähre *f*
fertile [fɛrtil] fruchtbar
fesse [fɛs] *f* Hinterbacke; **~s** *pl* Hintern *m*
festival [fɛstival] *m* Festspiele *n/pl*, Festival *n*
fêt|e [fɛt] *f* Fest *n*; *jour férié* Feiertag *m*; *Rel* Namenstag *m*; **≈e-Dieu** [~djø] *f* Fronleichnam(sfest) *m*(*n*); **~er** [~e] feiern
feu [fø] *m* Feuer *n*; *incendie* Brand; **~** (**rouge** rote) Ampel *f*; **~ d'artifice** Feuerwerk *n*; *Kfz* **~ stop** Bremslicht *n*; **~x**

pl **de position** Standlicht *n*; **~x** *pl* **de croisement** Abblendlicht *n*; **~(x)** *m(pl)* **arrière** Rücklicht(er) *n(pl)*; **~x** *pl* **de détresse** Warnblinkanlage *f*
feuillage [fœjaʒ] *m* Laub *n*
feuille [fœj] *f* Blatt *n*; **~ morte** welkes Blatt *n*; **~ de maladie** Krankenschein *m*
feuillet|é [fœjte] *m* Blätterteiggebäck *n*; **~er** [~e] durchblättern
feutre [føtr(ə)] *m* Filz; *stylo* Filzschreiber
février [fevrije] *m* Februar
FF (*francs français*) FF (*französische Francs*)
fiançailles [f(i)jɑ̃sɑj] *f/pl* Verlobung *f*
fianc|é(e) [f(i)jɑ̃se] *m(f)* Verlobte(r) *su*; **~er** [~e] **se ~** sich verloben
fibre [fibr(ə)] *f* Faser
ficeler [fisle] verschnüren
ficelle [fisɛl] *f* Bindfaden *m*
fiche [fiʃ] *f* Karteikarte; *El* Stecker *m*
ficher [fiʃe] **~ le camp** abhauen; F **je m'en fiche** das ist mir egal, Wurscht
fichier [fiʃje] *m* Kartei *f*
fichu [fiʃy] F *montre, soirée* im Eimer, hin; *mauvais* verdammt
fidèle [fidɛl] treu
fidélité [fidelite] *f* Treue
fier¹ [fje] **se ~ à q** j-m vertrauen
fier² [fjɛr] stolz (**de** auf *A*)
fierté [fjɛrte] *f* Stolz *m*
fièvre [fjɛvr(ə)] *f* Fieber *n*
figue [fig] *f* Feige
figure [figyr] *f visage* Gesicht *n*; *Math, patinage* Figur; **~s** *pl* **libres** Kür *f*; **~s** *pl* **imposées** Pflicht *f*
figurer [figure] *sur une liste* stehen; **se ~ qc** sich et vorstellen
fil [fil] *m couture* Faden (*a fig*), Garn *n*; *électrique* Leitung(sdraht) *f(m)*; *d'une lampe, du téléphone* Schnur *f*, Kabel *n*; **~ de fer** (Eisen-)Draht
file [fil] *f* Reihe; *d'attente* Schlange; *voie* (Fahr-)Spur; **à la ~** hintereinander; **prendre la ~** sich (hinten) anstellen
filer [file] F *donner* geben; F *s'en aller* (weg)gehen; F *s'enfuir* davonlaufen; F *aller vite* flitzen, sausen
filet [filɛ] *m* Netz *n*; *Kochk* Filet [-le] *n*; **bifteck** *m* **dans le ~** Filetsteak *n*; **faux ~** Lende *f*
fill|e [fij] *f* Tochter; *opposé à garçon* Mädchen *n*; **~ette** [~ɛt] *f* kleines Mädchen *n*
filleul(e) [fijœl] *m(f)* Patenkind *n*
film [film] *m* Film; **~ policier** Kriminalfilm; **~ publicitaire** Werbefilm
filmer [filme] filmen
fils [fis] *m* Sohn
filtr|e [filtr(ə)] *m* Filter; **~er** [~e] filtern

fin¹ [fɛ̃] fein; *tranche* dünn; *mains* schmal; *personne* feinsinnig
fin² [fɛ̃] *f* Ende *n*, Schluss *m*; *but* Zweck *m*; ***à la ~*** am Ende (**de** *G*)
final [final] *résultat* End...; *remarque* Schluss...
final|e [final] *f Sp* Finale *n*; **~ement** [~mɑ̃] letzten Endes
financ|es [finɑ̃s] *f/pl* Finanzen; **~er** [~e] finanzieren; **~ier** [~je] finanziell, Finanz...
finir [finir] *se terminer* enden; *terminer* beenden; *cesser* aufhören (**de** zu); ***avoir fini*** fertig sein (***qc*** mit et); ***~ bien*** gut enden, schlecht *od* böse enden; ***~ par faire qc*** schließlich et tun
finlandais [fɛ̃lɑ̃dɛ] **1.** finnisch; **2.** ♀ *m* Finne
Finlande [fɛ̃lɑ̃d] ***la ~*** Finnland *n*
firme [firm] *f* Firma
fisc [fisk] *m* Fiskus
fissure [fisyr] *f* Riss *m*, Sprung *m*
fixation [fixasjõ] *f ski* Bindung
fixe [fiks] fest; *objet* unbeweglich; ***à prix ~*** zum Festpreis
fixer [fikse] *objet* befestigen; *date, prix* festsetzen
flageolet [flaʒɔlɛ] *m kleine weißgrüne Bohne*
flair [flɛr] *m* Witterung *f*; *fig* Gespür *n*; **~er** [~e] beschnuppern; *fig* wittern
flamand [flamɑ̃] flämisch
flamant [flamɑ̃] *m* Flamingo
flamber [flɑ̃be] lichterloh brennen; *Kochk* flambieren
flamme [flam] *f* Flamme
flan [flɑ̃] *m* Pudding
flanc [flɑ̃] *m* Flanke *f*, Seite *f*; *d'une montagne* (Ab-)Hang
Flandre [flɑ̃dr(ə)] ***la ~ ou les ~*** *f/pl* Flandern *n*
flâner [flɑne] bummeln
flanquer F [flɑ̃ke] schmeißen; *gifle* verpassen
flaque [flak] *f* Pfütze, Lache
flash [flaʃ] *m* Blitzlicht *n*
flatter [flate] schmeicheln (***q*** j-m)
flèche [flɛʃ] *f* Pfeil *m*
fléché [fleʃe] ausgeschildert
fléchir [fleʃir] *genoux* beugen; *poutre* sich biegen; *céder* nachgeben
flétrir [fletrir] ***se ~*** (ver)welken
fleur [flœr] *f* Blume; **~ir** [~ir] blühen; **~iste** [~ist] *m, f* Blumenhändler(in) *m(f)*
fleuve [flœv] *m* Fluss
flexible [flɛksibl(ə)] biegsam; *fig* flexibel, anpassungsfähig
flic [flik] F *m* Polizist
flirt [flœrt] *m* Flirt
flocon [flɔkõ] *m* Flocke *f*; **~s** *pl* ***d'avoine*** Haferflocken *f/pl*
flor|aison [flɔrɛzõ] *f* Blüte(zeit); **~issant** [~isɑ̃] *fig* blühend
flot [flo] *m* Flut *f*, Strom (*a fig*); **~s** *pl* Fluten *f/pl*

flott|e [flɔt] *f* Flotte; F *eau* Wasser *n*; **~er** [~e] schwimmen; *à la dérive* abgetrieben werden; **~eur** [~œr] *m Tech* Schwimmer
flou [flu] *Fot* unscharf, verschwommen; *pensée* unklar
fluide [flɥid] flüssig
flûte [flyt] *f* Flöte
fluvial [flyvjal] Fluss...
F.M. [ɛfɛm] *f* (*modulation de fréquence*) UKW (*Ultrakurzwelle*)
foi [fwa] *f* Glaube(n) *m*; ***de bonne*** ~ aufrichtig; ***de mauvaise*** ~ unaufrichtig
foie [fwa] *m* Leber *f*; ~ ***gras*** Gänse- *od* Entenleber *f*
foin [fwɛ̃] *m* Heu *n*
foire [fwar] *f* (Jahr-)Markt *m*; *exposition* Messe
fois [fwa] *f* Mal *n*; ***une*** ~ einmal; ***deux*** ~ zweimal; ***une*** ~ ***pour toutes*** ein für alle Mal; ***à la*** ~ zugleich; F ***des*** ~ manchmal; ***chaque*** ~ ***que*** jedes Mal, wenn
folie [fɔli] *f* Wahnsinn *m*
folklore [fɔlklɔr] *f* Folklore
folle *s* ***fou***
foncé [fõse] dunkel; ***bleu*** ~ dunkelblau
fonction [fõksjõ] *f* Funktion; *charge a* Amt *n*; ~ ***publique*** öffentlicher Dienst *m*; ***en*** ~ ***de*** entsprechend (*D*), je nach
fonctionnaire [fõksjɔnɛr] *m*, *f* Beamte(r) *su*
fonctionn|el [fõksjɔnɛl] funktionell; **~er** [~e] funktionieren, gehen
fond [fõ] *m d'un récipient* Boden; *d'un lac* Grund; *d'une pièce* Hintergrund (*a Mal, Fot*); ***au*** ~ im Grunde; ***au*** ~ ***de*** (ganz) unten *od* hinten in (*D*); ***à*** ~ gründlich; *respirer* tief
fondamental [fõdamɑ̃tal] grundlegend
fondat|eur [fõdatœr] *m* Gründer; **~ion** [~sjõ] *f* Gründung; *institution* Stiftung; **~s** *pl* Fundament *n*
fonder [fõde] gründen; ***être fondé sur*** beruhen auf (*D*)
fondre [fõdr(ə)] schmelzen; *glaçon, sucre* sich auflösen
fonds [fõ] *m*/*pl* Gelder *n*/*pl*, Kapital *n*
fondue [fõdy] *f* ~ (***savoyarde***) (Käse-)Fondue *f od n*; ~ ***bourguignonne*** Fleischfondue *f od n*
font [fõ] *prés von* ***faire***
fontaine [fõtɛn] *f* Brunnen *m*
football [futbol] *m* Fußball (-spiel) *m*(*n*); **~eur** [~œr] *m* Fußball(spiel)er
force [fɔrs] *f* Kraft; *contrainte* Zwang *m*, Gewalt; ~ ***majeure*** höhere Gewalt; ***de*** ~, ***par la*** ~ mit Gewalt; ***à*** ~ ***de travailler*** durch vieles Arbeiten
forcer [fɔrse] zwingen (***à faire qc*** zu et); *porte* aufbrechen; ***se*** ~ sich zwingen

forestier [fɔrɛstje] Wald..., Forst...
forêt [fɔrɛ] *f* Wald *m*
Forêt-Noire [fɔrɛnwar] ***la*** ~ der Schwarzwald
forfait [fɔrfɛ] *m* Pauschalpreis *m*, Pauschale *f*; ***voyage*** *m* ***à*** ~ Pauschalreise *f*
forger [fɔrʒe] schmieden
formalité [fɔrmalite] *f* Formalität
format [fɔrma] *m* Format *n*
formation [fɔrmasjõ] *f* Bildung; *professionnelle* Ausbildung; *intensive* Schulung
forme [fɔrm] *f* Form; ***être en*** ~ in Form sein
former [fɔrme] bilden; *apprenti* ausbilden
formidable [fɔrmidabl(ə)] F toll, prima, Klasse
formulaire [fɔrmylɛr] *m* Formular *n*
formule [fɔrmyl] *f* Formel
fort [fɔr] **1.** stark; *fièvre* hoch; *sauce* scharf; *gros* beleibt (*femme* vollschlank); *doué* (sehr) gut; *adv frapper*, *sentir* stark; *serrer* fest; *parler* laut; **2.** *m* Stärke *f*, starke Seite *f*
forteresse [fɔrtərɛs] *f* Festung
fortifiant [fɔrtifjɑ̃] *m* Stärkungsmittel *n*
fortifications [fɔrtifikasjõ] *f*/*pl* Befestigungsanlagen
fortune [fɔrtyn] *f* Vermögen *n*
fossé [fose] *m* Graben; *fig* Kluft *f*
fou [fu] (*f* ***folle*** [fɔl]) **1.** verrückt; **2.** *m*(*f*) Verrückte(r) *su*
foudre [fudr(ə)] *f* Blitz *m*
fouet [fwɛ] *m* Peitsche *f*
fougère [fuʒɛr] *f* Farn(kraut) *m*(*n*)
fouill|e [fuj] *f* Durchsuchung; ***~s*** *pl* (Aus-)Grabungen; ***~er*** [~e] durchsuchen; ***~is*** [~i] *m* Durcheinander *n*
foulard [fular] *m* Halstuch *n*, Kopftuch *n*
foule [ful] *f* (Menschen-)Menge; ***une*** ~ ***de ...*** e-e Menge ...
fouler [fule] ***se*** ~ ***la cheville*** sich den Knöchel verstauchen
four [fur] *m* Backofen; ~ ***à micro-ondes*** Mikrowellenherd
fourchette [furʃɛt] *f* Gabel
fourgonnette [furgɔnɛt] *f* Lieferwagen *m*
fourmi [furmi] *f* Ameise; ***~lière*** [~ljɛr] *f* Ameisenhaufen *m*; ***~ller*** [~je] wimmeln
fournaise [furnɛz] *f fig* Backofen *m*
fourn|ir [furnir] *restaurant* beliefern (***en qc*** mit et); *marchandises* liefern; *effort* machen; ***~isseur*** [~isœr] *m* Lieferant; ***~itures*** [~ityr] *f*/*pl* (Schul-, Büro-)Bedarf *m*
fourré [fure] *gâteaux* gefüllt (**à** mit); *manteau* pelzgefüttert
fourrer [fure] (hinein)stecken (***dans*** in *A*); *Kochk* füllen
fourrure [furyr] *f* Pelz *m*
foutre [futr(ə)] P ~ ***le camp*** abhauen; ***je m'en fous!*** das ist mir Wurscht!

foutu [futy] *s* ***fichu***
foyer [fwaje] *m de la cheminée* Feuerstelle *f*; *famille* Haushalt; *résidence* Wohnheim *n*
fraction [fraksjõ] *f* (An-)Teil; *Math* Bruch *m*
fracture [fraktyr] *f Med* Bruch *m*
fragile [fraʒil] *verre* zerbrechlich; *personne*, *estomac* empfindlich
fragment [fragmɑ̃] *m* Bruchstück *n*
fraîche *s* ***frais***
fraîcheur [frɛʃœr] *f* Frische; *froid* Kühle
frais[1] [frɛ] (*f* ***fraîche*** [frɛʃ]) frisch; *froid* kühl
frais[2] [frɛ] *m/pl* Kosten *pl*, Ausgaben *pl*; *de déplacement* Spesen *pl*; *taxe* Gebühr(en) *f(pl)*
fraise [frɛz] *f* Erdbeere
framboise [frɑ̃bwaz] *f* Himbeere
franc[1] [frɑ̃] (*f* ***franche*** [frɑ̃ʃ]) offen; *couleur* klar, rein; **~ de port** portofrei
franc[2] [frɑ̃] *m* Franc; *en Suisse* Franken
français [frɑ̃sɛ] **1.** französisch; **2.** ***le*** **~** Französisch *n*
Franç|ais [frɑ̃sɛ] *m* Franzose; **~aise** [~ɛz] *f* Französin
France [frɑ̃s] ***la*** **~** Frankreich *n*
France 2 [frɑ̃sdø] *größter öffentlich-rechtlicher Fernsehsender*
Francfort [frɑ̃kfɔr] Frankfurt
franche *s* ***franc***
franchement [frɑ̃ʃmɑ̃] offen; *nettement* (ganz) eindeutig
franchir [frɑ̃ʃir] überschreiten
franchise [frɑ̃ʃiz] *f* Offenheit; *Kfz* Selbstbeteiligung
franco-allemand [frɑ̃koalmɑ̃] französisch-deutsch
frange [frɑ̃ʒ] *f* Franse; *de cheveux* Pony(frisur) *m(f)*
frapper [frape] schlagen; *à la porte* klopfen; *atteindre* treffen; *étonner* auffallen (***q*** j-m)
fraternel [fratɛrnɛl] brüderlich
fraude [frod] *f* Betrug *m*; ***passer en*** **~** (ein- *od* heraus-) schmuggeln
frayeur [frɛjœr] *f* Schrecken *m*
freezer [frizœr] *m* Gefrierfach *n*
frein [frɛ̃] *m* Bremse *f*; **~ *moteur*** Motorbremse *f*; **~ *à disque*** Scheibenbremse *f*; **~ *à main*** Handbremse *f*
freiner [frɛne] bremsen
frelon [frəlõ] *m* Hornisse *f*
frémir [fremir] zittern (***de*** vor); *feuilles* rauschen
fréquemment [frekamɑ̃] häufig
fréquence [frekɑ̃s] *f* Häufigkeit
fréquent [frekɑ̃] häufig; **~er** [~te] *café* verkehren in (*D*); *école* besuchen; *personne* verkehren mit
frère [frɛr] *m* Bruder
fresque [frɛsk] *f* Fresko *n*

fret [frɛ] *m* Fracht *f*
friand [frijɑ̃] *m* kleine Blätterteigpastete
friandises [frijɑ̃diz] *f/pl* Leckereien
fricassée [frikase] *f* Frikassee *n*
frictionner [friksjɔne] **se ~** sich abreiben; **se ~ à qc** sich mit et einreiben
frigidaire [friʒidɛr] *m* Kühlschrank
frigo [frigo] *m* F Kühlschrank
frileux [frilø] **être ~** leicht frieren
frire [frir] (**faire**) ~ *dans une poêle* braten; *dans une friteuse* frittieren
friser [frize] *cheveux* sich kräuseln; *personne* krauses Haar haben
frisson [frisõ] *m* Schauder; Zittern *n*; **avoir des ~s** *de froid* frösteln; *de fièvre* Schüttelfrost haben
frissonner [frisɔne] schaudern, zittern (**de** vor); *de fièvre* Schüttelfrost haben
frites [frit] *f/pl* Pommes frites *pl*, F Pommes [pɔmɛs] *pl*
friture [frityr] *f* kleine frittierte Fische *m/pl*
froid [frwa] **1.** kalt; *personne* kühl; **2.** *m* Kälte *f*; **avoir ~** frieren; **prendre ~** sich erkälten
froisser [frwase] zerknittern; *fig* kränken; **se ~** knittern
frôler [frole] streifen
fromage [frɔmaʒ] *m* Käse; **~ blanc** Quark; **~ de chèvre** Ziegenkäse; **~ de tête** Schweinskopfsülze *f*
froment [frɔmɑ̃] *m* Weizen
front [frõ] *m* Stirn *f*; *Mil* Front *f*; **~ de mer** Strandpromenade *f*
front|alier [frõtalje] Grenz...; **~ière** [~jɛr] *f* Grenze
frotter [frɔte] reiben; *frictionner* abreiben; *sol, poêle* scheuern; *meuble* polieren; **~ contre** reiben an (*D*); **se ~ les yeux** sich die Augen reiben
frottis [frɔti] *m Med* Abstrich
fructueux [fryktɥø] fruchtbar; *rentable* einträglich
fruit [frɥi] *m* Frucht *f*; **~s** *pl* Obst *n*; **~s** *pl* **de mer** Meeresfrüchte *f/pl*
fuir [fɥir] fliehen, flüchten; *liquide* auslaufen; *tonneau* lecken; *robinet* tropfen; **~ q, qc** j-n, et meiden
fuite [fɥit] *f* Flucht
fumé [fyme] *Kochk* geräuchert, Räucher...; *verres* getönt, dunkel
fumée [fyme] *f* Rauch *m*
fumer [fyme] rauchen; **je ne fume pas** ich bin Nichtraucher(in)
fumeur [fymœr] *m* Raucher
fumier [fymje] *m* Mist
funèbre [fynɛbr(ə)] Trauer...
funérailles [fyneraj] *f/pl* Bestattung *f*
funiculaire [fynikylɛr] *m* (Stand-)Seilbahn *f*

fur [fyr] ***au ~ et à mesure*** nach und nach; ***~ de*** je nach; ***~ que j'avançais*** je weiter ich vorankam
fureur [fyrœr] *f* Wut
furieux [fyrjø] wütend
furoncle [fyrɔ̃kl(ə)] *m* Furunkel
fusée [fyze] *f* Rakete
fusible [fyzibl(ə)] *f* Sicherung
fusil [fyzi] *m* Gewehr *n*
fusiller [fyzije] erschießen
fut [fy] *passé simple von* **être**
fût [fy] *m* Fass *n*
futur [fytyr] **1.** (zu)künftig; **2.** *m* Zukunft *f*

G

gâch|er [gɑʃe] *argent* verschwenden; *vacances* verderben; **~is** [~i] *m* Verschwendung *f*
gaga [gaga] F vertrottelt
gagn|ant [gaɲɑ̃] **1.** Gewinn...; **2.** *m* Gewinner; **~er** [~e] gewinnen; *argent* verdienen
gai [ge, gɛ] fröhlich
gain [gɛ̃] *m* Gewinn; ***~s*** *pl* Verdienst; ***~ de temps*** Zeitgewinn
gaine [gɛn] *f* (Schutz-)Hülle; *sous-vêtement* Mieder *n*
galant [galɑ̃] galant
galerie [galri] *f d'art* (Kunst-)Galerie; *Kfz* Dachgepäckträger *m*
galette [galɛt] *f* flacher, runder Kuchen *m*, Fladen *m*; *crêpe* (Buchweizen-)Pfannkuchen *m*; ***~ de pommes de terre*** Kartoffelkuchen *m*; ***~s pl bretonnes*** bretonische Butterplätzchen *n/pl*; ***~ des Rois*** Dreikönigskuchen
galop [galo] *m* Galopp
galoper [galɔpe] galoppieren
gamin(e) [gamɛ̃ (-in)] *m(f)* F kleiner Junge *m*, kleines Mädchen *n*; *fils, fille* Kleine(r) *su*
gamme [gam] *f* Tonleiter
gant [gɑ̃] *m* Handschuh; ***~ de toilette*** Waschlappen
garag|e [garaʒ] *m* Garage *f*; *atelier* (Autoreparatur-)Werkstatt *f*; **~iste** [~ist] *m* Werkstattbesitzer
garant|ie [garɑ̃ti] *f* Garantie; **~ir** [~ir] garantieren
garbure [garbyr] *f Kohlsuppe mit Speck*
garçon [garsɔ̃] *m* Junge; ***~ (de café)*** Kellner
garde [gard] **1.** *f* Bewachung, Beaufsichtigung; *Med, hôpital* Bereitschaftsdienst *m*, (Nacht- *od* Sonntags-)Dienst *m*; *Mil* Wache; ***~ à vue*** Polizeigewahrsam *m*; ***prendre ~ à*** Acht geben auf (*A*); ***être de ~*** Bereitschaftsdienst haben; **2.** *m* Wächter
garde-boue [gardbu] *m* Schutzblech *n*

garder [garde] beaufsichtigen; *prisonniers* bewachen; *conserver* aufbewahren; *ne pas rendre* behalten; *vêtement* anbehalten; **se ~** *aliments* sich halten; **se ~ de** sich hüten vor (*D*)
garderie [gardəri] *f* (Kinder-)Hort *m*
garde-robe [gardərɔb] *f* Garderobe
gardien [gardjɛ̃] *m* Aufseher, Wächter; *d'immeuble* Hausmeister; **~ de musée** Museumswärter; **~ de but** Torwart
gare[1] [gar] *f* Bahnhof *m* ; **~ routière** Busbahnhof *m*
gare[2] [gar] **~ à toi!** nimm dich in Acht!, na warte!
garer [gare] **~** *u* **se ~** parken
gargariser [gargarize] **se ~** gurgeln
garn|i [garni] *m Kochk* mit Beilage; **~ir** [~ir] *munir* ausstatten (**de** mit); *décorer* (aus)schmücken (**de** mit); *Kochk* garnieren (**de** mit)
garniture [garnityr] *f* Verzierung; *Kochk* Beilage; **~ de freins** Bremsbelag *m*
gars F [gɑ] *m* Kerl
gasoil [gazwal] *m s* **gazole**
gaspiller [gɑspije] verschwenden, vergeuden
gastrique [gastrik] Magen...
gastronom|e [gastrɔnɔm] *m* Feinschmecker; **~ie** [~i] *f* Kochkunst, Gastronomie; **~ique** [~ik] Feinschmecker...
gâteau [gɑto] *m* Kuchen; **petits ~x** *pl* Kleingebäck *n*
gâter [gɑte] verwöhnen; *gâcher* verderben; **se ~** sich verschlechtern
gauch|e [goʃ] **1.** linke(r, -s); *maladroit* linkisch; **à ~** links (**de** von); **2.** *f* Linke (*a Pol*), linke Seite
gauch|er [goʃe] *m*, **~ère** [~ʃɛr] *f* Linkshänder(in) *m(f)*
gaufre [gofrə] *f* Waffel
gaz [gaz] *m* Gas *n*
gaze [gaz] *f Med* Mull *m*
gazette [gazɛt] *f* Zeitung
gazole [gazɔl] *m* Diesel(kraftstoff)
gazon [gazõ] *m* Rasen
géant [ʒeɑ̃] **1.** riesig; **2.** *m* Riese
gel [ʒɛl] *m* Frost
gelée [ʒəle] *f* Frost *m*; *confiture* Gelee *n*; **~ (blanche)** (Rau-)Reif *m*; *Kochk* **en ~** in Aspik
geler [ʒəle] *eau* gefrieren; *canal* zufrieren; *fleurs* erfrieren; *grelotter* frieren; **il gèle** es friert
gémir [ʒemir] stöhnen; *se plaindre* jammern
gencive [ʒɑ̃siv] *f* Zahnfleisch *n*
gendarme [ʒɑ̃darm] *m* Gendarm
gendre [ʒɑ̃dr(ə)] *m* Schwiegersohn
gêner [ʒɛne] *circulation* behindern; *déranger* stören; *embarrasser* in Verlegenheit

bringen; ***ne pas se ~*** keine Hemmungen haben
général [ʒeneral] allgemein; ***en ~ = ~ement*** [~mɑ̃] im Allgemeinen, gewöhnlich; **~iser** [~ize] verallgemeinern; **~iste** [~ist] *m Med* praktischer Arzt
génération [ʒenerasjõ] *f* Generation
généreux [ʒenerø] großzügig
générique [ʒenerik] *m cinéma* Vorspann
genêt [ʒənɛ] *m* Ginster
génétique [ʒenetik] genetisch
Genève [ʒənɛv] Genf
génial [ʒenjal] genial
génie [ʒeni] *m* Genie *n*
genou [ʒənu] *m* Knie *n*
genre [ʒɑ̃r] *m* Art *f*; *Gr* Genus *n*, Geschlecht *n*
gens [ʒɑ̃] *m/pl* Leute *pl*
gentiane [ʒɑ̃sjan] *f* Enzian *m*
gentil [ʒɑ̃ti] nett, freundlich
gentillesse [ʒɑ̃tijɛs] *f* Freundlichkeit
géographie [ʒeɔgrafi] *f* Erdkunde
gérant [ʒerɑ̃] *m* Geschäftsführer
gerbe [ʒɛrb] *f* Garbe
gerçure [ʒɛrsyr] *f* Riss *m*
gérer [ʒere] verwalten
germ|e [ʒɛrm] *m* Keim; **~er** [~e] keimen
geste [ʒɛst] *m* Geste *f*
gestion [ʒɛstjõ] *f* Verwaltung; ~ (***des entreprises***) Betriebswirtschaft
gibier [ʒibje] *m* Wild *n*
giboulée [ʒibule] *f* (Regen-, Graupel-)Schauer *m*
gifle [ʒifl(ə)] *f* Ohrfeige
gigantesque [ʒigɑ̃tɛsk] riesig
gigot [ʒigo] *m ~* (***de mouton***) Hammelkeule *f*
gilet [ʒilɛ] *m chandail* Strickjacke *f*; *de costume* Weste *f*; ***~ de sauvetage*** Schwimmweste *f*
gingembre [ʒɛ̃ʒɑ̃br(ə)] *m* Ingwer
girafe [ʒiraf] *f* Giraffe
girolle [ʒirɔl] *f* Pfifferling *m*
gisement [ʒizmɑ̃] *m* Lagerstätte *f*, Vorkommen *n*
gitan [ʒitɑ̃] *m* Zigeuner
gîte [ʒit] *m* Unterkunft *f*; ***~ rural*** Ferienquartier *n* auf dem Land; ***~ d'étape*** Unterkunft *f* für Wanderer
givre [ʒivrə] *m* (Rau-)Reif
glace [glas] *f* Eis *n* (*a crème glacée*); *miroir* Spiegel *m*; *Kfz* Fenster *n*
glacé [glase] *gelé* vereist; *personne* durchgefroren; *vent, servir* eiskalt; *boisson* eisgekühlt; *coupe, crème* Eis...; *accueil* eisig
glac|er [glase] erstarren lassen; *Kochk* glasieren; **~ial** [~jal] *vent* eiskalt; *accueil* eisig
glacier [glacier] *m* Gletscher; *café* Eisdiele *f*; *pâtissier* Eiskonditor
glacière [glasjɛr] *f* Kühlbox
glaçon [glasõ] *m* Eiswürfel
glaires [glɛr] *f/pl* Schleim *m*; ***avoir des ~*** verschleimt sein

glaise [glɛz] *f* Lehm *m*
gland [glɑ̃] *m* Eichel *f*
glande [glɑ̃d] *f* Drüse; ~ ***thyroïde*** Schilddrüse
glissant [glisɑ̃] rutschig, glatt; *panneau* ***chaussée*** *f* ~***e*** Schleudergefahr
glisser [glise] *pâtineurs* gleiten; *sans le vouloir* rutschen; *tomber* ausrutschen; *être glissant* rutschig, glatt sein; ~ ***des mains*** aus der Hand rutschen
glissière [glisjɛr] *f* ~ ***de sécurité*** Leitplanke
global [glɔbal] Gesamt...; ~**ement** [~mɑ̃] im Großen (und) Ganzen
globe [glɔb] *m* Globus; *de lampe* Glaskugel *f*; ~ (***terrestre***) Erdkugel *f*
gloire [glwar] *f* Ruhm *m*
gluant [glyɑ̃] klebrig
glucose [glykoz] *m* Traubenzucker
gobelet [gɔblɛ] *m* Becher
golf [gɔlf] *m* Golf *n*; ~ ***miniature*** Minigolf *n*
golfe [gɔlf] *m* Golf
gomm|e [gɔm] *f* (Radier-) Gummi *m*; ~**er** [~e] radieren
gondole [gõdɔl] *f* Gondel
gonfl|é [gõfle] geschwollen; ~**er** [~e] *ballon* aufblasen; *pneu* aufpumpen; *genou* anschwellen
gorge [gɔrʒ] *f* Kehle, Hals *m*; *Geogr* Schlucht; ***avoir mal à la*** ~ Halsschmerzen haben
gorgée [gɔrʒe] *f* Schluck *m*
gorille [gɔrij] *m* Gorilla
gosse [gɔs] F *m*, *f* Kind *n*
gothique [gɔtik] gotisch
goudron [gudrõ] *m* Teer
gouffre [gufr(ə)] *m* Abgrund
goulache [gulaʃ] *f* Gulasch *m od n*
gourde [gurd] *f* Feldflasche
gourmand [gurmɑ̃] ***être*** ~ gern essen, *de sucreries* gern naschen
gourmandises [gurmɑ̃diz] *f*/*pl* Leckereien
gourmet [gurmɛ] *m* Feinschmecker
gousse [gus] *f* Hülse, Schote; ~ ***d'ail*** Knoblauchzehe
goût [gu] *m* Geschmack
goûter [gute] **1.** kosten (**à** von); *apprécier* genießen; **2.** *m* (Nachmittags-)Imbiss
goutt|e [gut] *f* Tropfen *m*; *Med* Gicht; ~**er** [~e] tropfen; ~**ière** [~jɛr] *f* Dachrinne
gouvernail [guvɛrnaj] *m* Ruder *n*
gouvern|ement [guvɛrnəmɑ̃] *m* Regierung *f*; ~**er** [~e] regieren
grâce [grɑs] *f* Gnade; *jur a* Begnadigung; *charme* Anmut; ~ **à** dank (*D od G*)
grâc|ier [grɑsje] begnadigen; ~**ieux** [~jø] anmutig
grade [grad] *m* Dienstgrad; *Mil a* Rang
gradins [gradɛ̃] *m*/*pl* (ansteigende) Sitzreihen *f*/*pl*
grain [grɛ̃] *m* Korn *n*; *raisin* Beere *f*; *café* Bohne *f*

graine [grɛn] *f* Samen *m*
graissage [grɛsaʒ] *m Tech* (Ab-)Schmieren *n*
graiss|e [grɛs] *f* Fett *n*; *Tech* Schmierfett *n*; **~er** [~e] *Tech* schmieren; *Kfz* abschmieren; **~eux** [~ø] fettig
grammaire [gramɛr] *f* Grammatik
gramme [gram] *m* Gramm *n*
grand [grɑ̃] groß
grand-chose [grɑ̃ʃoz] ***pas ~*** nicht viel
Grande-Bretagne [grɑ̃dbrətaɲ] ***la ~*** Großbritannien *n*
grand|eur [grɑ̃dœr] *f* Größe; **~ir** [~ir] wachsen
grand|-mère [grɑ̃mɛr] *f* Großmutter; **~-père** [~pɛr] *m* Großvater; **~-route** [~rut] *f* Landstraße; **~-rue** [~ry] *f* Hauptstraße
grands-parents [grɑ̃parɑ̃] *m/pl* Großeltern *pl*
grange [grɑʒ] *f* Scheune
granit(e) [granit] *m* Granit
grappe [grap] *f* Traube
gras [grɑ] **1.** (*f* ***grasse*** [grɑs]) fett; *graisseux* fettig; ***mardi*** *m* **~** Fastnacht *f*; **2.** *m* Fett *n*
gratin [gratɛ̃] *m* Gratin *n*; ***au ~*** überbacken; **~ *dauphinois*** *überbackener Kartoffelauflauf*
gratin|é [gratine] überbacken; **~ée** [~e] *f mit Käse überbackene Zwiebelsuppe*
gratitude [gratityd] *f* Dankbarkeit
gratte-ciel [gratsjɛl] *m* Wolkenkratzer
gratter [grate] kratzen; *enlever* ab-, auskratzen; **se ~** sich kratzen
gratuit [gratɥi] kostenlos
gravats [grava] *m/pl* Bauschutt *m*
grave [grɑv] ernst; *faute* schwer(wiegend); *maladie* schwer; *voix* tief
gravement [grɑvmɑ̃] **~ *malade*** schwer krank
graver [grave] eingravieren
gravier [gravje] *m* Kies
gravillon [gravijɔ̃] *m* Splitt
gravité [gravite] *f* Ernst *m*
gravure [gravyr] *f* Graphik; *sur métal* Stich *m*
gré [gre] *m* ***de son plein ~*** (ganz) freiwillig; ***contre son ~*** widerwillig
grec [grɛk] **1.** griechisch; **2. ♀** *m* Grieche
Grèce [grɛs] ***la ~*** Griechenland *n*
greffe [grɛf] *f Med* Transplantation
grêl|e [grɛl] *f* Hagel *m*; **~er** [~e] ***il grêle*** es hagelt; **~on** [~ɔ̃] *m* Hagelkorn *n*
grelotter [grəlɔte] (vor Kälte) zittern
grenier [grənje] *m* Speicher, Dachboden
grenouille [grənuj] *f* Frosch *m*
grève [grɛv] *f* Streik *m*; **~ *du zèle*** Bummelstreik *m*; ***faire ~*** streiken

gréviste [grevist] *m, f* Streikende(r) *su*
gribouiller [gribuje] (hin-) schmieren
grièvement [grijɛvmɑ̃] **~ blessé** schwer verletzt
griffe [grif] *f* Kralle, Klaue
gril [gril] *m* Brat-, Grillrost; **sur le ~** auf dem Rost
grillade [grijad] *f* gegrilltes Fleischstück *n*; **~s** *pl* Gegrillte(s) *n*
grillage [grijaʒ] *m* (Draht-) Gitter *n*
grille [grij] *f* Gitter *n*
grille-pain [grijpɛ̃] *m* Toaster
griller [grije] (auf dem Rost) braten, grillen; *pain* toasten
grillon [grijõ] *m* Grille *f*
grimper [grɛ̃pe] klettern
grincer [grɛ̃se] knarren
grippe [grip] *f* Grippe
grippé [gripe] **être ~** (die) Grippe haben
gris [gri] grau (*a ciel*); *temps* trüb; *fig* angetrunken
grogn|er [grɔɲe] *personne* murren (**contre** über *A*); **~on** [~õ] mürrisch
gronder [grõde] *enfant* (aus-) schimpfen; *tonnerre* grollen
gros [gro] (*f* **grosse** [gros]) groß; *gras* dick; *adv* groß; *beaucoup* viel; **en ~** im Wesentlichen; *Hdl* im Großen, en gros
groseille [grõzɛj] *f* Johannisbeere; **~ à maquereau** Stachelbeere
grosse *s* **gros**
grossesse [grosɛs] *f* Schwangerschaft
grosseur [grosœr] *f* Größe; *Med* Geschwulst
gross|ier [grosje] grob; *mot* derb; **~ièreté** [~jɛrte] *f* Grobheit
grossir [grosir] *personne* zunehmen; *robe* dick machen; *microscope* vergrößern
grotte [grɔt] *f* Höhle
groupe [grup] *m* Gruppe *f*; **~ sanguin** Blutgruppe *f*; **en ~** in der Gruppe; **par ~s (de cinq)** in (Fünfer-)Gruppen
grue [gry] *f* Kran *m*
gruyère [gryjɛr] *m* Schweizer Käse
guêpe [gɛp] *f* Wespe
guère [gɛr] **ne ... ~** kaum
guér|ir [gerir] heilen; *aller mieux* gesund werden; *plaie* (ver)heilen; **~ison** [~izõ] *f* Heilung
guerre [gɛr] *f* Krieg *m*
guetter [gɛte] lauern (**q** auf j-n); auflauern (**q** j-m)
gueule [gœl] *f* Maul *n* (*a* F); F *visage* Gesicht *n*
guichet [giʃɛ] *m* Schalter; **~ automatique** Geldautomat
guide [gid] *m* (Fremden-) Führer; *accompagnateur* Reiseleiter; *livre* **~ (touristique)** Reiseführer; **~ des hôtels** Hotelführer
guider [gide] *touristes* führen; *diriger* lenken; **se ~ sur** sich richten nach

guidon [gidõ] *m* Lenker, Lenkstange *f*
guignol [giɲɔl] *m* Kasper(le); *théâtre* Kasper(le)theater *n*
guirlande [girlɑ̃d] *f* Girlande
guitare [gitar] *f* Gitarre
gymnase [ʒimnɑz] *m* Turnhalle *f*
gymnast|e [ʒimnast] *m, f* Turner(in) *m(f)*; **~ique** [~ik] *f* Gymnastik; *école* Turnen *n*
gynécologue [ʒinekɔlɔg] *m, f* Frauenarzt *m*, -ärztin *f*

H

('h: aspiriertes h, das Apostrophierung und Bindung ausschließt)

habil|e [abil] geschickt; **~eté** [~te] *f* Geschicklichkeit
habiller [abije] anziehen; **s'~** sich anziehen; *en tenue de soirée* sich festlich kleiden
habit|ant [abitɑ̃] *m* Einwohner *m*; *d'un immeuble* Bewohner; **~ation** [~asjõ] *f* Wohnung; **~er** [~e] wohnen in (*D*), bewohnen (*A*)
habits [abi] *m/pl* Kleider *n/pl*
habitude [abityd] *f* Gewohnheit; **d'~** gewöhnlich
habitué(e) [abitɥe] *m(f)* Stammgast *m*
habituel [abitɥɛl] üblich, gewöhnlich
habituer [abitɥe] (**s'~** sich) gewöhnen (**à** an *A*)
'hach|e [aʃ] *f* Axt; **~er** [~e] hacken; **~is** [~i] *m* Gehackte(s) *n*; **~oir** [~war] *m* Fleischwolf; *couteau* Hackbeil *n*
'hachurer [aʃyre] schraffieren
'haie [ɛ] *f* Hecke; *Sp* Hürde
'haine [ɛn] *f* Hass *m*
'haïr [air] hassen
'hâlé [ɑle] (sonnen-, wetter-) gebräunt
haleine [alɛn] *f* Atem *m*
'hall [ol] *m* Halle *f*; **~ de l'hôtel** Hotelhalle *f*
Halles [al] *f* **les ~** die *früheren* Pariser Markthallen
'halte [alt] *f* Halt *m*; **faire** (**une**) **~** Halt machen
'hamac [amak] *m* Hängematte *f*
'Hambourg [ɑ̃bur] Hamburg
hameçon [amsõ] *m* Angelhaken
'hanche [ɑ̃ʃ] *f* Hüfte
'handball [ɑ̃dbal] *m* Handball
'handicapé [ɑ̃dikape] **1.** behindert; **2. ~(e)** *m(f)* Behinderte(r) *su*
'hangar [ɑ̃gar] *m* Schuppen
'hanneton [antõ] *m* Maikäfer
'Hanovre [anɔvr(ə)] Hannover
'hardi [ardi] kühn
'hareng [arɑ̃] *m* Hering; **~ saur** [sɔr] Bückling

'haricot [ariko] *m* Bohne *f*; **~s** *pl* **verts** grüne Bohnen *f/pl*
harmon|ie [armɔni] *f* Harmonie; **~ieux** [~jø] harmonisch
'harpe [arp] *f* Harfe
'harpon [arpõ] *m* Harpune *f*
'hasard [azar] *m* Zufall; **au ~** auf gut Glück; **par ~** zufällig
'hâte [ɑt] *f* Eile; **avoir ~ de faire qc** es kaum erwarten können, et zu tun
'hâter [ɑte] **se ~** sich beeilen
'hausse [os] *f* Anstieg *m*; *de salaire* Erhöhung; **être en ~** steigen
'hausser [ose] erhöhen; *voix* heben; **~ les épaules** mit den Achseln zucken
'haut [o] **1.** hoch, hohe(r, -s); *parler* laut; **2.** *m* oberer Teil; *d'une robe* Oberteil *n*; **en ~** oben
'hautain [otɛ̃] hochmütig
'hautbois [obwa] *m* Oboe *f*
'hauteur [otœr] *f* Höhe; **être à la ~ de qc** e-r Sache (*D*) gewachsen sein
'haut-parleur [oparlœr] *m* Lautsprecher
hebdomadaire [ɛbdɔmadɛr] **1.** wöchentlich, Wochen...; **2.** *m* Wochenzeitschrift *f*
héberger [ebɛrʒe] beherbergen
'hélas [elɑs] leider
hélice [elis] *f* Propeller *m*; *Mar* Schraube
héli|coptère [elikɔptɛr] *m* Hubschrauber; **~port** [~pɔr] *m* Hubschrauberlandeplatz
hématome [ematom] *m* Bluterguss
hémophile [emɔfil] *m*, *f* Bluter *m*
hémorragie [emɔraʒi] *f* Blutung; **~ cérébrale** Hirnblutung
hémostatique [emɔstatik] **1.** blutstillend; **2.** *m* blutstillendes Mittel *n*
hépati|que [epatik] Leber...; **~te** [~t] *f* Leberentzündung
herbe [ɛrb] *f* Gras *n*; F *drogue* Stoff *m*; **mauvaise(s) ~(s)** *f(pl)* Unkraut *n*; *Kochk* **fines ~s** *pl* Küchenkräuter *n/pl*
héréditaire [ereditɛr] Erb..., erblich
'hérisson [erisõ] *m* Igel
hérit|age [eritaʒ] *m* Erbe *n*; **~er** [~e] erben; **~ier** [~je] *m* Erbe; **~ière** [~jɛr] *f* Erbin
hermétique [ɛrmetik] luftdicht
héroïne¹ [erɔin] *f* Heldin
héroïne² [erɔin] *f* *drogue* Heroin *n*
'héros [ero] *m* Held
hésiter [ezite] zögern; **~ entre** schwanken zwischen (*D*)
'hêtre [ɛtrə] *m* Buche *f*
heure [œr] *f* *60 minutes* Stunde; *à sa montre* (Uhr-)Zeit; **~ d'été** Sommerzeit; **~ d'arrivée** Ankunftszeit; **~ du départ** Abfahrtszeit; **~s** *pl* **de pointe, d'affluence** Stoßzeit *f*; **~s** *pl* **de visite** Besuchszeit *f*; **~s** *pl* **de consultation** Sprechstunde *f*; **~s** *pl* **d'ou-**

verture Öffnungszeiten; ***quelle ~ est-il?*** wie spät ist es?; ***il est 'huit ~s*** es ist acht (Uhr); ***à quelle ~?*** um wieviel Uhr?; ***de bonne ~*** früh; ***tout à l'~*** *passé* (so)eben, gerade, *futur* gleich, sofort; ***à tout à l'~!*** bis nachher!
heureusement [ørøzmɑ̃] glücklicherweise
heureux [œrø] glücklich
'heurter [œrte] stoßen gegen; *fig* verletzen; ***se ~*** zusammenstoßen; ***se ~ à*** stoßen auf (*A*)
'hibou [ibu] *m* Eule *f*
'hideux [idø] scheußlich
hier [ijɛr] gestern; ***~ matin*** (***soir***) gestern früh (Abend)
hilarité [ilarite] *f* Heiterkeit
hippique [ipik] ***concours*** *m* ~ Reitturnier *n*
hippopotame [ipɔpɔtam] *m* Nilpferd *n*
hirondelle [irɔ̃dɛl] *f* Schwalbe
histoire [istwar] *f* Geschichte
historique [istɔrik] historisch
hiver [ivɛr] *m* Winter
H.L.M. [aʃɛlɛm] *m od f* (*habitation à loyer modéré*) Sozialwohnung *f*
'hocher [ɔʃe] ***~ la tête*** *d'accord* (mit dem Kopf) nicken; *pas d'accord* den Kopf schütteln
'hockey [ɔkɛ] *m* Hockey *n*; ***~ sur glace*** Eishockey *n*
hold-up [ɔldœp] *m* Raubüberfall
'Hollande [ɔlɑ̃d] ***la ~*** Holland *n*
'hollandais [ɔlɑ̃dɛ] **1.** holländisch; **2.** ♀ *m* Holländer
'homard [ɔmar] *m* Hummer; ***~ à l'armoricaine*** (*od* ***à l'américaine***) *Hummerstücke in Weißwein*
homéopathe [ɔmeɔpat] *m, f* Homöopath(in) *m(f)*
homicide [ɔmisid] *m* ***~ involontaire*** fahrlässige Tötung *f*
hommage [ɔmaʒ] *m* Huldigung *f*; ***rendre ~ à q*** j-m huldigen
homme [ɔm] *m* Mann; *être humain* Mensch; ***~ d'affaires*** Geschäftsmann
homme-grenouille [ɔmgrənuj] *m* Froschmann
homosexuel [ɔmɔsɛksyɛl] homosexuell
'Hongrie [ɔ̃gri] ***la ~*** Ungarn *n*
'hongrois [ɔ̃grwa] **1.** ungarisch; **2.** ♀ *m* Ungar
honnête [ɔnɛt] ehrlich, anständig; **~ment** [~mɑ̃] auf ehrliche (Art und) Weise; *franchement* ehrlich
honneur [ɔnœr] *m* Ehre *f*; ***en l'~ de*** zu Ehren von
honoraires [ɔnɔrɛr] *m/pl* Honorar *n*
honorer [ɔnɔre] ehren
'honte [ɔ̃t] *f* Scham; *scandale* Schande; ***avoir ~*** sich schämen
'honteux [ɔ̃tø] *personne* verschämt; *scandaleux* schändlich

hôpital [ɔpital] *m* (*pl* **-aux** [-o]) Krankenhaus *n*
'hoquet [ɔkɛ] *m* **avoir le ~** den Schluckauf haben
horaire [ɔrɛr] *m cars, trains* Fahrplan; *avions* Flugplan; *emploi du temps* Zeitplan; *école* Stundenplan
horizon [ɔrizõ] *m* Horizont
horizontal [ɔrizõtal] waagerecht
horloge [ɔrlɔʒ] *f* (Wand-, Turm-)Uhr; *Tel* **~ parlante** Zeitansage
horloger [ɔrlɔʒe] *m* Uhrmacher
horreur [ɔrœr] *f* Entsetzen *n*; **avoir ~ de** verabscheuen (*A*)
horrible [ɔribl(ə)] entsetzlich
'hors [ɔr] **~ de** außerhalb (*G*); **~ de danger** außer Gefahr; **~ service** außer Betrieb; **~ taxes** ohne Mehrwertsteuer, *importations* zollfrei; *Sp* **~ jeu** abseits
'hors|-bord [ɔrbɔr] *m* Boot *n* mit Außenbordmotor; **~-d'œuvre** [~dœvrə] *m* Vorspeise *f* ; **~-jeu** [~ʒø] *m Sp* Abseits *n*
horticulture [ɔrtikyltyr] *f* Gartenbau *m*
hospital|ier [ɔspitalje] gastfreundlich; **~iser** [~ize] in ein Krankenhaus einliefern; **~ité** [~ite] *f* Gastfreundschaft
hostile [ɔstil] feindlich
hôte [ot] **1.** *m* Gastgeber; **2.** *m, f invité(e)* Gast *m*
hôtel [otɛl] *m* Hotel *n*; **~ de ville** Rathaus *n*
hôtelier [otəlje] Hotel...
hôtellerie [otɛlri] *f* Hotelgewerbe *n*
hôtesse [otɛs] *f* Gastgeberin; **~ (d'accueil)** Hostess; **~ de l'air** Stewardess
H.T. (*hors taxes*) o. MwSt. (*ohne Mehrwertsteuer*)
'houblon [ublõ] *m* Hopfen
'housse [us] *f* (Schutz-)Hülle; *Kfz* Schonbezug *m*
'hublot [yblo] *m Mar* Bullauge *n*; *Flgw* Fenster *n*
'huer [ɥe] ausbuhen
huile [ɥil] *f* Öl *n*; **~ d'olive** Olivenöl *n*; **~ moteur** Motorenöl *n*; **~ solaire** Sonnenöl *n*
huiler [ɥile] (ein)ölen
huilier [ɥilje] *m* Essig- und Ölständer
huissier [ɥisje] *m* Gerichtsvollzieher
'huit [ɥit, ɥi] acht; **~ième** [~tjɛm] **1.** achte(r, -s); **2.** *m Math* Achtel *n*
huître [ɥitrə] *f* Auster
humain [ymɛ̃] menschlich
human|itaire [ymanitɛr] humanitär; **~ité** [~ite] *f* Menschheit
humeur [ymœr] *f* Laune; **être de bonne (mauvaise) ~** gut (schlecht) gelaunt sein, gute (schlechte) Laune haben
humide [ymid] feucht
humilier [ymilje] demütigen
humour [ymu:r] *m* Humor

'hurler [yrle] schreien, brüllen; *loup* heulen
'hutte [yt] *f* Hütte
hydravion [idravjõ] *m* Wasserflugzeug *n*
hygiène [iʒjɛn] *f* Hygiene
hygiénique [iʒjenik] hygienisch
hypocrite [ipɔkrit] **1.** heuchlerisch; **2.** *m, f* Heuchler(in) *m(f)*

I

ici [isi] hier, hierher; ***par ~*** hier entlang; ***jusqu'~*** bis hierher; *temporel* bis jetzt; ***les gens*** *m/pl* ***d'~*** die Einheimischen
idéal [ideal] *m* Ideal *n*
idée [ide] *f* Idee, Gedanke *m*, Vorstellung; ***changer d'~*** es sich anders überlegen
identique [idɑ̃tik] identisch
identité [idɑ̃tite] *f* Identität; ***pièce*** *f* ***d'~*** Ausweis(papier) *m(n)*
idiot [idjo] **1.** dumm; **2.** *m* Dummkopf; **~ie** [~si] *f* Dummheit
idole [idɔl] *m* Idol *n*
ignoble [iɲɔbl(ə)] *odieux* gemein; *répugnant* widerlich
ignor|ant [iɲɔrɑ̃] unwissend; **~er** [~e] nicht wissen
il [il] er; *impersonnel* es
île [il] *f* Insel; ***~ flottante*** *Eierschnee auf Vanillesoße*
illégal [ilegal] ungesetzlich
illimité [ilimite] unbegrenzt
illisible [ilizibl(ə)] unleserlich
illuminer [ilymine] (festlich) beleuchten
illustre [ilystr(ə)] berühmt
illustré [ilystre] *m* Illustrierte *f*
ils [il] sie
image [imaʒ] *f* Bild *n*
imagin|aire [imaʒinɛr] nicht wirklich; Fantasie...; **~ation** [~asjõ] *f* Fantasie
imaginer [imaʒine] (*a* ***s'~***) sich vorstellen; *inventer* sich einfallen lassen; ***s'~ que*** sich einbilden, dass
imbécile [ɛ̃besil] **1.** dumm; **2.** *m, f* Dummkopf *m*
imbuvable [ɛ̃byvabl(ə)] ungenießbar, nicht trinkbar
imit|ation [imitasjõ] *f* Nachahmung; **~er** [~e] nachahmen
immangeable [ɛ̃mɑ̃ʒabl(ə)] ungenießbar, nicht essbar
immatriculation [imatrikylasjõ] *f* Eintragung; *Kfz* Zulassung
immédia|t [imedja] unmittelbar; *départ* sofortig; **~tement** [~tmɑ̃] sofort
immense [imɑ̃s] riesig
immeuble [imœbl(ə)] *m* Gebäude *n*
immigré [imigre] **1.** eingewandert; **2.** *m* (***travailleur*** *m*) **~** Gastarbeiter
imminent [iminɑ̃] unmittelbar bevorstehend

immobile [imɔbil] unbeweglich
immobilier [imɔbilje] Immobilien...
immoral [imɔral] unmoralisch
immortel [imɔrtɛl] unsterblich
impair [ɛ̃pɛr] ungerade
impartial [ɛ̃parsjal] unparteiisch
impasse [ɛ̃pɑs] *f* Sackgasse
impatience [ɛ̃pasjɑ̃s] *f* Ungeduld
impati|ent [ɛ̃pasjɑ̃] ungeduldig; **~enter** [~ɑ̃te] **s'~** die Geduld verlieren
impératrice [ɛ̃peratris] *f* Kaiserin
imperméable [ɛ̃pɛrmeabl(ə)] **1.** undurchlässig; *tissu* wasserdicht; **2.** *m* Regenmantel
impertinent [ɛ̃pɛrtinɑ̃] unverschämt
impitoyable [ɛ̃pitwajabl(ə)] unbarmherzig
impliquer [ɛ̃plike] *mêler* verwickeln (**dans** in *A*); *signifier* bedeuten; *supposer* voraussetzen
impoli [ɛ̃pɔli] unhöflich
importance [ɛ̃pɔrtɑ̃s] *f* Wichtigkeit; **sans ~** unwichtig
important [ɛ̃pɔrtɑ̃] **1.** wichtig; *somme, dégâts* groß; **2.** *m* Hauptsache *f*
importation [ɛ̃pɔrtasjõ] *f* Einfuhr, Import *m*
importer¹ [ɛ̃pɔrte] *Hdl* einführen, importieren
importer² [ɛ̃pɔrte] wichtig sein (**à** *q* j-m, für j-n); **peu importe** das ist nicht so wichtig; **n'importe!** das ist egal!; **n'importe où** irgendwo(hin), egal wo(hin); **n'importe qui** jeder (x-beliebige)
importuner [ɛ̃pɔrtyne] belästigen
imposer [ɛ̃poze] vorschreiben, auferlegen; *de force* aufzwingen; **s'~** sich aufdrängen; *par sa valeur* sich durchsetzen
impossible [ɛ̃pɔsibl(ə)] unmöglich
impôt [ɛ̃po] *m* Steuer *f*
impraticable [ɛ̃pratikabl(ə)] unbefahrbar
imprécis [ɛ̃presi] ungenau
imprégner [ɛ̃preɲe] tränken (**de** mit)
impression [ɛ̃prɛsjõ] *f* Eindruck *m*; **avoir l'~ de** (+ *inf*) *od* **que ...** den Eindruck haben, zu *od* dass ...
impressionn|ant [ɛ̃prɛsjɔnɑ̃] beeindruckend; **~er** [~e] beeindrucken
imprévu [ɛ̃prevy] unvorhergesehen
imprim|ante [ɛ̃primɑ̃t] *f Inform* Drucker *m*; **~er** [~e] drucken; **~erie** [~ri] *f* Druckerei; **~eur** [~œr] *m* Drucker
improviser [ɛ̃prɔvize] improvisieren
improviste [ɛ̃prɔvist] **à l'~** unerwartet

imprud|ence [ɛ̃prydɑ̃s] *f* Unvorsichtigkeit; **~ent** [~ɑ̃] unvorsichtig
impudique [ɛ̃pydik] schamlos
impuissant [ɛ̃pɥisɑ̃] machtlos; *Med* impotent
inabordable [inabɔrdabl(ə)] *prix* unerschwinglich
inacceptable [inaksɛptabl(ə)] unannehmbar
inaccessible [inaksɛsibl(ə)] unzugänglich
inactif [inaktif] untätig
inanimé [inanime] leblos
inattendu [inatɑ̃dy] unerwartet
inaugurer [inogyre] einweihen; *musée* eröffnen
incapable [ɛ̃kapabl(ə)] unfähig
incend|ie [ɛ̃sɑ̃di] *m* Brand; **~ier** [~je] in Brand stecken
incert|ain [ɛ̃sɛrtɛ̃] unsicher; *temps* unbeständig; **~itude** [~ityd] *f* Unsicherheit
incessant [ɛ̃sɛsɑ̃] unaufhörlich
incident [ɛ̃sidɑ̃] *m* Zwischenfall
incisive [ɛ̃siziv] *f* Schneidezahn *m*
inciter [ɛ̃site] anregen (**à** zu)
incliner [ɛ̃kline] neigen; **s'~** sich neigen; *fig* **s'~ devant** sich beugen (*D*)
inclus [ɛ̃kly] einschließlich
incohérent [ɛ̃kɔerɑ̃] zusammenhanglos
incolore [ɛ̃kɔlɔr] farblos
incombustible [ɛ̃kõbystibl(ə)] feuerfest
incommoder [ɛ̃kɔmɔde] belästigen, plagen
incomparable [ɛ̃kõparabl(ə)] unvergleichlich
incompatible [ɛ̃kõpatibl(ə)] unvereinbar; *Inform* inkompatibel
incompréhensible [ɛ̃kõpreɑ̃sibl(ə)] unverständlich
inconnu [ɛ̃kɔny] unbekannt
inconsci|ence [ɛ̃kõsjɑ̃s] *f* Leichtsinn *m*; **~emment** [~amɑ̃] unbewusst; **~ent** [~ɑ̃] **1.** *inanimé* bewusstlos; *fou* leichtsinnig; **2.** *m* Unterbewusstsein *n*
inconstant [ɛ̃kõstɑ̃] unbeständig
inconvénient [ɛ̃kõvenjɑ̃] *m* Nachteil
incorrect [ɛ̃kɔrɛkt] unkorrekt; *personne* nicht korrekt
incorrigible [ɛkɔriʒibl(ə)] unverbesserlich
incroyable [ɛ̃krwajabl(ə)] unglaublich
inculper [ɛ̃kylpe] beschuldigen (**de** *G*)
inculte [ɛ̃kylt] ungebildet; *Agr* unbebaut
incurable [ɛ̃kyrabl(ə)] unheilbar
Inde [ɛ̃d] *f* **l'~** Indien *n*
indécent [ɛ̃desɑ̃] unanständig
indécis [ɛ̃desi] unentschlossen
indéfini [ɛ̃defini] unbestimmt
indemne [ɛ̃dɛmn] unverletzt

indemn|iser [ɛ̃dɛmnize] entschädigen (**de** für); **~ité** [~ite] *f* Entschädigung
indépend|ance [ɛ̃depɑ̃dɑ̃s] *f* Unabhängigkeit; **~ent** [~ɑ̃] unabhängig (**de** von)
indescriptible [ɛ̃dɛskriptibl(ə)] unbeschreiblich
index [ɛ̃dɛks] *m* Register *n*, Index; *doigt* Zeigefinger
indicatif [ɛ̃dikatif] *m Tel* Vorwahl(nummer) *f*
indice [ɛ̃dis] *m* Anzeichen *n*; *jur* Indiz *n*; *crème solaire* Schutzfaktor
indien [ɛ̃djɛ̃] **1.** *Inde* indisch; *Amérique* indianisch; **2.** ♀ *m Inde* Inder; *Amérique* Indianer
indifférent [ɛ̃diferɑ̃] gleichgültig
indigène [ɛ̃diʒɛn] *m*, *f* Eingeborene(r) *su*
indigest|e [ɛ̃diʒɛst] schwer verdaulich; **~ion** [~jõ] *f* Magenverstimmung
indignation [ɛ̃diɲasjõ] *f* Empörung
indigne [ɛ̃diɲ] unwürdig
indigner [ɛ̃diɲe] **s'~** sich entrüsten, sich empören (**contre q, de qc** über j-n, et)
indiquer [ɛ̃dike] zeigen; *prix, température* angeben; *recommander* nennen
indispensable [ɛ̃dispɑ̃sabl(ə)] unentbehrlich
indiscret [ɛdiskrɛ] indiskret
individu [ɛ̃dividy] *m* Individuum *n*
individuel [ɛ̃dividɥɛl] individuell; ***chambre*** *f* **~le** Einzelzimmer *n*; ***maison*** *f* **~le** Einfamilienhaus *n*
indolore [ɛ̃dɔlɔr] schmerzlos
indulg|ence [ɛ̃dylʒɑ̃s] *f* Nachsicht; **~ent** [~ɑ̃] nachsichtig
industrie [ɛ̃dystri] *f* Industrie
industriel [ɛ̃dystrijɛl] **1.** Industrie...; **2.** *m* Industrielle(r)
inefficace [inefikas] unwirksam
inerte [inɛrt] regungslos
inespéré [inɛspere] unverhofft
inévitable [inevitabl(ə)] unvermeidlich
inexact [inɛgza(kt)] ungenau; *faux* falsch; *personne* unpünktlich
inex|périmenté [inɛksperimɑ̃te] unerfahren; **~plicable** [~plikabl(ə)] unerklärlich
infaillible [ɛ̃fajibl(ə)] unfehlbar
infantile [ɛ̃fɑ̃til] Kinder...; *péj* kindisch
infarctus [ɛ̃farktys] *m* Infarkt
infatigable [ɛ̃fatigabl(ə)] unermüdlich
infect [ɛ̃fɛkt] scheußlich; *personne* ekelhaft
infecter [ɛ̃fɛkte] **s'~** sich infizieren
infection [ɛ̃fɛksjõ] *f* Infektion
inférieur [ɛ̃ferjœr] untere(r, -s), Unter...; **~ à** unterlegen (*D*)
infernal [ɛ̃fɛrnal] höllisch
infidèle [ɛ̃fidɛl] untreu

infime [ɛ̃fim] winzig
infini [ɛ̃fini] unendlich
infirm|e [ɛ̃firm] (körper)behindert; **~erie** [~əri] *f* Krankenabteilung; **~ier** [~je] *m* Krankenpfleger; **~ière** [~jɛr] *f* Krankenschwester
inflammation [ɛ̃flamasjõ] *f* Entzündung
inflation [ɛ̃flasjõ] *f* Inflation
influ|ence [ɛ̃flyɑ̃s] *f* Einfluss *m*; **~encer** [~ɑ̃se] beeinflussen
information [ɛ̃fɔrmasjõ] *f* Information; *renseignement a* Auskunft; *jur* Ermittlungen *f/pl*; **~s** *pl* Nachrichten
informatique [ɛ̃fɔrmatik] *f* Informatik; *techniques* EDV
informer [ɛ̃fɔrme] benachrichtigen (**de** von); **s'~** sich erkundigen (**de** nach)
infraction [ɛ̃fraksjõ] *f* Verstoß *m* (**à** gegen)
infroissable [ɛ̃frwasabl(ə)] knitterfrei
infusion [ɛ̃fyzjõ] *f* (Kräuter-)Tee, Aufguss *m*; **~ *de menthe*** Pfefferminztee *m*
ingénieur [ɛ̃ʒenjœr] *m* Ingenieur
ingénieux [ɛ̃ʒenjø] *personne* erfinderisch; *explications* geistreich
ingrat [ɛ̃gra] undankbar
ingrédients [ɛ̃gredjɑ̃] *m/pl* Zutaten *f/pl*
inhumain [inymɛ̃] unmenschlich
inimaginable [inimaʒinabl(ə)] unvorstellbar
inhabituel [inabitɥɛl] ungewöhnlich
ininflammable [inɛ̃flamabl(ə)] unentzündbar
initiative [inisjativ] *f* Initiative; ***syndicat*** *m* **d'~** Fremdenverkehrsamt *n*
initier [inisje] einweihen (**à** in *A*)
injec|ter [ɛ̃ʒɛkte] injizieren, (ein)spritzen (***dans*** in *A*); **~tion** [~sjõ] *f* Injektion, Einspritzung
injur|e [ɛ̃ʒyr] *f* Beleidigung; *gros mot* Schimpfwort *n*; **~ier** [~je] beschimpfen
injuste [ɛ̃ʒyst] ungerecht
inné [ine] angeboren
innoc|ence [inɔsɑ̃s] *f* Unschuld; **~ent** [~ɑ̃] unschuldig
innombrable [inõbrabl(ə)] zahllos, unzählig
innovation [inɔvasjõ] *f* Neuerung
inoccupé [inɔkype] unbewohnt, leer
inodore [inɔdɔr] geruchlos
inoffensif [inɔfɑ̃sif] harmlos
inond|ation [inõdasjõ] *f* Überschwemmung; **~er** [~e] überschwemmen
inoubliable [inubliabl(ə)] unvergesslich
inouï [inwi] unerhört
inquiet [ɛ̃kjɛ] unruhig
inquiéter [ɛ̃kjete] beunruhigen; **s'~** sich Sorgen machen (***pour q*** um j-n, ***de qc*** um et)
inquiétude [ɛ̃kjetyd] *f* Unruhe, Sorge

inscription [ɛ̃skripsjõ] *f* Anmeldung, Einschreibung; *sur un écriteau* Aufschrift
inscrire [ɛ̃skrir] ~ ***sur*** eintragen in (*A*); ~ ***à*** *école, crèche* anmelden in (*D*); ***s'~ à*** *cours* sich anmelden zu
insect|e [ɛ̃sɛkt] *m* Insekt *n*; **~icide** [~isid] *m* Insektenvertilgungsmittel *n*
insens|é [ɛ̃sɑ̃se] unsinnig; **~ible** [~ibl(ə)] unempfindlich
insérer [ɛ̃sere] einfügen
insigne [ɛ̃siɲ] *m* Abzeichen *n*
insignifiant [ɛ̃siɲifjɑ̃] unbedeutend
insinuer [ɛ̃sinɥe] zu verstehen geben
insister [ɛ̃siste] darauf bestehen (***pour*** zu); ~ ***sur qc*** Nachdruck auf et (*A*) legen
insolation [ɛ̃sɔlasjõ] *f* Sonnenstich *m*
insolent [ɛ̃sɔlɑ̃] frech
insoluble [ɛ̃sɔlybl(ə)] unlösbar
insomnie [ɛ̃sɔmni] *f* Schlaflosigkeit; ***avoir des ~s*** schlaflose Nächte haben
insouciant [ɛ̃susjɑ̃] sorglos
inspecter [ɛ̃spɛkte] kontrollieren
inspirer [ɛ̃spire] inspirieren; *respirer* einatmen
instable [ɛ̃stabl(ə)] unbeständig
install|ateur [ɛ̃stalatœr] *m* Installateur; **~ation** [~asjõ] *f* Einrichtung; **~s** *pl* Anlagen
installer [ɛ̃stale] installieren; *cuisine* einrichten; ***s'~*** sich niederlassen; ***s'~ chez q*** bei j-m wohnen
instant [ɛ̃stɑ̃] *m* Augenblick; ***à l'~*** soeben
instantané [ɛ̃stɑ̃tane] augenblicklich
instinct [ɛ̃stɛ̃] *m* Instinkt
institut [ɛ̃stity] *m* Institut *n*; ~ ***de beauté*** Schönheitssalon
institu|teur [ɛ̃stitytœr] *m*, **~trice** [~tris] *f* (Grundschul-)Lehrer(in) *m*(*f*)
instructif [ɛ̃stryktif] lehrreich
instruction [ɛ̃stryksjõ] *f* Unterricht *m*; *formation* Ausbildung; *culture* (Schul-)Bildung; **~s** *pl directives* Anweisungen; *notice* (Betriebs-)Anleitung *f*
instruire [ɛ̃strɥir] unterrichten; ***s'~*** sich bilden
instrument [ɛ̃strymɑ̃] *m* Instrument *n*
insuffisant [ɛ̃syfizɑ̃] ungenügend
insuline [ɛ̃sylin] *f* Insulin *n*
insult|e [ɛ̃sylt] *f* Beleidigung, Beschimpfung; **~er** [~e] beleidigen, beschimpfen
insupportable [ɛ̃sypɔrtabl(ə)] unerträglich
intact [ɛ̃takt] unbeschädigt
intégral [ɛ̃tegral] vollständig
intellectuel [ɛ̃telɛktɥɛl] **1.** geistig, Geistes...; **2. ~(le)** *m*(*f*) Intellektuelle(r) *su*
intellig|ence [ɛ̃tɛliʒɑ̃s] *f* Intelligenz; **~ent** [~ɑ̃] intelligent
intens|e [ɛ̃tɑ̃s] stark; **~if** [~if]

intensiv, Intensiv...; **~ité** [~ite] *f* Stärke, Intensität
intention [ɛ̃tɑ̃sjõ] *f* Absicht
intentionnel [ɛ̃tɑ̃sjɔnɛl] absichtlich
intercaler [ɛ̃tɛrkale] einschieben
inter|diction [ɛ̃tɛrdiksjõ] *f* Verbot *n*; **~dire** [~dir] verbieten; **~dit** [~di] verboten
intéressant [ɛ̃terɛsɑ̃] interessant
intéresser [ɛ̃terɛse] interessieren; *concerner* betreffen; **s'~ à** sich interessieren für
intérêt [ɛ̃terɛ] *m* Interesse *n*; *égoïsme* Eigennutz; **~s** *pl* Zinsen *pl*
intérieur [ɛ̃terjœr] **1.** innere(r, -s), Innen...; *mer* Binnen...; *vol* Inland...; **2.** *m* Innere(s) *n* (*a fig*); **à l'~** (dr)innen; **à l'~ de** innerhalb (*G*)
interlocuteur [ɛ̃tɛrlɔkytœr] *m* Gesprächspartner
intermédiaire [ɛ̃tɛrmedjɛr] **1.** Zwischen...; **2.** *m* Vermittler; **par l'~ de q** über j-n
internat [ɛ̃tɛrna] *m* Internat *n*
international [ɛ̃tɛrnasjɔnal] international
interne [ɛ̃tɛrn] intern
interphone [ɛ̃tɛrfɔn] *m* Sprechanlage *f*
interpr|ète [ɛ̃tɛrprɛt] *m, f* Dolmetscher(in) *m(f)*; *Mus, théâtre* Interpret(in) *m(f)*; *d'un rôle* Darsteller(in) *m(f)*; **~éter** [~e] interpretieren
interro|gatoire [ɛ̃tɛrɔgatwar] *m* Verhör *n*; **~ger** [~ʒe] befragen (**sur** über *A*); *élève* prüfen; *jur* verhören
interrompre [ɛ̃tɛrõpr(ə)] unterbrechen; *entretien, voyage* abbrechen
interrup|teur [ɛ̃tɛryptœr] *m* *El* Schalter; **~tion** [~sjõ] *f* Unterbrechung
intersaison [ɛ̃tɛrsɛzõ] *f* Zwischensaison
intersection [ɛ̃tɛrsɛksjõ] *f* *carrefour* Kreuzung
intervalle [ɛ̃tɛrval] *m* Zwischenraum; *dans le temps* Zwischenzeit *f*
intervenir [ɛ̃tɛrvənir] einschreiten, eingreifen
intestin [ɛ̃tɛstɛ̃] *m* Darm
intime [ɛ̃tim] intim; *ami* eng; *vie* Privat...
intimider [ɛ̃timide] einschüchtern
intoxication [ɛ̃tɔksikasjõ] *f* Vergiftung
introd|uction [ɛ̃trɔdyksjõ] *f* Einführung; *préface* Einleitung; **~uire** [~ɥir] einführen
inusable [inyzabl(ə)] unverwüstlich
inutile [inytil] unnütz
inventaire [ɛ̃vɑ̃tɛr] *m* Aufstellung *f*
invent|er [ɛ̃vɑ̃te] erfinden; **~eur** [~œr] *m* Erfinder
invention [ɛ̃vɑ̃sjõ] *f* Erfindung
inverse [ɛ̃vɛrs] **1.** umgekehrt; **2.** *m* Gegenteil *n* (**de** von)

invest|ir [ɛ̃vɛstir] investieren; (***dans*** in *A*); **~issement** *m* Investition *f*
invisible [ɛ̃vizibl(ə)] unsichtbar
invit|ation [ɛ̃vitasjõ] *f* Einladung; **~é(e)** [~e] *m(f)* Gast *m*; **~er** [~e] einladen (***au cinéma*** ins Kino; ***à dîner*** zum Abendessen)
involontaire [ɛ̃vɔlõtɛr] unabsichtlich
invraisemblable [ɛ̃vrɛsɑ̃blabl(ə)] unwahrscheinlich
irai [ire] *fut von* ***aller***
irlandais [irlɑ̃dɛ] **1.** irisch; **2.** ♀ *m* Ire
Irlande [irlɑ̃d] *f* ***l'~*** Irland *n*
ironique [irɔnik] ironisch
irréel [ireɛl] unwirklich
irrégulier [iregylje] unregelmäßig; *situation* regelwidrig
irréparable [ireparabl(ə)] nicht (mehr) zu reparieren
irréprochable [ireprɔʃabl(ə)] tadellos
irrésistible [irezistibl(ə)] unwiderstehlich
irrit|able [iritabl(ə)] reizbar; **~er** [~e] reizen
islam [islam] *m* Islam; **~ique** [~ik] islamisch
isolé [izɔle] *retiré* abgelegen; *seul* einsam; *unique* einzeln, Einzel...; *El, Arch* isoliert
isoler [isɔle] isolieren
Israël [israɛl] *m* Israel *n*
israélien [israeljɛ̃] **1.** israelisch; **2.** ♀ *m* Israeli
issu [isy] hervorgegangen (***de*** aus)
issue [isy] *f* Ausgang *m*; *fig solution* Ausweg *m*
Italie [itali] *f* ***l'~*** Italien *n*
italien [italjɛ̃] **1.** italienisch; **2.** ♀ *m* Italiener
itinéraire [itinerɛr] *m* Route *f*, Weg, Strecke *f*; **~ *bis*** Ausweichstrecke *f*
ivoire [ivwar] *m* Elfenbein *n*
ivr|e [ivr(ə)] betrunken; **~esse** [~ɛs] *f* Trunkenheit
ivrogne [ivrɔɲ] **1.** trunksüchtig; **2.** *m, f* Säufer(in) *m(f)*

J

j' [ʒ] *s* ***je***
jaillir [ʒajir] *gicler* herausspritzen (***de*** aus)
jalouse *s* ***jaloux***
jalousie [ʒaluzi] *f* Neid *m*; *en amour* Eifersucht
jaloux [ʒalu] (*f* ***-ouse*** [-uz]) *envieux* neidisch; *en amour* eifersüchtig
jamais [ʒamɛ] je(mals); ***à ~*** für immer; *négatif* ***ne ... ~*** nie(mals); ***ne ... plus ~, ne ... ~ plus*** nie mehr, nie wieder
jambe [ʒɑ̃b] *f* Bein *n*
jambon [ʒɑ̃bõ] *m* Schinken; **~ *blanc*** *od* ***de Paris*** gekochter Schinken; **~ *cru*** (***fumé***) roher (geräucherter) Schinken; ~

de Bayonne *roher, leicht gesalzener Schinken*
jambonneau [ʒɑ̃bɔno] *m* Eisbein *n*, Schweinshaxe *f*
jante [ʒɑ̃t] *f* Felge
janvier [ʒɑ̃vje] *m* Januar
Japon [ʒapõ] ***le*** ~ Japan *n*
japonais [ʒapɔnɛ] **1.** japanisch; **2.** ♀ *m* Japaner
jardin [ʒardɛ̃] *m* Garten; ~ ***d'enfants*** Kindergarten
jardin|age [ʒardinaʒ] *m* Gartenarbeit *f*; **~ier** [~je] *m* Gärtner; **~ière** [~jɛr] *f* Gärtnerin; *Kochk* ~ ***de légumes*** gemischtes Gemüse *n*
jarret [ʒarɛ] *m* (Schweins-, Kalbs-)Hachse *f*
jauge [ʒoʒ] *f* ~ ***d'essence*** Benzinuhr
jaune [ʒon] **1.** gelb; **2.** *m* Gelb *n*; ~ ***d'œuf*** Eigelb *n*
jaunisse [ʒonis] *f* Gelbsucht
javelot [ʒavlo] *m* Speer
je [ʒə] (*vor Vokal* ***j'***) ich
jerrican(e), jerrycan [(d)ʒerikan] *m* (Benzin-)Kanister
jet [ʒɛ] *m* Wurf; ~ (***d'eau***) (Wasser-)Strahl
jetée [ʒəte] *f* Mole
jeter [ʒəte] werfen; *se débarrasser de* wegwerfen
jeton [ʒətõ] *m* Marke *f*, Münze *f*; *au jeu* Spielmarke *f*; ~ ***de téléphone*** Telefonmarke *f*
jeu [ʒø] *m* Spiel *n* (*a Tech*); *de clés* Satz; ~ ***de cartes*** Kartenspiel *n*; ~ ***de construction*** Baukasten; ~ ***vidéo*** Computer-, Videospiel *n*; ~ ***télévisé*** Quiz(sendung) *n*(*f*); ♀**x** *pl* ***Olympiques*** Olympische Spiele *n/pl*
jeudi [ʒødi] *m* Donnerstag; ***le*** ~ donnerstags
jeun [ʒɛ̃, ʒœ̃] **à** ~ nüchtern
jeune [ʒœn] jung
jeûner [ʒøne] fasten
jeunesse [ʒœnɛs] *f* Jugend
joaillier [ʒɔɑje] *m* Juwelier
job [dʒɔb] *m* F Job [dʒ-]; ~ ***pour les vacances*** Ferienjob
jogging [dʒɔgiŋ] Jogging *n*; ***faire du*** ~ joggen
joie [ʒwa] *f* Freude
joindre [ʒwɛ̃dr(ə)] miteinander verbinden; *à une lettre* beilegen (**à** *D*); ~ **q** (***par téléphone***) j-n (telefonisch) erreichen
joint [ʒwɛ̃] **1.** *p/p von* ***joindre***; **2.** *m du robinet* Dichtung *f*
joli [ʒɔli] hübsch, niedlich
jonction [ʒõksjõ] *f* Verbindung
jongler [ʒõgle] jonglieren
joue [ʒu] *f* Backe
jouer [ʒwe] spielen; *somme* setzen; ~ ***aux cartes*** Karten spielen; ~ ***au football*** Fußball spielen; ~ ***du piano*** Klavier spielen
jou|et [ʒwɛ] *m* Spielzeug *n*; **~eur** [~œr] *m*, **~euse** [~øz] *f* Spieler(in) *m*(*f*)
jour [ʒur] *m* Tag; ~ ***férié*** Feiertag; ~ ***ouvrable*** Werktag; ~ ***de repos*** Ruhetag; ~ ***de l'an*** Neujahrstag; ***un*** ~ eines

Tages; ***le ~, de ~*** am Tag(e); ***de nos ~s*** heutzutage; ***il fait ~*** es ist Tag, es ist hell; ***par ~*** täglich, pro Tag; ***l'autre ~*** neulich
journal [ʒurnal] *m* (*pl* ***-aux*** [-o]) Zeitung *f*; *télévisé* Nachrichten *f/pl*; *intime* Tagebuch *n*
journaliste [ʒurnalist] *m, f* Journalist(in) *m(f)*
journée [ʒurne] *f* Tag *m*; ***pendant la ~*** tagsüber; ***toute la ~*** den ganzen Tag (lang, über)
joyeux [ʒwajø] fröhlich
judiciaire [ʒydisjɛr] gerichtlich
judo [ʒydo] *m* Judo *n*
juge [ʒyʒ] *m* Richter(in) *m(f)*
jugement [ʒyʒmɑ̃] *m* Urteil *n*
juger [ʒyʒe] *affaire* entscheiden; *personne* das Urteil sprechen über (*A*); *fig* ~ (***de***) beurteilen (*A*)
juif [ʒɥif] **1.** jüdisch; **2.** ♀ *m* Jude
juillet [ʒɥijɛ] *m* Juli
juin [ʒɥɛ̃] *m* Juni
juke-box [(d)ʒykbɔks] *m* Musikbox *f*
julienne [ʒyljɛn] *f dünne Gemüsestreifen*; *potage* Gemüsesuppe
jumeau [ʒymo] **1.** (*f* ***-elle*** [-ɛl]) Zwillings...; **2.** *m* Zwillingsbruder; **~x** *pl* Zwillinge
jumelage [ʒymlaʒ] *m* Städtepartnerschaft *f*
jumelé [ʒymle] ***villes*** *f/pl* ***~es*** Partnerstädte
jumelle [ʒymɛl] *f* Zwillingsschwester
jumelles [ʒymɛl] *f/pl* Fernglas *n*
jument [ʒymɑ̃] *f* Stute
jupe [ʒyp] *f* Rock *m*; **~-culotte** [~kylɔt] *f* Hosenrock *m*
jupon [ʒypɔ̃] *m* Unterrock
jurer [ʒyre] schwören
juridique [ʒyridik] Rechts...
juron [ʒyrɔ̃] *m* Fluch
jury [ʒyri] *m* Jury *f*; *jur* die Geschworenen *pl*
jus [ʒy] *m* Saft; *de viande* Bratensaft; ***~ d'orange*** Orangensaft; ***~ de tomate*** Tomatensaft
jusque [ʒysk(ə)] ***jusqu'à*** bis; ***jusqu'à la gare*** bis zum Bahnhof; ***jusqu'à Paris*** bis nach Paris; ***jusqu'à quand?*** bis wann?; ***jusqu'à ce que*** (+ *subj*) bis
juste [ʒyst] *correct* richtig; *exact* genau; *équitable* gerecht; *serré* zu eng; *adv chanter* richtig; *exactement* genau; *seulement* nur; *depuis peu* (***tout***) ~ gerade (noch)
justement [ʒystəmɑ̃] *précisément* gerade; *avec raison* zu *od* mit Recht
justice [ʒystis] *f* Gerechtigkeit; *institution* Justiz
justifier [ʒystifje] rechtfertigen
juteux [ʒytø] saftig

K

K7 [kasɛt] *f* Kassette
kangourou [kɑ̃guru] *m* Känguru *n*
képi [kepi] *m* Käppi *n*
kermesse [kɛrmɛs] *f* Kirmes
kérosène [kerozɛn] *m* Kerosin *n*
kilo(gramme) [kilɔ(gram)] *m* Kilo(gramm) *n*
kilométrage [kilɔmetraʒ] *m* Kilometerstand
kilomètre [kilɔmɛtr(ə)] *m* Kilometer; ***130 ~s à l'heure, 130 ~s-heure*** 130 Stundenkilometer
kinésithérapie [kineziterapi] *f* Heil-, Krankengymnastik
kiosque [kjɔsk] *m* Kiosk
klaxon [klaksɔn] *m* Hupe *f*
klaxonner [klaksɔne] hupen
kouglof [kuglɔf] *m* Napfkuchen, Gugelhupf (*aus dem Elsass*)
kyste [kist] *m* Zyste *f*

L

l' [l] *s* ***le***
la [la] *s* ***le***
là [la] da *od* dahin; *là-bas* dort *od* dorthin; ***par ~*** da, dort (entlang, hindurch)
là-bas [laba] dort
laboratoire [labɔratwar] *m* Labor(atorium) *n*
lac [lak] *m* See
lac|er [lase] *chaussures* (zu-) schnüren; **~et** [~ɛ] *m* Schnürsenkel
lâche [lɑʃ] **1.** feige; **2.** *m, f* Feigling *m*
lâcher [laʃe] loslassen; *freins* versagen
lacune [lakyn] *f* Lücke
là-dedans [lad(ə)dɑ̃] drinnen
là-dessous [lad(ə)su] darunter
là-dessus [lad(ə)sy] darüber, darauf
là-haut [lao] da oben
laid [lɛ] hässlich
laine [lɛn] *f* Wolle
laisse [lɛs] *f* Leine
laisser [lɛse] lassen; *adresse, message* hinterlassen; *oublier* liegen lassen; ***~ faire qc à q*** j-n et tun lassen; ***se ~ aller*** sich gehen lassen; ***se ~ faire*** sich alles gefallen lassen
lait [lɛ] *m* Milch *f*; ***~ écrémé*** Magermilch *f*; ***~ entier*** Vollmilch *f*; ***~ en poudre*** Milchpulver *n*; ***~ démaquillant*** Reinigungsmilch *f*
lait|erie [lɛtri] *f* Molkerei; **~ier** [~je] Milch..., Molkerei...

laitue [lɛty] *f* Kopfsalat *m*
lambeau [lɑ̃bo] *m* Fetzen
lame [lam] *f* ~ (***de rasoir***) Rasierklinge
lament|able [lamɑ̃tabl(ə)] kläglich, jämmerlich; **~er** [~e] **se ~** jammern
lampadaire [lɑ̃padɛr] *m d'appartement* Stehlampe *f*; *réverbère* Straßenlaterne *f*
lampe [lɑ̃p] *f* Lampe; **~ *de poche*** Taschenlampe; **~ *de chevet*** Nachttischlampe
lancer [lɑ̃se] werfen; *produit* einführen; *mode* aufbringen; **~ *qc à q*** j-m et zuwerfen
landau [lɑ̃do] *m* Kinderwagen
lande [lɑ̃d] *f* Heide
langage [lɑ̃gaʒ] *m* Sprache *f*
langer [lɑ̃ʒe] *m bébé* wickeln
langoust|e [lɑ̃gust] *f* Languste; **~ines** [~in] *f*/*pl* Scampi *pl*
langue [lɑ̃g] *f Anat* Zunge; *langage* Sprache; **~ *étrangère*** Fremdsprache; **~ *maternelle*** Muttersprache
lanière [lanjɛr] *f* Riemen *m*
lanterne [lɑ̃tɛrn] *f* Laterne
lapin [lapɛ̃] *m* Kaninchen *n*
laque [lak] *f* Lack *m*; *pour les cheveux* Haarspray *m od n*
laquelle [lakɛl] *s* ***lequel***
lar|d [lar] *m* Speck; **~dons** [~dõ] *m*/*pl* Speckwürfel
large [larʒ] **1.** breit; *vêtements* weit; *généreux* großzügig; **2.** *m Mar* hohe, offene See *f*; ***3 mètres de ~*** 3 Meter breit, in der Breite; ***au ~ de*** auf der Höhe von
largeur [larʒœr] *f* Breite
larme [larm] *f* Träne
laryngite [larɛ̃ʒit] *f* Kehlkopfentzündung
laser [lazɛr] *m* Laser [lezər]
lasser [lɑse] ermüden; **se ~ *de qc*** e-r Sache (*G*) müde, überdrüssig werden
latéral [lateral] seitlich, Seiten..., Neben...
latin [latɛ̃] *m* Latein(isch) *n*
latitude [latityd] *f Geogr* Breite
lauréat(e) [lɔrea(t)] *m*(*f*) Preisträger(in)
laurier [lɔrje] *m* Lorbeer
lavable [lavabl(ə)] waschbar
lavabo [lavabo] *m* Waschbecken *n*; *pièce* Waschraum; **~s** *pl* Toilette *f*
lavage [lavaʒ] *m* Waschen *n*, Wäsche *f*; *Kfz* **~ *automatique*** Waschanlage *f*
lavande [lavɑ̃d] *f* Lavendel *m*
lave [lav] *f* Lava
lave-glace [lavglas] *m* Scheibenwaschanlage *f*
lave-linge [lavlɛ̃ʒ] *m* Waschmaschine *f*
laver [lave] (**se ~** sich) waschen; **se ~ *les dents*** sich die Zähne putzen
laverie [lavri] *f* **~ *automatique*** Waschsalon *m*
lave-vaisselle [lavvesɛl] *m* Geschirrspülmaschine *f*
laxatif [laksatif] *m* Abführmittel *n*

le [lə] *m*, **la** [la] *f* (*beide vor Vokal* **l'**), **les** [lɛ] *pl* der, die, das; *pl* die; *pron* ihn, sie, es; *pl* sie

lécher [leʃe] lecken

leçon [ləsõ] *f* (Unterrichts-) Stunde, Lektion; *fig* Lehre; **~s** *pl* **de conduite** Fahrstunden

lecteur [lɛktœr] *m* Leser; *Inform* Laufwerk *n*; **~ de CD-ROM** CD-ROM-Laufwerk *n*; **~ de CD** CD-Spieler; **~ de cassettes** Kassettenrecorder

lecture [lɛktyr] *f* (Vor-, Durch-)Lesen *n*; *livre* Lektüre

légal [legal] gesetzlich

légende [leʒɑ̃d] *f* Legende

léger [leʒe] leicht; *couche* dünn; **à la légère** leichtfertig

législation [leʒislasjõ] *f* Gesetzgebung

légitime [leʒitim] rechtmäßig, legitim; *enfant* ehelich; *juste* gerecht(fertigt); **~ défense** *f* Notwehr

léguer [lege] vererben (*a fig*)

légume [legym] *m* Gemüsesorte *f*; **~s** *pl* Gemüse *n*

Léman [lemɑ̃] *m* **le lac ~** der Genfer See

lendemain [lɑ̃dmɛ̃] *m* **le ~** am nächsten Tag, am Tag danach

lent [lɑ̃] langsam

lentille [lɑ̃tij] *f Bot*, *Tech* Linse; **~s** *pl* **de contact** Kontaktlinsen

lequel [ləkɛl] (*f* **laquelle** [lakɛl]) *pron interrogatif* welche(r, -s)?; *pron relatif* der, die, das

les [le] *s* **le**

lésion [lezjõ] *f* Beschädigung

lessive [lɛsiv] *f* Waschmittel *n*, -pulver *n*; *lavage*, *linge* Wäsche; **faire la ~** (Wäsche) waschen

lest [lɛst] *m* Ballast

lettre [lɛtr(ə)] *f* Brief *m*; *caractère* Buchstabe *m*

leucémie [løsemi] *f* Leukämie

leur [lœr] *pron possessif* ihr(e); *pron personnel* ihnen

levée [ləve] *f* Leerung

lever [ləve] **1.** (hoch)heben; *Kfz vitre* zu-, hochmachen; *pâte* gehen; **se ~** aufstehen; *soleil, lune* aufgehen; *jour* anbrechen; *brouillard* sich auflösen; **2.** *m* Aufstehen *n*; **~ du soleil** Sonnenaufgang; **au ~** beim Aufstehen

levier [ləvje] *m* Hebel; **~ de changement de vitesse** Schalthebel

lèvre [lɛvr(ə)] *f* Lippe

levure [ləvyr] *f* Hefe

lézard [lezar] *m* Eidechse *f*

liaison [ljɛzõ] *f* Verbindung; *amoureuse* Verhältnis *n*; *Gr* Bindung; **~ aérienne** Flugverbindung

libéral [liberal] liberal; *médecin usw* freiberuflich

libér|ation [liberasjõ] *f* Befreiung; **~er** [~e] befreien (**de** von)

liberté [libɛrte] *f* Freiheit
librair|e [librɛr] *m* Buchhändler; **~ie** [~i] *f* Buchhandlung
libre [libr(ə)] frei
libre-service [librəsɛrvis] *m* Selbstbedienung *f*; *magasin* Selbstbedienungsladen
licenc|iement [lisɑ̃simɑ̃] *m* Entlassung *f*; **~ier** [~je] entlassen
liège [ljɛʒ] *m* Kork
lien [ljɛ̃] *m* Band *n*; *affectif* Bindung *f*; *rapport* Verbindung *f*
lier [lje] (zusammen)binden; *idées, personnes* verbinden; ***se ~ d'amitié avec q*** sich mit j-m anfreunden
lierre [ljɛr] *m* Efeu
lieu [ljø] *m* Ort; ***~ de naissance*** Geburtsort; ***au ~ de*** (an)statt (*G*); ***avoir ~*** stattfinden
lièvre [ljɛvr(ə)] *m* Hase
ligne [liɲ] *f* Linie; *transports a* Strecke; *Tel* Leitung; *communication* Verbindung; *dans un texte* Zeile; ***~ de métro*** U-Bahn-Linie; ***avoir la ~*** e-e schlanke Figur haben
ligoter [ligɔte] fesseln
lilas [lilɑ] **1.** lila; **2.** *m* Flieder
limace [limas] *f* (Nackt-) Schnecke
lim|e [lim] *f* Feile; **~er** [~e] feilen
limitation [limitasjɔ̃] *f* Beschränkung; ***~ de vitesse*** Geschwindigkeitsbeschränkung, Tempolimit *n*
limite [limit] *f* Grenze
limiter [limite] begrenzen, beschränken (**à** auf *A*); ***se ~*** sich einschränken
limonade [limɔnad] *f* Limonade
limpide [lɛ̃pid] klar
lin [lɛ̃] *m* Leinen *n*
ling|e [lɛ̃ʒ] *m* Wäsche *f*; ***~ (de corps)*** Unterwäsche *f*; **~erie** [~ri] *f* Damen(unter)wäsche
lion [ljɔ̃] *m* Löwe
lionne [ljɔn] *f* Löwin
liqueur [likœr] *f* Likör *m*
liquidation [likidasjɔ̃] *f jur* Auflösung; *Hdl* ***~ (du stock)*** (Räumungs-)Ausverkauf *m*
liquide [likid] **1.** flüssig; **2.** *m* Flüssigkeit *f*; *argent* Bargeld *n*; ***~ de frein*** Bremsflüssigkeit *f*; ***en ~*** (in) bar
lire [lir] lesen; *à voix haute* vorlesen (***qc à q*** j-m et)
lisible [lizibl(ə)] leserlich
lisse [lis] glatt
liste [list] *f* Liste
lit [li] *m* Bett *n*; ***~ d'enfant*** Kinderbett *n*; ***petit ~*** Einzelbett *n*; ***grand ~*** französisches Bett *n*; ***~s pl jumeaux*** Doppelbett *n* (*2 Einzelbetten*)
litre [litr(ə)] *m* Liter *n od m*
littér|aire [literɛr] literarisch; **~ature** [~atyr] *f* Literatur
littoral [litɔral] **1.** Küsten...; **2.** *m* Küstenstrich, Küste *f*
livraison [livrɛzɔ̃] *f* Lieferung
livre[1] [livr(ə)] *m* Buch *n*
livre[2] [livr(ə)] *f* Pfund *n*
livrer [livre] liefern

livret [livrɛ] *m* Heft *n*; ~ (**de caisse**) **d'épargne** Spar(kassen)buch *n*
local [lɔkal] **1.** örtlich; **2.** *m* Raum; **~ité** [~ite] *f* Ortschaft
locataire [lɔkatɛr] *m*, *f* Mieter(in) *m(f)*
location [lɔkasjõ] *f* Vermietung; *par le locataire* Mieten *n*; *de vélos, skis* Verleih *m*; *loyer* Miete; *pour les vacances* Ferienhaus *n*, -wohnung; *billetterie* Vorverkauf *m*; ~ **de voitures** Autovermietung
locomotive [lɔkɔmɔtiv] *f* Lokomotive
logement [lɔʒmɑ̃] *m* Wohnung *f*
loger [lɔʒe] beherbergen; *habiter* wohnen
logiciel [lɔʒisjɛl] *m* Software *f*
logique [lɔʒik] logisch
loi [lwa] *f* Gesetz *n*
loin [lwɛ̃] weit; **au** ~ weit weg; **de** ~ von weitem; *fig* bei weitem
lointain [lwɛtɛ̃] **1.** fern; **2.** *m* Ferne *f*
Loire [lwar] **la** ~ die Loire; *vallée* das Loiretal
loisirs [lwazir] *m/pl* Freizeit *f*; *occupations* Freizeitbeschäftigung *f*
Londres [lõdr(ə)] London
long [lõ] **1.** lang; **2.** *m* Länge *f*; **dix mètres de** ~ zehn Meter lang; **le** ~ **de** längs, entlang (*G*), an ... (*D*) entlang
longer [lõʒe] entlanggehen, -fahren (**qc** an et *D*); *voie ferrée* entlangführen (an *D*)
longitude [lõʒityd] *f Geogr* Länge
longtemps [lõtɑ̃] lange
longueur [lõgœr] *f* Länge
longue-vue [lõgvy] *f* Fernrohr *n*
Lorraine [lɔrɛn] **la** ~ Lothringen *n*
lors [lɔr] ~ **de** bei
lorsque [lɔrsk(ə)] (*vor Vokal* **lorsqu'**) *au présent ou futur* wenn, *au passé* als
lot [lo] *m loterie* Gewinn
loterie [lɔtri] *f* Lotterie
lotion [losjõ] *f* Lotion, Gesichts-, Rasierwasser *n*
loto [lɔto] *m* Lotto *n*; ~ **sportif** Fußballtoto *n*
lotte [lɔt] *f de mer* Seeteufel *m*
loucher [luʃe] schielen
louer [lwe] *propriétaire* vermieten; *locataire* mieten; **à** ~ zu vermieten; **chambre à** ~ Zimmer frei
loup [lu] *m* Wolf
loupe [lup] *f* Lupe
lourd [lur] schwer; *temps* schwül; *plaisanterie* plump
loyer [lwaje] *m* Miete *f*
lu [ly] *p/p von* **lire**
lubrifiant [lybrifjɑ̃] *m* Schmiermittel *n*
lucarne [lykarn] *f* Dachfenster *n*
luge [lyʒ] *f* (Rodel-)Schlitten *m*; **faire de la** ~ Schlitten fahren, rodeln

lui [lɥi] *objet indirect* ihm (*m u n*), ihr (*f*); *après prp* ihn (*A*), ihm (*D*); *sujet* er
luire [lɥir] *soleil* scheinen; *métal* glänzen
lumbago [lõbago] *m* Hexenschuss
lumière [lymjɛr] *f* Licht *n* (*a fig*)
lumineux [lyminø] leuchtend
lunatique [lynatik] launisch
lunch [lœntʃ, lɛ̃ʃ] *m* kaltes Büfett *n*
lundi [lɛ̃di, lœ̃-] *m* Montag; ~ ***de Pâques*** Ostermontag; ***le*** ~ montags
lune [lyn] *f* Mond *m*; ~ ***de miel*** Flitterwochen *f/pl*
lunette [lynɛt] *f* Fernrohr *n*
lunettes [lynɛt] *f/pl* Brille *f*; ~ ***de plongée*** Taucherbrille *f*; ~ ***de soleil*** Sonnenbrille *f*
lustre [lystr(ə)] *m* Kronleuchter
lutt|e [lyt] *f* Kampf *m*; *Sp* Ringen *n*, Ringkampf *m*; **~er** [~e] kämpfen (***pour*** für *od* um, ***contre*** gegen); *Sp* ringen
luxation [lyksasjõ] *f* Verrenkung
luxe [lyks] *m* Luxus
Luxembourg [lyksɑ̃bur] ***le*** ~ Luxemburg *n*
luxembourgeois [lyksɑ̃burʒwa] **1.** luxemburgisch; **2.** ♀ *m* Luxemburger
luxueux [lyksɥø] luxuriös
lycée [lise] *m* Gymnasium *n*
lycéen(ne) [liseɛ̃ (-eɛn)] *m*(*f*) Gymnasiast(in)

M

M. (*monsieur*) Herr
m' [m] *s* ***me***
ma [ma] *s* ***mon***
macaronis [makarɔni] *m/pl* Makkaroni *pl*
macédoine [masedwan] *f* ~ ***de fruits*** Obstsalat *m*; ~ ***de légumes*** Mischgemüse *n*
mâche [mɑʃ] *f* Feldsalat *m*
mâcher [mɑʃe] kauen
machin [maʃɛ̃] *m* F Dings (-da) *n*
machinal [maʃinal] mechanisch, automatisch
machine [maʃin] *f* Maschine; ~ ***à coudre*** Nähmaschine; ~ ***à laver*** Waschmaschine; ~ ***à écrire*** Schreibmaschine; ~ ***à sous*** Spielautomat *m*
mâchoire [mɑʃwar] *f* Kiefer *m*
maçon [masõ] *m* Maurer
madame [madam] *f* Frau; *lettre* ♀, Sehr geehrte Frau (+ *nom de famille*)
mademoiselle [madmwazɛl] *f* Fräulein *n*
magasin [magazɛ̃] *m* Laden, Geschäft *n*; ***grand*** ~ Kaufhaus *n*
magazine [magazin] *m* Zeitschrift *f*, Magazin *n* (*a TV*)

mag|icien [maʒisjɛ̃] *m* Zauberer; **~ique** [~ik] magisch, Zauber...
magnét|ique [maɲetik] magnetisch; **~ophone** [~ɔfɔn] *m* Tonbandgerät *n*; **~oscope** [~ɔskɔp] *m* Videorecorder
magnifique [maɲifik] herrlich, prächtig
magret [magrɛ] *m* **~ de canard** Entenbrust(filets) *f* (*n*/*pl*)
mai [mɛ] *m* Mai
maigr|e [mɛgr(ə)] mager; **~ir** [~ir] abnehmen
maille [mɑj] *f* Masche
maillot [majo] *m Sp* Trikot [-ko] *n*; **~ (de bain)** Badehose *f*, *de femme* Badeanzug; **~ de corps** Unterhemd *n*
main [mɛ̃] *f* Hand
main-d'œuvre [mɛ̃dœvr(ə)] *f* Arbeitskräfte *f*/*pl*; *travail* Arbeit
maintenant [mɛ̃tnɑ̃] jetzt
maintenir [mɛ̃tnir] aufrechterhalten; *tradition* erhalten; **~ que** ... dabei bleiben, dass
mair|e [mɛr] *m* Bürgermeister; **~ie** [~i] *f* Rathaus *n*
mais [mɛ] aber; *après une négation* sondern
maïs [mais] *m* Mais
maison [mɛzõ] **1.** *f* Haus *n*; **à la ~** zu Hause *od* nach Hause; **~ de campagne** Landhaus *n*; **~ de retraite** Altersheim *n*; **2.** *adj Kochk* hausgemacht; *tarte* selbst gebacken
maître [mɛtr(ə)] *m* Herr; **~ d'école** Grundschullehrer; **~ nageur** Bademeister; **~ d'hôtel** Oberkellner
maîtresse [mɛtrɛs] *f* Herrin; *amante* Geliebte; **~ d'école** Grundschullehrerin; **~ de maison** Dame des Hauses
maîtriser [mɛtrize] *agresseur* überwältigen; *langue* beherrschen; *incendie* unter Kontrolle bringen
majeur [maʒœr] Haupt...; *partie* Groß...; *jur* volljährig; *Mus* **do** *m* **~** C-Dur *n*
majorité [maʒɔrite] *f* Mehrheit (*a Pol*); *jur* Volljährigkeit
mal [mal] **1.** (*pl* **maux** [mo]) Böse(s) *n*; *effort* Mühe *f*; **être, se sentir ~** sich nicht wohl fühlen; **avoir ~ (aux dents, à la tête** Zahn-, Kopf-)Schmerzen haben; **faire ~** weh tun (**à q** j-m); **se donner du ~** sich Mühe geben; **avoir le ~ de mer** seekrank sein; **2.** *adv* schlecht; **pas ~** ganz gut; **pas ~ de** ziemlich viel(e)
malad|e [malad] **1.** krank; **2.** *m*, *f* Kranke(r) *su*, Patient (-in) *m*(*f*); **~ie** [~i] *f* Krankheit; **~if** [~if] *personne* kränklich; *curiosité* krankhaft
maladroit [maladrwa] ungeschickt
malaise [malɛz] *m* Unbehagen *n*; *Med* Unwohlsein *n*; **avoir un ~** ohnmächtig werden

malchance [malʃɑ̃s] *f* Unglück *n*, Pech *n*
mâle [mɑl] **1.** männlich; **2.** *m Zo* Männchen *n*; F Mann
malentendu [malɑ̃tɑ̃dy] *m* Missverständnis *n*
malfaiteur [malfɛtœr] *m* Übeltäter
malgré [malgre] trotz (*G*)
malh|eur [malœr] *m* Unglück *n*; **~eureusement** [~ørøzmɑ̃] leider; **~eureux** [~ørø] unglücklich
malhonnête [malɔnɛt] unehrlich
malicieux [malisjø] schelmisch
malin [malɛ̃] (*f* **maligne** [maliɲ]) *rusé* schlau; *malveillant* boshaft; *Med* bösartig
malle [mal] *f* Reisekoffer *m*
malsain [malsɛ̃] ungesund
malt [malt] *m* Malz *n*
maltraiter [maltrɛte] misshandeln
malveillant [malvɛjɑ̃] böswillig
maman [mamɑ̃] *f* Mutti, Mama, Mami
mamie [mami] *f* Oma
mammifère [mamifɛr] *m* Säugetier *n*
manche[1] [mɑ̃ʃ] *m d'une pelle* Stiel; *d'un tournevis* Griff
manche[2] [mɑ̃ʃ] *f* Ärmel *m*
Manche [mɑ̃ʃ] ***la ~*** der Ärmelkanal
mandarine [mɑ̃darin] *f* Mandarine
mandat [mɑ̃da] *m* ~ (***postal***) Postanweisung *f*; ~ ***d'arrêt*** Haftbefehl
manège [manɛʒ] *m* Reitbahn *f*; *de fête foraine* Karussell *n*
mangeable [mɑ̃ʒabl(ə)] essbar
manger [mɑ̃ʒe] essen; *animal* fressen; ***inviter q à ~*** j-n zum Essen einladen
maniable [manjabl(ə)] handlich; *Kfz* wendig
maniaque [manjak] *tatillon* pingelig; *fou* wahnsinnig
manier [manje] umgehen (***qc*** mit et); *voiture* lenken
manière [manjɛr] *f* Art, Weise; **~s** *pl* Manieren *f/pl*, Benehmen *n*; ***faire des ~s*** sich zieren
maniéré [manjere] geziert
manifest|ation [manifɛstasjõ] *f* Kundgebung, Demonstration; *événement* Veranstaltung; **~er** [~e] (***se ~*** sich) äußern; *Pol* demonstrieren
manipuler [manipyle] handhaben; *péj* manipulieren
manivelle [manivɛl] *f* Kurbel
mannequin [mankɛ̃] *m* (Schaufenster-)Puppe; *modèle* Mannequin *n*
manœuvre[1] [manœvr(ə)] *m* Hilfsarbeiter
manœuvr|e[2] [manœvr(ə)] *f Kfz*, *Mil* Manöver *n*; **~er** [~e] manövrieren
manque [mɑ̃k] *m* Mangel (***de*** an *D*)
manquer [mɑ̃ke] fehlen; *cible* verfehlen; *occasion* verpas-

sen; ~ ***de*** Mangel haben an (*D*)
manteau [mɑ̃to] *m* Mantel
manucure [manykyr] *f* Maniküre
manuel [manɥɛl] **1.** Hand..., manuell; **2.** *m* Handbuch *n*
maquereau [makro] *m* Makrele *f*; P Zuhälter
maquill|age [makijaʒ] *m* Schminke *f*, Make-up *n*; **~er** [~e] (**se** ~ sich) schminken
marais [marɛ] *m* Sumpf, Moor *n*
marbre [marbr(ə)] *m* Marmor
marc [mar] *m* Trester *m/pl*; *eau de vie* Tresterschnaps
marchand(e) [marʃɑ̃(d)] *m(f)* Händler(in); ~ ***des quatre saisons*** Obst- und Gemüsehändler(in); ~ ***de journaux*** Zeitungshändler(in)
marchandise [marʃɑ̃diz] *f* Ware
marche [marʃ] *f* Marsch *m* (*a Mil*); *randonnée* Wanderung; *d'escalier* Stufe; ***en*** ~ *véhicule* in Fahrt; *machine, moteur* in Gang; *Kfz* ~ ***arrière*** Rückwärtsgang *m*
marché [marʃe] *m* Markt; *arrangement* Geschäft *n*; ~ ***aux puces*** Flohmarkt; ***au*** ~ auf dem (*od* den) Markt; ***bon*** (***meilleur***) ~ billig (billiger); ***par-dessus le*** ~ (auch) noch dazu
marcher [marʃe] gehen, laufen; *fonctionner* laufen; ***faire*** ~ *appareil* anstellen; F *personne* zum Narren halten
mardi [mardi] *m* Dienstag; ~ ***gras*** Fastnacht *f*
mare [mar] *f* Tümpel *m*
marécag|e [marekaʒ] *m* Sumpf, Moor *n*; **~eux** [~ø] sumpfig, morastig
marée [mare] *f* Ebbe und Flut, Gezeiten *pl*; ~ ***basse*** Ebbe; ~ ***'haute*** Flut
marennes [marɛn] *f/pl Austern aus Marennes*
margarine [margarin] *f* Margarine
marge [marʒ] *f* Rand *m*; *fig* Spielraum *m*
mari [mari] *m* (Ehe-)Mann
mariage [marjaʒ] *m* Heirat *f*; *fête* Hochzeit *f*; *institution* Ehe *f*
marié [marje] **1.** verheiratet; **2.** **~(e)** *m(f)* Bräutigam *m*, Braut *f*
marier [marje] ***se*** ~ heiraten (***avec q*** j-n)
marin [marɛ̃] **1.** Meer(es)..., See...; **2.** *m* Seemann
marine [marin] **1.** *f* Marine; **2.** *adj* (***bleu***) ~ marineblau
mariner [marine] in Marinade liegen; (***faire***) ~ marinieren
maritime [maritim] See...
marjolaine [marjɔlɛn] *f* Majoran *m*
mark [mark] *m* Mark *f*
marmite [marmit] *f* Kochtopf *m*
Maroc [marɔk] ***le*** ~ Marokko *n*

marocain [marɔkɛ̃] **1.** marokkanisch; **2.** ♀ *m* Marokkaner
maroquinerie [marɔkinri] *f* Lederwarengeschäft *n*
marque [mark] *f* Zeichen *n*; *trace* Spur; *Hdl* Marke
marquer [marke] (kenn-) zeichnen; *noter* aufschreiben; *influencer* prägen, *but* schießen
marraine [marɛn] *f* Patin
marron¹ [marõ] braun
marron² [marõ] *m* (Ess-)Kastanie *f*, Marone *f*
mars [mars] *m* März
marteau [marto] *m* Hammer
masculin [maskylɛ̃] männlich
masque [mask] *m* Maske *f*
massage [masaʒ] *m* Massage *f*
masse [mas] *f* Masse, Menge; ***en*** ~ massenweise, in Massen
mass|er [mase] massieren; **~eur** [~œr] *m*, **~euse** [~øz] *f* Masseur(in) *m(f)*
massif [masif] **1.** massiv; *gros* massig; **2.** *m* (Gebirgs-)Massiv *n*; **~ *de fleurs*** Blumenbeet *n*; ***le*** ♀ ***central*** das Zentralmassiv
mat [mat] matt (*a échecs*)
mât [mɑ] *m* Mast
match [matʃ] *m Sp* Spiel *n*; **~ *de foot*(*ball*)** Fußballspiel *n*; **~ *aller*** Hinspiel *n*; **~ *retour*** Rückspiel *n*; **~ *nul*** unentschieden
matelas [matla] *m* Matratze *f*; **~ *pneumatique*** Luftmatratze *f*
matelot [matlo] *m* Matrose
matériau [materjo] *m* Material *n*; **~x** *pl* Baumaterial *n*
matériel [materjɛl] **1.** materiell; *problèmes* finanziell; **2.** *m* Material *n*; *Inform* Hardware *f*; **~ *de camping*** Campingausrüstung *f*
matern|el [matɛrnɛl] Mutter..., mütterlich; **~elle** [~ɛl] *f* Kindergarten *m*; **~ité** [~ite] *f* Mutterschaft; *hôpital* Entbindungsstation
mathématiques [matematik] *f/pl* Mathematik *f*
matière [matjɛr] *f* Stoff *m*, Material *n*; *sujet* Thema *n*; *école* (Schul-)Fach *n*; **~ *première*** Rohstoff *m*; **~s** *pl* ***grasses*** Fett *n*
matin [matɛ̃] *m* Morgen; *matinée* Vormittag; ***ce*** ~ heute Morgen
matinée [matine] *f* Vormittag *m*, Morgen *m*; *théatre* (***en***) ~ (in der) Nachmittagsvorstellung *f*; ***faire la grasse*** ~ lange schlafen, ausschlafen
maudire [modir] verfluchen
mauvais [movɛ] schlecht; *méchant* böse; *faux* falsch; *mer* bewegt; ***il fait*** ~ es ist schlechtes Wetter
maux *s* ***mal***
Mayence [majɑ̃s] Mainz
mayonnaise [majɔnɛz] *f* Mayonnaise
mazout [mazut] *m* Heizöl *n*
me [m(ə)] (*vor Vokal* ***m'***) mich; mir

mécanicien [mekanisjɛ̃] *m* Mechaniker; F ~ **auto** Automechaniker
mécan|ique [mekanik] **1.** mechanisch; **2.** *f* Mechanik; **~isme** [~ism(ə)] *m* Mechanismus
méch|anceté [meʃɑ̃ste] *f* Bosheit; **~ant** [~ɑ̃] böse; *chien* bissig
mèche [mɛʃ] *f bougie* Docht *m*; *explosif* Zündschnur *f*; *de cheveux* Strähne
mécontent [mekõtɑ̃] unzufrieden
médaille [medaj] *f* Medaille [-daljə]
médecin [medsɛ̃] *m* Arzt, Ärztin *f*; ~ **de garde** Notarzt
médecine [medsin] *f* Medizin
médias [medja] *m/pl* Medien *n/pl*
médical [medikal] ärztlich
médicament [medikamɑ̃] *m* Medikament *n*
médiéval [medjeval] mittelalterlich
médiocre [medjɔkr(ə)] unzureichend; *élève* schwach
Méditerranée [meditɛrane] **la** ~ das Mittelmeer
méduse [medyz] *f* Qualle
méfi|ance [mefjɑ̃s] *f* Misstrauen *n*; **~ant** [~ɑ̃] misstrauisch
méfier [mefje] **se** ~ **de q** j-m misstrauen
meilleur [mɛjœr] besser; **le** ~, **la** ~**e** der, die, das beste; *de la classe* der, die Beste
mélang|e [melɑ̃ʒ] *m* Mischung *f*; **~er** [~e] (ver)mischen (**à** *od* **avec** mit); *dossiers, dates* durcheinanderbringen
mêler [mɛle] (ver)mischen; **se** ~ **de** sich (ein)mischen in (*A*)
mélodie [melɔdi] *f* Melodie
melon [məlõ] *m* Melone *f*
membre [mɑ̃br(ə)] *m Anat* Glied *n*; *d'un club* Mitglied *n*
même [mɛm] *adv* sogar, selbst; *adj u pron* **le** ~, **la** ~ derselbe, dieselbe, dasselbe; **la** ~ **chose** dasselbe, das Gleiche; ~ **si** selbst wenn; **de** ~ **que** ebenso (wie); **de** ~**!** gleichfalls!
mémé [meme] *f* Oma
mémoire [memwar] *f* Gedächtnis *n*; *Inform* Speicher *m*; **~s** *pl* Memoiren; **de** ~ aus dem Gedächtnis; **à la** ~ **de, en** ~ **de** zur Erinnerung an
menac|e [mənas] *f* Drohung; *danger* Bedrohung; **~er** [~e] drohen (**q de** j-m mit); *avec une arme* bedrohen (j-n mit)
ménage [menaʒ] *m* Haushalt; *couple* Ehepaar *n*; **faire le** ~ putzen
ménager[1] [menaʒe] schonen
ménager[2] [menaʒe] *adj* Haushalt(ung)s...
mend|iant(e) [mɑ̃djɑ̃(t)] *m(f)* Bettler(in); **~ier** [~je] betteln
mener [məne] *conduire* bringen; *fig* führen; *diriger* leiten; *route* führen (**à** nach, zu); *Sp* führen

mensonge [mɑ̃sɔ̃ʒ] *m* Lüge *f*
mensuel [mɑ̃sɥɛl] **1.** monatlich; **2.** *m* Monatszeitschrift *f*
mental [mɑ̃tal] geistig, Geistes...
mentalité [mɑ̃talite] *f* Mentalität
ment|eur [mɑ̃tœr] *m*, **~euse** [~øz] *f* Lügner(in) *m(f)*
menthe [mɑ̃t] *f* Minze
mentionner [mɑ̃sjɔne] erwähnen
mentir [mɑ̃tir] lügen
menton [mɑ̃tɔ̃] *m* Kinn *n*
menu¹ [məny] schmächtig; *hacher* fein
menu² *m* Menü *n* (*a Inform*); *carte* Speisekarte *f*
menuisier [mənɥizje] *m* Tischler, Schreiner
mépri|s [mepri] *m* Verachtung *f*; **~ser** [~ze] verachten
mer [mɛr] *f* Meer *n*, See; ***la ~ Baltique*** die Ostsee; ***la ~ du Nord*** die Nordsee; ***à la ~*** am *od* ans Meer, an der *od* an die See
mercerie [mɛrsəri] *f* Kurzwarengeschäft *n*
merci [mɛrsi] danke; ***~ beaucoup!*** vielen Dank!; ***~ de*** *od* ***pour*** danke für
mercredi [mɛrkrədi] *m* Mittwoch; ***le ~*** mittwochs
mercure [mɛrkyr] *m* Quecksilber *n*
merde [mɛrd] *f* P Scheiße
mère [mɛr] *f* Mutter
merguez [mɛrgɛz] *f scharfes Würstchen* (*aus Nordafrika*)
méridional [meridjɔnal] südfranzösisch
meringue [mərɛ̃g] *f* Baiser *n*
mérit|e [merit] *m* Verdienst *n*; **~er** [~e] verdienen
merlan [mɛrlɑ̃] *m* Merlan
merle [mɛrl] *m* Amsel *f*
merveille [mɛrvɛj] *f* Wunder *n*; ***à ~*** vortrefflich
merveilleux [mɛrvɛjø] wunderbar
mesdames [mɛdam] ***~ (et messieurs)!*** meine Damen (und Herren)!
mesquin [mɛskɛ̃] kleinlich
message [mɛsaʒ] *m* Nachricht *f*; *petit mot* ***un ~*** ein paar Zeilen *f/pl*
messe [mɛs] *f* Messe
messieurs [mesjø] *m/pl* Herren; ***~!*** meine Herren!; P ***~ dames!*** die Herrschaften!
mesure [məzyr] *f* Maß *n*; *disposition* Maßnahme; *Mus* Takt *m*; ***être en ~ de*** in der Lage sein zu; ***sur ~e*** nach Maß; ***en ~*** im Takt
mesurer [məzyre] messen; ***~ 1,80 m*** 1,80 m groß sein; ***tu mesures combien?*** wie groß bist du?
métal [metal] *m* (*pl* **-aux** [-o]) Metall *n*
météo [meteo] F *f* Wetterbericht *m*
méthode [metɔd] *f* Methode
méticuleux [metikylø] peinlich genau
métier [metje] *m* Beruf

mètre [mɛtr(ə)] *m* Meter *n*; *règle, ruban* Metermaß *n*
métro [metro] *m* U-Bahn *f*
mets [mɛ] *m Kochk* Gericht *n*
metteur [mɛtœr] *m* ~ ***en scène*** Regisseur
mettre [mɛtr(ə)] (***se*** ~ sich) legen, stellen, setzen; *vêtements* (sich) anziehen; ~ ***deux jours à*** (+ *inf*) zwei Tage brauchen, um zu; ~ ***en marche*** anlassen; ~ ***au courant*** informieren; ***se*** ~ ***à faire qc*** anfangen, et zu tun
meuble [mœbl(ə)] *m* Möbel(stück) *n*; ~***s*** *pl* Möbel
meubl|é [mœble] möbliert; ~**er** [~e] (***se*** ~ sich) einrichten
meunière [mønjɛr] *f* (***à la***) ~ nach Müllerinart
meurt [mœr] *prés von* ***mourir***
meurtr|e [mœrtr(ə)] *m* Mord; ~**ier** [~ije] *m* Mörder
mi-... [mi] halb...; (***à la***) ~***-janvier*** Mitte Januar
micro [mikro] *m* Mikrophon *n*
microbe [mikrɔb] *m* Mikrobe *f*
micro-ondes [mikrɔɔ̃d] *m* Mikrowellenherd
micro(-ordinateur) [mikro(ɔrdinatœr)] *m* PC
micro|processeur [mikroprɔsɛsœr] *m* Mikroprozessor; ~**scope** [~skɔp] *m* Mikroskop *n*
midi [midi] *m* Mittag; *heure* zwölf (Uhr); ***le*** ♀ Südfrankreich *n*; ***à*** ~ mittags; *heure* um zwölf (Uhr)
mie [mi] *f* Krume
miel [mjɛl] *m* Honig
mien [mjɛ̃] (*f* ***mienne*** [mjɛn]) ***le*** ~, ***la*** ~***ne*** meine(r, -s); ***les*** ~***s, les*** ~***nes*** meine
mieux [mjø] besser; ***le*** ~ am besten; ***beaucoup*** ~, ***bien*** ~ viel besser; ***un peu*** ~ etwas besser; ***le*** ~ ***possible*** so gut wie möglich; ***de*** ~ ***en*** ~ immer besser
mignon [miɲɔ̃] niedlich
migraine [migrɛn] *f* Migräne
mijoter [miʒɔte] bei schwacher Hitze schmoren
mil [mil] *dans une date* tausend
milieu [miljø] *m* Mitte *f*; *entourage* Umwelt *f*; *social* Milieu *n*; ***au*** ~ ***de*** in der Mitte (*G*)
militaire [militɛr] **1.** militärisch; **2.** *m* Soldat
mille [mil] **1.** tausend; **2.** *m* ~ (***marin***) Seemeile *f*
millénaire [milenɛr] *m* Jahrtausend *n*
millefeuille [milfœj] *m Cremeschnitte aus Blätterteig*
millésime [milezim] *m d'un vin* Jahrgang
milliard [miljar] *m* Milliarde *f*
millième [miljɛm] **1.** tausendste(r, -s); **2.** *m Math* Tausendstel *n*
millier [milje] *m* Tausend *n*; ***un*** ~ ***de*** tausend; ***des*** ~***s*** (***de***) Tausende (von)
millimètre [milimɛtr(ə)] *m* Millimeter *m od n*

million [miljõ] *m* Million *f*
mince [mɛ̃s] dünn; *personne* schlank
mine[1] [min] *f* Mine (*a Mil*)
mine[2] [min] *f expression* Gesicht *n*; *aspect* Äußere(s) *n*; ***avoir bonne ~*** gut aussehen
mineur[1] [minœr] zweitrangig; *jur* minderjährig; *Mus* **do** *m* ~ c-Moll *n*
mineur[2] [minœr] *m* Bergmann
minibus [minibys] *m* Kleinbus
minijupe [miniʒyp] *f* Minirock *m*
minime [minim] winzig
minimum [minimɔm] *m* Minimum *n*
minis|tère [ministɛr] *m* Ministerium *n*; **~tre** [~tr(ə)] *m* Minister
minitel [minitɛl] *m etwa* Btx(-Gerät) *n*, Bildschirmtext
minorité [minɔrite] *f* Minderheit
minuit [minɥi] *m* Mitternacht *f*
minute [minyt] *f* Minute; ***une ~!*** e-n Augenblick!
minutieux [minysjø] peinlich genau
mirabelle [mirabɛl] *f* Mirabelle
miracle [mirɑkl(ə)] *m* Wunder *n*
miroir [mirwar] *m* Spiegel
mis [mi] *p/p von* ***mettre***
mise [miz] *f au jeu* Einsatz *m*; ***~ au point*** Einstellung, *fig* Richtigstellung; ***~ en plis*** Wasserwelle; ***~ en scène*** Inszenierung
miser [mize] setzen (***sur*** auf *A*)
misérable [mizerabl(ə)] elend, erbärmlich
misère [mizɛr] *f* Elend *n*
mission [misjõ] *f* Auftrag *m*
mite [mit] *f* Motte
mi-temps [mitɑ̃] *f Sp* Halbzeit; ***travailler à ~*** halbtags arbeiten
mitraill|ette [mitrajɛt] *f* Maschinenpistole; **~euse** [~øz] *f* Maschinengewehr *n*
mixeur [miksœr] *m* Mixer
mixte [mikst] gemischt
MJC [ɛmʒise] *f* (*Maison des jeunes et de la culture*) städtisches Jugendklubhaus *n*
Mlle (*mademoiselle*) Frl. (*Fräulein*)
Mme (*madame*) Fr. (*Frau*)
mobile [mɔbil] **1.** beweglich; **2.** *m* Beweggrund, Motiv *n*
mobylette [mɔbilɛt] *f* Mofa *n*
mode[1] [mɔd] *m* Art *f*, Weise *f*; ***~ d'emploi*** Gebrauchsanweisung *f*
mode[2] [mɔd] *f* Mode; ***à la ~*** Mode..., modisch
modèle [mɔdɛl] **1.** Muster...; **2.** *m* Modell *n*; *fig exemple* Vorbild *n*
modem [mɔdɛm] *m* Modem *n*
modération [mɔderasjõ] *f* Mäßigung
modéré [mɔdere] mäßig; *prix, personne* maßvoll

modern|e [mɔdɛrn] modern; **~iser** [~ize] modernisieren
modeste [mɔdɛst] bescheiden
modif|ication [mɔdifikasjõ] *f* (Ab-)Änderung; **~ier** [~je] ändern; *retoucher* abändern
modulation [mɔdylasjõ] *f* (*en*) **~ de fréquence** (auf) UKW
moelle [mwal] *f* Mark *n*; **~ épinière** Rückenmark *n*
mœurs [mœr(s)] *f/pl* Sitten
moi [mwa] *après prp* mich (*A*), mir (*D*); *sujet* ich
moindre [mwɛ̃dr(ə)] geringer, minder; **le, la ~** der, die, das geringste
moine [mwan] *m* Mönch
moineau [mwano] *m* Spatz
moins[1] [mwɛ̃] weniger (**que, de** als); **le ~** am wenigsten; **~ cher** billiger; **le ~ cher** am billigsten; **du ~, au ~** wenigstens; **de ~ en ~** immer weniger; **à ~ que** es sei denn, dass
moins[2] [mwɛ̃] *prp Math, température* minus; *Hdl* abzüglich (*G*); **cinq heures ~ dix** zehn vor fünf
mois [mwa] *m* Monat
mois|i [mwazi] **1.** schimm(e)lig; **2.** *m* Schimmel; **~ir** [~ir] (ver)schimmeln; **~issures** [~isyr] *f/pl* Schimmel *m*
moisson [mwasõ] *f* Ernte
moissonner [mwasɔne] ernten
moitié [mwatje] *f* Hälfte; **à ~** halb, zur Hälfte
moka [mɔka] *m* Mokka; *gâteau* Mokka- *od* Schokoladentörtchen *n*
molaire [mɔlɛr] *f* Backenzahn *m*
molle *s* **mou**
mollet [mɔlɛ] *m* Wade *f*
moment [mɔmɑ̃] *m* Augenblick, Moment; **en ce ~** im Augenblick, in diesem Moment; **dans un ~** gleich; **pour le ~** vorerst; **au ~ où** in dem Augenblick, als *od* wo
momentané [mɔmɑ̃tane] augenblicklich
mon [mõ] (*f* **ma** [ma], *pl* **mes** [me]) mein(e)
monastère [mɔnastɛr] *m* Kloster *n*
monde [mõd] *m* Welt *f*; **du ~** Leute *pl*; **tout le ~** jeder(mann), alle
mondial [mõdjal] Welt...
monétaire [mɔnetɛr] Geld..., Währungs..., Münz...
moni|teur [mɔnitœr] *m*, **~trice** [~tris] *f de ski* Skilehrer(in) *m(f)*; *d'auto-école* Fahrlehrer(in) *m(f)*; *de colonie de vacances* Betreuer(in) *m(f)*
monnaie [mɔnɛ] *f d'un pays* Währung; *argent* Geld *n*; *pièces* Kleingeld *n*; **rendre la ~** herausgeben; **faire la ~ de 100 francs** 100 Franc wechseln
monologue [mɔnɔlɔg] *m* Selbstgespräch *n*
monotone [mɔnɔtɔn] eintönig

monsieur [məsjø] *m* Herr; *lettre* ♀, Sehr geehrter Herr (+ *nom de famille*)
monstr|e [mõstr(ə)] **1.** *m* Ungeheuer *n*; **2.** *adj* Monster..., Riesen...; **~ueux** [~yø] scheußlich
mont [mõ] *m* Berg
montagne [mõtaɲ] *f mont* Berg *m*; *opposé à plaine* Gebirge *n*, Berge *m/pl*; ***à la*** **~** im *od* ins Gebirge
montant [mõtɑ̃] *m* Betrag
montée [mõte] *f ascenscion* Aufstieg *m*; *pente* Steigung; *fig hausse* Anstieg *m*
monter [mõte] steigen (**à, *sur*** auf *A*), hinauf- *od* herauf- *od* hochgehen (*véhicule* -fahren); *route* ansteigen; *température, marée* steigen; *Tech* montieren; *tente* aufschlagen; **~ *dans*** (ein)steigen in (*A*); ***se*** **~ *à*** betragen (*A*)
montre [mõtr(ə)] *f* Uhr; **~-bracelet** [~braslɛ] *f* Armbanduhr
montrer [mõtre] zeigen
monture [mõtyr] *f* **~** (***de lunettes***) Brillengestell *n*
monument [mɔnymɑ̃] *m* Denkmal *n*
moquer [mɔke] ***se*** **~ *de*** sich lustig machen über (*A*)
moquette [mɔkɛt] *f* Teppichboden *m*
moqueur [mɔkœr] spöttisch
moral [mɔral] **1.** moralisch; *psychologique* seelisch; **2.** *m* Moral *f*, Stimmung *f*
morale [mɔral] *f* Moral
morceau [mɔrso] *m* (*pl* **~x**) Stück *n*
mordre [mɔrdr(ə)] beißen; *insecte* stechen; *poisson* anbeißen; ***se*** **~ *la langue*** sich auf die Zunge beißen
morille [mɔrij] *f* Morchel
morsure [mɔrsyr] *f* Bisswunde; (Insekten-)Stich *m*
mort [mɔr] **1.** tot, gestorben; *bois* dürr; **2.** *f* Tod *m*; **3.** **~(e)** [~(t)] *m*(*f*) Tote(r) *su*
mortel [mɔrtɛl] tödlich; *l'homme* sterblich; F *très ennuyeux* sterbenslangweilig
morue [mɔry] *f* Kabeljau *m*
mosaïque [mɔzaik] *m* Mosaik *n*
mosquée [mɔske] *f* Moschee
mot [mo] *m* Wort *n*; **~s** *pl* ***croisés*** Kreuzworträtsel *n*
motard [mɔtar] *m* Motorradfahrer *m* (*der Polizei*)
motel [mɔtɛl] *m* Motel *n*
moteur [mɔtœr] *m* Motor; **~ *Diesel*** Dieselmotor; **~ *à deux temps*** Zweitaktmotor
motif [mɔtif] *m* Motiv *n*
moto [mɔto] F *f*, **~cyclette** [~siklɛt] *f* Motorrad *n*; **~cycliste** [~siklist] *m* Motorradfahrer
motte [mɔt] *f* **~** (***de terre***) Scholle; **~ *de beurre*** Butterklumpen *m*
mou [mu] (*f* ***molle*** [mɔl]) weich; *apathique* lahm
mouche [muʃ] *f* Fliege

mouch|er [muʃe] **se ~** sich die Nase putzen; **~oir** [~war] *m* Taschentuch *n*; **~ *en papier*** Papiertaschentuch *n*
moudre [mudr(ə)] mahlen
mouette [mwɛt] *f* Möwe
mouillé [muje] nass; ***être tout mouillé*** völlig durchnässt sein
mouiller [muje] nass machen; **se ~** nass werden
moule¹ [mul] *f Zo* Miesmuschel; **~*s pl marinière*** *in Weinsud gekochte Miesmuscheln*
moul|e² [mul] *m* (Gieß-)Form *f*; *Kochk* Back-, Kuchenform; **~er** [~e] *statue* gießen; *briques* formen
moulin [mulɛ̃] *m* Mühle *f*; **~ *à vent*** Windmühle *f*; **~ *à café*** Kaffeemühle *f*; **~ *à poivre*** Pfeffermühle *f*
moulu [muly] gemahlen
mourir [murir] sterben
mousse¹ [mus] *f Bot* Moos *n*
mousse² [mus] *f* Schaum *m*; *Kochk* Mousse; *matière plastique* Schaumstoff *m*; **~ *à raser*** Rasierschaum *m*; **~ *au chocolat*** Schokoladencremespeise
mouss|er [muse] schäumen; **~eux** [~ø] **1.** schäumend; **2.** *m* Schaumwein
moustache [mustaʃ] *f* Schnurrbart *m*
moustiquaire [mustikɛr] *m* Moskitonetz *n*
moustique [mustik] *m* (Stech-)Mücke *f*
moutarde [mutard] *f* Senf *m*
mouton [mutõ] *m* Schaf *n*; *mâle castré* Hammel; *viande* Hammelfleisch *n*
mouvement [muvmã] *m* Bewegung *f*
mouvementé [muvmãte] *séance* erregt; *vie* bewegt
moyen [mwajɛ̃] **1.** mittlere(r, -s), durchschnittlich; **2.** *m* Mittel *n*; **~s** *pl* (Geld-)Mittel *n/pl*; *capacités* Fähigkeiten *f/pl*
moyenne [mwajɛn] *f* Durchschnitt *m*
M.S.T *f* (*maladie sexuellement transmissible*) Geschlechtskrankheit
muet [mɥɛ] (*f* **-*ette*** [-ɛt]) stumm
muguet [mygɛ] *m* Maiglöckchen *n*
mule [myl] *f* Pantoffel *m*
mulet [mylɛ] *m* Maulesel
multicolore [myltikɔlɔr] bunt
multiple [myltipl(ə)] verschieden; ***à de ~s reprises*** mehrmals
multiplier [myltiplije] vermehren; *Math* multiplizieren; **se ~** sich häufen; *Biol* sich vermehren
multitude [myltityd] *f* ***une ~ de ...*** e-e Vielzahl von (*od G*)
Munich [mynik] München
municipal [mynisipal] (*pl* **-*aux*** [-o]) kommunal; städtisch; **~ité** [~ite] *f commune* Gemeinde; *ville* Stadt
munir [mynir] ausrüsten, versehen (**de** mit)

munitions [mynisjõ] *f/pl* Munition *f*
mûr [myr] reif
mur [myr] *m* Mauer *f*; *intérieur* Wand *f*; **~al** [~al] Wand...
mûre [myr] *f* Brombeere
murer [myre] zumauern
mûrir [myrir] reifen
murmur|e [myrmyr] *m* Gemurmel *n*; **~er** [~e] murmeln
muscade [myskad] *f* Muskatnuss
muscat [myska] *m* Muskateller(wein)
muscle [myskl(ə)] *m* Muskel
musclé [myskle] muskulös
musculation [myskylasjõ] *f* Muskeltraining *n*
museau [myzo] *m* Schnauze *f*
musée [myze] *m* Museum *n*
musicien [myzisjɛ̃] **1.** musikalisch; **2.** *m* Musiker
musique [myzik] *f* Musik; **~ *classique*** klassische Musik; **~ *pop*** Popmusik; **~ *de chambre*** Kammermusik
musulman [mysylmɑ̃] **1.** moslemisch, mohammedanisch; **2.** *m* Moslem, Mohammedaner
mutiler [mytile] verstümmeln
mutuel(lement) [mytɥɛl (-mɑ̃)] gegenseitig
myope [mjɔp] kurzsichtig
myosotis [mjɔzɔtis] *m* Vergissmeinnicht *n*
myrtille [mirtij] *f* Heidel-, Blaubeere
mystère [mistɛr] *m* Geheimnis *n*; *énigme* Rätsel *n*
mystérieux [misterjø] geheimnisvoll

N

nage [naʒ] *f* Schwimmen *n*; ***être en ~*** schweißgebadet sein
nageoire [naʒwar] *f* Flosse
nager [naʒe] schwimmen; **~ *le crawl*** kraulen
nag|eur [naʒœr] *m*, **~euse** [~øz] *f* Schwimmer(in) *m(f)*
naïf [naif] naiv
nain [nɛ̃] *m* Zwerg
naissance [nɛsɑ̃s] *f* Geburt; *fig* Entstehung
naître [nɛtr(ə)] geboren werden; *fig* entstehen
nappe [nap] *f* Tischtuch *n*
narcotique [narkɔtik] *m* Betäubungsmittel *n*
narine [narin] *f* Nasenloch *n*
narration [narasjõ] *f* Erzählung
natal [natal] Geburts..., Heimat...
natation [natasjõ] *f* Schwimmen *n*
natif [natif] **~ *de*** gebürtig aus
nation [nasjõ] *f* Nation
national [nasjɔnal] National...

nationale [nasjɔnal] *f correspond à* Bundesstraße
nationalité [nasjɔnalite] *f* Staatsangehörigkeit, Nationalität
natte [nat] *f* Zopf *m*
nature [natyr] *f* Natur; *caractère a* Wesen *n*; ***café*** *m* **~** schwarzer Kaffee
naturel [natyrɛl] natürlich, Natur...; **~lement** [~mɑ̃] natürlich, selbstverständlich
naturisme [natyrism(ə)] *m* Freikörperkultur *f*, FKK
naufrage [nofraʒ] *m* Schiffbruch
nausée [noze] *f* Übelkeit
nautique [notik] Wasser...
naval [naval] See...
navarin [navarɛ̃] *m* Lammragout *n*
navet [navɛ] *m* weiße Rübe *f*
navette [navɛt] *f* Pendelzug *m*, -bus *m*; *bac* Fähre; *correspondance* Zubringer(bus) *m*; ***faire la ~*** pendeln
navigation [navigasjõ] *f* Schifffahrt; **~ *aérienne*** Luftfahrt; **~ *spatiale*** Raumfahrt
navire [navir] *m* (See-)Schiff *n*
navré [navre] tief betrübt
ne [nə] **~ ... *pas*** nicht; **~ ... *que*** nur, *temporel* erst; **~ ... *plus*** nicht mehr
né [ne] (*p/p von* ***naître***) geboren
néanmoins [neɑ̃mwɛ̃] dennoch, trotzdem
nécessaire [nesesɛr] **1.** notwendig; **2.** *m* ***le ~*** das Notwendige; *trousse* Necessaire *n*
nécessit|é [nesɛsite] *f* Notwendigkeit; **~er** [~] erfordern
néerlandais [neɛrlɑ̃dɛ] **1.** niederländisch; **2.** **♀** *m* Niederländer
nef [nɛf] *f* Schiff *n*
néfaste [nefast] verhängnisvoll
négatif [negatif] **1.** negativ; *réponse* verneinend; **2.** *m Fot* Negativ *n*
négation [negasjõ] *f* Verneinung
néglig|ent [negliʒɑ̃] nachlässig; **~er** [~e] vernachlässigen
négoc|iant [negɔsjɑ̃] *m* ***~ en vins*** Weinhandlung *f*; **~ier** [~je] verhandeln
neige [nɛʒ] *f* Schnee *m*; ***~ fraîche*** Neuschnee *m*; ***~ fondue*** Schneeregen *m*; ***~ verglacée*** Schneeglätte
neiger [nɛʒe] schneien; ***il neige*** es schneit
neigeux [nɛʒø] verschneit; *sommet* schneebedeckt
néon [neõ] *m* Neon *n*; *tube* Neonröhre *f*
nerf [nɛr] *m* Nerv
nerv|eux [nɛrvø] nervös, Nerven...; **~osité** [~ozite] *f* Nervosität
n'est-ce pas? [nɛspa] nicht wahr?
net [nɛt] *propre* sauber, rein; *clair* klar, deutlich; *réponse*

eindeutig; *Fot*, *TV* scharf; *Hdl* Netto...
netteté [nɛtte] *f* Sauberkeit; Klarheit; *Fot*, *TV* Schärfe
nettoyage [nɛtwajaʒ] *m* Reinigung *f*; **~ à sec** chemische Reinigung *f*
nettoyer [nɛtwaje] reinigen, säubern
neuf[1] [nœf] neun
neuf[2] [nœf] (*f* ***neuve*** [nœv]) neu
neutre [nøtr(ə)] neutral; *Gr* sächlich
neuvième [nœvjɛm] **1.** neunte(r, -s); **2.** *m Math* Neuntel *n*
neveu [nəvø] *m* Neffe
névr|algie [nevralʒi] *f* Neuralgie; **~otique** [~ɔtik] neurotisch
nez [ne] *m* Nase *f*
ni [ni] und nicht; ***~ ... ~ ...*** weder ... noch ...
niais [njɛ] albern
Nice [nis] Nizza
niche [niʃ] *f* Nische; *de chien* Hundehütte
nid [ni] *m* Nest *n*
nièce [njɛs] *f* Nichte
nier [nje] leugnen
n'importe *s* ***importer***[2]
niveau [nivo] *m* Niveau *n* (*a fig*); *hauteur* Höhe *f*; ***~ d'huile*** Ölstand; ***~ de la mer*** Meeresspiegel; ***~ de vie*** Lebensstandard; ***au ~ de*** auf gleicher Höhe mit
nobl|e [nɔbl(ə)] **1.** ad(e)lig; *fig* edel; **2.** *m*, *f* Adlige(r) *su*; **~esse** [~ɛs] *f* Adel *m*
noce [nɔs] *f*, **~s** *pl* Hochzeit *f*
nocif [nɔsif] schädlich
nocturne [nɔktyrn] **1.** nächtlich, Nacht...; **2.** *f od m Hdl Öffnungszeit am Abend*
Noël [nɔɛl] *m* Weihnachten *n*; ***père*** *m* **~** Weihnachtsmann
nœud [nø] *m* Knoten
noir [nwar] **1.** schwarz; *sombre* dunkel; F *ivre* blau; **2.** **&(e)** *m*(*f*) Schwarze(r) *su*
noisette [nwazɛt] *f* Haselnuss
noix [nwa] *f* (Wal-)Nuss
nom [nõ] *m* Name; ***petit ~*** Vorname; ***~ de famille*** Familienname; ***~ de jeune fille*** Geburts- *od* Mädchenname; ***~ propre*** Eigenname; ***de ~*** dem Namen nach
nombre [nõbr(ə)] *m* Zahl *f*; *quantité a* Anzahl *f*
nombreux [nõbrø] zahlreich
nombril [nõbri(l)] *m* Nabel
nommer [nɔme] nennen; *à une fonction* ernennen; ***se ~*** sich nennen, heißen
non [nõ] nein; ***moi ~*** ich nicht!; ***moi ~ plus*** ich auch nicht; ***~ seulement ..., mais encore*** nicht nur ..., sondern auch
nonante [nɔnɑ̃t] *Belgique, Suisse* neunzig
non|-fumeur [nõfymœr] *m* Nichtraucher; **~-nageur** [~naʒœr] *m* Nichtschwimmer
nord [nɔr] *m* Norden; ***au ~ de*** nördlich von
nord|-est [nɔrɛst] *m* Nordosten; **~-ouest** [nɔrwɛst] *m* Nordwesten

normal [nɔrmal] normal; **~ement** [~mɑ̃] normalerweise
normand [nɔrmɑ̃] aus der Normandie
Normandie [nɔrmɑ̃di] ***la*** ~ die Normandie
Norvège [nɔrvɛʒ] ***la*** ~ Norwegen *n*
norvégien [nɔrveʒjɛ̃] **1.** norwegisch; **2.** ≈ *m* Norweger
nos [no] *s* ***notre***
nostalgie [nɔstalʒi] *f* Sehnsucht (***de*** nach)
notaire [nɔtɛr] *m* Notar
notamment [nɔtamɑ̃] besonders
note [nɔt] *f* Note; *annotation* Anmerkung; *d'hôtel* Rechnung
noter [nɔte] *écrire* (sich) notieren, (sich) aufschreiben; *constater* feststellen
notice [nɔtis] *f d'un lave-linge* Anleitung; *d'un médicament* Beipackzettel *m*
notion [nosjõ] *f* Begriff *m*; **~s** *pl* Grundkenntnisse (***de*** in *D*)
notre [nɔtr(ə)] (*pl* ***nos*** [no]) unser(e)
nôtre [notr(ə)] ***le*** ~, ***la*** ~ unsere(r, -s); ***les*** **~s** *pl* unsere
nouer [nwe] (zusammen-, zu)binden
nouilles [nuj] *f/pl* Nudeln
nourrice [nuris] *f* Tagesmutter
nourrir [nurir] ernähren; *animaux* füttern; ***se*** ~ sich ernähren (***de*** von)
nourriss|ant [nurisɑ̃] nahrhaft; **~on** [~õ] *m* Säugling
nourriture [nurityr] *f* Nahrung
nous [nu] wir; *complément d'objet* uns
nouveau [nuvo] (*vor Vokal* ***nouvel***, *f* ***nouvelle*** [nuvɛl]) neu; ***de*** *od* ***à*** ~ wieder, noch einmal
nouveauté [nuvote] *f* Neuheit
nouvel(le) *s* ***nouveau***
nouvelle [nuvɛl] *f* Nachricht; *récit* Novelle; *radio*, *TV* **~s** *pl* Nachrichten
novembre [nɔvɑ̃br(ə)] *m* November
novice [nɔvis] **1.** unerfahren; **2.** *m* Neuling
noyau [nwajo] *m* Kern
noyer[1] [nwaje] ertränken; ***se*** ~ ertrinken
noyer[2] [nwaje] *m* Nussbaum
nu [ny] **1.** nackt; *plaine*, *arbre* kahl; **2.** *m Mal* Akt
nuage [nɥaʒ] *m* Wolke *f*
nuageux [nɥaʒø] wolkig
nuancer [nɥɑ̃se] nuancieren, differenzieren
nucléaire [nykleɛr] Kern..., nuklear; ***centrale*** *f* ~ Kernkraftwerk *n*
nudisme [nydism(ə)] *m* Freikörperkultur *f*, FKK
nuire [nɥir] schaden (***à*** *D*)
nuisible [nɥizibl(ə)] schädlich (***à*** für)
nuit [nɥi] *f* Nacht; *à l'hôtel a* Übernachtung; ***cette*** ~ heute

Nacht; ***la ~*** nachts; ***bonne ~!*** gute Nacht; ***il fait ~*** es ist Nacht, dunkel; ***la ~ tombe*** es wird Nacht, dunkel
nul [nyl] *Sp* unentschieden; *visibilité, risques* gleich null; *devoir* wertlos
nullement [nylmɑ̃] keineswegs
numérique [nymerik] digital
numéro [nymero] *m* Nummer *f*; ***~ de la chambre*** Zimmernummer *f*; ***~ d'immatriculation*** Zulassungsnummer *f*; ***~ de téléphone*** Telefonnummer *f*; ***~ vert*** Service-130-Rufnummer *f*; ***faire le ~*** wählen; ***faire un faux ~*** sich verwählen
numéroter [nymerɔte] nummerieren
nu-pieds [nypje] barfuß
nuque [nyk] *f* Genick *n*, Nacken *m*

O

oasis [ɔazis] *f* Oase
obéir [ɔbeir] gehorchen (**à** *D*)
obéissance [ɔbeisɑ̃s] *f* Gehorsam *m*
objectif [ɔbʒɛktif] **1.** objektiv; **2.** *m but* Ziel *n*; *Fot* Objektiv *n*
objection [ɔbʒɛksjõ] *f* Einwand *m*
objet [ɔbʒɛ] *m* Gegenstand; ***~ d'art*** Kunstgegenstand; ***~s** pl **de valeur*** Wertsachen *f/pl*; ***bureau** m **des ~s trouvés*** Fundbüro *n*
obligation [ɔbligasjõ] *f* Verpflichtung
obligatoire [ɔbligatwar] obligatorisch; ***être ~*** Pflicht sein
obliger [ɔbliʒe] zwingen (**à** zu)
oblique [ɔblik] schief, schräg
oblitérer [ɔblitere] entwerten
obscène [ɔpsɛn] obszön
obscur [ɔpskyr] dunkel (*a fig*); **~ité** [~ite] *f* Dunkelheit
obsèques [ɔpsɛk] *f/pl* Trauerfeier *f*, Beisetzung *f*
observation [ɔpsɛrvasjõ] *f* Beobachtung; *remarque* Bemerkung
observatoire [ɔpsɛrvatwar] *m* Observatorium *n*
observer [ɔpsɛrve] beobachten; *remarquer* bemerken; *règlement* einhalten
obstacle [ɔpstakl(ə)] *m* Hindernis *n*
obstiné [ɔpstine] hartnäckig
obstiner [ɔpstine] ***s'~*** stur sein; ***s'~ à faire qc*** sich darauf versteifen, et zu tun
obtenir [ɔptənir] erlangen
obturateur [ɔptyratœr] *m Fot* Verschluss
obus [ɔby] *m* Granate *f*
occasion [ɔkazjõ] *f* Gelegenheit; ***à l'~*** gelegentlich, bei Gelegenheit; ***à l'~ de*** an-

lässlich (*G*); ***d'~*** gebraucht; ***voiture*** *f* ***d'~*** Gebrauchtwagen *m*

occasionner [ɔkazjɔne] verursachen

Occident [ɔksidɑ̃] *m* ***l'~*** der Westen

occidental [ɔksidɑ̃tal] westlich

occup|ant [ɔkypɑ̃] *m* (Haus-)Bewohner; *Kfz* Insasse; **~ation** [~asjɔ̃] *f* Beschäftigung; *Mil* Besetzung

occupé [ɔkype] *personne* beschäftigt; *place, taxi, Tel* besetzt; *appartement* bewohnt

occuper [ɔkype] *enfant* beschäftigen; *temps, soirées* verbringen; *de la place* ein-, wegnehmen; *appartement* bewohnen; *poste* innehaben; *Mil* besetzen; ***s'~ de*** sich beschäftigen mit, sich kümmern um

océan [ɔseɑ̃] *m* Ozean

octante [ɔktɑ̃t] *Belgique, Suisse* achtzig

octobre [ɔktɔbr(ə)] *m* Oktober

oculiste [ɔkylist] *m, f* Augenarzt *m*, -ärztin *f*

odeur [ɔdœr] *f* Geruch *m*; *parfum* Duft *m*; ***mauvaise ~*** Gestank *m*

odieux [ɔdjø] grässlich; ***~ avec q*** gemein zu j-m

odorat [ɔdɔra] *m* Geruchssinn

œil [œj] *m* (*pl* ***yeux*** [jø]) Auge *n*; ***coup*** *m* ***d'~*** Blick

œillet [œjɛ] *m* Nelke *f*

œuf [œf] *m* (*pl* **~s** [ø]) Ei *n*; ***~ à la coque*** weiches Ei *n*; ***~ dur*** hartes Ei *n*; ***~ sur le plat*** Spiegelei *n*; **~s** *pl* ***brouillés*** Rührei(er) *n(pl)*

œuvre [œvrə] *f* Werk *n*; ***~ d'art*** Kunstwerk *n*

offens|e [ɔfɑ̃s] *f* Beleidigung; **~er** [~e] beleidigen

office [ɔfis] *m* Dienststelle *f*; *messe* Gottesdienst; ***~ de tourisme*** Verkehrsamt *n*; ***d'~*** von Amts wegen

officiel [ɔfisjɛl] offiziell

officier [ɔfisje] *m* Offizier

offre [ɔfr(ə)] *f* Angebot *n*; **~s** *pl* ***d'emploi*** Stellenangebote *n/pl*

offrir [ɔfrir] anbieten; *en cadeau* schenken; ***s'~ qc*** sich et leisten

oie [wa] *f* Gans

oignon [ɔɲɔ̃] *m* Zwiebel *f*

oiseau [wazo] *m* Vogel

olive [ɔliv] *f* Olive

ombragé [ɔ̃braʒe] schattig

ombre [ɔ̃br(ə)] *f* Schatten *m*; ***~ à paupières*** Lidschatten *n*; ***à l'~*** im Schatten

ombrelle [ɔ̃brɛl] *f* Sonnenschirm *m*

omelette [ɔmlɛt] *f* Omelett *n*; ***~ au jambon*** Schinkenomelett *n*; ***~ norvégienne*** *mit Eischnee überbackenes und flambiertes Eisdessert*

omettre [ɔmɛtr(ə)] auslassen; ***~ de*** (+ *inf*) (es) unterlassen zu

omoplate [ɔmɔplat] *f* Schulterblatt *n*

on [õ] man; F wir; ~ ***frappe*** es klopft
oncle [õkl(ə)] *m* Onkel
onde [õd] *f* Welle; *radio* ***grandes ~s*** *pl* Langwelle *f*; ***~s*** *pl* ***courtes*** Kurzwelle *f*, ***~s*** *pl* ***moyennes*** Mittelwelle *f*; ***sur les ~s*** im Rundfunk
ongle [õgl(ə)] *m* Nagel
onguent [õgɑ̃] *m* Salbe *f*
ont [õ] *prés von* ***avoir***
ONU [ɔny] *f* ***l'~*** die UNO
onze [õz] elf
opaque [ɔpak] undurchsichtig
opéra [ɔpera] *m* Oper *f*
opér|ation [ɔperasjõ] *f* (Rettungs-, Polizei-)Aktion; *Med, Mil* Operation; *affaire* Geschäft *n*; **~er** [~e] *Med* operieren; *procéder* vorgehen; *médicament* wirken
ophtalmologiste [ɔftalmɔlɔʒist] *m, f* Augenarzt *m*, -ärztin *f*
opiniâtre [ɔpinjɑtr(ə)] hartnäckig
opinion [ɔpiɲõ] *f* Meinung
opportun [ɔpɔrtɛ̃, -tœ̃] günstig, angebracht
opposé [ɔpoze] **1.** gegenüberliegend; *direction, goûts* entgegengesetzt; ***être ~ à qc*** gegen et sein; **2.** *m* Gegenteil *n*; ***à l'~ de*** im Gegensatz zu
opposer [ɔpoze] gegenüberstellen (***à*** *D*); ***s'~ à*** *personne* sich widersetzen (*D*); *chose* im Wege stehen (*D*)
opposition [ɔpɔzisjõ] *f* Gegensatz *m*; *résistance* Widerstand *m* (***à*** gegen); *jur* Einspruch *m*; *Pol* Opposition
oppresser [ɔprɛse] beklemmen; *fig* bedrücken
opprimer [ɔprime] unterdrücken
opticien [ɔptisjɛ̃] *m* Optiker
option [ɔpsjõ] *f* Wahl; *Kfz* ***~s*** *pl* Extras *n/pl*; ***en ~*** als Extra (gegen Aufpreis); *école* (***matière*** *f* ***à***) ~ Wahlfach *n*
or[1] [ɔr] *m* Gold *n*
or[2] [ɔr] *cj* nun (aber)
orag|e [ɔraʒ] *m* Gewitter *n*; **~eux** [~ø] gewittrig
oral [ɔral] **1.** mündlich; ***Med par voie ~e*** oral; **2.** *m* mündliche Prüfung *f*
orange [ɔrɑ̃ʒ] **1.** orange(farben); **2.** *f* Apfelsine, Orange
orchestre [ɔrkɛstr(ə)] *m* Orchester *n*; *théâtre* (Platz im) Parkett *n*
ordinaire [ɔrdinɛr] **1.** gewöhnlich; *péj* ordinär; **2.** *m* *essence* Normalbenzin *n*; ***d'~*** gewöhnlich
ordinateur [ɔrdinatœr] *m* Computer; ***~ individuel*** PC, Personalcomputer; ***~ portable*** Laptop
ordonnance [ɔrdɔnɑ̃s] *f* *Med* Rezept *n*
ordonné [ɔrdɔne] *personne* ordentlich; *intérieur* wohlgeordnet
ordonner [ɔrdɔne] *classer* ordnen; *commander* befehlen
ordre [ɔrdr(ə)] *m* Ordnung *f*;

classement Reihenfolge *f*; *commandement* Befehl (*a Inform*)
ordures [ɔrdyr] *f/pl* Müll *m*
oreill|e [ɔrɛj] *f* Ohr *n*; **~er** [~e] *m* Kopfkissen *n*; **~ons** [~õ] *m/pl* Mumps *m*
orfèvre [ɔrfɛvrə] *m* Goldschmied
organe [ɔrgan] *m* Organ *n*
organ|isation [ɔrganizasjõ] *f* Organisation; **~iser** [~ize] organisieren
organisme [ɔrganism(ə)] *m Anat, Bot* Organismus; *institution* Organisation *f*
orgue [ɔrg] *m* (*od* **~s** *f/pl*) Orgel *f*
orgueil [ɔrgœj] *m vanité* Hochmut; *fierté* Stolz
Orient [ɔrjɑ̃] *m* **l'~** der Orient
oriental [ɔrjɑ̃tal] orientalisch; *à l'est* östlich
orient|ation [ɔrjɑ̃tasjõ] *f* Orientierung; **~er** [~e] **s'~** sich orientieren
originaire [ɔriʒinɛr] **être ~ de** stammen aus
original [ɔriʒinal] **1.** original; Original...; *idée* originell; *personne* sonderbar; **2.** *m* Original *n*
origine [ɔriʒin] *f* Ursprung *m*, Herkunft; *cause* Ursache
O.R.L. [oɛrɛl] *m, f* (*oto-rhino-laryngologiste*) HNO-Arzt *m*, -Ärztin *f*
orner [ɔrne] schmücken
orphelin(e) [ɔrfəlɛ̃ (-in)] *m(f)* Waise *f*
orteil [ɔrtɛj] *m* Zehe *f*
orthographe [ɔrtɔgraf] *f* Rechtschreibung
orthopédiste [ɔrtɔpedist] *m* Orthopäde *m*
ortie [ɔrti] *f* Brennessel
os [ɔs, *pl* o] *m* Knochen
osciller [ɔsile] schwingen; *fig* schwanken (**entre** zwischen *D*)
os|é [oze] gewagt; **~er** [~e] wagen, sich trauen
osier [ozje] *m* Korbweide *f*; **en ~** Korb...
otage [ɔtaʒ] *m* Geisel *f*
OTAN [ɔtɑ̃] *f* **l'~** die NATO
ôter [ote] wegnehmen; *manteau* ablegen
otite [ɔtit] *f* Ohrenentzündung
oto-rhino(-laryngologiste) [ɔtorino(larɛ̃gɔlɔʒist)] *m, f* Hals-Nasen-Ohren-Arzt *m*, -Ärztin *f*
ou [u] oder; **~ bien** oder; **~ (bien) ... ~ (bien) ...** entweder ... oder ...; **cinq ~ six ...** fünf bis sechs ...
où [u] **~?** wo? wohin?; **d'~?** woher?; *pron relatif* in dem (der), in den (die, das); **d'~** aus dem; **là ~** da, dort, wo; **le soir ~** der Abend, an dem
ouate [wat] *f* Watte
oubli [ubli] *m* Vergessen *n*; **tomber dans l'~** in Vergessenheit geraten
oublier [ublijə] vergessen (**de** zu)
ouest [wɛst] *m* Westen

oui [wi] ja; ***mais*** ~ aber ja, ja doch
ouïe [wi] *f* Gehör(sinn) *n*(*m*)
ouragan [uragɑ̃] *m* Orkan
ourlet [urlɛ] *m* Saum
ours [urs] *m* Bär; ~ ***blanc*** Eisbär
oursin [ursɛ̃] *m* Seeigel
outil [uti] *m* Werkzeug *n*
outre [utr(ə)] *prp* außer (*D*); *adv* ***en*** ~ außerdem
outré [utre] entrüstet
outre-mer [utrəmɛr] ***d'***~ überseeisch, Übersee...
ouvert [uvɛr] geöffnet
ouverture [uvɛrtyr] *f* Öffnung; *d'un compte, d'une exposition* Eröffnung; *Mus* Ouvertüre
ouvrage [uvraʒ] *m* Arbeit *f*; *livre* Werk *n*
ouvre-boîtes [uvrəbwat] *m* Büchsenöffner
ouvre-bouteilles [uvrəbutɛj] *m* Flaschenöffner
ouvreuse [uvrøz] *f* Platzanweiserin
ouvr|ier [uvrije] *m*, ~**ière** [~ijɛr] *f* Arbeiter(in) *m*(*f*)
ouvrir [uvrir] (er)öffnen
oxygène [ɔksiʒɛn] *m* Sauerstoff
ozone [ozon, -zɔn] *m* Ozon *n*; ***trou m d'***~ Ozonloch *n*

P

pace-maker [pɛsmɛkœr] *m* Herzschrittmacher
pacifique [pasifik] friedlich
Pacifique [pasifik] ***le*** ~, ***l'océan*** ~ der Pazifik
pacte [pakt] *m* Pakt
pagayer [pagɛje] paddeln
page [paʒ] *f* Seite; *Tel* ~**s** *pl* ***jaunes*** gelbe Seiten
paie [pɛ] *f* (Arbeits-)Lohn *m*
paiement [pɛmɑ̃] *m* Zahlung *f*
paillasson [pajasõ] *m* Strohmatte *f*
paille [paj] *f* Stroh *n*; *pour boire* Strohhalm *m*
pain [pɛ̃] *m* Brot *n*; ~ ***complet*** Vollkornbrot *n*; ~ ***de mie*** Toastbrot *n*; ~ ***de campagne*** Landbrot *n*; ***petit*** ~ Brötchen *n*; ~ ***au chocolat*** Schokoladenbrötchen *n*; ~ ***aux raisins*** Schnecke *f*; ~ ***d'épice*** Honigkuchen
pair [pɛr] *nombre* gerade
paire [pɛr] *f* Paar *n*
paisible [pɛzibl(ə)] friedlich; *sommeil*, *vie* ruhig
paix [pɛ] *f* Friede *m*; *tranquillité* Ruhe (*a fig*)
palace [palas] *m* Luxushotel *n*
palais[1] [palɛ] *m* Palast
palais[2] [palɛ] *m Anat* Gaumen
Palatinat [palatina] ***le*** ~ die Pfalz
pâle [pɑl] blass, bleich

palier [palje] *m* Treppenabsatz
pâlir [pɑlir] erblassen
palissade [palisad] *f* Lattenzaun *m*
palme [palm] *f* Schwimmflosse
palmier [palmje] *m* Palme *f*
palper [palpe] abtasten
palpit|ations [palpitasjõ] *f/pl* Herzklopfen *n*; **~er** [~e] *cœur* klopfen
paludisme [palydism(ə)] *m* Malaria *f*
pamplemousse [pɑ̃pləmus] *m* Pampelmuse *f*
panaché [panaʃe] *m* (***demi***) **~** Bier *n* mit Limonade
pancarte [pɑ̃kart] *f* Schild *n*
pan-bagnat [pɑ̃baɲa] *m mit Nizza-Salat gefüllte Brötchen*
pancréas [pɑ̃kreas] *m* Bauchspeicheldrüse *f*
paner [pane] panieren
panier [panje] *m* Korb
panier-repas [panjerəpa] *m* Lunchpaket *n*
panique [panik] *f* Panik
panne [pan] *f* Panne; **~ *de courant*** Stromausfall *m*; ***en* ~** defekt; ***tomber en* ~** e-e Panne haben; ***avoir une* ~ *d'essence*** kein(en Tropfen) Benzin mehr haben
panneau [pano] *m* Schild *n*, Tafel *f*; *Tech* Platte *f*; **~ *de signalisation*** Verkehrsschild *n*
panorama [panɔrama] *m* Panorama *n*, Rundblick
pansement [pɑ̃smɑ̃] *m* Verband
pantalon [pɑ̃talõ] *m* Hose *f*
pantoufle [pɑ̃tufl(ə)] *f* Pantoffel *m*, Hausschuh *m*
paon [pɑ̃] *m* Pfau
papa [papa] *m* Papa, Vati
pape [pap] *m* Papst
papeterie [papɛtri] *f* Schreibwarengeschäft *n*
papi [papi] *m* Opa
papier [papje] *m* Papier *n*; ***un* ~** ein Blatt *n*, ein Stück *n* Papier; **~ *hygiénique*** Toilettenpapier *n*; **~ *à lettres*** Briefpapier *n*; **~ *d'emballage*** Packpapier *n*; **~ *d'alu(minium)*** Alu(minium)folie *f*; **~ *peint*** Tapete *f*; **~s** *pl* (***d'identité***) (Ausweis-)Papiere *n/pl*; **~s** *pl* ***de la voiture*** Wagen-, Fahrzeugpapiere *n/pl*
papillon [papijõ] *m* Schmetterling; F *contravention* Strafzettel *m*
paprika [paprika] *m* Paprika
paquebot [pakbo] *m* Passagierschiff *n*
Pâques [pɑk] *f/pl* Ostern *n*; **à ~** (zu, an) Ostern
paquet [pakɛ] *m* Paket *n*; *de cigarettes* Schachtel *f*; ***petit* ~** Päckchen *n*
paquet-cadeau [pakɛkado] *m* ***faire un* ~** als Geschenk verpacken
par [par] *en passant* durch, über (*A*); *moyen* mit; *passif* von, durch; *raison* aus; **~ Pa-**

ris über Paris; ~ ***le train*** mit dem Zug; ~ ***an*** pro Jahr; ~ ***chèque*** mit Scheck
parachute [paraʃyt] *m* Fallschirm
paradis [paradi] *m* Paradies *n*
paragraphe [paragraf] *m* Absatz (*a jur*)
paraître [parɛtr(ə)] erscheinen (*a livre*); *sembler* scheinen, aussehen; ***il paraît que tu ...*** man sagt, dass du ...; du sollst ...
parallèle [paralɛl] **1.** parallel; **2.** *f* Parallele
paralys|er [paralize] lähmen; **~ie** [~i] *f* Lähmung
parapente [parapɑ̃t] *m* Gleitschirmfliegen *n*; *engin* Gleitschirm
parapet [parapɛ] *m* Brüstung *f*
parapluie [paraplɥi] *m* Regenschirm
parasite [parazit] *m* Parasit (*a fig*); **~s** *pl radio* Störgeräusche *n/pl*, Störungen *f/pl*
parasol [parasɔl] *m* Sonnenschirm
paratonnerre [paratɔnɛr] *m* Blitzableiter
paravent [paravɑ̃] *m* Wandschirm
parc [park] *m* Park; ~ ***national, régional*** Nationalpark; ~ ***d'attractions*** Erlebnis-, Vergnügungspark; ~ ***de stationnement*** Parkplatz
parce que [parsk(ə)] (*vor Vokal* ***parce qu'***) weil
parcmètre [parkmɛtr(ə)] *m* Parkuhr *f*
parcourir [parkurir] *ville* durchlaufen, -fahren; *trajet* zurücklegen; *lettre* überfliegen
parcours [parkur] *m* (Fahr-, Renn-)Strecke *f*
par-derrière [pardɛrjɛr] von hinten; *passer, fig dire du mal* hinten(he)rum
par-dessous [pardəsu] darunter hindurch
pardessus [pardəsy] *m* Überzieher
par|-dessus [pardəsy] darüber (hinweg); **~-devant** [~dəvɑ̃] vorn (herum)
pardon [pardõ] *m* **~!** Entschuldigung!; **~?** wie bitte?
pardonner [pardɔne] verzeihen
pare|-brise [parbriz] *m* Windschutzscheibe *f*; **~-chocs** [parʃɔk] *m* Stoßstange *f*
pareil [parɛj] *semblable* gleich, ähnlich (**à** *D*); *tel* solche(r, -s); **~lement** [~mɑ̃] gleichfalls
parent [parɑ̃] **1.** verwandt; **2.** **~(e)** [~(t)] *m(f)* Verwandte(r) *su*; **3.** **~s** *m/pl* Eltern
parenthèse [parɑ̃tɛz] *f* Klammer
paresseux [parɛsø] faul
parfait [parfɛ] **1.** perfekt, vollkommen; **2.** *m* Parfait *n*
parfaitement [parfɛtmɑ̃] vollkommen; *très bien* sehr gut; *réponse* gewiss

parfois [parfwa] manchmal
parfum [parfɛ̃, -fœ̃] *m* Duft; *en parfumerie* Parfüm *n*, Parfum [~fœ̃] *n*; *d'une glace* Geschmack *m*
pari [pari] *m* Wette *f*
parier [parje] wetten (**qc** um et)
Paris [pari] Paris [-s]
parisien [parizjɛ̃] **1.** Pariser, pariserisch; **2.** ♀ *m* Pariser
parking [parkiŋ] *m* Parkplatz; **~ couvert** Parkhaus *n*; **~ souterrain** Tiefgarage *f*
parlement [parləmɑ̃] *m* Parlament *n*
parler [parle] sprechen, reden (**de** von, über *A*; **à q** mit j-m); *Tel* **pourrais-je ~ à M. ...?** kann ich bitte Herrn ... sprechen?
parmi [parmi] unter (*D*)
paroi [parwa] *f* Wand
paroisse [parwas] *f* (Kirchen-, Pfarr-)Gemeinde
parole [parɔl] *f* Wort *n*; **~s** *pl d'une chanson* Text *m*; (**ma**) **~** (**d'honneur**)! (mein) Ehrenwort!
parquet [parkɛ] *m* Parkett *n*
parrain [parɛ̃] *m* Pate
part [par] *f* Anteil *m* (*a Wi*); *partie* Teil *m od n*; *de gâteau* Stück *n*; **nulle ~** nirgends; **autre ~** anderswo(hin); **quelque ~** irgendwo(hin); **d'autre ~** außerdem; **d'une ~, ... d'autre ~** einerseits ... andererseits; (**mis**) **à ~** abgesehen von; **de la ~ de q** von j-m; **prendre ~ à** teilnehmen an (*D*); *Tel* **c'est de la ~ de qui?** wer ist am Apparat?
partager [partaʒe] *m* (auf)teilen; (**se**) **~ qc avec q** (sich) et mit j-m teilen
partance [partɑ̃s] *f* **en ~** abfahrbereit; **le train en ~ pour ...** der Zug nach ...
partenaire [partənɛr] *m*, *f* Partner(in) *m(f)*
parterre [partɛr] *m fleurs* Blumenbeet *n*; *théâtre* Parkett *n*
parti [parti] *m* Partei *f*
partial [parsjal] parteiisch
particip|ant [partisipɑ̃] *m* Teilnehmer; **~er** [~e] **~ à** teilnehmen an (*D*); *aux frais* sich beteiligen an (*D*)
particularité [partikylarite] *f* Besonderheit
particul|ier [partikylje] besondere(r, -s); *privé* Privat...; **en ~** = **~ièrement** [~jɛrmɑ̃] besonders
partie [parti] *f* Teil *m*; *jeux*, *Sp* Spiel *n*, Partie; *jur* Partei; **en ~** teilweise; **faire ~ de** gehören zu
partir [partir] (weg)gehen; *en voyage* abreisen; *train* abfahren (**à, pour** nach); *avion* abfliegen; *peinture* abgehen; *tache* weggehen; **à ~ de** ab, von ... an
partout [partu] überall
paru [pary] *p/p von* **paraître**
parvenir [parvənir] gelangen (**à** zu); **faire ~** zukommen

lassen; ***il parvient à*** (+ *inf*) er kann ..., es gelingt ihm zu ...

pas¹ [pɑ] ***ne ... ~*** nicht; ***ne ... ~ de*** kein(e); ***ne ... ~ non plus*** auch nicht; ~ ***du tout*** überhaupt nicht

pas² [pɑ] *m* Schritt; ~ ***à*** ~ Schritt für Schritt; ***le ~ de Calais*** die Straße von Dover

passable [pasabl(ə)] leidlich; *note* ausreichend

passage [pasaʒ] *m* Durchgang, -fahrt *f*; *couvert, extrait* Passage; ~ ***à niveau*** Bahnübergang; ~ ***pour piétons*** Fußgängerüberweg; *panneau* ~ ***protégé*** Vorfahrt (*an der nächsten Kreuzung*); ***de*** ~ auf der Durchreise

passager [pasaʒe] **1.** vorübergehend; **2.** *m*, **~ère** [~ɛr] *f Flgw, Mar* Passagier *m*; *d'un train* Reisende(r) *su*; *d'une voiture* Insasse *m*, Insassin *f*

passant [pasɑ̃] **1.** ***en*** ~ beiläufig; **2.** *m* Passant

passe [pɑs] *f Sp* Zuspiel *n*; *football* Pass *m*

passé [pɑse] **1.** vergangen; *couleur* verblichen; *prp* nach; **2.** *m* Vergangenheit *f* (*a Gr*)

passe-partout [pɑspartu] *m* Hauptschlüssel

passeport [paspɔr] *m* (Reise-)Pass

passer [pɑse] *frontière* überschreiten; *vacances* verbringen; *examen* machen; *soupe* passieren; *donner* reichen; *v/i temps* vergehen; *film* laufen; *café* durchlaufen; ***se*** ~ sich ereignen; ~ ***devant q, qc*** an j-m, et vorbeigehen (*od* -fahren); ~ ***chez q*** bei j-m hereinschauen; ~ ***par Lyon*** über Lyon fahren; ***laisser*** ~ durchlassen; ***se*** ~ ***de*** auskommen ohne; ***qu'est-ce qui se passe?*** was ist los?

passerelle [pɑsrɛl] *f* Steg *m*, Fußgängerbrücke; *Mar, Flgw* Gangway [gɛŋve]

passe-temps [pɑstɑ̃] *m* Zeitvertreib

passif [pasif] **1.** passiv; **2.** *m Gr* Passiv *n*

passion [pasjõ] *f* Leidenschaft

passionn|ant [pasjɔnɑ̃] aufregend, spannend; **~er** [~e] begeistern

passoire [paswar] *f* Sieb *n*

pastèque [pastɛk] *f* Wassermelone

pasteur [pastœr] *m* (evangelischer) Pfarrer

pastis [pastis] *m Aperitif mit Anis*

patau|geoire [patoʒwar] *f* Planschbecken *n*; **~ger** [~ʒe] planschen

pâte [pɑt] *f* Teig *m*; **~s** *pl* Teigwaren; ~ ***feuilletée*** Blätterteig *m*; ~ ***d'amande*** Marzipan *n*; ~ ***dentifrice*** Zahnpasta

pâté [pɑte] *m* Pastete *f*; ~ ***de foie*** Leberpastete *f*; ~ ***de***

campagne *Pastete aus verschiedenen Fleischsorten*
paternel [patɛrnɛl] Vater..., väterlich
patience [pasjɑ̃s] *f* Geduld
patient [pasjɑ̃] **1.** geduldig; **2.** **~(e)** [~(t)] *m(f)* Patient(in)
patienter [pasjɑ̃te] sich gedulden
patin [patɛ̃] *m* **~** ***(à glace)*** Schlittschuh; **~** ***à roulettes*** Rollschuh; **~** ***en ligne*** Inline-Skate *n*; ***faire du*** **~** Schlittschuh laufen
patinage [patinaʒ] *m* Schlittschuhlaufen *n*; **~** ***artistique*** Eiskunstlauf
patiner [patine] Schlittschuh laufen; *roues* durchdrehen; *embrayage* rutschen
patinette [patinɛt] *f* Roller *m*
patin|eur [patinœr] *m*, **~euse** [~øz] *f* Schlittschuhläufer(in) *m(f)*
pâtisserie [pɑtisri] *f* feines Gebäck *n*, Kuchen *m*; *magasin* Konditorei
patois [patwa] *m* Mundart *f*
patrie [patri] *f* Vaterland *n*, Heimat
patron(ne) [patrɔ̃ (-ɔn)] *m(f)* Chef(in); *d'un café* Besitzer(in), Wirt(in)
patrouille [patruj] *f Mil* Patrouille; *police* Streife
patte [pat] *f* Pfote; *fauve* Tatze; *oiseau, insecte* Bein *n*
pâturage [pɑtyraʒ] *m* (Vieh-)Weide *f*
paume [pom] *f* Handfläche
paupière [popjɛr] *f* Augenlid *n*
paupiette [popjɛt] *f* Roulade
pauvre [povr(ə)] **1.** arm; **2.** *m*, *f* Arme(r) *su*
pauvreté [povrəte] *f* Armut
pavé [pave] *m* Pflasterstein
payant [pɛjɑ̃] *personne* zahlend; *parking* gebührenpflichtig; *fig* ***être*** **~** sich lohnen
paye [pɛj] *f* (Arbeits-)Lohn *m*
payer [pɛje] (be)zahlen (***qc dix francs*** für et zehn Franc); **~** ***séparément*** (***tout ensemble***) getrennt (zusammen) zahlen; ***se*** **~** ***qc*** sich et leisten
pays [pei] *m* Land *n*
paysage [peizaʒ] *m* Landschaft *f*
pays|an [peizɑ̃] *m* Bauer; **~anne** [~an] *f* Bäuerin
Pays-Bas [peibɑ] *m/pl* ***les*** **~** die Niederlande *n/pl*
P.-D.G. [pedeʒe] *m* (*président-directeur général*) Generaldirektor
péage [peaʒ] *m Kfz* Autobahngebühr *f*; *lieu* Zahlstelle *f*; ***à*** **~** gebührenpflichtig
peau [po] *f* Haut; *fourrure* Fell *n*; *cuir* Leder *n*; *de fruits* Schale
pêche¹ [pɛʃ] *f Bot* Pfirsich *m*; **~** ***Melba*** Pfirsich Melba
pêche² [pɛʃ] *f* Fischerei, Fischfang *m*; *action* Fischen *n*; *à la ligne* Angeln *n*; ***aller à la*** **~** angeln gehen

péché [peʃe] *m* Sünde *f*
pêcher¹ [pɛʃe] fischen; ~ ***à la ligne*** angeln
pêcher² [pɛʃe] *m* Pfirsichbaum
pêcheur [pɛʃœr] *m* Fischer; ~ (***à la ligne***) Angler
pédal|e [pedal] *f* (Kupplungs-, Brems-)Pedal *n*; **~er** [~e] (in die Pedale) treten
pédalo [pedalo] *m* Tretboot *n*
pédé [pede] *m* F Schwule(r)
pédiatre [pedjatr(ə)] *m*, *f* Kinderarzt *m*, -ärztin *f*
pédicure [pedikyr] *m*, *f* Fußpfleger(in) *m(f)*
peign|e [pɛɲ] *m* Kamm; **~er** [~e] kämmen
peignoir [pɛɲwar] *m de bain* Bademantel; *robe de chambre* Morgenrock
peindre [pɛ̃dr(ə)] malen; *mur* (an)streichen; *fig* schildern
peine [pɛn] *f chagrin* Kummer *m*; *effort* Mühe; *jur* Strafe; ***ce n'est pas la*** ~ das ist nicht nötig; ***à*** ~ kaum
peintre [pɛ̃tr(ə)] *m* Maler; ~ (***en bâtiment***) Anstreicher
peinture [pɛ̃tyr] *f couche* Anstrich *m*; *d'une voiture* Lack *m*; *action* (An-)Streichen *n*; *matière* Farbe; *art* Malerei; *tableau* Gemälde *n*
pêle-mêle [pɛlmɛl] bunt durcheinander
peler [pəle] (ab)schälen; *nez* sich schälen
pèlerinage [pɛlrinaʒ] *m* Pilger-, Wallfahrt *f*
pelle [pɛl] *f* Schaufel
pellicule [pɛlikyl] *f* Film *m*; **~s** *pl* (Kopf-)Schuppen *f/pl*
pelote [p(ə)lɔt] *f* Knäuel *n od m*; *Sp* ~ ***basque*** Pelota
peloton [p(ə)lɔtõ] *m Sp* (Haupt-)Feld *n*
pelouse [p(ə)luz] *f* Rasen *m*
peluche [p(ə)lyʃ] *f* Plüsch *m*
pelure [p(ə)lyr] *f* Schale
pénal [penal] *jur* Straf...
penalty [penalti] *m* Elfmeter, Strafstoß
penchant [pɑ̃ʃɑ̃] *m* Hang, Neigung *f* (***à*** *od* ***pour*** zu)
pencher [pɑ̃ʃe] neigen; *bateau* sich (zur Seite) neigen; *tableau* schief hängen; ***se*** ~ ***en avant*** sich nach vorn beugen; ***se*** ~ ***par la fenêtre*** sich zum Fenster hinauslehnen
pendant [pɑ̃dɑ̃] während (*G*); ~ ***que*** während
penderie [pɑ̃dri] *f* (eingebauter) Kleiderschrank *m*; *pièce* Kleiderkammer
pendre [pɑ̃dr(ə)] aufhängen; *v/i* hängen; ***se*** ~ sich erhängen; ***se*** ~ ***à qc*** sich an et (*A*) hängen
pendule [pɑ̃dyl] *f* Pendel-, Wand-, Küchenuhr
pénétrer [penetre] ~ ***dans*** eindringen in (*A*)
pénible [penibl(ə)] *travail* mühsam; *circonstances* traurig; F *personne* schwierig
péniche [peniʃ] *f* Lastkahn *m*
pénicilline [penisilin] *f* Penizillin *n*

péninsule [penɛ̃syl] *f* Halbinsel
pénis [penis] *m* Penis
pensée [pɑ̃se] *f* Denken *n*; *idée* Gedanke *m*; *Bot* Stiefmütterchen *n*
penser [pɑ̃se] denken; **~ à** denken an (*A*); **~ de** halten von; ***je pense que ...*** ich glaube, dass ...; ***je pense partir demain*** ich habe vor, morgen abzureisen
pensif [pɑ̃sif] nachdenklich
pension [pɑ̃sjɔ̃] *f hôtel* Pension; *allocation* Rente; *internat* Internat *n*; **~ *de famille*** kleine Pension; **~ *complète*** Vollpension
pente [pɑ̃t] *f* (Ab-)Hang *m*; *d'une route* Gefälle *n*; **en ~** abfallend
Pentecôte [pɑ̃tkot] *f* Pfingsten *n*
pépé [pepe] *m* Opa
pépin [pepɛ̃] *m* Kern
pépinière [pepinjɛr] *f* Baumschule
percer [pɛrse] *trou, tunnel* bohren; *planche, mur* durchbohren; *dents* durchkommen; *réussir* den Durchbruch schaffen
percevoir [pɛrsəvwar] wahrnehmen; *somme, impôts* einnehmen
perche [pɛrʃ] *f* Stange; *Sp* Stab *m*; ***saut** m **à la** ~* Stabhochsprung
perdre [pɛrdr(ə)] verlieren; *occasion* versäumen; *temps* vergeuden; **se ~** verloren gehen; *personne* sich verlaufen; *en voiture* sich verfahren
perdrix [pɛrdri] *f* Rebhuhn *n*
perdu [pɛrdy] verloren
père [pɛr] *m* Vater; *Rel* Pater
perfectionner [pɛrfɛksjɔne] vervollkommnen; *connaissances* verbessern; **se ~** sich verbessern
péril [peril] *m* Gefahr *f*
périlleux [perijø] gefährlich
périmé [perime] *passeport* abgelaufen; *dépassé* überholt
périmètre [perimɛtr(ə)] *m* Umfang
période [perjɔd] *f* Periode; **~ *des vacances*** Ferienzeit
périodique [perjɔdik] *m* Zeitschrift *f*; **~ment** [~mɑ̃] immer wieder
périphérique [periferik] **1.** Stadt-)Rand...; *Inform* peripher; **2.** *m Inform* Peripheriegerät *n*; *à Paris* **le ~** die Ringautobahn
périr [perir] umkommen
périssable [perisabl(ə)] verderblich
perle [pɛrl] *f* Perle
permanence [pɛrmanɑ̃s] *f service* Bereitschaftsdienst *m*; **en ~** ständig
perman|ent [pɛrmanɑ̃] ständig; **~ente** [~ɑ̃t] *f* Dauerwelle
permettre [pɛrmɛtr(ə)] (**se ~** sich) erlauben
permis [pɛrmi] *m* Erlaubnis(schein) *f(m)*; **~ (de con-**

duire) Führerschein; **~ *de séjour*** Aufenthaltserlaubnis *f*, Aufenthaltsgenehmigung *f*
permission [pɛrmisjõ] *f* Erlaubnis; *Mil* Urlaub *m*; ***avoir la* ~ *de*** (+ *inf*) dürfen
perpétuel(lement) [pɛrpetɥɛl(mɑ̃)] dauernd, ständig
perpétuité [pɛrpetɥite] *f* ***à*** **~** lebenslänglich
perplexe [pɛrplɛks] ratlos
perquisition [pɛrkizisjõ] *f* Haussuchung
perroquet [pɛrɔkɛ] *m* Papagei
perruche [pɛryʃ] *f* Wellensittich *m*
perruque [pɛryk] *f* Perücke
persévér|ance [pɛrseverɑ̃s] *f* Ausdauer; **~ant** [~ɑ̃] ausdauernd; **~er** [~e] nicht aufgeben
persienne [pɛrsjɛn] *f* Fensterladen *m*
persil [pɛrsi] *m* Petersilie *f*
persister [pɛrsiste] anhalten, andauern; **~ *dans*** bleiben bei, beharren auf (*D*)
personn|age [pɛrsɔnaʒ] *m* Person *f* (*a théâtre*); **~alité** [~alite] *f* Persönlichkeit
personne [pɛrsɔn] **1. *ne ...* ~** niemand; **2.** *f* Person
personnel [pɛrsɔnɛl] **1.** persönlich; **2.** *m* Personal *n*
persuader [pɛrsɥade] überzeugen (***de qc*** von et), überreden (***de faire qc*** et zu tun)
perte [pɛrt] *f* Verlust *m*
perturbation [pɛrtyrbasjõ] *f* Störung (*a radio, TV*)
pesant [pəzɑ̃] schwer; *démarche* schwer(fällig); *silence* erdrückend
pesanteur [pəzɑ̃tœr] *f* Schwerkraft
peser [pəze] wiegen (*a v/i*); *fig* abwägen
peste [pɛst] *f* Pest
pétarader [petarade] knattern
pétard [petar] *m* Knallkörper
pétanque [petɑ̃k] *f* Boule(spiel) *n*
pétiller [petije] *eau minérale* sprudeln; *champagne* prickeln; *yeux* funkeln, blitzen
petit [p(ə)ti] klein
petit-beurre [p(ə)tibœr] *m* Butterkeks
petite-fille [p(ə)titfij] *f* Enkelin
petit-fils [p(ə)tifis] *m* Enkel
petit-suisse [p(ə)tisɥis] *m* *kleiner, runder Doppelrahmfrischkäse*
pétrir [petrir] kneten
pétrole [petrɔl] *m* Erdöl *n*
pétrolier [petrɔlje] *m* Tanker
peu [pø] wenig; **~ *à* ~** nach und nach; ***à* ~ *près*** beinahe, fast
peupl|e [pœpl(ə)] *m* Volk *n*; **~er** [~e] bevölkern
peuplier [pœplije] *m* Pappel *f*
peur [pœr] *f* Angst; **~eux** [~ø] ängstlich
peut [pø] *prés von* ***pouvoir***
peut-être [pøtɛtr(ə)] vielleicht
phare [far] *m* Leuchtturm; *Kfz* Scheinwerfer

pharmacie [farmasi] *f* Apotheke; ~ ***de garde*** dienstbereite Apotheke; (***armoire*** *f* ***à***) ~ Hausapotheke
pharmacien(ne) [farmasjɛ̃ (-ɛn)] *m(f)* Apotheker(in)
phoque [fɔk] *m* Seehund
photo [fɔto] *f* Foto *n*; ~ ***d'identité*** Passbild *n*; ~ **(*en*)** ***couleur*** Farbfoto *n*; ***prendre q en*** ~ ein Foto von j-m machen
photocop|ie [fɔtɔkɔpi] *f* Fotokopie; **~ier** [~je] fotokopieren; **~ieuse** [~jøz] *f* (Foto-)Kopiergerät *n*
photograph|e [fɔtɔgraf] *m, f* Fotograf(in) *m(f)*; **~ie** [~i] *f* Fotografie; **~ier** [~je] fotografieren
phrase [frɑz] *f* Satz *m*
physique [fizik] **1.** körperlich, physisch; *lois* physikalisch; **2.** *m* Äußere(s) *n*; **3.** *f* Physik
piano [pjano] *m* Klavier *n*; ~ ***à queue*** Flügel
pic [pik] *m* Bergspitze *f*; *outil* Spitzhacke *f*; *Zo* Specht; ***à*** ~ senkrecht; F *arriver*, *tomber* wie gerufen
pichet [piʃɛ] *m* Krug
pickpocket [pikpɔkɛt] *m* Taschendieb
picoter [pikɔte] kribbeln; *yeux* brennen
pie [pi] *f* Elster
pièce [pjɛs] *f* Stück *n*; *élément* Teil *m*; *d'habitation* Zimmer *n*; ~ ***de monnaie*** Geldstück *n*, Münze; ~ ***de rechange*** Ersatzteil *n*; ~ ***d'identité*** Ausweis *m*; ***deux ~s*** zweiteilig
pied [pje] *m* Fuß; ***à*** ~ zu Fuß
piédestal [pjedɛstal] *m* Sockel
piège [pjɛʒ] *m* Falle *f*
pierre [pjɛr] *f* Stein *m*; ~ ***précieuse*** Edelstein *m*
piéton(ne) [pjetõ (-ɔn)] *m(f)* Fußgänger(in)
pieu [pjø] *m* Pfahl
pieux [pjø] fromm
pigeon [piʒõ] *m* Taube *f*
pile [pil] *f tas* Stapel *m*; *El* Batterie; ~ ***ou face?*** Kopf oder Zahl?
pilier [pilje] *m* Pfeiler
piller [pije] plündern
pilot|e [pilɔt] *m* Pilot; *de course* (Renn-)Fahrer; *Mar* Lotse; **~er** [~e] *avion* fliegen; *voiture* fahren; *Mar* lotsen; *fig q* führen
pilule [pilyl] *f* Pille
piment [pimɑ̃] *m* Paprika
pimenté [pimɑ̃te] sehr scharf
pin [pɛ̃] *m Bot* Kiefer *f*; ~ ***parasol*** Pinie *f*
pince [pɛ̃s] *f* Zange; *de homard* Schere; ~ ***à linge*** Wäscheklammer; ~ ***à épiler*** Pinzette
pinceau [pɛ̃so] *m* Pinsel
pincer [pɛ̃se] kneifen; ***se*** ~ ***le doigt*** sich den Finger (ein)klemmen (***dans*** in *D*)
pioche [pjɔʃ] *f* Hacke
pion [pjõ] *m échecs* Bauer; *dames* Stein

pipe [pip] *f* Pfeife
piquant [pikɑ̃] *Kochk* pikant; *moutarde* sehr scharf
pique [pik] *m cartes* Pik *n*
pique|-nique [piknik] *m* Picknick *n*; **~-niquer** [-nike] picknicken, Picknick machen
piquer [pike] stechen (*a insecte*); *fumée, moutarde* beißen; *Med* e-e Spritze geben (**q** j-m)
piquet [pikɛ] *m* Pflock; **~ de tente** Hering
piqûre [pikyr] *f* Stich *m*; *Med* Spritze; **~ de moustique** Mückenstich *m*
pire [pir] schlimmer; **le, la ~** der, die, das schlimmste
piscine [pisin] *f* Schwimmbad *n*; **~ couverte** Hallenbad *n*
pissaladière [pisaladjɛr] *f* Anchovisfladen *m* (*provenzalische Pizza*)
pissenlit [pisɑ̃li] *m* Löwenzahn
pistache [pistaʃ] *f* Pistazie
piste [pist] *f trace* Spur (*a fig*); *de danse* Tanzfläche; *Sp* (Renn-)Bahn; *Flgw* Rollbahn; *de ski* Piste; **~ de fond** Loipe; **~ cyclable** Rad(fahr)weg *m*
pistolet [pistɔlɛ] *m* Pistole *f*
piston [pistõ] *m* Kolben
pitié [pitje] *f* Mitleid *n*
pitoyable [pitwajabl(ə)] mitleiderregend; *péj* erbärmlich
pittoresque [pitɔrɛsk] malerisch
pizza [pidza] *f* Pizza
placard [plakar] *m* Wandschrank
place [plas] *f* Platz *m*; *emploi* Stelle; **à la ~ de** anstelle von; **à ta ~** an deiner Stelle; **sur ~** an Ort und Stelle
placement [plɑsmɑ̃] *m* (Geld-) Anlage *f*
placer [plase] (hin)stellen, (hin)legen; *argent* anlegen; **~ q** *à table* j-n setzen; **se ~** sich setzen
plafond [plafõ] *m* (Zimmer-) Decke *f*
plage [plaʒ] *f* Strand *m*; **~ de sable** Sandstrand *m*; **aller à la ~** an den Strand gehen
plaie [plɛ] *f* Wunde
plaindre [plɛ̃dr(ə)] bedauern; **se ~** sich beklagen (**de** über *A*); *de douleurs* klagen (über *A*); **se ~ à q** sich bei j-m beschweren (**de** über *A*)
plaine [plɛn] *f* Ebene
plainte [plɛ̃t] *f* Klage; **porter ~** Anzeige erstatten (**contre** gegen)
plaire [plɛr] gefallen; **s'il te** *od* **vous plaît** bitte; **se ~ à Paris** gern in Paris sein
plaisant|er [plɛzɑ̃te] scherzen, Spaß machen; **~erie** [~ri] *f* Scherz *m*, Spaß *m*
plaisir [plɛzir] *m* Vergnügen *n*, Freude *f*; **avec ~** mit Vergnügen; **pour le ~** zum Vergnügen
plan [plɑ̃] **1.** eben; **2.** *m surface* Fläche *f*; *projet* Plan; *d'une rédaction* Gliederung *f*; **~ de la ville** Stadtplan

planche [plaʃ] *f* Brett *n*; **~ *à voile*** Surfbrett *n*; *Sp* Windsurfen *n*; **~ *à roulettes*** Skateboard *n*; ***faire de la ~ à voile*** (wind)surfen
plancher [plɑ̃ʃe] *m* Fußboden
planer [plane] schweben
planète [planɛt] *m* Planet
planeur [planœr] *m* Segelflugzeug *n*
plantation [plɑ̃tasjõ] *f* Plantage
plante *f* Pflanze; **~*s*** *pl* ***médicinales*** Heilpflanzen; **~ *du pied*** Fußsohle
planter [plɑ̃te] (an-, ein-)pflanzen; *piquet* einschlagen; *tente* aufstellen
plaque [plak] *f* Platte; *chocolat* Tafel; *sur la peau* Fleck *m*; **~ *électrique*** Kochplatte; **~ *minéralogique, d'immatriculation*** Nummernschild *n*; **~ *d'identité du chien*** Hundemarke; **~ *dentaire*** Zahnbelag *m*
plastique [plastik] *f* Plastik
plat¹ [pla] flach; ***à ~*** *batterie* leer; *pneu* platt
plat² [pla] *m* *vaisselle* Platte *f*; *creux* Schüssel *f*; *Kochk* Gericht *n*; **~ *du jour*** Tagesgericht *n*; **~ *cuisiné*** Fertiggericht *n*
platane [platan] *f* Platane
plateau [plato] *m* Tablett *n*; *Geogr* Hochebene *f*; *Kochk* **~ *de fromages*** Käseplatte *f*
plâtr|e [plɑtr(ə)] *m* Gips; *Med* Gipsverband; **~*er*** [~e] (ver-)gipsen; *Med* eingipsen
plein [plɛ̃] voll; **~ *de*** (+ *nom*) voll(er); **~*e lune*** *f* Vollmond *m*; ***en ~ été*** im Hochsommer; ***en ~ air*** im Freien; ***en ~e nuit*** mitten in der Nacht; ***en ~ soleil*** in der prallen Sonne; ***à ~ temps*** ganztags; ***faire le ~*** voll tanken
pleurer [plœre] weinen (***de*** vor)
pleurésie [plœrezi] *f* Rippenfellentzündung
pleuvoir [plœvwar] regnen; ***il pleut*** es regnet
pli [pli] *m* Falte *f*; *du pantalon* Bügelfalte *f*; *lettre* Brief; *cartes* Stich
pliant [plijɑ̃] zusammenklappbar; ***siège*** *m* **~** Klappstuhl; ***canot*** *m* **~** Faltboot *n*
plie [pli] *f* *Zo* Scholle
plier [plije] (zusammen)falten, (-)legen; *chaise* zusammenklappen; *genoux* beugen; *se courber* sich biegen
plomb [plõ] *m* Blei *n*; ***sans ~*** bleifrei
plombage [plõbaʒ] *m* Plombe *f*, Füllung *f*
plombier [plõbje] *m* Klempner
plongée [plõʒe] *f* Tauchen *n*; **~ *sous marine*** Tauchsport *m*
plongeoir [plõʒwar] *m* Sprungbrett *n*
plongeon [plõʒõ] *m* Kopfsprung

plonger [plõʒe] tauchen; *qc* (ein)tauchen (***dans*** in *A*); *faire un plongeon* springen; ***se ~ dans*** *fig* sich vertiefen, versenken in (*A*)

plong|eur [plõʒœr] *m*, **~euse** [~øz] *f* Taucher(in) *m(f)*; *natation* Springer(in) *m(f)*

pluie [plɥi] *f* Regen *m*

plume [plym] *f* Feder

plupart [plypar] ***la ~ des ...*** die meisten ...; ***la ~ du temps*** meistens

pluriel [plyrjɛl] *m* Plural, Mehrzahl *f*

plu [ply] *p/p von* ***pleuvoir*** *und von* ***plaire***

plus¹ [ply, *alleinstehend* plys] mehr (***que, de*** als); ***le ~*** am meisten; ***~ grand*** größer (***que*** als); ***le ~ grand*** der größte; ***ne ... ~*** nicht mehr; ***ne ... ~ de*** kein(e) ... mehr; ***ne ... ~ que*** nur noch; ***non ~*** auch nicht; ***de ~*** mehr; *en outre* außerdem; ***en ~*** noch dazu; (***tout***) ***au ~*** höchstens; ***d'autant ~*** um so mehr; ***de ~ en ~*** immer mehr

plus² [plys] **1.** *Math* plus; **2.** *m signe, avantage* Plus *n*

plusieurs [plyzjœr] mehrere

plutôt [plyto] eher; *mieux* lieber; *assez* ziemlich

pluvieux [plyvjø] regnerisch

pneu [pnø] *m* Reifen

pneumonie [pnømɔni] *f* Lungenentzündung

poche [pɔʃ] *f* Tasche; ***livre*** *m* ***de ~*** Taschenbuch *n*

poêle¹ [pwal] *m* Ofen

poêle² [pwal] *f* (Brat-)Pfanne

poème [pɔɛm] *m* Gedicht *n*

poésie [pɔezi] *f* Poesie (*a fig*); *poème* Gedicht *n*

poète [pɔɛt] *m* Dichter

poids [pwa] *m* Gewicht *n*; *fig* Last *f*; ***~ lourd*** Lkw, Lastwagen, F Laster; ***prendre du ~*** zunehmen

poignard [pwaɲar] *m* Dolch

poignée [pwaɲe] *f quantité* Hand voll; *d'une fenêtre, d'une valise* Griff *m*; ***~*** (***de porte***) Türgriff *m*, Klinke; ***~ de main*** Händedruck *m*

poignet [pwaɲɛ] *m* Handgelenk *n*

poil [pwal] *m* (Tier-, Körper-)Haar *n*; ***à ~*** (splitter-) nackt

poilu [pwaly] behaart

poing [pwɛ̃] *m* Faust *f*

point [pwɛ̃] *m* Punkt; *endroit* Stelle *f*; *couture* Stich; ***deux ~s*** *pl* Doppelpunkt *m*; ***~ d'exclamation*** Ausrufezeichen *n*; ***~ d'interrogation*** Fragezeichen *n*; ***~ de départ*** Ausgangspunkt; ***~ de vue*** Stand-, Gesichtspunkt; *Med* ***~ de côté*** Seitenstechen *n*; ***à ~*** *steak* medium; ***être sur le ~ de*** (+ *inf*) gerade im Begriff sein zu

pointe [pwɛ̃t] *f* Spitze; ***de ~*** Spitzen...

pointu [pwɛ̃ty] spitz

pointure [pwɛ̃tyr] *f* (Schuh-) Größe

poire [pwar] *f* Birne
poireau [pwaro] *m* Porree
poirier [pwarje] *m* Birnbaum
pois [pwa] *m* Erbse *f*; ***petits*** ~ *pl* grüne Erbsen
poison [pwazõ] *m* Gift *n*
poisson [pwasõ] *m* Fisch
poissonnerie [pwasɔnri] *f* Fischhandlung
poitrine [pwatrin] *f* Brust
poivre [pwavr(ə)] *m* Pfeffer
poivr|é [pwavre] gepfeffert; **~er** [~e] pfeffern
poivr|ier [pwavrije] *m*, **~ière** [~ijɛr] *f* Pfefferstreuer *m*
poivron [pwavrõ] *m* Paprika(schote) *m(f)*
polaire [pɔlɛr] Polar...
pôle [pol] *m* Pol; ~ ***Nord*** Nordpol; ~ ***Sud*** Südpol
poli [pɔli] höflich; *métal, pierre* glatt, poliert
police[1] [pɔlis] *f* Polizei; ~ ***judiciaire*** Kriminalpolizei; ~ ***de la route*** Verkehrspolizei; ~ ***secours*** Überfallkommando *n*
police[2] [pɔlis] *f* ~ ***(d'assurance)*** (Versicherungs-)Police
policier [pɔlisje] **1.** *enquête* polizeilich; *chien* Polizei...; *film, roman* Kriminal...; **2.** *m* Polizist
politesse [pɔlitɛs] *f* Höflichkeit
politique [pɔlitik] **1.** politisch; **2.** *f* Politik; **3.** *m* Politiker
poll|uant [pɔlɥɑ̃] umweltschädlich; **~uer** [~ɥe] verschmutzen; **~ution** [~ysjõ] *f* (Luft-, Umwelt-)Verschmutzung
Pologne [pɔlɔɲ] ***la*** ~ Polen *n*
polonais [pɔlɔnɛ] **1.** polnisch; **2.** ♀ *m* Pole
polycopier [pɔlikɔpje] vervielfältigen
pommade [pɔmad] *f* Salbe
pomme [pɔm] *f* Apfel *m*; ~ ***de pin*** Tannenzapfen *m*; ~ ***de terre*** Kartoffel; **~s** *pl* ***de terre sautées*** Bratkartoffeln; **~s** *pl* ***de terre à l'eau*** Salzkartoffeln; ~ *pl* ***de terre en robe des champs*** Pellkartoffeln; **~s** *pl* ***mousseline*** *sahnig geschlagenes Kartoffelpüree*
pommier [pɔmje] *m* Apfelbaum
pompe [põp] *f* Pumpe; ~ ***à vélo*** Luftpumpe; ~ ***à essence*** Zapfsäule; **~s** *pl* ***funèbres*** Beerdigungsinstitut *n*
pomper [põpe] ab-, hochpumpen
pompier [põpje] *m* Feuerwehrmann; **~s** *pl* Feuerwehr *f*
pompiste [põpist] *m* Tankwart
ponctuel [põktɥɛl] pünktlich
pondre [põdr(ə)] *œufs* legen
poney [pɔnɛ] *m* Pony *n*
pont [põ] *m* Brücke *f*; *Mar* Deck *n*; *Kfz* ~ ***arrière*** Hinterachse *f*
populaire [pɔpylɛr] Volks...; *aimé* populär, beliebt

population [pɔpylasjõ] *f* Bevölkerung
porc [pɔr] *m* Schwein *n*
porcelaine [pɔrsəlɛn] *f* Porzellan *n*
port¹ [pɔr] *m* Hafen; *ville* Hafenstadt *f*; **~ *de pêche*** Fischereihafen *m*; **~ *de plaisance*** Jacht-, Segelhafen *m*
port² [pɔr] *m lettre* Porto *n*; ***en* ~ *dû*** unfrankiert; ***en* ~ *payé*** frankiert
portable [pɔrtabl(ə)] **1.** tragbar; **2.** *m Inform* Laptop [lɛp-]; *Tel* Handy *n*
portant [pɔrtɑ̃] ***bien* ~** gesund
portatif [pɔrtatif] tragbar
porte [pɔrt] *f* Tür; *ville* Tor *n*; **~ (*d'embarquement*)** Flugsteig *m*
porte|-avions [pɔrtavjõ] *m* Flugzeugträger; **~-bagages** [~bagaʒ] *m* Gepäckträger; **~-bébé** [~bebe] *m* Babytragetasche *f*, -sack; **~-bonheur** [~bɔnœr] *m* Glücksbringer; **~-clés** [~kle] *m* Schlüsselring, -tasche *f*; **~-documents** [~dɔkymɑ̃] *m* (Kolleg-)Mappe *f*
portée [pɔrte] *f* ***à* ~ *de la main*** in Reichweite; *fig* ***à la* ~ *de q*** für j-n verständlich
porte-fenêtre [pɔrtfənɛtr(ə)] *f* Verandatür
porte|feuille [pɔrtfœj] *m* Brieftasche *f*; **~manteau** [~mɑ̃to] *m* Garderobe(nständer) *f*(*m*), Kleiderhaken
porte|monnaie [pɔrtmɔnɛ] *m* Geldbeutel, Portemonnaie *n*; **~-parole** [~parɔl] *m* Sprecher
porter [pɔrte] tragen; *apporter* (hin)bringen, (hin)schaffen; **~ *sur*** betreffen; ***il se porte bien*** (***mal***) es geht ihm gut (schlecht); **~ *bonheur*** Glück bringen
porte|-serviettes [pɔrtsɛrvjɛt] *m* Handtuchhalter; **~-skis** [~ski] *m* Skiträger
porteur [pɔrtœr] *m à la gare* Gepäckträger; *d'un chèque* Überbringer
portier [pɔrtje] *m* Pförtner
portière [pɔrtjɛr] *f* (Wagen-)Tür
portion [pɔrsjõ] *f Kochk* Portion, Stück *n*; *partie* Teil *m*
porto [pɔrto] *m* Portwein
portrait [pɔrtrɛ] *m* Porträt *n*
portugais [pɔrtygɛ] **1.** portugiesisch; **2.** ♀ *m* Portugiese
Portugal [pɔrtygal] ***le* ~** Portugal *n*
pose [poz] *f de carrelage* Verlegung; *Fot* Belichtung
poser [poze] *à plat* (hin)legen; *debout* (hin)stellen; *carrelage, moquette* (ver)legen; *question* stellen; **se ~** *oiseau* sich setzen (***sur*** auf *A*); *avion* aufsetzen
positif [pozitif] positiv
position [pozisjõ] *f du corps* Stellung; *emplacement, situation* Lage; *place* Stelle
posologie [pozɔlɔʒi] *f* Dosierung

posséder [pɔsede] besitzen
possess|eur [pɔsɛsœr] *m* Besitzer; **~ion** [~jõ] *f* Besitz *m*
possibilité [pɔsibilite] *f* Möglichkeit
possible [pɔsibl(ə)] möglich; ***autant que*** **~** so viel wie möglich; ***le plus vite*** **~** so schnell wie möglich; ***faire*** (***tout***) ***son*** **~** (***pour*** + *inf*) sein Möglichstes tun (um zu)
postal [pɔstal] Post...
poste¹ [pɔst] *f* Post; **~ *restante*** postlagernd
poste² [pɔst] *m* Posten (*a Mil u Hdl*); *emploi a* Stelle *f*; *radio, TV* Apparat (*a Tel*), Gerät *n*; **~ *de police*** Polizeiwache *f*
postérieur [pɔsterjœr] **1.** *de derrière* hintere(r, -s), Hinter...; *d'après* spätere(r, -s); **~ à** später als; **2.** *m* F Hintern
pot [po] *m* (Blumen-, Farb-) Topf; *Kfz* **~ *d'échappement*** Auspuff(topf); **~ *catalytique*** Kat(alysator)
potable [pɔtabl(ə)] trinkbar
potage [pɔtaʒ] *m* Suppe *f*
pot-au-feu [pɔtofø] *m Eintopf aus Suppenfleisch und Gemüse*
pot-de-vin [podvɛ̃] *m* Schmiergeld *n*
poteau [pɔto] *m* Pfosten (*a Sp*); **~ *indicateur*** Wegweiser
potée [pɔte] *f Eintopf aus gekochtem Fleisch und Gemüse*
poterie [pɔtri] *f* Töpferei; **~s** *pl* Töpferwaren *f/pl*
potiron [pɔtirõ] *m* Riesenkürbis
pou [pu] *m* Laus *f*
poubelle [pubɛl] *f* Mülleimer *m*; *d'un immeuble* Mülltonne
pouce [pus] *m* Daumen
poudre [pudr(ə)] *f* Pulver *n*; *maquillage* Puder *m*; ***café*** *m* ***en*** **~** Pulverkaffee
poudreuse [pudrøz] *f* Pulverschnee *m*
poulailler [pulaje] *m* Hühnerstall; *théâtre* Galerie *f*
poulain [pulɛ̃] *m* Fohlen *n*
poularde [pulard] *f* Poularde
poul|e [pul] *f* Huhn *n*, Henne; **~et** [~ɛ] *m* Hähnchen *n*
pouls [pu] *m* Puls; ***prendre le*** **~** den Puls messen
poumon [pumõ] *m* Lunge *f*
poupe [pup] *f Mar* Heck *n*
poupée [pupe] *f* Puppe
pour [pur] für; *contre* gegen; *à destination de* nach; *en raison de* wegen (*G*); **~** (+ *inf*) um zu; **~ *que*** damit; ***cinq*** **~ *cent*** fünf Prozent
pourboire [purbwar] *m* Trinkgeld *n*
pourcentage [pursɑ̃taʒ] *m* Prozentsatz
pourquoi [purkwa] warum, weshalb, wieso; ***c'est*** **~** darum, deshalb
pourrai [pure] *fut von* ***pouvoir***
pourr|i [puri] faul, verfault; *été* verregnet; **~ir** [~ir] (ver-) faulen
poursuite [pursɥit] *f* Verfol-

gung; *jur* **~s** *pl* Strafverfolgung *f*
poursuivre [pursɥivr(ə)] verfolgen; *continuer* fortsetzen; *jur* **~ q** (**en justice**) j-n gerichtlich belangen
pourtant [purtɑ̃] dennoch, doch
pourvoir [purvwar] ausstatten, versehen (**de** mit)
pourvu [purvy] **~ que** (+ *subj*) vorausgesetzt dass; *espérons que* hoffentlich, wenn nur
pousser[1] [puse] schieben; *voiture en panne* anschieben; *personne* anstoßen; **~ à** (+ *inf*) drängen zu; **se ~** zur Seite rücken; **ne poussez pas!** bitte nicht drängen; *inscription* **poussez** drücken
pousser[2] [puse] wachsen; *dents* durchbrechen
poussière [pusjɛr] *f* Staub *m*
poussiéreux [pusjerø] staubig
poussin [pusɛ̃] *m* Küken *n*
poutre [putr(ə)] *f* Balken *m*
pouvoir [puvwar] **1.** können; *avoir le droit de* dürfen; **il se peut que** (+ *subj*) es kann sein, dass; **je n'en peux plus** ich halte es nicht mehr aus; **2.** *m* Macht *f*; *capacité* Fähigkeit *f*
praire [prɛr] *f* Venusmuschel
prairie [prɛri] *f* Wiese
pral|ine [pralin] *f* gebrannte Mandel; **~iné** [~ine] *chocolat* mit Nougatfüllung; *glace* mit Krokantsplittern
praticable [pratikabl(ə)] *route* befahrbar
pratique [pratik] **1.** praktisch; **2.** *f* Praxis; *expérience a* (praktische) Erfahrung; *d'un métier* Ausübung; *d'un sport* (Be-)Treiben *n*; **~s** *pl* Praktiken
pratiquement [pratikmɑ̃] praktisch
pratiquer [pratike] ausüben, (be)treiben
pré [pre] *m* Wiese *f*
préavis [preavi] *m* **sans ~** fristlos
précaution [prekosjõ] *f* Vorsicht; **~s** *pl* Vorsichtsmaßnahmen
précédent [presedɑ̃] **1.** vorhergehend, vorig; **2.** *m* Präzedenzfall
précéder [presede] **~ qc** e-r Sache (*D*) vorangehen; **~ q** vor j-m hergehen *od* -fahren
précieux [presjø] wertvoll
précipice [presipis] *m* Abgrund
précipitations [presipitasjõ] *f/pl* Niederschlag *m*
précipiter [presipite] *faire tomber* (hinab)stürzen; *catapulter* schleudern; *départ, décision* überstürzen; **se ~** sich stürzen (**sur** auf *A*)
précis [presi] präzis(e), genau; **à dix heures ~es** Punkt zehn (Uhr)
précis|ément [presizemɑ̃] genau; **~er** [~e] *point* präzisie-

ren; *date*, *endroit* genau angeben; *souligner* klarstellen; ***se ~*** klarer werden
précision [presizjõ] *f* Genauigkeit; ***~s** pl* genauere Angaben (***sur*** über *A*)
précoce [prekɔs] *fruit* Früh-...; *enfant* frühreif
préconçu [prekõsy] vorgefasst
préconiser [prekɔnize] empfehlen
prédécesseur [predesɛsœr] *m* Vorgänger
prédiction [prediksjõ] *f* Voraussage
prédire [predir] voraussagen
préfabriqué [prefabrike] ***maison** f **~e*** Fertighaus *n*
préface [prefas] *f* Vorwort *n*
préfecture [prefɛktyr] *f* Präfektur; ♀ (***de police***) *Polizeipräsidium in Paris*
préférable [preferabl(ə)] besser (***à*** als); ***il est ~ de*** (+ *inf*) es ist besser zu
préféré [prefere] Lieblings...
préférence [preferɑ̃s] *f* Vorzug *m*; ***de ~*** lieber
préférer [prefere] vorziehen (***à*** *D*); ***~ faire qc*** et lieber tun
préjugé [preʒyʒe] *m* Vorurteil *n*
prélever [prel(ə)ve] entnehmen (***sur*** *D od* aus); *sur un compte* abbuchen (von)
prématuré [prematyre] verfrüht; ***enfant** m **~*** Frühgeburt *f*
premier [prəmje] erste(r, -s); ***le ~, la première*** der, die, das erste; ***en ~*** zuerst
première [prəmjɛr] *f* Erstaufführung, Premiere
premièrement [prəmjɛrmɑ̃] erstens
prendre [prɑ̃dr(ə)] nehmen (*a voiture*, *train*); *emmener* mitnehmen; *voler* (weg-, ab-) nehmen; *pêcher* fangen; *arrêter* fassen; *surprendre* ertappen; *repas*, *médicament* einnehmen; *billet* kaufen; *café*, *verre* trinken; *argent à la banque* abheben; *temps* kosten; ***~ froid*** sich erkälten; ***~ du poids*** zunehmen; ***~ son temps*** sich Zeit nehmen; ***~ à droite*** rechts abbiegen; (***se***) ***~ pour*** (sich) halten für; ***s'y ~ bien*** geschickt sein
prénom [prenõ] *m* Vorname
préoccuper [preɔkype] ***~ q*** j-n stark beschäftigen; *santé* j-m Sorge(n) machen
préparatifs [preparatif] *m/pl* Vorbereitungen *f/pl*
prépar|ation [preparasjõ] *f* Vorbereitung; *Kochk* Zubereitung; ***~er*** [~e] vorbereiten; *repas* zubereiten
près [prɛ] nah(e); ***tout ~*** ganz in der Nähe; ***à peu ~*** ungefähr; ***de ~*** aus der Nähe; *fig* genau; ***~ de*** nah(e) bei, in der Nähe von; *presque* fast
presbyte [prɛsbit] weitsichtig
prescription [prɛskripsjõ] *f* *Med* Rezept *n*

prescrire [prɛskrir] vorschreiben; *Med* verschreiben
présence [prezɑ̃s] *f* Anwesenheit
présent [prezɑ̃] **1.** anwesend; *actuel* gegenwärtig; **2.** *m* Gegenwart *f*; *Gr* Präsens *n*; ***à*** ~ jetzt
présenta|teur [prezɑ̃tatœr] *m*, **~trice** [~tris] *f TV des programmes* Ansager(in) *m(f)*; *d'un show* Moderator(in) *m(f)*; *du journal* Nachrichtensprecher(in) *m(f)*
présenter [prezɑ̃te] vorzeigen; *appareil, collection* vorführen; *q à q* vorstellen; *show télévisé* moderieren; ***se*** ~ sich vorstellen; *difficultés* auftauchen
préservatif [prezɛrvatif] *m* Kondom *n*, Präservativ
préserver [prezɛrve] bewahren, schützen (***de*** vor)
président [prezidɑ̃] *m* Vorsitzende(r), Präsident
presque [prɛsk(ə)] fast
presqu'île [prɛskil] *f* Halbinsel
pressant [prɛsɑ̃] dringend
presse [prɛs] *f* Presse
pressé [prɛse] eilig; ***il est*** ~ er hat es eilig
presse-citron [prɛssitrõ] *m* Zitronenpresse *f*
pressentiment [prɛsɑ̃timɑ̃] *m* Vorgefühl *n*, Ahnung *f*
presser [prɛse] *bouton* drücken; *fruits* (aus)pressen; *être urgent* eilen; *temps* drängen; ***se*** ~ sich beeilen
pressing [prɛsiŋ] *m* Reinigung *f*
pression [prɛsjõ] *f* Druck *m*; *bouton* Druckknopf *m*; ***bière*** *f* ~ Fassbier *n*; ~ ***artérielle*** Blutdruck *m*; ~ ***des pneus*** Reifendruck *m*
prestidigitateur [prɛstidiʒitatœr] *m* Zauberkünstler
prestige [prɛstiʒ] *m* Prestige *n*, Ansehen *n*
présumer [prezyme] vermuten
prêt¹ [prɛ] fertig; ~ ***à*** bereit zu
prêt² [prɛ] *m* Darlehen *n*
prétendre [pretɑ̃dr(ə)] behaupten
prétendu [pretɑ̃dy] angeblich, so genannt
prétentieux [pretɑ̃sjø] anmaßend, eingebildet
prêter [prɛte] leihen; ***se*** ~ ***à*** sich eignen zu, für
prétexte [pretɛkst] *m* Vorwand
prêtre [prɛtr(ə)] *m* Priester
preuve [prœv] *f* Beweis *m*; ***faire*** ~ ***de courage*** Mut beweisen
prévenant [prevnɑ̃] zuvorkommend
prévenir [prevnir] *informer* benachrichtigen (***de*** von); *mettre en garde* warnen (***de*** vor *D*); *éviter* vorbeugen (***qc*** *D*)
préventif [prevɑ̃tif] vorbeugend

prévention [prevɑ̃sjõ] *f* Verhütung; *jur* Untersuchungshaft; *préjugé* Vorurteil *n*
prévis|ible [previzibl(ə)] vorhersehbar; **~ion** [~jõ] *f* Vorhersage
prévoir [prevwar] voraus-, vorhersehen; *programmer* vorsehen, planen
prévoyant [prevwajɑ̃] vorausschauend
prier [prijer] beten (***Dieu*** zu Gott); *demander* bitten; ***je vous en prie*** bitte (sehr); *pas de quoi* gern geschehen!, keine Ursache!
prière [priɛr] *f* Gebet *n*; *demande* Bitte
primaire [primɛr] ***école f ~*** Grundschule
prime [prim] *f* Prämie
primé [prime] preisgekrönt
primeurs [primœr] *f/pl* Frühobst *n*, -gemüse *n*
primevère [primvɛr] *f* Primel
primitif [primitif] Ur...; *rudimentaire* primitiv
prince(sse) [prɛ̃s(ɛs)] *m(f)* Prinz(essin); *régnant(e)* Fürst(in)
principal [prɛ̃sipal] **1.** *entrée*, *raison* Haupt...; **2.** *m* Hauptsache *f*; **~ement** [~mɑ̃] hauptsächlich
principe [prɛ̃sip] *m* Prinzip *n*, Grundsatz; ***en ~*** im Prinzip; ***par ~*** aus Prinzip
printemps [prɛ̃tɑ̃] *m* Frühling
priorité [priɔrite] *f* Vorrang *m*; *Kfz* Vorfahrt
pris [pri] *p/p von* ***prendre***
prise [priz] *f Mil* Eroberung; *pêche*, *chasse* Fang *m*; *judo* Griff; *alpinisme* Halt; **~ (de courant)** Steckdose; **~ de sang** Blutentnahme; *alcootest* Blutprobe
prison [prizõ] *f* Gefängnis *n*
prisonn|ier [prizɔnje] *m*, **~ière** [~jɛr] *f* Gefangene(r) *su*
privé [prive] privat; *vie*, *club* Privat...
priver [prive] ***~ q de qc*** j-m et entziehen; ***se ~ de qc*** auf et *A* verzichten
privilège [privilɛʒ] *m* Privileg *m*, Vorrecht *n*
prix [pri] *m* Preis
probable(ment) [prɔbablə (-mɑ̃)] wahrscheinlich
problème [prɔblɛm] *m* Problem *n*
procéd|é [prɔsede] *m* Verfahren *n*; **~er** [~e] verfahren; **~ure** [~yr] *f jur* (Gerichts-) Verfahren *n*
procès [prɔsɛ] *m* Prozess
procès-verbal [prɔsɛvɛrbal] *m* (*pl* ***-aux*** [-o]) gebührenpflichtige Verwarnung *f*; *compte-rendu* Protokoll *n*
prochain [prɔʃɛ̃] nächste(r, -s), kommende(r, -s)
proche [prɔʃ] **1.** nahe; ***~ de*** nah an *od* bei (*D*); **2.** *m/pl* ***ses ~s*** s-e Angehörigen
procuration [prɔkyrasjõ] *f* Vollmacht
procurer [prokyre] (***se ~*** sich) verschaffen

procureur [prɔkyrœr] *m* Staatsanwalt
prodigieux [prɔdiʒjø] außergewöhnlich
producteur [prɔdyktœr] *m* Erzeuger, Produzent (*a Kino, TV*); *fabricant* Hersteller
production [prɔdyksjõ] *f* Produktion
produire [prɔdɥir] produzieren (*a Film*); *acier, énergie* erzeugen; **se ~** sich ereignen
produit [prɔdɥi] *m* Produkt *n*, **~ *solaire*** Sonnenschutzmittel *n*; **~s** *pl* ***surgelés*** Tiefkühlkost *f*
professeur [prɔfɛsœr] *m* Lehrer(in) *m(f)*; *d'université* Professor(in) *m(f)*
profession [prɔfɛsjõ] *f* Beruf *m*
professionnel [prɔfɛsjɔnɛl] **1.** Berufs...; **2.** *m* Fachmann; *Sp* Profi
profil [prɔfil] *m* Profil *n*
profit [prɔfi] *m* Nutzen; *Wi* Profit; ***au ~ de*** zugunsten (*G*)
profiter [prɔfite] **~ *de*** profitieren von, ausnützen (*A*); **~ *à*** von Nutzen sein (*D*)
profiterole [prɔfitrɔl] *f Windbeutel mit Creme- oder Eisfüllung*
profon|d [prɔfõ] tief; **~deur** [~dœr] *f* Tiefe
programme [prɔgram] *m* Programm *n*
progr|ès [prɔgrɛ] *m* Fortschritt; **~esser** [~ɛse] Fortschritte machen; **~essivement** [~ɛsivmɑ̃] stufenweise
proie [prwa] *f* Beute
project|eur [prɔʒɛktœr] *m* Scheinwerfer; **~ile** [~il] *m* Geschoss *n*
projet [prɔʒɛ] *m* Plan
projeter [prɔʒte] *film* vorführen; *catapulter* schleudern; **~ *de*** (+*inf*) planen zu
prolongation [prɔlõgasjõ] *f zeitliche* Verlängerung
prolonger [prɔlõʒe] verlängern
promenade [prɔmnad] *f* Spaziergang *m*; **~ *en bateau*** Bootsfahrt
promener [prɔmene] **se ~** spazieren gehen; *en voiture* spazieren fahren
prom|esse [prɔmɛs] *f* Versprechen *n*; **~ettre** [~ɛtr(ə)] versprechen
promotion [prɔmosjõ] *f avancement* Beförderung; *Hdl* ***en ~*** im Sonderangebot
prononcer [prɔnõse] *mot* aussprechen; *discours* halten; *jugement* verkünden; **se ~** sich äußern (***sur*** zu), sich aussprechen (***pour, contre*** für, gegen); *mot* (aus)gesprochen werden
propager [prɔpaʒe] verbreiten; **se ~** *nouvelle* sich verbreiten; *épidémie* sich ausbreiten
propos [prɔpo] *m/pl* Äußerungen *f/pl*; **à ~** übrigens; **à ~ *de*** wegen (*G*)

proposer [prɔpoze] vorschlagen; *aide, argent* anbieten
proposition [prɔpozisjõ] *f* Vorschlag *m*
propre¹ [prɔpr(ə)] sauber
propre² [prɔpr(ə)] eigen; **~ à** charakteristisch für; ***nom*** *m* **~** Eigenname
propreté [prɔprəte] *f* Sauberkeit
propriétaire [prɔprietɛr] *m, f* Eigentümer(in) *m(f)*, Besitzer(in) *m(f)*; *qui loue* Vermieter(in) *m(f)*, Hauswirt(in) *m(f)*
propriété [prɔpriete] *f* Eigentum *n*, Besitz *m*; *charactéristique* Eigenschaft
propulsion [prɔpylsjõ] *f* Antrieb *m*
prospectus [prɔspɛktys] *m* Prospekt
prosp|ère [prɔspɛr] blühend; **~érité** [~erite] *f* Wohlstand *m*
prostituée [prɔstitye] *f* Prostituierte
protection [prɔtɛksjõ] *f* Schutz *m*
protéger [prɔteʒe] (**se ~** sich) schützen (**de** vor *D*, **contre** gegen)
protestant [prɔtɛstɑ̃] **1.** protestantisch, evangelisch; **2.** **~(e)** [~(t)] *m(f)* Protestant(in)
protester [prɔtɛste] protestieren
prothèse [prɔtɛz] *f* Prothese
proue [pru] *f Mar* Bug *m*
prouver [pruve] beweisen
provenance [prɔvnɑ̃s] *f* Herkunft; **en ~ de ...** aus
provenir [prɔvnir] **~ de** (her-) kommen aus, von
proverbe [prɔvɛrb] *m* Sprichwort *n*
province [prɔvɛ̃s] *f* Provinz; **en ~** außerhalb von Paris
provision [prɔvizjõ] *f* Vorrat *m* (**de** an *D*); *d'un chèque* Deckung; **~s** *pl* (Lebensmittel-, Winter-)Vorräte *m/pl*; *courses* Einkäufe *m/pl*
provisoire [prɔvizwar] vorläufig, provisorisch
provoquer [prɔvoke] *q* provozieren; *qc* auslösen
proximité [prɔksimite] *f* Nähe; **à ~** (**de**) in der Nähe (*G*)
prud|ence [prydɑ̃s] *f* Vorsicht; **~ent** [~ɑ̃] vorsichtig
prun|e [pryn] *f* Pflaume; **~eau** [~o] *m* Backpflaume *f*
psychiatre [psikjatr(ə)] *m, f* Psychiater(in) *m(f)*
psychique [psiʃik] psychisch
psychologique [psikɔlɔʒik] psychologisch; *problèmes* psychisch
pu [py] *p/p von* ***pouvoir***
public [pyblik] **1.** (*f* ***publique***) öffentlich; **2.** *m* Publikum *n*
publication [pyblikasjõ] *f* Veröffentlichung
pub(licité) [pyb(lisite)] *f* Werbung
publier [pyblije] veröffentlichen
publique *s* ***public***

puce [pys] *f* Floh *m*; *Inform* Chip [tʃ-] *m*
pud|eur [pydœr] *f* Scham (-haftigkeit); **~ique** [~ik] schamhaft; *réservé* zurückhaltend
puer [pɥe] stinken (***qc*** nach et)
puéril [pɥeril] kindisch
puis [pɥi] dann
puisque [pɥisk(ə)] da (ja)
puiss|ance [pɥsɑ̃s] *f pouvoir* Macht; *force* Stärke; **~ant** [~ɑ̃] mächtig; *moteur, médicament* stark
puisse [pɥis] *subj von* ***pouvoir***
puits [pɥi] *m* Brunnen
pull [pyl] *m* F Pulli
pull-over [pylɔvɛr] *m* Pullover
pulmonaire [pylmɔnɛr] Lungen...
pulpe [pylp] *f* Fruchtfleisch *n*
pulsation [pylsasjõ] *f* Herzschlag *m*, Puls(schlag) *m*
punaise [pynɛz] *f Zo* Wanze; *clou* Reißzwecke, -nagel *m*
punch¹ [põʃ] *m* Punsch
punch² [pœnʃ] *m* F Schwung
punir [pynir] bestrafen
punition [pynisjõ] *f* Strafe
pur [pyr] rein; *vin* pur, unverdünnt; ~ ***sang*** Vollblut...
purée [pyre] *f* Püree *n*, Brei *m*; ~ ***de pommes de terre*** Kartoffelpüree *n*, -brei *m*
pureté [pyrte] *f* Reinheit
purger [pyrʒe] *radiateur* entlüften; *peine* ver-, abbüßen
purifier [pyrifje] reinigen
pur-sang [pyrsɑ̃] *m* Vollblut(pferd) *n*
purulent [pyrylɑ̃] eit(e)rig
pus [py] *m* Eiter
putain [pytɛ̃] *f* P Hure
PV [peve] F *m* (*procès-verbal*) Strafzettel
pyjama [piʒama] *m* Schlafanzug, Pyjama [-(d)ʒ-]
pylône [pilon] *m El* Mast; *Arch* Pylon
pyramide [piramid] *f* Pyramide
Pyrénées [pirene] ***les*** ~ *f/pl* die Pyrenäen *pl*

Q

qu' [k] *s* ***que***
quadrangulaire [kwadrɑ̃gylɛr] viereckig
quadrillé [kadrije] kariert
quadruple [kwadrypl(ə)] vierfach
quai [ke] *m port* Kai; *gare* Bahnsteig
qualifi|é [kalifje] geeignet; **~er** [~e] bezeichnen; *Sp* ***se*** ~ sich qualifizieren
qualité [kalite] *f* (gute) Eigenschaft; *de produits* Qualität; ***de*** ~ Qualitäts...
quand [kɑ̃] wann?; *lorsque* wenn (+*prés od fut*), als (+*passé*); *toutes les fois que* (jedesmal) wenn; ~ ***même***

trotzdem; *tout de même* immerhin
quant à [kɑ̃ta] was ... betrifft
quantité [kɑ̃tite] *f* Menge
quarantaine¹ [karɑ̃tɛn] *f âge* Vierzig; ***une ~ (de ...)*** etwa verzig (...)
quarantaine² [karɑ̃tɛn] *f Med* Quarantäne
quarante [karɑ̃t] vierzig
quart [kar] *m* Viertel *n*; ***~ d'heure*** Viertelstunde *f*
quartier [kartje] *m* Viertel *n*
quatorze [katɔrz] vierzehn
quatre [katr(ə)] vier
Quatre-Cantons [katrəkɑ̃tõ] ***le lac des ~*** der Vierwaldstätter See
quatre|-vingt(s) [katrəvɛ̃] achtzig; **~-vingt-dix** [~vɛ̃dis] neunzig
quatrième [katrijɛm] vierte(r, -s)
que [kə] (*vor Vokal* ***qu'***) (***qu'est-ce***) ***~?*** was?; *pron relatif* den, die, das (*A*); *pl* die; *cj* dass; ***ne ... ~*** nur; *temporel* erst; ***plus grand ~ moi*** größer als ich; ***qu'il pleuve ou non*** ob es regnet oder nicht; (***qu'est-ce***) ***~ c'est beau!*** wie schön!
quel [kɛl] welche(r, -s); ***~ âge a-t-il?*** wie alt ist er?; ***~le chance!*** was für ein Glück!; ***~le que soit l'heure*** egal, wie spät es ist
quelconque [kɛlkõk] irgendein(e)
quelque [kɛlk(ə)] irgendein; ungefähr; ***~s*** *pl* einige; ***quarante ans et ~s*** etwas über vierig Jahre; ***~ chose*** etwas; ***~ part*** irgendwo(hin)
quelquefois [kɛlkəfwa] manchmal
quelques-uns [kɛlkəzɛ̃, -zœ̃] *m/pl* einige
quelqu'un [kɛlkœ̃] jemand
quenelle [kənɛl] *f* Klößchen *n*
querell|e [kərɛl] *f* Streit *m*; **~er** [~e] **se ~** (sich) streiten
qu'est-ce que? *s* ***que***
question [kɛstjõ] *f* Frage
questionn|aire [kɛstjɔnɛr] *m* Fragebogen; **~er** [~e] be-, ausfragen
quête [kɛt] *f* Suche; *collecte* Geldsammlung
queue [kø] *f* Schwanz *m*; *de casserole* Stiel *m*; *de train* Ende *n*; ***faire la ~*** Schlange stehen, anstehen
qui [ki] ***~ (est-ce ~)?*** wer? ***~ (est-ce que)?*** wen?; ***à ~?*** wem? (*od* an wen?, mit wem? *usw*); *pron relatif* der, die, das, *pl* die; ***à ~*** dem (*od* an den, mit dem *usw*); ***~ que ce soit*** wer auch immer
quiche [kiʃ] *f* ***~ lorraine*** Speckkuchen *m*
quiconque [kikõk] jeder, der ...; *n'importe qui* irgend jemand
quille [kij] *f* Kegel *m*; *Mar* Kiel *m*
quincaillerie [kɛ̃kajri] *f* Eisenwarenhandlung
quinine [kinin] *f* Chinin *n*

quintuple [kɛ̃typl(ə)] *m le* ~ das Fünffache; *du prix* der fünffache Preis
quinzaine [kɛ̃zɛn] *f quinze jours* vierzehn Tage; ***une*** ~ **(*de* ...)** etwa fünfzehn (...)
quinze [kɛ̃z] fünfzehn; ~ ***jours*** vierzehn Tage
quinzième [kɛ̃zjɛm] fünfzehnte(r, -s)
quittance [kitɑ̃s] *f* Quittung
quitte [kit] quitt
quitter [kite] verlassen; *emploi* aufgeben; ***se*** ~ sich trennen; ***ne quittez pas!*** bitte, bleiben Sie am Apparat!
quoi [kwa] ~***?*** was?; ***à*** ~ woran, womit, wozu *usw*; ~ ***que ce soit*** was auch immer; ***à*** ~ ***bon?*** wozu?; ~ ***qu'il en soit*** wie dem auch sei
quoique [kwakə] obgleich, obwohl
quotidien [kɔtidjɛ̃] **1.** täglich; **2.** *m* Tageszeitung *f*

R

rabais [rabɛ] *m* Rabatt
rabaisser [rabɛse] herabsetzen
rabattre [rabatr(ə)] *siège* herunterklappen; *col* umschlagen; *faire un rabais* nachlassen (***sur*** von); ***se*** ~ *voiture* rasch wieder einscheren
rabbin [rabɛ̃] *m* Rabbiner
rabougri [rabugri] verkümmert
raccommoder [rakɔmɔde] flicken
raccourc|i [rakursi] *m* Abkürzung *f*; **~ir** [~r] *séjour* ab-, verkürzen; *robe* kürzer machen; *jours* kürzer werden
raccrocher [rakrɔʃe] wieder aufhängen; *wagon* wieder anhängen; *Tel* auflegen; ***se*** ~ ***à*** sich festhalten an (*D*)
race [ras] *f* Rasse
racheter [raʃte] wieder kaufen; ~ ***qc à q*** et von j-m abkaufen
racine [rasin] *f* Wurzel
rac|isme [rasism(ə)] *m* Rassismus; **~iste** [~ist] **1.** rassistisch; **2.** *m*, *f* Rassist(in) *m*(*f*)
raconter [rakɔ̃te] erzählen
radar [radar] *m* Radar *m od n*; ***contrôle*** *m* ~ Radarkontrolle *f*
radeau [rado] *m* Floß
radiateur [radjatœr] *m* Heizkörper; *Kfz* Kühler; ~ ***électrique*** Heizofen
radiations [radjasjɔ̃] *f*/*pl Phys* Strahlen *m*/*pl*
radieux [radjø] strahlend
radio [radjo] *f* Radio *n*; *station* Sender *m*; *Med* Röntgenaufnahme, -bild *n*; *liaison* ***par*** ~ über Funk; ***écouter la*** ~ Radio hören; ***se faire faire une*** ~ sich röntgen lassen

radioactif [radjoaktif] radioaktiv
radiocassette [radjokasɛt] *f* Radiorecorder *m*
radiographie [radjografi] *f* Röntgenaufnahme, -bild *n*
radio-réveil [radjorevɛj] *m* Radiowecker
radiotéléphone [radjotelefon] *m* Funktelefon *n*; *de voiture* Autotelefon *n*
radis [radi] *m* ~ (**rose**) Radieschen *n*
radoucir [radusir] *temps* **se** ~ milder werden
rafale [rafal] *f* Bö
raffin|é [rafine] *pétrole* raffiniert; *sucre* weiß; *personne* feinsinnig; *goût* erlesen; **~erie** [~ri] *f* Raffinerie
rafraîch|ir [rafrɛʃir] *boisson* kühlen, kalt stellen; *peintures* auffrischen; **se** ~ *temps* kühler werden; *personne* sich erfrischen; **~issement** [~ismɑ̃] *m* Erfrischung *f*
rage [raʒ] *f* Wut; *Med* Tollwut; ~ **de dents** rasende Zahnschmerzen *m/pl*
ragoût [ragu] *m* Ragout *n*
raide [rɛd] steif (*a fig*); *pente* steil
raie [rɛ] *f rayure* Streifen *m*; *cheveux* Scheitel *m*; *Zo* Rochen *m*
raifort [rɛfɔr] *m* Meerrettich
rail [rɑj] *m* Schiene *f*
railler [raje] spotten (**q** über j-n)
rainure [rɛnyr] *f* Rille
raisin [rɛzɛ̃] *m* (Wein-)Traube(n) *f(pl)*; **~s** *pl* **secs** Rosinen *f/pl*
raison [rɛzõ] *f* Vernunft; *cause* Grund *m*; *argument* Argument *n*; **avec** ~ mit Recht; **avoir** (**donner**) ~ Recht haben (geben); **pour cette** ~ aus diesem Grund; **en** ~ **de** auf Grund (*G*)
raisonnable [rɛzɔnabl(ə)] vernünftig; *prix* angemessen
raisonnement [rɛzɔnmɑ̃] *m* Überlegung *f*, Argumentation *f*
rajeunir [raʒœnir] jünger aussehen; *coiffure* jünger machen
rajouter [raʒute] hinzufügen; *sel* zugeben
ralenti [ralɑ̃ti] *m Kfz* Leerlauf; *film* Zeitlupe *f*; **au** ~ in Zeitlupe
ralentir [ralɑ̃tir] verlangsamen; *Kfz* langsamer fahren
râler [rale] F meckern
rallong|e [ralõʒ] *f d'une table* Ausziehplatte; *El* Verlängerungsschnur; **~er** [~e] verlängern; *vêtement* länger machen; *table* ausziehen; *jours* länger werden
ramasser [ramase] aufheben; *champignons* sammeln; *cahiers* einsammeln
rame [ram] *f* Ruder *n*; *de métro* Zug *m*
rameau [ramo] *m* Zweig
ramener [ramne] zurückbringen; *q chez lui* nach Hau-

se bringen; *apporter* mitbringen
ram|er [rame] rudern; **~eur** [~mœr] *m* Ruderer
ramollir [ramɔlir] weich machen; **se ~** weich werden
rampe [rɑ̃p] *f* (Treppen-)Geländer *n*; *dans un parking* Auf- *od* Abfahrt
ramper [rɑ̃pe] kriechen (*a fig*)
rance [rɑ̃s] ranzig
rancœur [rɑ̃kœr] *f* Groll *m*
rançon [rɑ̃sõ] *f* Lösegeld *n*
rancun|e [rɑ̃kyn] *f* Groll *m*; **~ier** [~je] nachtragend
randonnée [rɑ̃dɔne] *f en montagne* Wanderung; *à vélo* (Fahr-)Radtour
rang [rɑ̃] *m rangée* Reihe *f*; *place* Platz, Stelle *f*; **au troisième ~** in der dritten Reihe, *classement* auf Platz drei
rangée [rɑ̃ʒe] *f* Reihe
ranger [rɑ̃ʒe] *affaires, chambre* aufräumen; *papiers* ordnen; *voiture* (ein)parken
ranimer [ranime] wiederbeleben
rapace [rapas] *m* Raubvogel
râp|e [rɑp] *f* Reibe; **~er** [~e] reiben
rapid|e [rapid] **1.** schnell; **2.** *m Geogr* Stromschnelle *f*; *train* (Fern-)Schnellzug, D-Zug; **~ité** [~ite] *f* Schnelligkeit
rappel [rapɛl] *m Med* Nachimpfung *f*; *théâtre* **~s** *pl* Vorhänge; *panneau* **~!** *Wiederholungsschild zur Geschwindigkeitsbeschränkung*
rappeler [raple] erinnern (**qc à q** j-n an et *A*); *Tel* noch einmal anrufen, *en réponse* zurückrufen; **se ~** sich erinnern an (*A*)
rapport [rapɔr] *m* Bericht; *lien* Zusammenhang; **~s** *pl* Beziehungen *f/pl*; *sexuels* (Geschlechts-)Verkehr *m*; **par ~ à** gegenüber (*D*)
rapporter [rapɔrte] zurückbringen; *ramener* mitbringen; *raconter* berichten; *bénéfice* einbringen (*v/i* einträglich sein); *école* petzen; **se ~ à** sich beziehen auf (*A*)
rapprocher [raprɔʃe] heranrücken, *deux objets* zusammenrücken; *fig* einander näher bringen; **se ~** sich nähern; *fig* sich näher kommen
rapt [rapt] *m* Entführung *f*
raquette [rakɛt] *f* (Tischtennis-, Tennis-)Schläger *m*; *pour la neige* Schneeschuh *m*
rare(ment) [rɑr(mɑ̃)] selten
ras [rɑ] *cheveux* kurz geschnitten; **à ~ bord** bis zum Rand; **à, au ~ de** dicht über (*D od A*)
raser [rɑze] rasieren; *bâtiment* abreißen; *Kfz piéton* dicht vorbeifahren an (*D*); **se ~** sich rasieren
rasoir [rɑzwar] *m* Rasierapparat; **~ électrique** elektrischer Rasierapparat
rassembler [rasɑ̃ble] (ver-) sammeln; *informations* sammeln; **se ~** sich versammeln

rassis [rasi] alt(backen)
rassurer [rasyre] beruhigen
rat [ra] *m* Ratte *f*
ratatouille [ratatuj] *f* ~ (***niçoise***) *provenzalischer Gemüseeintopf*
rate [rat] *f* Milz
ratés [rate] *m/pl Kfz* Fehlzündung *f*
râteau [rɑto] *m* Rechen, Harke *f*
rater [rate] *cible* verfehlen; *train, occasion* verpassen; *échouer* misslingen; ~ ***un examen*** in e-r Prüfung durchfallen
ration [rasjõ] *f* Ration
rationnel [rasjɔnɛl] rational; *pratique* rationell
R.A.T.P. [ɛrɑtepe] *f* (*Régie autonome des transports parisiens*) Pariser Verkehrsbetriebe
rattraper [ratrape] *voiture* einholen; *retard* aufholen; *heures, cours* nachholen; ***se*** ~ ***à*** sich festhalten an (*D*); ***se*** ~ ***sur*** ausgleichen durch
rauque [rok] heiser, rau
ravag|es [ravaʒ] *m/pl* Verwüstungen *f/pl*; **~er** [~e] verwüsten, verheeren
ravi [ravi] entzückt
ravin [ravɛ̃] *m* Schlucht *f*
ravissant [ravisɑ̃] entzückend
ravitaill|ement [ravitɑjmɑ̃] *m* Versorgung *f*; F *provisions* Lebensmittel *n/pl*, Verpflegung *f*; **~er** [~e] versorgen
ray|é [rɛje] gestreift; *carrosserie* zerkratzt; **~er** [~e] *voiture* zerkratzen; *mot* (durch-, aus)streichen
rayon [rɛjõ] *m* Strahl; *Math* Radius; *d'une roue* Speiche *f*; *d'un grand magasin* Abteilung *f*; *étagère* Regal *n*
rayonnage [rɛjɔnaʒ] *m* Regal *n*
rayonn|ant [rɛjɔnɑ̃] strahlend; **~ement** [~mɑ̃] *m Phys* Strahlung *f*; *fig* Ausstrahlung *f*; **~er** [~e] (aus)strahlen
rayure [rɛjyr] *f* Streifen *m*; *égratignure* Kratzer *m*
réacteur [reaktœr] *m* Reaktor; *Flgw.* Düsentriebwerk *n*; ~ ***nucléaire*** Kernreaktor
réaction [reaksjõ] *f* Reaktion *f*; ***avion*** *m* ***à*** ~ Düsenflugzeug *n*
réagir [reaʒir] reagieren
réalisa|teur [realizatœr] *m*, **~trice** [~tris] *f* Regisseur(in) *m(f)*
réaliser [realize] realisieren, verwirklichen; *se rendre compte* begreifen
réalité [realite] *f* Wirklichkeit
réanimation [reanimasjõ] *f* Intensivstation
réarmement [rearməmɑ̃] *m* Aufrüstung *f*
rebeller [r(ə)bɛle] ***se*** ~ sich auflehnen (***contre*** gegen)
rébellion [rebɛljõ] *f* Aufstand *m*
rebondir [r(ə)bõdir] zurück-, abprallen (***sur*** von)

rebord [r(ə)bɔr] *m* Rand; ~ ***d'une fenêtre*** Fensterbank *f*
rebut [r(ə)by] *m* Ausschuss, Abfall
récapituler [rekapityle] zusammenfassen
récemment [resamɑ̃] kürzlich, vor kurzem, neulich
récent [resɑ̃] neu; *passé* jüngste(r, -s)
récépissé [resepise] *m* Empfangsschein
récepteur [resɛptœr] *m radio* Empfänger; *Tel* Hörer
réception [resɛpsjõ] *f* Empfang *m*
recette [r(ə)sɛt] *f* ~ (***de cuisine***) (Koch-)Rezept *n*; *Hdl* ~(**s**) (*pl*) Einnahme(n); ***livre*** *m* **de** ~**s** Kochbuch *n*
receveur [rəsvœr] *m Med* Empfänger
recevoir [rəsvwar] *qc* erhalten; *personne*(*s*) empfangen; ***être reçu*** (***à un examen***) (e-e Prüfung) bestehen
rechange [r(ə)ʃɑ̃ʒ] *m* **de** ~ Ersatz...
réchapper [reʃape] **en** ~ überleben
recharger [r(ə)ʃarʒe] *batterie* aufladen; *fusil* wieder laden; *briquet* nachfüllen
réchaud [reʃo] *m* Kocher
réchauffer [reʃofe] aufwärmen; **se** ~ *personne* sich aufwärmen; *temps* wärmer werden
recherche [r(ə)ʃɛrʃ] *f* Suche (**de** nach); *scientifique* Forschung; ~**s** *pl* Nachforschungen
rechercher [r(ə)ʃɛrʃe] suchen; *criminel* fahnden (**q** nach j-m)
rechut|e [r(ə)ʃyt] *f* Rückfall *m*; ~**er** [~e] e-n Rückfall haben
récif [resif] *m* Riff *n*
récipient [resipjɑ̃] *m* Behälter
réciproque [resiprɔk] gegenseitig
récit [resi] *m* Erzählung *f*; ***faire le*** ~ ***de*** erzählen von
récital [resital] *m* Konzert *n*
réciter [resite] *leçon* aufsagen; *vers* vortragen
réclam|ation [reklamasjõ] *f* Reklamation; ~**er** [~e] verlangen (**qc à q** et von j-m, **q** nach j-m); *revendiquer* fordern; *nécessiter* erfordern
récolt|e [rekɔlt] *f* Ernte; ~**er** [~e] ernten
recommandé [r(ə)kɔmɑ̃de] *lettre* eingeschrieben; **en** ~ per Einschreiben
recommander [r(ə)kɔmɑ̃de] empfehlen
recommencer [r(ə)kɔmɑ̃se] wieder *od* von vorn(e) anfangen (**qc** [mit] et, **à** +*inf* zu)
récompens|e [rekõpɑ̃s] *f* Belohnung; ~**er** [~e] belohnen (**de** für)
réconcilier [rekõsilje] (**se** ~ sich) versöhnen
reconduire [r(ə)kõdɥir] (zurück)bringen, (-)begleiten; ~

q jusqu'à la porte j-n zur Tür begleiten
réconforter [rekõfɔrte] trösten
reconnaiss|ance [r(ə)kɔnɛsɑ̃s] *f* Anerkennung; *gratitude* Dankbarkeit; **~ant** [~ɑ̃] dankbar (**de** für)
reconnaître [r(ə)kɔnɛtr(ə)] (wieder) erkennen (**à** an *D*); *faute* erkennen; *enfant*, *état* anerkennen
reconnu [r(ə)kɔny] anerkannt
reconstruire [r(ə)kõstrɥir] wieder aufbauen
record [r(ə)kɔr] *m* Rekord
recourbé [r(ə)kurbe] gebogen; *bec* krumm
récréation [rekreasjõ] *f* Erholung; *école* Pause
recruter [r(ə)kryte] rekrutieren; *personnel a* einstellen
rectangle [rɛktɑ̃gl(ə)] *m* Rechteck *n*
rectangulaire [rɛktɑ̃gylɛr] rechteckig
rectifier [rɛktifje] berichtigen; *tracé de route* begradigen
reçu [r(ə)sy] **1.** *p/p von* ***recevoir***; **2.** *m* Quittung *f*
recueil [r(ə)kœj] *m* Sammlung *f*
recueillir [r(ə)kœjir] sammeln; *personne* (bei sich) aufnehmen; **se ~** sich innerlich sammeln
recul [r(ə)kyl] *m fig* Abstand
reculé [r(ə)kyle] abgelegen
reculer [r(ə)kyle] zurückschieben; *décision* auf-, hinausschieben; *personne*, *fig chômage* zurückgehen; *voiture* zurückfahren
reculons [r(ə)kylõ] **à ~** rückwärts
récupérer [rekypere] wiedererlangen; *rattraper* nachholen; *recycler* (wieder) verwerten; *sportif*, *malade* sich erholen
récurer [rekyre] scheuern
recyclage [r(ə)siklaʒ] *m* Umschulung *f*; *Tech* Recycling *n*
rédact|eur [redaktœr] *m* Redakteur; **~ion** [~sjõ] *f* Verfassen *n*; *école* Aufsatz *m*; *d'un journal* Redaktion
redevance [rədvɑ̃s] *f radio*, *TV* Gebühr
rédiger [rediʒe] verfassen
redire [r(ə)dir] noch einmal sagen; ***trouver à ~ à qc*** et an et (*D*) auszusetzen haben
redoubler [r(ə)duble] *école* **~** (***une classe***) e-e Klasse wiederholen
redout|able [r(ə)dutabl(ə)] furchterregend; *adversaire* (sehr) gefährlich; **~er** [~e] fürchten
redresser [r(ə)drɛse] *chose penchée* gerade richten; *chose tordue* gerade biegen; *situation* wieder in Ordnung bringen; **se ~** sich (wieder) aufrichten
réduction [redyksjõ] *f* Reduzierung; *rabais* Ermäßigung *f*, Preisnachlass *m*

réduire [redɥir] reduzieren; *vitesse* drosseln; *Med* einrenken; *Kochk* (**faire**) ~ einkochen lassen
réduit [redɥi] *m prix, tarif* ermäßigt; *format* verkleinert
rééducation [reedykasjõ] *f* Heil-, Krankengymnastik
réel [reɛl] wirklich
réexpédier [reɛkspedje] zurücksenden; *faire suivre* nachsenden
refaire [r(ə)fɛr] noch einmal machen; *remettre en état* instand setzen; ~ ***la peinture*** neu streichen
référer [refere] **se ~ *à*** sich beziehen auf (*A*)
réfléchir [refleʃir] *refléter* widerspiegeln; *penser* nachdenken (**à, *sur*** über *A*)
reflet [r(ə)flɛ] *m image* Spiegelbild *n*; **~s** *pl* Glanz *m*
refléter [r(ə)flete] widerspiegeln
réflexe [reflɛks] *m* Reflex
réflexion [reflɛksjõ] *f* Überlegung; *remarque* Bemerkung
réforme [refɔrm] *f* Reform
réfrigérateur [refriʒeratœr] *m* Kühlschrank
refroidir [r(ə)frwadir] abkühlen; ***se*** ~ kälter werden, sich abkühlen; ***laisser*** ~ abkühlen lassen; ***ça va*** ~ es wird kalt
refroidissement [r(ə)frwadismã] *m* Abkühlung *f*; *Med* Erkältung *f*; *Kfz* ***eau f de*** ~ Kühlwasser *n*
refuge [r(ə)fyʒ] *m abri* Zuflucht(sort) *f(m)*; *en montagne* (Schutz-)Hütte *f*
réfugi|é [refyʒje] *m* Flüchtling; **~er** [~e] ***se*** ~ (sich) flüchten
refus [r(ə)fy] *m* Ablehnung *f*
refuser [r(ə)fyze] ablehnen; ~ ***qc à q*** j-m et verweigern; ~ ***de*** (+*inf*) sich weigern zu
régaler [regale] ***il se régale*** es schmeckt ihm sehr gut
regard [r(ə)gar] *m* Blick
regarder [r(ə)garde] ansehen; *concerner* ~ ***q*** j-n (etwas) angehen
régates [regat] *f/pl* Regatta *f*
régime [reʒim] *m* Diät *f*; *Kfz* Drehzahl *f*
région [reʒjõ] *f* Gegend
réglage [reglaʒ] *m* Einstellung *f*
règle [rɛgl(ə)] *f instrument* Lineal *n*; *principe* Regel, Vorschrift; *Med* **~s** *pl* Periode *f*; ***en*** ~ ***papiers*** in Ordnung
règlement [rɛgləmã] *m règles* Vorschrift(en) *f(pl)*; *d'une affaire* Regelung *f*; *d'une facture* Begleichung *f*
réglementaire [regləmãtɛr] vorschriftsmäßig
régler [regle] regeln; *facture* bezahlen; *Tech* einstellen
régner [reɲe] herrschen
regret [r(ə)grɛ] *m* Bedauern *n*, Reue *f* (**de** über *A*); *nostalgie* Sehnsucht (**de** nach)
regrett|able [r(ə)grɛtabl(ə)] bedauerlich; **~er** [~e] bedau-

ern; *faute* bereuen; *personne, époque* nachtrauern (*D*)
régul|ier [regylje] regelmäßig; *en règle* vorschriftsmäßig; **~ièrement** [~ɛrmɑ̃] regelmäßig
rein [rɛ̃] *m* Niere *f*; **~s** *pl Anat* Kreuz *n*
reine [rɛn] *f* Königin
rejeter [rəʒte] zurückwerfen, *refuser* ablehnen
rejoindre [r(ə)ʒwɛ̃dr(ə)] *personne* (wieder) treffen; *Sp* einholen; *endroit* wieder gelangen an (*A*); **se ~** sich (wieder) treffen
réjouir [reʒwir] erfreuen; **se ~** sich freuen (**de** über *A*, **que** +*subj* dass)
relâche [r(ə)lɑʃ] *f théâtre* keine Vorstellung; **sans ~** ununterbrochen
relâcher [r(ə)laʃe] *détendre* lockern; *libérer* freilassen
relais [r(ə)lɛ] *m Sp* Staffel(lauf) *f(m)*; *El* Relais *n*; **~** (**routier**) Raststätte *f*; **prendre le ~ de q** j-n ablösen
relatif [r(ə)latif] relativ; **~ à** bezüglich (*G*)
relation [r(ə)lasjõ] *f lien* Beziehung; *ami* Bekannte(r) *su*; **~s** *pl* Beziehungen
relaxer [r(ə)lakse] **se ~** sich entspannen
relayer [r(ə)lɛje] (**se ~** sich) ablösen
relevé [rəlve] **1.** *Kchk* pikant; **2.** *m* **~ de compte** Kontoauszug; **~ d'identité bancaire** (*Abk* **R.I.B.**) Bankverbindung *f*
relever [rəlve] *enfant* (wieder) aufheben; *adulte* aufhelfen (**q** j-m); *chaise* wieder aufstellen; *siège* hochklappen; *col* hochschlagen; *Kochk* pikanter machen; *fautes* feststellen; **se ~** wieder aufstehen
relief [rəljɛf] *m* Relief *n*
relier [rəlje] verbinden; *livre* binden
relig|ieuse [r(ə)liʒjøz] *f* Nonne; *gâteau* Windbeutel *m* (*mit Mokka- od Schokoladencreme*); **~ieux** [~jø] **1.** religiös; *fête, mariage* kirchlich; **2.** *m* Mönch; **~ion** [~ʒjõ] *f* Religion
reliure [rəljyr] *f* Einband *m*
remarquable [r(ə)markabl(ə)] bemerkenswert
remarque [r(ə)mark] *f* Bemerkung
remarquer [r(ə)marke] bemerken; **se faire ~** auffallen
rembourrer [rɑ̃bure] polstern
remboursement [rɑ̃bursəmɑ̃] *m* Rückzahlung *f*; *des frais* (Rück-)Erstattung *f*; **contre ~** per Nachnahme
rembourser [rɑ̃burse] *emprunt* zurückzahlen; *frais* (zurück)erstatten
remède [r(ə)mɛd] *m* (Heil-, Gegen-)Mittel *n*
remerciement [r(ə)mɛrsimɑ̃] *m* Dank

remercier [r(ə)mɛrsje] danken (***q de*** *od* ***pour qc*** j-m für et)
remettre [r(ə)mɛtr(ə)] wieder hinstellen, -legen, -hängen; *veste* wieder anziehen; *départ* verschieben; **~ *qc à q*** j-m et aushändigen; **se ~ *à faire qc*** wieder et tun; **se ~ *de*** sich erholen von
remise [r(ə)miz] *f réduction* Rabatt *m*; *débarras* Schuppen *m*; **~ *en forme*** Fitnesstraining [-tre-] *n*
remonte-pente [r(ə)mõtpɑ̃t] *m* Schlepplift
remonter [r(ə)mõte] wieder hinaufgehen, -steigen, -fahren; *prix, fièvre* wieder (an)steigen; *dans la voiture* wieder (ein)steigen; *objets* wieder hinauftragen; *réveil* aufziehen; **~ *q*** j-n stärken; **~ *à*** zurückgehen auf (*A*)
remords [r(ə)mɔr] *m* Gewissensbisse *pl*
remorqu|e [r(ə)mɔrk] *f* Anhänger *m*; **~er** [~e] *Kfz* abschleppen
remparts [rɑ̃par] *m/pl* Wall *m*; *d'une ville* Stadtmauer *f*
remplaçant [rɑ̃plasɑ̃] *m* Vertreter, Vertretung *f*
remplac|ement [rɑ̃plasmɑ̃] *m* Ersatz; **~er** [~e] ersetzen; **~ *q*** *provisoirement* j-n vertreten
remplir [rɑ̃plir] füllen (***de*** mit); *chèque* ausfüllen; *conditions, devoir* erfüllen
remporter [rɑ̃pɔrte] wieder mitnehmen; *victoire, prix* erringen
remuer [rəmɥe] *lèvres* bewegen; *salade* umrühren; *v/i* sich bewegen; *enfant* lebhaft sein
rémunérer [remynere] bezahlen
renaissance [r(ə)nɛsɑ̃s] *f* Wiederaufleben *n*
renard [r(ə)nar] *m* Fuchs
rencontre [rɑ̃kõtr(ə)] *f* Begegnung (*a Sp*), Treffen *n*
rencontrer [rɑ̃cõtre] **~ *q*** j-m begegnen; *faire la connaissance de* j-n kennen lernen; *Sp* auf j-n treffen; **se ~** sich kennen lernen
rendement [rɑ̃dmɑ̃] *m* Ertrag; *efficacité* Leistung *f*
rendez-vous [rɑ̃devu] *m* Verabredung *f*; *amoureux* Rendezvous *n*; *lieu* Treffpunkt; *professionnel, chez le médecin* Termin; ***donner* ~ *à q*** sich mit j-m verabreden; ***prendre* (*un*) ~** e-n Termin vereinbaren; ***sur* ~** nach Vereinbarung
rendre [rɑ̃dr(ə)] zurückgeben; *vomir* erbrechen; **~ *fou*** verrückt machen; **se ~** sich begeben (***chez q*** zu j-m); *Mil* sich ergeben
rênes [rɛn] *f/pl* Zügel *m/pl*
renfermer [rɑ̃fɛrme] enthalten
renforcer [rɑ̃fɔrse] verstärken

renier [r(ə)nje] verleugnen
renifler [r(ə)nifle] schnüffeln
renommé [r(ə)nɔme] berühmt (***pour*** für)
renoncer [r(ə)nõse] verzichten (***à*** auf *A*)
renouveler [r(ə)nuvle] erneuern
rénover [renɔve] renovieren; *fig* erneuern
renseignement [rɑ̃sɛɲmɑ̃] *m* Auskunft *f*; ***donner des ~s sur*** Auskunft erteilen über (*A*); ***prendre des ~s*** Auskünfte einholen
renseigner [rɑ̃sɛɲe] Auskunft geben (***q sur*** j-m über *A*); ***se ~*** sich erkundigen (***sur*** über *A*)
rente [rɑ̃t] *f* (Kapital-)Rente
rentrée [rɑ̃tre] *f* Rückkehr; ***~ des classes*** Schulbeginn *m*
rentrer [rɑ̃tre] *entrer* hineingehen; *de voyage* zurückkehren; *du travail* nach Hause kommen; ***~ dans un arbre*** gegen e-n Baum fahren
renverser [rɑ̃vɛrse] umstoßen, umwerfen; ***se ~*** umfallen, umkippen
renvoyer [rɑ̃vwaje] *lettre* zurückschicken; *ballon* zurückwerfen; *personne* entlassen; *de l'école* verweisen
répandre [repɑ̃dr(ə)] *liquide* verschütten; *sable* streuen; *odeur, nouvelle* verbreiten; ***se ~*** *liquide* sich verteilen; *odeur, nouvelle* sich verbreiten
répandu [repɑ̃dy] verbreitet, üblich
répar|ation [reparasjõ] *f* Reparatur; ***~er*** [~re] reparieren
repartir [r(ə)partir] wieder weggehen, abfahren; *retourner* zurückgehen, -fahren
répartir [repartir] ver-, aufteilen
repas [r(ə)pɑ] *m* Mahlzeit *f*
repasser [r(ə)pase] wieder vorbeigehen, -kommen; *linge* bügeln
repentir [r(ə)pɑ̃tir] ***se ~ de qc*** et bereuen
répercussions [repɛrkysjõ] *f/pl* Auswirkungen
repérer [r(ə)pere] ausfindig machen; ***se ~*** sich zurechtfinden
répertoire [repɛrtwar] *m* Verzeichnis *n*; *agenda* Adressbuch *n*; *théâtre* Repertoire *n*
répét|er [repete] wiederholen; ***~ition*** [~tisjõ] *f* Wiederholung; *théâtre* Probe
replier [r(ə)plije] wieder zusammenfalten
répliquer [replike] erwidern
répondeur [repõdœr] *m* Anrufbeantworter
répondre [repõdr(ə)] antworten (***à q*** j-m; ***à qc*** auf et *A*); *freins* ansprechen; ***~ à*** entsprechen (*D*)
réponse [repõs] *f* Antwort
reportage [r(ə)pɔrtaʒ] *m* Reportage *f*
reporter[1] [r(ə)pɔrte] ver-, aufschieben

reporter² [r(ə)pɔrtɛr] *m* Reporter *m*

repos [rəpo] *m* Ruhe *f*

reposer [r(ə)poze] zurücklegen, -stellen; ~ ***sur*** beruhen auf (*D*); **se** ~ sich ausruhen

repousser [r(ə)puse] *reporter* hinausschieben; *cheveux*, *gazon* wieder wachsen

reprendre [r(ə)prɑ̃dr(ə)] wieder nehmen; *à table* noch einmal nehmen; *travail* wieder aufnehmen; *corriger* (**se** ~ sich) verbessern

représentant [r(ə)prezɑ̃tɑ̃] *m* Vertreter

représent|ation [r(ə)prezɑ̃tasjõ] *f* Darstellung; *théâtre* Vorstellung; **~er** [~e] darstellen; *théâtre* aufführen; *Pol*, *Hdl* vertreten; **se ~ *qc*** sich et vorstellen

répr|ession [reprɛsjõ] *f* Unterdrückung; **~imer** [~ime] unterdrücken

reprise [r(ə)priz] *f du travail* Wiederaufnahme; *Hdl* Zurücknahme; *Sp* Runde; ***à plusieurs ~s*** mehrmals

reproch|e [r(ə)prɔʃ] *m* Vorwurf; **~er** [~e] vorwerfen

reproduction [r(ə)prɔdyksjõ] *f Biol* Fortplanzung; *illustration* Abbildung

reproduire [r(ə)prɔdɥir] nachbilden, wiedergeben; **se** ~ sich wiederholen, wieder vorkommen; *Biol* sich fortpflanzen

reptile [rɛptil] *m* Reptil *n*

république [repyblik] *f* Republik

répugnant [repyɲɑ̃] widerlich, abstoßend

réputation [repytasjõ] *f* Ansehen *n*, Ruf *m*

requin [r(ə)kɛ̃] *m* Hai(fisch)

réquisition [rekizisjõ] *f* Beschlagnahme

R.E.R [ɛrəɛr] *m* (*réseau express régional*) S-Bahn *f*

réseau [rezo] *m* Netz *n*; **~ *routier*** Straßennetz *n*

réservation [rezɛrvasjõ] *f* Reservierung

réserve [rezɛrv] *f* Naturschutzgebiet *n*, Reservat *n*; *restriction* Vorbehalt *m*; *provisions* Reserve; *retenue* Zurückhaltung

réserver [rezɛrve] reservieren; *voyage* buchen; *garder* zurücklegen; ***être réservé à q*** j-m vorbehalten sein

réservoir [rezɛrvwar] *m* Reservoir *n* (*a fig*); *d'essence* Tank

résid|ence [rezidɑ̃s] *f* Wohnsitz *m*; **~er** [~e] wohnhaft sein

résidu [rezidy] *m* Rest, Rückstand

résigner [reziɲe] **se** ~ resignieren; **se ~ à** sich abfinden mit

résine [rezin] *f* Harz *n*

résist|ance [rezistɑ̃s] *f* Widerstand *m*; *endurance* Widerstandskraft; **~ant** [~ɑ̃] widerstandsfähig

résister [reziste] **~ à** Widerstand leisten (*D*); *supporter* aushalten (*A*)
résolu [rezɔly] entschlossen; **~tion** [~sjõ] *f* Entschluss *m*
résonner [rezɔne] widerhallen
résoudre [rezudr(ə)] *problème* lösen; **~ de** (+*inf*) beschließen zu; **se ~ à** (+*inf*) sich entschließen zu
respect [rɛspɛ] *m* Respekt, Achtung *f*
respecter [rɛspɛkte] respektieren, achten; *priorité* beachten; *règlement* einhalten
respectif [rɛspɛktif] jeweilig
respir|ation [rɛspirasjõ] *f* Atmung, Atmen *n*; **~er** [~e] atmen
resplendissant [rɛsplɑ̃disɑ̃] glänzend
respons|abilité [rɛspõsabilite] *f* Verantwortung; **~able** [~sabl(ə)] verantwortlich (***de*** für)
resquiller [rɛskije] schwarzfahren
ressac [rəsak] *m* Brandung *f*
ressembl|ance [r(ə)sɑ̃blɑ̃s] *f* Ähnlichkeit; **~er** [~e] ähneln
ressemeler [r(ə)səmle] besohlen
ressentir [r(ə)sɑ̃tir] empfinden
resserrer [r(ə)sɛrre] *nœud* fester ziehen; *vis* fester anziehen
ressort [r(ə)sɔr] *m Tech* Feder *f*
ressortir [r(ə)sɔrtir] wieder hinausgehen; *couleur* sich abheben (***sur*** von); ***faire ~*** hervorheben; ***il ressort de qc que ...*** aus et geht hervor, dass
ressortissant [r(ə)sɔrtisɑ̃] *m* Staatsangehörige(r)
ressources [r(ə)surs] *f/pl* Mittel *n/pl*; **~ *en énergie*** Energiequellen *f/pl*; ***sans ~*** mittellos
ressusciter [resysite] auferstehen
restaurant [rɛstɔrɑ̃] *m* Restaurant *n*
restauration [rɛstɔrasjõ] *f d'art* Restaurierung; *métier* Gaststättengewerbe *n*; **~ *rapide*** Fast Food *n*
restaurer [rɛstɔre] restaurieren; ***se ~*** sich (wieder) stärken
reste [rɛst] *m* Rest; ***du ~*** übrigens
rester [rɛste] bleiben; *subsister* übrig bleiben; ***il reste du vin*** es ist noch Wein übrig; ***il ne reste plus de pain*** es ist kein Brot mehr da
resto [rɛsto] *m* F Restaurant *n*
restoroute [rɛstorut] *f* Raststätte, Rasthaus *n*
restr|eindre [rɛstrɛ̃dr(ə)] be-, einschränken; **~iction** [~iksjõ] *f* Ein-, Beschränkung
résult|at [rezylta] *m* Ergebnis *n*; **~er** [~e] sich ergeben, folgen (***de*** aus)
résum|é [rezyme] *m* Zusammenfassung *f*; **~er** [~e] zusammenfassen

rétabl|ir [retablir] wiederherstellen; **se ~** (wieder) gesund werden; **~issement** [~ismɑ̃] *m* Genesung *f*
retard [r(ə)tar] *m* Verspätung *f*; *paiement* Rückstand; **être en ~** sich verspäten, zu spät kommen; *train* Verspätung haben
retarder [r(ə)tarde] *personne* aufhalten; *montre* zurückstellen; *départ* hinausschieben; *v/i montre* nachgehen (**de** um)
retenir [rətnir] zurück-, aufhalten; *se souvenir* behalten; *chambre* reservieren; **se ~** sich beherrschen; **se ~ à** sich festhalten an (*D*)
retentir [r(ə)tɑ̃tir] widerhallen
retenue [rətny] *f* Zurückhaltung; (Gehalts-)Abzug *m*; *école* Nachsitzen *n*
rétine [retin] *f* Netzhaut
retir|é [r(ə)tire] abgelegen, zurückgezogen; **~er** [~e] herausnehmen; *argent* abheben; **se ~** sich zurückziehen
retour [r(ə)tur] *m* Rückfahrt *f*, -reise *f*; ***à mon ~*** bei m-r Rückkehr; ***être de ~*** zurück sein
retourner [r(ə)turne] zurückkehren, -gehen, -fahren; *de nouveau* wieder gehen, fahren; *matelas* umdrehen; *lettre* zurücksenden; **se ~** *personne* sich umdrehen; *Kfz* sich überschlagen
retrait [r(ə)trɛ] *m du permis de conduire* Entzug; *d'argent* Abheben *n*
retraite [r(ə)trɛt] *f* Ruhestand *m*; *pension* (Alters-)Rente
retraité [r(ə)trɛte] pensioniert
rétrécir [retresir] *au lavage* einlaufen; **se ~** enger werden; *fig* sich verkleinern
rétrograder [retrɔgrade] *Kfz* zurückschalten
rétrospective [retrɔspɛktiv] *f* Retrospektive; **~ment** [~mɑ̃] rückblickend
retrouver [rətruve] wiederfinden
rétroviseur [rətrɔvizœr] *m* Rückspiegel; ***~ extérieur*** Außenspiegel
réunification [reynifikasjõ] *f* Wiedervereinigung
réunion [reynjõ] *f* Versammlung
réunir [reynir] *choses séparées* (miteinander) verbinden; *documents* zusammenstellen; *preuves* zusammentragen; *conditions* erfüllen; *fonds* auf-, zusammenbringen; **se ~** sich versammeln
réussir [reysir] *personne* Erfolg haben; *projet* gelingen; ***je réussis à*** es gelingt mir zu; ***~ à un examen*** e-e Prüfung bestehen
réussite [reysit] *f* Erfolg *m*
revanche [r(ə)vɑ̃ʃ] *f* Rache; *Sp* Revanche; **prendre sa ~** Rache nehmen (***sur q*** an j-m); *Sp* sich revanchieren; **en ~** dafür

rêve [rɛv] *m* Traum
réveil [revɛj] *m* Wecker
réveiller [revɛje] wecken; **se** ~ aufwachen
révélation [revelasjõ] *f* Aufdeckung; **~s** *pl* Enthüllungen
révéler [revele] aufdecken; **se ~ exact** sich als richtig erweisen
revenant [rəvnɑ̃] *m* Gespenst *n*
revendi|cation [r(ə)vɑ̃dikasjõ] *f* Forderung; **~quer** [~dike] fordern
revendre [r(ə)vɑ̃dr(ə)] weiterverkaufen
revenir [rəvnir] wiederkommen; *rentrer* zurückkommen; *mot, nom* wieder einfallen; *Hdl* sich belaufen (**à** auf); **~ sur** *décision* rückgängig machen; *sa parole* zurücknehmen, *Kochk* **faire ~** *viande* anbraten; *oignons* in Fett dünsten; **cela revient au même** das kommt auf das Gleiche hinaus
revenu [rəvny] *m* Einkommen *n*
rêver [rɛve] träumen (**de** von)
réverbère [revɛrbɛr] *m* Straßenlaterne *f*
revers [r(ə)vɛr] *m* Rückseite *f*; *d'un pantalon, d'une manche* Auf-, Umschlag; *tennis* Rückhand *f*
revêtement [r(ə)vɛt(ə)mɑ̃] *m* *Tech* Aus-, Verkleidung *f*; *d'une route* Straßendecke *f*
revient [rəvjɛ̃] **prix** *m* **de ~** Selbstkostenpreis
réviser [revize] *école* wiederholen; **faire ~ sa voiture** s-n Wagen zur Inspektion bringen
revoir [r(ə)vwar] wiedersehen; *film* sich wieder ansehen; **se ~** sich wiedersehen; **au ~!** auf Wiedersehen!
révolt|e [revɔlt] *f* Aufstand *m*; **~er** [~e] empören; **se ~** sich auflehnen (**contre** gegen); *s'indigner* sich empören (**contre** über *A*)
révolution [revɔlysjõ] *f* Revolution
revolver [r(ə)vɔlvɛr] *m* Revolver
revue [r(ə)vy] *f* Zeitschrift; *théâtre* Revue; *Mil* Parade
rez-de-chaussée [redʃose] *m* Erdgeschoss *n*
R.F.A. [ɛrɛfa] *f* (*République fédérale d'Allemagne*) BRD (*Bundesrepublik Deutschland*)
Rhin [rɛ̃] **le ~** der Rhein
Rhône [ron] **le ~** die Rhone
rhubarbe [rybarb] *f* Rhabarber *m*
rhum [rɔm] *m* Rum
rhumatisme [rymatism(ə)] *m* Rheuma *n*; **avoir des ~s** Rheuma haben
rhume [rym] *m* Schnupfen; *refroidissement* Erkältung *f*; **~ des foins** Heuschnupfen; **avoir un ~** e-n Schnupfen haben; **attraper un ~** sich erkälten

ri [ri] *p/p von* ***rire***
ricaner [rikane] höhnisch lachen; *bêtement* kichern
R.I.B. [ɛribe] *m s* ***relevé***
rich|e [riʃ] reich; **~esse** [~ɛs] *f* Reichtum *m*
ricin [risɛ̃] *m* Rizinus
ride [rid] *f* Falte
rideau [rido] *m* Vorhang
ridicul|e [ridikyl] lächerlich; **~iser** [~ize] lächerlich machen
rien [rjɛ̃] (***ne ...***) ~ nichts; ***~ du tout*** überhaupt nichts; ***pour ~*** umsonst; ***de ~!*** keine Ursache!; ***sans ~ dire*** ohne etwas zu sagen
rigide [riʒid] starr, steif; *personne* streng
rigole [rigɔl] *f* Rinne
rigoler [rigɔle] Spaß machen; *rire* lachen; ***pour ~*** zum Spaß
rigolo [rigɔlo] F lustig; *étrange* komisch
rigoureux [rigurø] streng
rigueur [rigœr] *f* Strenge; ***à la ~*** notfalls, zur Not
rillettes [rijɛt] *f/pl im eigenen Fett konserviertes Schweinefleisch*
rimer [rime] (sich) reimen
rincer [rɛ̃se] *linge* spülen; *cheveux, verre* ausspülen
riposter [ripɔste] schlagfertig antworten
rire [rir] **1.** lachen (***de*** über *A*); ***pour ~*** zum Spaß; **2.** *m* Lachen *n*
ris [ri] *m* ***~ de veau*** Kalbsbries *n*
risque [risk] *m* Risiko *n*
risqué [riske] riskant
risquer [riske] riskieren; **~ de** (+*inf*) Gefahr laufen zu, *chose* drohen zu
rissoler [risɔle] *Kochk* goldbraun braten
rivage [rivaʒ] *m* Ufer *n*
riv|al [rival] *m* (*pl* ***-aux*** [-o]) Rivale; **~ale** [~al] *f* Rivalin
rive [riv] *f* Ufer *n*
riverain [rivrɛ̃] *m* Anlieger
rivière [rivjɛr] *f* Fluss *m*
riz [ri] *m* Reis
R.N. (*route nationale*) *correspond à* B (*Bundesstraße*)
robe [rɔb] *f* Kleid *n*; ***~ d'été*** Sommerkleid *n*; ***~ de soirée*** Abendkleid *n*; ***~ de chambre*** Morgenrock *m*
robinet [rɔbinɛ] *m* Hahn
robot [rɔbo] *m* Roboter
robuste [rɔbyst] robust
roch|e [rɔʃ] *f* Fels *m*; **~er** [~e] *m* Felsen
rod|er [rɔde] *voiture* einfahren; **~age** [~aʒ] *m* Einfahren *n*
rôder [rode] herum-, umherstreifen
rognon [rɔɲɔ̃] *m Kochk* Niere *f*
roi [rwa] *m* König; ***les 2s mages*** die Heiligen Drei Könige
rôle [rol] *m* Rolle *f* (*a théâtre*); ***à tour de ~*** abwechselnd
roller [rɔlœr] *m* Inline-Skate *n*
romain [rɔmɛ̃] **1.** römisch; **2.** 2 *m* Römer

roman [rɔmɑ̃] **1.** romanisch; **2.** *m* Roman
romanc|ier [rɔmɑ̃sje] *m*, **~ière** [~jɛr] *f* Romanschriftsteller(in) *m(f)*
romantique [rɔmɑ̃tik] **1.** romantisch; **2.** *m* Romantiker
romarin [rɔmarɛ̃] *m* Rosmarin *n*
rompre [rõpr(ə)] brechen; *relations* abbrechen; **se ~** *ficelle* reißen; **~ avec q** mit j-m brechen
romsteck [rɔmstɛk] *m* Rumpsteak [-stek] *n*
rond [rõ] **1.** rund; *personne* rund(lich); **2.** *m* Kreis; **en ~** im Kreis
ronde [rõd] *f* Runde
rond-point [rõpwɛ̃] *m* Kreisverkehr, runder Platz
ronfler [rõfle] schnarchen
ronger [rõʒe] nagen; **se ~ les ongles** an den Nägeln kauen
ronronner [rõrɔne] schnurren
rosbif [rɔsbif] *m* Roastbeef *n*
rose [roz] **1.** rosa; **2.** *f* Rose
rosé [roze] **1.** zartrosa; **2.** *m* Rosé(wein)
roseau [rozo] *m* Schilf *n*
rosée [roze] *f* Tau *m*
rosier [rozje] *m* Rosenstrauch
rossignol [rɔsiɲɔl] *m* Nachtigall *f*
roter [rɔte] rülpsen
rôti [roti] **1.** gebraten, Brat...; **2.** *m* Braten
rôtir [rotir] braten
rôtiss|erie [rotisri] *f* Grillrestaurant *n*; **~oire** [~war] *f* Grill *m*
rotule [rɔtyl] *f* Kniescheibe
roue [ru] *f* Rad *n*; **~ avant** Vorderrad *n*; **~ arrière** Hinterrad *n*; **~ de secours** Reserverad *n*
rouge [ruʒ] **1.** rot; **2.** *m* Rot *n*; *vin* Rotwein; **~ à lèvres** Lippenstift; **être** (**passer**) **au ~** *feu* auf Rot sein (schalten)
roug|eole [ruʒɔl] *f* Masern *pl*; **~eurs** [~ʒœr] *f/pl* rote Flecken *m/pl*; **~ir** [~ir] rot werden
rouille [ruj] *f* Rost *m*; *Kochk mit Peperoni gewürzte Knoblauchsoße*
rouill|é [ruje] rostig; **~er** [~e] rosten
rouleau [rulo] *m* (Klopapier-, Tapeten-)Rolle *f*; *grosse vague* Brandungswelle *f*; **~ à pâtisserie** Nudelholz *n*
roulement [rulmɑ̃] *m* **~ à billes** Kugellager *n*
rouler [rule] rollen; *voiture* fahren
roulette [rulɛt] *f* *meubles* Rolle; *jeu* Roulett(e) *n*
roulotte [rulɔt] *f* Wohnwagen *m*
roumain [rumɛ̃] **1.** rumänisch; **2.** ♀ *m* Rumäne
Roumanie [rumani] **la ~** Rumänien *n*
rouspéter [ruspete] F meckern
rousse *s* **roux**
roussi [rusi] *m* Brandgeruch;

sentir le ~ versengt, angesengt riechen
route [rut] *f* (Auto-, Land-) Straße; *itinéraire* Weg *m*, Strecke; ~ ***de Paris*** Straße nach Paris; ~ ***à grande circulation*** Hauptverkehrsstraße; *panneau* ~ ***prioritaire*** Vorfahrtsstraße; ***en*** ~ unterwegs; ***quitter la*** ~ von der Fahrbahn abkommen; ***six heures de*** ~ sechs Stunden Fahrzeit; ***bonne*** ~**!** gute Fahrt!
routier [rutje] **1.** Straßen..., Verkehrs...; **2.** *m* Fernfahrer
routine [rutin] *f* Routine
roux [ru] (*f* ***rousse*** [rus]) rothaarig; *cheveux* rot
royal [rwajal] königlich (*a fig*), Königs...
royaume [rwajom] *m* Königreich *n*
ruban [rybɑ̃] *m* Band *n*; ~ ***adhésif*** Klebeband *n*
rubéole [rybeɔl] *f* Röteln *pl*
rubis [rybi] *m* Rubin
rubrique [rybrik] *f* Rubrik
ruche [ryʃ] *f* Bienenstock *m*
rude [ryd] *climat* rau; *travail* hart; *hiver* streng
rue [ry] *f* Straße; ***dans la*** ~ auf der Straße; ***en plaine*** ~ auf offener Straße
ruée [rɥe] *f* Ansturm *m*
ruelle [rɥɛl] *f* Gasse
ruer [rɥe] *cheval* ausschlagen; ***se*** ~ ***sur*** sich stürzen auf (*A*)
rugir [ryʒir] brüllen
ruine [rɥin] *f* Verfall *m*; ***en*** ~ verfallen; ~***s*** *pl* Ruinen
ruin|é [rɥine] ruiniert; ~***er*** [~e] ruinieren; *fig* zunichte machen
ruisseau [rɥiso] *m* Bach
ruisseler [rɥisle] rinnen; ~ ***de*** triefen von
rumeur [rymœr] *f* (dumpfer) Lärm *m*; *on-dit* Gerücht *n*
rupture [ryptyr] *f* Bruch *m* (*a entre personnes*); *Med* Riss *m*; *de négociations* Abbruch *m*
rural [ryral] ländlich
ruse [ryz] *f* List
rusé [ryze] listig
russe [rys] **1.** russisch; **2.** ♀ *m* Russe
Russie [rysi] ***la*** ~ Russland *n*
rustique [rystik] rustikal
rythme [ritm(ə)] *m* Rhythmus

S

s' [s] *s* ***se***; *vor il, ils s* ***si***
S.A. [ɛsa] *f* (*société anonyme*) AG (*Aktiengesellschaft*)
sa [sa] *s* ***son¹***
sable [sɑbl(ə)] *m* Sand
sablé [sɑble] *m* Sandplätzchen *n*
sablonneux [sɑblɔnø] sandig
sabot [sabo] *m* Holzschuh; *Zo* Huf; *Kfz* ~ ***de frein*** Bremsklotz; ~ ***de Denver*** [dɑ̃vɛr] Parkkralle *f*

sabre [sɑbr(ə)] *m* Säbel
sac [sak] *m pours ses affaires* Tasche *f*; *pour le transport* Sack; *pour l'emballage* Tüte *f*; **~ (à main)** Handtasche *f*; **~ de voyage** Reisetasche *f*; **~ isotherme** Kühltasche *f*; **~ à dos** Rucksack; **~ de couchage** Schlafsack *m*; **~ en plastique** Plastiktüte *f*; **~ poubelle** Müllbeutel
saccager [sakaʒe] *ville* plündern; *maison* auf den Kopf stellen
sache [saʃ] *subj von* **savoir**
sachet [saʃɛ] *m* **~ de thé** Teebeutel
sacoche [sakɔʃ] *f* Umhängetasche; *vélo, moto* Packtasche
sacré [sakre] heilig
sacrif|ice [sakrifis] *m* Opfer *n*; **~ier** [~je] opfern
sage [saʒ] weise; *enfant* artig
sage-femme [saʒfam] *f* Hebamme
saignant [sɛɲɑ̃] blutend; *steak* englisch
saigner [sɛɲe] bluten; **~ du nez** Nasenbluten haben
sain [sɛ̃] gesund; **~ et sauf** wohlbehalten
saindoux [sɛ̃du] *m* Schweineschmalz *n*
saint [sɛ̃] **1.** heilig; **2. ~(e)** [~(t)] *m(f)* Heilige(r) *su*
saisir [sɛzir] ergreifen (*a occasion*); *ballon* (auf)fangen; *comprendre* begreifen; *viande* anbraten; *jur* pfänden; *Inform* erfassen; **se ~ de** ergreifen (*A*)
saison [sɛzõ] *f* Jahreszeit; *période* Zeit; *touristique* Saison; *théâtrale* Spielzeit; **'haute ~** Hochsaison; **basse ~** Vor- *od* Nachsaison; **en pleine ~** in der Hochsaison
saisonnier [sɛzɔnje] saisonbedingt
sait [sɛ] *prés von* **savoir**
salade [salad] *f* Salat *m*; **~ verte** grüner Salat *m*; **~ de fruits** Obstsalat *m*; **~ niçoise** Nizza-Salat *m*
saladier [saladje] *m* Salatschüssel *f*
salaire [salɛr] *m ouvrier* (Arbeits-)Lohn; *employé* Gehalt *n*
salami [salami] *m* Salami *f*
salarié(e) [salarje] *m(f)* Arbeitnehmer(in)
salaud [salo] P *m* gemeiner Kerl, Mistkerl
sale [sal] schmutzig, dreckig; F *devant nom* übel; **~ type** *m* widerlicher Kerl; **~ temps** *m* Sauwetter *n*
salé [sale] **1.** gesalzen; *au goût* salzig; F *addition a* gepfeffert; **2.** *m* **petit ~** *gepökeltes Schweinefleisch*
saler [sale] salzen
saleté [salte] *f* Schmutzigkeit; *crasse* Schmutz *m*, Dreck *m*
salière [saljɛr] *f* Salzstreuer *m*
salir [salir] (**se ~** sich) schmutzig machen
salive [saliv] *f* Speichel *m*

salle [sal] *f* Saal *m*; *moins grand* Raum *m*; *pièce* Zimmer *n*; ~ ***d'attente*** *gare* Wartesaal *m*; *d'un médecin* Wartezimmer *n*; ~ ***à manger*** Esszimmer *n*; *hôtel* Speisesaal *m*; ~ ***de séjour*** Wohnzimmer *n*; ~ ***de bains*** Bad(ezimmer) *n*
salon [salõ] *m* Wohnzimmer *n*; ♀ *foire* Messe *f*, Ausstellung *f*; ~ ***de coiffure*** Friseursalon; ~ ***de thé*** Café *n*
saluer [salɥe] grüßen
salut [saly] *m* Gruß; ~**!** grüß dich!; *au revoir* tschüs!
salutation [salytasjõ] *f* Begrüßung; ~**s** *pl lettre* viele Grüße
samedi [samdi] *m* Samstag; ***le*** ~ samstags
SAMU [samy] *m* (*service d'aide médicale d'urgence*) Notarzt, Rettungsdienst
sandale [sɑ̃dal] *f* Sandale
sandwich [sɑ̃dwitʃ] *m* Sandwich *n*
sang [sɑ̃] *m* Blut *n*; ***être en*** ~ blutüberströmt sein; F ***se faire du mauvais*** ~ sich Sorgen machen
sang-froid [sɑ̃frwa] *m calme* Beherrschung *f*; *froideur* Kaltblütigkeit *f*; ***de*** ~ kaltblütig
sanglant [sɑ̃glɑ̃] blutig
sangle [sɑ̃gl(ə)] *f* Gurt *m*
sanglier [sɑ̃glije] *m* Wildschwein *n*
sangloter [sɑ̃glɔte] schluchzen
sans [sɑ̃] ohne
sans-abri [sɑ̃sabri] *m*, *f* Obdachlose(r) *su*
sans-gêne [sɑ̃ʒɛn] **1.** dreist; **2.** *m* Dreistigkeit *f*
santé [sɑ̃te] *f* Gesundheit; ***être en bonne*** ~ gesund sein; ***à votre*** ~**!** auf Ihr Wohl!, zum Wohl!
sapin [sapɛ̃] *m* Tanne *f*
Sardaigne [sardɛɲ] ***la*** ~ Sardinien *n*
sardine [sardin] *f* Sardine; ~ ***à l'huile*** Ölsardine
S.A.R.L. [ɛsaɛrɛl] *f* (*société à responsabilité limitée*) GmbH (*Gesellschaft mit beschränkter Haftung*)
sarrasin [sarazɛ̃] *m* Buchweizen
Sarre [sar] ***la*** ~ Saarland *n*
Sarrebruck [sarbryk] Saarbrücken
satellite [satɛlit] *m* Satellit; (***télévision*** *f* ***par***) ~ Satellitenfernsehen *n*
satisfaction [satisfaksjõ] *f* Zufriedenheit; *d'un besoin* Befriedigung
satisfaire [satisfɛr] *personne* zufriedenstellen; *besoin* befriedigen
satisfaisant [satisfəzɑ̃] befriedigend, zufriedenstellend
satisfait [satisfɛ] zufrieden (***de*** mit)
sauce [sos] *f* Soße; ~ ***blanche*** weiße, helle Soße; ~ ***tomate*** Tomatensoße

saucer [sose] (mit Brot) austunken, -wischen
saucisse [sosis] *f* Würstchen *n*; ~ **grillée** Bratwurst
saucisson [sosisõ] *m* Wurst *f*; ~ **sec** Dauerwurst *f*; ~ **à l'ail** Knoblauchwurst *f*
sauf¹ [sof] (*f* **sauve** [sov]) **sain et** ~ wohlbehalten
sauf² [sof] außer (*D*), bis auf (*A*); ~ **que** außer dass; ~ **si** außer (wenn)
sauge [soʒ] *f* Salbei *m*
saule [sol] *m* Weide *f*; ~ **pleureur** Trauerweide *f*
saumon [somõ] *m* Lachs; ~ **fumé** Räucherlachs
sauna [sona] *f* Sauna
saupoudrer [sopudre] bestreuen
saurai [sore] *fut von* **savoir**
saut [so] *m* Sprung; ~ **en 'hauteur** Hochsprung; ~ **en longueur** Weitsprung; ~ **à la perche** Stabhochspringen *n*; ~ **périlleux** Salto
sauter [sote] springen; *bâtiment* in die Luft fliegen; *El plombs* durchbrennen; *obstacle* überspringen; *ligne, repas* auslassen; **faire** ~ *pont* sprengen; *pommes de terre* braten
sauterelle [sotrɛl] *f* Heuschrecke
sauvage [sovaʒ] wild; *farouche* menschenscheu
sauve *s* **sauf**
sauvegarder [sovgarde] schützen; *Inform* sichern
sauver [sove] retten; *accidentés* bergen; **se** ~ *s'enfuir* davonlaufen; F *s'en aller* (weg)gehen
sauv|etage [sovtaʒ] *m* Rettung *f*; **~eteur** [~tœr] *m* Retter; **~eur** [~vœr] *m* Retter; *Rel* ♀ Erlöser
savant [savã] **1.** gelehrt; **2.** *m* Gelehrte(r)
saveur [savœr] *f* Geschmack *m*
Savoie [savwa] **la** ~ Savoyen *n*
savoir [savwar] **1.** wissen; *langue* können; ~ **nager** schwimmen können; **faire** ~ mitteilen; **2.** *m* Wissen *n*
savoir|-faire [savwarfɛr] *m* Können *n*, Know-how [nohau] *n*; **~-vivre** [~vivr(ə)] *m* (feine) Manieren *f*/*pl*, Lebensart *f*
savon [savõ] *m* Seife *f*
savonner [savɔne] (**se** ~ sich) einseifen
savour|er [savure] genießen; **~eux** [~ø] köstlich
scandale [skãdal] *m* Skandal; **faire** ~ Aufsehen erregen
scandal|eux [skãdalø] skandalös, empörend; **~iser** [~ize] empören, entrüsten
scanner [skanɛr] *m* *Tech* Scanner [skɛ-]; *Med* Computertomograph
scaphandr|e [skafãdr(ə)] *m* Taucheranzug; **~ier** [~ije] *m* Taucher
scarlatine [skarlatin] *f* Scharlach *m*

scarole [skarɔl] *f* Winterendivie
sceau [so] *m* Siegel *n*
scénario [senarjo] *m* Drehbuch *n*
scène [sɛn] *f* Szene; *plateau* Bühne; ***mettre en ~*** inszenieren; *cinéma* Regie führen
sceptique [sɛptik] skeptisch
schéma [ʃema] *m* Schema *n*; **~tique** [~tik] schematisch
sciatique [sjatik] *f* Ischias *m*
scie [si] *f* Säge
science [sjɑ̃s] *f* Wissenschaft; **~s** *pl* Naturwissenschaften; *école* **~s** *pl* ***naturelles*** Biologie *f*
scientifique [sjɑ̃tifik] **1.** wissenschaftlich; **2.** *m, f* (*non littéraire* Natur-)Wissenschaftler(in) *m(f)*
scier [sje] sägen
scintiller [sɛ̃tije] funkeln, glitzern
scol|aire [skɔlɛr] Schul...; **~arité** [~larite] *f* Schulzeit
scooter [skutœr] *m* (Motor-)Roller
score [skɔr] *m* *Sp* (Spiel-)Stand; **~ *final*** Endstand
scotch¹ [skɔtʃ] *m* *whisky* Scotch
scotch² [skɔtʃ] *m* (*nom déposé*) Tesafilm (*Warenzeichen*)
scout [skut] *m* Pfadfinder
scrupul|e [skrypyl] *m* Skrupel; **~s** *pl* *a* Bedenken *n/pl*; **~eux** [~ø] gewissenhaft
scrutin [skrytɛ̃] *m* *Pol* Wahl *f*
sculpt|er [skylte] *bois* schnitzen; *pierre, marbre* meißeln; **~eur** [~œr] *m* Bildhauer; **~ure** [~yr] *f* *art* Bildhauerei; *œuvre* Skulptur
se [sə] (*vor Vokal* **s'**) sich
séance [seɑ̃s] *f* Sitzung; *cinéma* Vorstellung; *Med* Behandlung
seau [so] *m* Eimer
sec [sɛk] (*f* **sèche** [sɛʃ]) trocken; *feuille* dürr; *vin a* herb; *réponse* schroff; **à ~** *rivière* ausgetrocknet; F *fig* blank; ***au ~*** im Trockenen *od* ins Trockene
sécateur [sekatœr] *m* Gartenschere *f*
sèche *s* **sec**
sèche|-cheveux [sɛʃʃəvø] *m* Föhn, Haartrockner; **~-linge** [~lɛ̃ʒ] *m* Wäschetrockner
sécher [seʃe] trocknen (*a v/i*); **se ~** sich (ab)trocknen; F *école* **~ *un cours*** e-e Stunde schwänzen
sécheresse [seʃrɛs] *f* Trockenheit, Dürre
second [s(ə)gõ] zweite(r, -s)
secondaire [s(ə)gõdɛr] Neben..., nebensächlich; ***enseignement*** *m* **~** Sekundarstufe *f*
seconde [s(ə)gõd] *f* Sekunde; *train* zweite Klasse; *Kfz* zweiter Gang *m*
secouer [s(ə)kwe] schütteln
secourir [s(ə)kurir] beistehen (*q* j-m)

secours [s(ə)kur] *m* Hilfe *f*; ***au ~!*** Hilfe!; ***premiers ~ pl*** Erste Hilfe *f*; ***~ en montagne*** Bergwacht *f*
secousse [s(ə)kus] *f* Stoß *m*
secret [səkrɛ] **1.** geheim; **2.** *m* Geheimnis *n*; ***en ~*** heimlich
secrétaire [s(ə)kretɛr] *m, f* Sekretär(in) *m(f)*; ***~ f de direction*** Chefsekretärin; ***~ médical(e)*** Sprechstundenhilfe *f*
sécrétion [sekresjõ] *f Med* Sekret *n*
secteur [sɛktœr] *m* Sektor; *El* (Strom-)Netz *n*
sécurité [sekyrite] *f* Sicherheit; ***~ sociale*** *französische Sozialversicherung*
sédatif [sedatif] *m* Beruhigungsmittel *n*
sédui|re [sedɥir] verführen; *fig* verlocken; ***~sant*** [~zɑ̃] verführerisch; *idée* verlockend
seiche [sɛʃ] *f* Tintenfisch *m*
seigle [sɛglə] *m* Roggen
seigneur [sɛɲœr] *m* Herr; *Rel* ***le ~*** der Herr
sein [sɛ̃] *m* Brust *f*; ***~s*** *pl* Busen *m*; ***au ~ de*** innerhalb (*G*)
Seine [sɛn] ***la ~*** die Seine
séisme [seism(ə)] *m* Erdbeben *n*
seiz|e [sɛz] sechzehn; ***~ième*** [~jɛm] sechzehnte(r, -s)
séjour [seʒur] *m* Aufenthalt; ***~ner*** [~ne] sich aufhalten
sel [sɛl] *m* Salz *n*; ***mettre du ~*** salzen (***dans qc*** et *A*)
sélect|ion [selɛksjõ] *f* Auswahl; ***~ionner*** [~jɔne] auswählen
self-service [sɛlfsɛrvis] *m* Selbstbedienungsladen *m*, -restaurant *n*
selle [sɛl] *f* Sattel *n*; *Kochk* Rücken *m*; *Med* ***~s*** *pl* Stuhlgang *m*
selon [s(ə)lõ] gemäß (*D*), nach (*D*); ***~ la taille*** je nach Größe; ***~ que*** je nachdem, ob; ***~ moi*** meiner Meinung nach
semaine [s(ə)mɛn] *f* Woche; ***en ~*** unter der Woche
semblable [sɑ̃blabl(ə)] ähnlich (***à*** *D*)
semblant [sɑ̃blɑ̃] *m* (An-) Schein; ***faire ~ de*** (+ *inf*) so tun, als ob; ***il fait ~*** er tut nur so
sembler [sɑ̃ble] scheinen; ***il semble fatigué*** er scheint müde zu sein; ***il semble que*** es scheint, dass; ***il me semble que*** mir scheint(, dass)
semelle [s(ə)mɛl] *f* Sohle
semestre [s(ə)mɛstr(ə)] *m* Halbjahr *n*
semi-remorque [səmir(ə)mɔrk] *f* Sattelschlepper *m*
semoule [s(ə)mul] *f* Grieß *m*
sens [sɑ̃s] *m* Sinn; *direction* Richtung *f*; ***~ de l'orientation*** Orientierungssinn; ***~ de l'humour*** Sinn für Humor; ***le bon ~*** der gesunde Menschenverstand; *Kfz* ***~ unique*** Einbahnstraße *f*; ***~ giratoire***

Kreisverkehr; *panneau* ~ ***interdit*** Einfahrt verboten!
sensation [sɑ̃sasjõ] *f* Empfindung; *impression* Gefühl *n*; ***faire*** ~ Aufsehen erregen
sensationnel [sɑ̃sasjɔnɛl] F toll
sensible [sɑ̃sibl(ə)] empfindlich; *impressionnable* empfindsam; *baisse* fühlbar
sensuel [sɑ̃sɥɛl] sinnlich
sentence [sɑ̃tɑ̃s] *f* Urteil *n*
sentier [sɑ̃tje] *m* Pfad; Fußweg, Wanderweg
sentiment [sɑ̃timɑ̃] *m* Gefühl *n*
sentimental [sɑ̃timɑ̃tal] Gefühls...; *personne* gefühlsbetont; *péj* sentimental
sentir [sɑ̃tir] riechen (**qc** nach et); *ressentir* fühlen; *physiquement* spüren; ~ ***bon*** gut riechen; (***ne pas***) ***se*** ~ ***bien*** sich (nicht) gut fühlen
séparation [separasjõ] *f* Trennung
séparé(ment) [separe(mɑ̃)] getrennt
séparer [separe] trennen; *deux personnes* auseinanderbringen; **se** ~ sich trennen; (**se**) ~ ***en*** (sich) teilen in (*A*)
sept [sɛt] sieben
septante [sɛptɑ̃t] *Belgique, Suisse* siebzig
septembre [sɛptɑ̃br(ə)] *m* September
septicémie [sɛptisemi] *f* Blutvergiftung
septième [sɛtjɛm] **1.** siebte(r, -s); **2.** *m Math* Siebtel *n*
séquelles [sekɛl] *f/pl* Nachwirkungen
serai [səre] *fut von* **être**
serein [sərɛ̃] gelassen
série [seri] *f* Reihe, Serie (*a TV*)
sérieusement [serjøzmɑ̃] ernsthaft, im Ernst
sérieux [serjø] ernst; *consciencieux* zuverlässig; *élève* fleißig; *travail* sorgfältig; ***prendre au*** ~ ernst nehmen
seringue [sərɛ̃g] *f* Spritze; ~ ***jetable*** Einwegspritze
serment [sɛrmɑ̃] *m* Schwur, Eid
sermon [sɛrmõ] *m* Predigt *f*
séro|négatif [seronegatif] HIV-negativ; **~positif** [~pozitif] HIV-positiv
serpent [sɛrpɑ̃] *m* Schlange *f*
serpillière [sɛrpijer] *f* Scheuerlappen *m*
serre [sɛr] *f* Gewächshaus *n*; *Zo* Klaue
serré [sɛre] *vêtement* eng; *personnes* dicht gedrängt
serrer [sɛre] (zusammen)drücken, (-)pressen; *nœud* fest-, zuziehen; *vis* anziehen; **se** ~ zusammenrücken; ~ ***la main à q*** j-m die Hand geben; ~ ***q*** *vêtement* j-m zu eng sein; *Kfz* ~ ***à droite*** sich rechts einordnen
serrur|e [sɛryr] *f* Schloss *n*; **~ier** [~je] *m* Schlosser
sérum [serɔm] *m* Serum *n*
serv|eur [sɛrvœr] *m* Kellner;

Inform Anbieter; **~euse** [~øz] *f* Kellnerin
service [sɛrvis] *m* Dienst; *faveur* Gefallen; *au café, au restaurant* Bedienung *f*, Service [sœrvis]; *département* Abteilung *f*; *hôpital a* Station *f*; *vaisselle* Service *n*; *tennis* Aufschlag; **~ après-vente** Kundendienst; **~ (militaire)** Wehrdienst; **~ de traumatologie** Unfallstation *f*; **'hors ~** außer Betrieb; **être de ~** Dienst haben; **rendre (un) ~ à q** j-m e-n Dienst erweisen; **~ compris** einschließlich Bedienung
serviette [sɛrvjɛt] *f de table* Serviette; *de toilette* Handtuch *n*; *porte-documents* Aktentasche; **~ hygiénique** (Damen-)Binde *f*
servir [sɛrvir] *mets* servieren, auftragen; *à boire* einschenken; *client* bedienen; **~ à q** j-m nützen; **~ à qc** zu et dienen; **~ de** dienen als; **se ~** sich bedienen; **se ~ de** benutzen (*A*)
servofrein [sɛrvofrɛ̃] *m* Bremskraftverstärker
ses [se] *pl* seine; *à elle* ihre
set [sɛt] *m tennis* Satz
seuil [sœj] *m* Schwelle *f*
seul [sœl] allein; *unique* einzig; *seulement* allein, nur; **le ~, la ~e** der, die, das einzige
seulement [sœlmɑ̃] nur; *temps* erst; **hier ~** erst gestern
sévère [sevɛr] streng
sexe [sɛks] *m* Geschlecht *n*; *sexualité* Sex; *Anat* Geschlechtsteile *pl*
sexuel [sɛksɥɛl] sexuell
shampooing [ʃɑ̃pwɛ̃] *m* Shampoo *n*; *lavage* Haarwäsche *f*
sherry [ʃɛri] *m* Sherry
short [ʃɔrt] *m* Shorts *pl*
si¹ [si] *cj* (*vor il, ils* **s'**) wenn; **même ~** selbst wenn, wenn auch; **comme ~** als ob; **je me demande ~ ...** ich frage mich, ob ...
si² [si] *tellement, aussi* so
si³ [si] *après négation* doch
sida [sida] *m* Aids *n*
siècle [sjɛkl(ə)] *m* Jahrhundert *n*
siège [sjɛʒ] *m* Sitz; *chaise* Stuhl; *fauteuil* Sessel
sien [sjɛ̃] (*f* **sienne** [sjɛn]) **le ~, la ~ne** seine(r, -s), *à elle* ihre(r, -s)
sieste [sjɛst] *f* Mittagsschläfchen *n*
siffler [sifle] *chanson* pfeifen; *chanteurs* auspfeifen
sifflet [siflɛ] *m* Pfeife *f*; **coup m de ~** Pfiff; **~s** *pl* Pfiffe
signal [siɲal] *m* (*pl* **-aux** [-o]) Signal *n*; *train* **~ d'alarme** Notbremse *f*
signalement [siɲalmɑ̃] *m* Personenbeschreibung *f*
signaler [siɲale] anzeigen; *à la police a* melden; **~ qc à q** j-n auf et (*A*) hinweisen
signalisation [siɲalizasjõ] *f routière* Be-, Ausschilderung

signature [siɲatyr] *f* Unterschrift
signe [siɲ] *m* Zeichen *n*; ***faire ~ à q*** j-m winken
signer [siɲe] unterschreiben, unterzeichnen
significatif [siɲifikatif] bezeichnend (**de** für)
signif|ication [siɲifikasjõ] *f* Bedeutung; **~ier** [~je] bedeuten
silenc|e [silɑ̃s] *m de q* Schweigen *n*; *d'un endroit* Stille *f*; **~ieux** [~jø] still; *de nature* schweigsam
silhouette [silwɛt] *f* Umrisse *m/pl*; *d'une femme* Figur
similaire [similɛr] ähnlich
similicuir [similikɥir] *m* Kunstleder *n*
similitude [similityd] *f* Ähnlichkeit
simple [sɛ̃pl(ə)] **1.** einfach; schlicht; **2.** *m tennis* Einzel *n*; **~ment** [~mɑ̃] einfach
simplifier [sɛ̃plifje] vereinfachen
simul|ateur [simylatœr] *m* Simulator; **~er** [~e] vortäuschen
simultané(ment) [simyltane(mɑ̃)] gleichzeitig
sinc|ère [sɛ̃sɛr] aufrichtig; **~érité** [~erite] *f* Aufrichtigkeit
singe [sɛ̃ʒ] *m* Affe
singulier [sɛ̃gylje] **1.** eigenartig, merkwürdig; **2.** *m Gr* Singular, Einzahl *f*
sinistre [sinistr(ə)] **1.** unheimlich; **2.** *m* (Brand-)Katastrophe *f*; *assurances* Schaden(sfall)
sinon [sinõ] *autrement* sonst; *sauf* außer; *si ce n'est* wenn nicht
sinueux [sinɥø] gewunden (*a fig*); *route* kurvenreich
sirop [siro] *m* Sirup
site [sit] *m* Lage *f*; *paysage* Landschaft *f*
situation [sitɥasjõ] *f* Lage; *poste* (hohe) Stellung, Position
situé [sitɥe] gelegen; ***être ~*** liegen
six [sis, si] sechs
sixième [sizjɛm] **1.** sechste(r, -s); **2.** *m Math* Sechstel *n*
skateboard [skɛtbɔrd] *m* Skateboard [sket-] *n*, Rollbrett *n*
ski [ski] *m* Ski; *sport* Skilauf(en) *m(n)*, Skifahren *n*, Skisport; ***~ de fond*** Langlauf; ***~ de randonnée*** Skiwandern *n*; ***~ acrobatique*** Skiakrobatik *f*; ***~ nautique*** Wasserski; ***faire du ~*** Ski laufen, fahren
skier [skje] Ski laufen, fahren
ski|eur [skjœr] *m*, **~euse** [~øz] *f* Skiläufer(in) *m(f)*, -fahrer(in) *m(f)*
slip [slip] *m* Slip; ***~ de bain*** Badehose *f*
slovaque [slɔvak] **1.** slowakisch; **2.** ♀ *m* Slowake
Slovaquie [slɔvaki] ***la ~*** Slowakei

snack(-bar) [snak(bar)] *m* Schnellgaststätte *f*
SMIC [smik] *m* (*salaire minimum interprofessionnel de croissance*) garantierter Mindestlohn
S.N.C.F [ɛsɛnseɛf] *f* (*Société nationale des chemins de fer français*) französische Staatsbahn
sobre [sɔbr(ə)] mäßig, enthaltsam ; *style* nüchtern
sociable [sɔsjabl(ə)] gesellig
social [sɔsjal] sozial, Sozial...; *de la société a* Gesellschafts..., gesellschaftlich
société [sɔsjete] *f* Gesellschaft; ~ ***anonyme*** Aktiengesellschaft; ***en*** ~ in Gesellschaft
socle [sɔkl(ə)] *m* Sockel
socquette [sɔkɛt] *f* Söckchen *n*; *pour homme* Socke
sœur [sœr] *f* Schwester
soi [swa] sich; ***chez*** ~ zu Hause
soi-disant [swadizɑ̃] angeblich
soie [swa] *f* Seide
soif [swaf] *f* Durst *m*; ***avoir*** ~ Durst haben
soigner [swaɲe] pflegen; *Med* behandeln; ***se*** ~ *malade* etwas dagegen tun
soigneux [swaɲø] sorgfältig
soin [swɛ̃] *m* Sorgfalt *f*; **~s** *pl* Pflege *f*, *Med* Behandlung *f*; ***premiers ~s*** Erste Hilfe *f*; ***prendre ~ de*** sich kümmern um; *santé, affaires* achten auf (*A*)
soir [swar] *m* Abend; ***ce*** ~ heute Abend; ***le*** ~ abends
soirée [sware] *f* Abend *m*; *réception* Gesellschaft
soit[1] [swa] *subj von* **être**
soit[2] [swa] ~ ... ~ ... entweder ... oder ...
soixantaine [swasɑ̃tɛn] *f âge* Sechzig; ***une*** ~ **(*de* ...)** etwa sechzig (...)
soixante [swasɑ̃t] sechzig; ~ ***et onze*** einundsiebzig; **~-dix** [~dis] siebzig
sol [sɔl] *m* Boden
solaire [sɔlɛr] Sonnen...
solarium [sɔlarjɔm] *m* Solarium *n*
soldat [sɔlda] *m* Soldat
solde [sɔld] *m d'un compte* Saldo; *reste à payer* Restbetrag; **~s** *pl* (Sommer- *od* Winter-)Schlussverkauf; Ausverkauf; ***acheter en*** ~ im Schlussverkauf kaufen
soldé [sɔlde] *Hdl* herabgesetzt
sole [sɔl] *f* Seezunge
soleil [sɔlɛj] *m* Sonne *f*; ***au*** ~ in der Sonne; ***en plein*** ~ in der prallen Sonne; ***il fait du*** ~ die Sonne scheint
solennel [sɔlanɛl] feierlich
solidaire [sɔlidɛr] solidarisch
solide [sɔlid] fest, solide (*a Kenntnisse*); *personne* robust
soliste [sɔlist] *m, f* Solist(in) *m(f)*
soli|taire [sɔlitɛr] **1.** einsam; **2.** *m, f* Einzelgänger(in) *m(f)*; **~tude** [~tyd] *f* Einsamkeit

soluble [sɔlybl(ə)] löslich
solution [sɔlysjõ] *f* Lösung
sombre [sõbr(ə)] dunkel; *a fig* düster
sommaire [sɔmɛr] **1.** *exposé* kurzgefasst; *examen* kurz; *connaissances* dürftig; **2.** *m* kurze Inhaltsangabe *f*
somme[1] [sɔm] *f* Summe
somme[2] [sɔm] *m* F Schläfchen *n*, Nickerchen *n*
sommes [sɔm] *prés von* **être**
sommeil [sɔmɛj] *m* Schlaf; ***avoir ~*** müde sein
sommelier [sɔməlje] *m* Kellermeister; *au restaurant* Weinkellner
sommet [sɔmɛ] *m* Gipfel
sommier [sɔmje] *m* Sprungfederrahmen
somnambule [sɔmnɑ̃byl] **1.** mondsüchtig; **2.** *m, f* Mondsüchtige(r) *su*
somnifère [sɔmnifɛr] *m* Schlafmittel *n*
somptueux [sõptɥø] prächtig, pracht-, prunkvoll
son[1] [sõ] *m* (*f* **sa** [sa], *pl* **ses** [se]) sein(e); *à elle* ihr(e)
son[2] [sõ] *m* Ton; *d'un instrument, de la voix* Klang
sondage [sõdaʒ] *m* **~** (**d'opinions**) Meinungsumfrage *f*
sonde [sõd] *f* Sonde (*a Med*)
songer [sõʒe] **~ à** (+ *inf*) daran denken zu
sonner [sɔne] *cloches* läuten; *réveil, sonnette, téléphone* klingeln; *horloge* schlagen
sonnerie [sɔnri] *f* Läuten *n*; Klingeln *n*
sonnette [sɔnɛt] *f* Klingel
sono [sɔno] *f* F Verstärker-, Lautsprecheranlage
sonor|e [sɔnɔr] tönend, klangvoll; **~ité** [~ite] *f* Klang *m*
sont [sõ] *prés von* **être**
sophistiqué [sɔfistike] *maniéré* gekünstelt; *perfectionné* hoch entwickelt
sorbet [sɔrbɛ] *m* Halbgefrorene(s) *n*, Sorbet(t) *m od n*
sorcière [sɔrsjɛr] *f* Hexe
sordide [sɔrdid] schmutzig (*a fig*); *crime* gemein
sort [sɔr] *m* Schicksal *n*; ***tirer au ~*** auslosen
sorte [sɔrt] *f* Art; *espèce* Sorte; ***toutes ~s de*** allerlei; ***une ~ de*** e-e Art (von); ***de ~ que*** sodass
sortie [sɔrti] *f* Ausgang *m*; *pour voitures* Ausfahrt; *action* Hinausgehen *n*; *balade* Ausflug *m*; *d'un film* Uraufführung; ***~ de voitures*** *pancarte* Ausfahrt (*a* Einfahrt) freihalten; ***~ de secours*** Notausgang *m*
sortir [sɔrtir] hinausgehen, herauskommen; (*en*) *voiture* hinaus- *od* herausfahren; *film* herauskommen; *qc de qc* herausholen, -nehmen, -ziehen; *chien* ausführen; *voiture* herausfahren; *chaise de jardin* hinausstellen; ***~ avec q*** mit j-m ausgehen; ***s'en ~*** damit fertig werden; *s'en tirer* davonkommen

sot [so] töricht, dumm
sottise [sɔtiz] *f* Dummheit
souche [suʃ] *f* Baumstumpf *m*
souci [susi] *m* Sorge *f*
soucier [susje] ***se* ~** sich kümmern (***de*** um)
soucieux [susjø] besorgt; **~ *de*** bedacht auf (*A*)
soucoupe [sukup] *f* Untertasse
soudain [sudɛ̃] plötzlich
souder [sude] schweißen; *avec du métal* löten
souffle [sufl(ə)] *m* Atem; ***être à bout de* ~** außer Atem sein; *fig* ***second* ~** neuer Anlauf
soufflé [sufle] *m* Auflauf, Soufflee *n*
souffler [sufle] blasen; *bougie* ausblasen; *reprendre haleine* Atem, Luft holen; *école* vorsagen
soufflet [suflɛ] *m* Blasebalg
souffr|ance [sufrɑ̃s] *f* Schmerz *m*; **~ant** [~ɑ̃] (leicht) erkrankt; **~ir** [~ir] leiden (***de*** unter *D*; *Med* an *D*)
soufre [sufr(ə)] *m* Schwefel
souhait [swɛ] *m* Wunsch
souhait|able [swɛtabl(ə)] wünschenswert; **~er** [~e] wünschen
soûl [su] F betrunken
soulagement [sulaʒmɑ̃] *m* Erleichterung *f*
soulager [sulaʒe] *douleur*, *migraine* lindern; *malade* Erleichterung bringen (*D*); ***être soulagé*** erleichtert sein
soûler [sule] **~ *q*** j-n betrunken machen
soulever [sulve] hochheben; *problème* aufwerfen; ***se* ~** *peuple* sich erheben
soulier [sulje] *m* Schuh
souligner [suliɲe] unterstreichen (*a fig*)
soumettre [sumɛtr(ə)] *pays* unterwerfen; *présenter* vorlegen
soupape [supap] *f* Ventil *n*
soupçon [supsõ] *m* Verdacht
soupçonner [supsɔne] verdächtigen
soupe [sup] *f* Suppe; **~ *à l'oignon*** Zwiebelsuppe; **~ *de poisson*** Fischsuppe; **~ *au pistou*** *provenzalische Gemüsesuppe mit Basilikum*
souper [supe] (nach der Abendveranstaltung) essen
soupière [supjɛr] *f* Suppenschüssel, Terrine
soupirer [supire] seufzen
souple [supl(ə)] biegsam, geschmeidig
source [surs] *f* Quelle
sourcil [sursi] *m* Augenbraue *f*
sourd [sur] taub (***de*** auf *D*); *qui entend mal* schwerhörig; *bruit* dumpf
sourd-muet [surmɥɛ] taubstumm
sourire [surir] **1.** lächeln; **2.** *m* Lächeln *n*
souris [suri] *f* Maus (*a Inform*)
sournois [surnwa] hinterhältig

sous [su] unter (*D od A*); ~ *peu* in Kürze
sous-alimenté [suzalimɑ̃te] unterernährt
sous-développé [sudevlɔpe] unterentwickelt
sous-entendu [suzɑ̃tɑ̃dy] *m* Andeutung *f*
sous-estimer [suzɛstime] unterschätzen
sous-exposé [suzɛkspoze] *photo* unterbelichtet
sous|-locataire [sulɔkatɛr] *m, f* Untermieter(in) *m(f)*; **~-marin** [~marɛ̃] *m* U-Boot *n*; **~-sol** [~sɔl] *m* Untergeschoss *n*
sous|traction [sustraksjõ] *f* Subtraktion; **~traire** [~trɛr] abziehen (**de** von)
sous-vêtements [suvɛtmɑ̃] *m/pl* Unterwäsche *f*
souteneur [sutnœr] *m* Zuhälter
soutenir [sutnir] *piliers* stützen; *projet* unterstützen; *prétendre* behaupten
souterrain [sutɛrɛ̃] **1.** unterirdisch; **2.** *m* Unterführung *f*
soutien [sutjɛ̃] *m aide* Unterstützung *f*
soutien-gorge [sutjɛ̃gɔrʒ] *m* Büstenhalter
souvenir [suvnir] **1.** **se ~** sich erinnern (**de** an *A*); **2.** *m* Erinnerung *f*; *objet* Andenken *n*; *tourisme* Souvenir *n*, Reiseandenken *n*; **en ~ de** zur Erinnerung an (*A*)
souvent [suvɑ̃] oft
soyez [swaje] *subj von* **être**
spacieux [spasjø] geräumig
spaghetti [spageti] *m/pl* Spaghetti *pl*
sparadrap [sparadra] *m* Heftpflaster *n*
spasme [spasm(ə)] *m* Krampf
spatial [spasjal] Raum...
spécial [spesjal] (*m/pl* **-aux** [-o]) besondere(r, -s), speziell; *exceptionnel* Sonder...; *spécialisé* Fach...; F *inhabituel* eigenartig; **~ement** [~mɑ̃] speziell
spécial|iste [spesjalist] *m* Spezialist, Fachmann; *Med* Facharzt; **~ité** [~ite] *f* Fach(-gebiet) *n*; *Kochk* Spezialität
spect|acle [spɛktakl(ə)] *m* Anblick, Schauspiel *n*; *représentation* Vorstellung *f*; **~ateur** [~atœr] *m* Zuschauer
sphère [sfɛr] *f* Kugel
spirituel [spiritɥɛl] geistig; *drôle* geistreich
spiritueux [spiritɥø] *m/pl* Spirituosen *pl*
splend|eur [splɑ̃dœr] *f* Glanz *m*, Pracht; **~ide** [~id] prächtig
spontané [spõtane] spontan; *personne* natürlich
sport [spɔr] *m* Sport; **~s** *pl* **d'hiver** Wintersport *m*; **faire du ~** Sport treiben
sport|if [spɔrtif] **1.** sportlich, Sport...; **2.** *m*, **~ive** [~iv] *f* Sportler(in) *m(f)*
squelette [skəlɛt] *m* Skelett *n*

stable [stabl(ə)] stabil; *échelle* standfest; *emploi* fest, sicher; *personne* ausgeglichen
stade [stad] *m* Stadium *n*; *Sp* Stadion *n*
stag|e [staʒ] *m* Praktikum *n*; **~iaire** [~jɛr] *m* Praktikant
stand [stɑ̃d] *m Hdl* Stand
standard [stɑ̃dar] **1.** Standard...; **2.** *m Tel* Zentrale *f*
standardiste [stɑ̃dardist] *f* Telefonistin
star [star] *m* Filmstar *m*
starter [startɛr] *m Kfz* Choke
station [stasjõ] *f* Station, Haltestelle; *de métro a* Bahnhof *m*; *de radio* Sender *m*; **~ de taxis** Taxistand *m*; **~ balnéaire** Seebad *n*; **~ de sports d'hiver** Wintersportort *m*
stationnaire [stasjɔnɛr] gleichbleibend, unverändert
stationnement [stasjɔnmɑ̃] *m* Parken *n*; **~ interdit** Parkverbot *n*
stationner [stasjɔne] parken
station-service [stasjõsɛrvis] *f* Tankstelle
statistique [statistik] **1.** statistisch; **2. ~s** *f/pl* Statistik(en) *f(pl)*
statue [staty] *f* Statue
statut [staty] *m* Status; **~s** *pl* Satzung *f*, Statuten *n/pl*
steak [stɛk] *m* Steak [stek] *n*; **~ au poivre** Pfeffersteak *n*; **~ tartare** Tatar *n*; **~ haché** Hacksteak *n*
sténodactylo [stenodaktilo] *f* Stenotypistin
stéréo [stereo] **1.** Stereo...; **2.** *f* Stereo *n*; **en ~** in Stereo
steward [stjuward, sti-] *m* Steward
stimulateur [stimylatœr] *m* **~ cardiaque** Herzschrittmacher
stimuler [stimyle] *personne* anspornen; *appétit* anregen
stock [stɔk] *m d'un magasin* Warenbestand; *réserve* Vorrat (**de** an); **en ~** vorrätig
stocker [stɔke] lagern
stop [stɔp] **1.** stopp!; **2.** *m panneau* Stoppschild *n*; *feu arrière* Bremslicht *n*; F **faire du ~** per Anhalter fahren
stopper [stɔpe] *v/t u v/i* anhalten, stoppen
strapontin [strapõtɛ̃] *m* Klappsitz
Strasbourg [strazbur] Straßburg
strict [strikt] streng; **le ~ nécessaire** das (Aller-)Nötigste
studio [stydjo] *m TV*, *radio* Studio *n*; *de cinéma* Atelier *n*; *logement* Einzimmerwohnung *f*, Apartment [-mɔnt] *n*
stupéfait [stypefɛ] verblüfft
stupéfiant [stypefjɑ̃] **1.** verblüffend; **2.** *m* Rauschgift *n*
stupid|e [stypid] dumm; **~ité** [~ite] *f* Dummheit
style [stil] *m* Stil
stylo [stilo] *m* **~ (à encre, à plume)** Füller; **~ à bille** Kugelschreiber

stylo-feutre [stiloføtr(ə)] *m* Filzschreiber
su [sy] *p/p von* ***savoir***
subir [sybir] erleiden; ~ ***un examen*** sich e-m Examen unterziehen
subit [sybi] plötzlich
subjonctif [sybʒɔ̃ktif] *m* Konjunktiv
sublime [syblim] großartig
substance [sypstɑ̃s] *f* Substanz, Stoff *m*
substantif [sypstɑ̃tif] *m* Substantiv *n*, Hauptwort *n*
substituer [sypstitɥe] ersetzen (***A à B*** B durch A)
subtil [syptil] scharfsinnig; *nuance* fein
succéder [syksede] ~ **à** folgen auf (*A*); ***se*** ~ aufeinanderfolgen
succès [syksɛ] *m* Erfolg
successeur [syksɛsœr] *m* Nachfolger
success|if [syksɛsif] aufeinanderfolgend; **~ion** [~jõ] *f* (Aufeinander-)Folge; **~ivement** [~ivmɑ̃] nacheinander
succulent [sykylɑ̃] köstlich
succursale [sykyrsal] *f* Filiale; *d'une banque* Zweigstelle
suc|er [syse] lutschen; **~ette** [~ɛt] *f* Lutscher *m*; *tétine* Schnuller *m*
sucre [sykr(ə)] *m* Zucker; ~ ***en morceaux*** Würfelzucker
sucr|é [sykre] süß; **~er** [~e] zuckern; **~eries** [~əri] *f/pl* Süßigkeiten; **~ier** [~ije] *m* Zuckerdose *f*
sud [syd] *m* Süden; ***au*** ~ ***de*** südlich von
sud|-est [sydɛst] *m* Südosten; **~-ouest** [~dwɛst] *m* Südwesten
Suède [sɥɛd] ***la*** ~ Schweden *n*
suédois [sɥedwa] **1.** schwedisch; **2.** **♀** *m* Schwede
suer [sɥe] schwitzen
sueur [sɥœr] *f* Schweiß *m*
suffire [syfir] genügen, reichen; ***ne pas*** ~ nicht ausreichen
suffis|amment [syfizamɑ̃], **~ant** [~ɑ̃] ausreichend
suffoquer [syfɔke] ersticken
suggérer [sygʒere] vorschlagen; *faire penser à* denken lassen an (*A*)
suicid|e [sɥisid] *m* Selbstmord; **~er** [~e] ***se*** ~ Selbstmord begehen
suie [sɥi] *f* Ruß *m*
suis [sɥi] *prés von* ***être***
Suisse [sɥis] ***la*** ~ die Schweiz
suisse [sɥis] **1.** schweizerisch, Schweizer; **2.** **♀** *m*, *f* Schweizer(in) *m(f)*
suite [sɥit] *f* Folge; *série* Reihe; **~s** *pl conséquences* Folgen; ***de*** ~ hintereinander; ***à la*** ~ ***de, par*** ~ ***de*** infolge (*G*); ***par la*** ~ später; ***tout de*** ~ sofort; ***et ainsi de*** ~ und so weiter
suivant [sɥivɑ̃] nächste(r, -s), folgende(r, -s); ***au*** ~***!*** der Nächste, bitte!; ~ ***que*** je nachdem, ob
suivi [sɥivi] *m Med* (weitere) Betreuung *f*

suivre [sɥivr(ə)] folgen (*q* j-m); *cours* besuchen; **faire ~** *lettre* nachsenden; **à ~** Fortsetzung folgt
sujet [syʒɛ] *m* Thema *n*; *motif* Anlass (**de** zu); *Gr* Subjekt *n*; **au ~ de** wegen (*G*)
super [sypɛr] **1.** F super; **2.** *m* Super(benzin) *n*
superbe [sypɛrb] prächtig
superfic|ie [sypɛrfisi] *f* Fläche; **~iel** [~jɛl] oberflächlich
superflu [sypɛrfly] **1.** überflüssig; **2.** *m* Überfluss
supérieur [syperjœr] **1.** obere(r, -s), Ober...; **~ à** höher als; *fig* überlegen (*D*); **2. ~(e)** *m(f)* Vorgesetzte(r) *su*
supermarché [sypermarʃe] *m* Supermarkt
superposer [syperpoze] übereinanderlegen
superstitieux [sypɛrstisjø] abergläubisch
supplément [syplemɑ̃] *m* Zusatz; *train* Zuschlag; *restaurant, hôtel* **avec ~** gegen Aufpreis; **être en ~** *boissons* extra gehen
supplémentaire [syplemɑ̃tɛr] zusätzlich
supplice [syplis] *m* Folter *f*; *souffrance* Qual *f*
supplier [syplije] anflehen
support [sypɔr] *m* Stütze *f*
supportable [sypɔrtabl(ə)] erträglich
supporter¹ [sypɔrte] ertragen; *chaleur* vertragen; *Tech* tragen; **ne pas ~ q** j-n nicht ausstehen können
supporter² [sypɔrtɛr] *m Sp* Fan [fɛn]
supposer [sypoze] annehmen, vermuten; *impliquer* voraussetzen
suppositoire [sypozitwar] *m Med* Zäpfchen *n*
supprimer [syprime] *mur* wegnehmen; *passage* streichen; *emplois* abbauen; *douleur* stillen; *permis de conduire* entziehen; *personne* beseitigen; *abolir* aufheben
suppurer [sypyre] eitern
suprême [syprɛm] höchste(r, -s), oberste(r, -s)
sur [syr] auf (*D od A*); *au dessus de* über (*D od A*); *vers* auf (*A*) zu, nach; *au sujet de* über (*A*); **une fenêtre ~ la rue** ein Fenster zur Straße; **avoir de l'argent ~ soi** Geld bei sich haben; **trois mètres ~ cinq** drei mal fünf Meter
sûr [syr] sicher; *sérieux* zuverlässig; **bien ~!** natürlich!
surcharger [syrʃarʒe] überladen, überlasten
surchauffer [syrʃofe] *pièce* überheizen; *Tech* überhitzen
surélever [syrelve] erhöhen
sûrement [syrmɑ̃] sicher(lich)
surestimer [syrɛstime] überschätzen
sûreté [syrte] *f* Sicherheit
surexposé [syrɛkspoze] *photo* überbelichtet
surf [sœrf] *m* Wellenreiten *n*, Surfen *n*; *planche* Surfbrett *n*

surface [syrfas] *f de l'eau* Oberfläche; *Math* Fläche
surgelé [syrʒəle] **1.** tiefgekühlt; **2. ~s** *m/pl* Tiefkühlkost *f*
surgir [syrʒir] auftauchen
sur-le-champ [syrləʃɑ̃] auf der Stelle, sofort
surmené [syrməne] überarbeitet
surmonter [syrmɔ̃te] überwinden, bezwingen
surnom [syrnɔ̃] *m* Spitzname
surpasser [syrpase] übertreffen
surprenant [syrprənɑ̃] erstaunlich
surprendre [syrprɑ̃dr(ə)] überraschen
surpris [syrpri] überrascht; ***être ~ que*** (+ *subj*) sich wundern, dass
surprise [syrpriz] *f* Überraschung
sursis [syrsi] *m* Bewährungsfrist *f*
surtaxe [syrtaks] *f* Zuschlag *m*; *d'une lettre* Nachgebühr
surtout [syrtu] besonders, vor allen Dingen
surveill|ance [syrvɛjɑ̃s] *f* Aufsicht, Überwachung; **~ant** [~ɑ̃] *m* Aufseher; **~er** [~e] überwachen, beaufsichtigen
survêtement [syrvɛtmɑ̃] *m* Trainingsanzug
survivant [syrvivɑ̃] *m* Überlebende(r)
survivre [syrvivr(ə)] **~ à** überleben (*A*)
survoler [syrvɔle] überfliegen
sus [sys] ***être en ~*** extra gehen
susceptible [sysɛptibl(ə)] *personne* empfindlich; ***être ~ de*** (+ *inf*) fähig sein zu (+ *inf*)
susciter [sysite] hervorrufen
susp|ect [syspɛ(kt)] verdächtig (**de** *G*); **~ecter** [~ɛkte] verdächtigen
suspendre [syspɑ̃dr(ə)] aufhängen; *séance* unterbrechen; *paiements* einstellen; **se ~ à** sich hängen an (*A*)
suspense [syspɛns] *m* Spannung *f*
suspension [syspɑ̃sjɔ̃] *f Kfz* Aufhängung, Federung
svelte [svɛlt] schlank
S.V.P. (*s'il vous plaît*) bitte
sympa(thique) [sɛ̃pa(tik)] sympathisch; *soirée* nett
symphonie [sɛ̃fɔni] *f* Sinfonie
symptôme [sɛ̃ptom] *m* Symptom *n*
synagogue [sinagɔg] *f* Synagoge
syndic [sɛ̃dik] *m* Verwalter
syndical [sɛ̃dikal] gewerkschaftlich, Gewerkschafts...
syndicat [sɛ̃dika] *m* Gewerkschaft *f*; ***~ d'initiative*** Fremdenverkehrsamt *n*, -büro *n*
synthétique [sɛ̃tetik] synthetisch; *fibres a* Kunst...
système [sistɛm] *m* System *n*; ***~ immunitaire*** Immunsystem *n*; *Inform* ***~ d'exploitation*** Betriebssystem *n*

T

t' [t] *s* **te**
ta [ta] *s* **ton**
tabac [taba] *m* Tabak; (**bureau** *m* **de**) ~ Tabakladen
table [tabl(ə)] *f* Tisch *m*; ~ **de nuit** Nachttisch *m*; ~ **de ping-pong** Tischtennisplatte; ~ **des matières** Inhaltsverzeichnis *n*; **mettre la** ~ den Tisch decken; **à** ~! (das) Essen ist fertig!
tableau [tablo] *m* Gemälde *n*, Bild *n*, Tafel *f*; *schéma* Tabelle *f*; *école* ~ (**noir**) (Wand-) Tafel *f*; ~ **d'affichage** Anzeigetafel *f*, Schwarzes Brett *n*; ~ **de bord** Armaturenbrett *n*
tablette [tablɛt] *f* (Ablage-)Platte; ~ **de chocolat** Tafel Schokolade
tablier [tablije] *m* Schürze *f*
tabou [tabu] **1.** tabu; **2.** *m* Tabu *n*
tabouret [taburɛ] *m* Hocker
tache [taʃ] *f* Fleck *m*; ~**s** *pl* **de rousseur** Sommersprossen
tâche [tɑʃ] *f* Aufgabe
tacher [taʃe] fleckig machen
tâcher [tɑʃe] ~ **de** (+ *inf*) sich bemühen zu, versuchen zu
tact [takt] *m* Takt(gefühl) *m*(*n*)
taie [tɛ] *f* Kopfkissenbezug *m*
taille [taj, tɑj] *f* Größe; *Anat* Taille [taljə]
taille-crayon(**s**) [tɑjkrɛjõ] *m* Bleistiftspitzer
tailler [tɑje] *vêtement* zuschneiden; *haie* beschneiden; *crayon* spitzen; ~ **grand** groß ausfallen
tailleur [tajœr] *m* Schneider; *vêtement* Kostüm *n*
taire [tɛr] **se** ~ schweigen; ***tais-toi!*** sei still!
talon [talõ] *m* Ferse *f*; *de la chaussure* Absatz; *d'un chèque* Stammabschnitt
talus [taly] *m* Böschung *f*
tambour [tɑ̃bur] *m* Trommel *f*; ~**in** [~ɛ̃] *m* Tamburin *n*
tamis [tami] *m* Sieb *n*
tamiser [tamize] sieben; *lumière* dämpfen
tampon [tɑ̃põ] *m* (Watte-)Bausch; *cachet* Stempel; ~ **hygiénique** Tampon
tamponner [tɑ̃pɔne] *plaie* abtupfen; *timbre* (ab)stempeln; *voiture* auffahren auf (*A*); **se** ~ zusammenstoßen
tandis que [tɑ̃di(s)k(ə)] während
tant [tɑ̃] so viel; *aimer* so sehr; ~ **de fois** so oft; ~ **que** solange; **en** ~ **que** als; ~ **mieux** um so besser; ~ **pis** schade
tante [tɑ̃t] *f* Tante
taon [tɑ̃] *m* *Zo* Bremse *f*
tapage [tapaʒ] *m* Lärm
tape [tap] *f* Klaps *m*

taper [tape] schlagen; *sur l'épaule de q* klopfen; *à la machine* tippen; *Inform* eingeben
tapenade [tapənad] *f* Olivenpaste (*aus der Provence*)
tapis [tapi] *m* Teppich; *Sp* Matte *f*; ~ **roulant** Förderband *n*; *pour piétons* Roll-, Fahrsteig
tapiss|er [tapise] tapezieren; **~erie** [~ri] *f* Wandteppich *m*
taquiner [takine] necken
tard [tar] spät; **au plus** ~ spätestens
tarder [tarde] auf sich warten lassen; zögern; **ne pas ~ à faire qc** bald et tun
tarif [tarif] *m* Tarif; *d'un hôtel* Preisliste *f*; *transports* ~ **réduit** ermäßigter Preis; **plein** ~ normaler Preis
tarir [tarir] versiegen
tarte [tart] *f* Obstkuchen *m*, -torte; ~ **au citron** Zitronentorte; ~ **à l'oignon** Zwiebelkuchen *m*; ~ **Tatin** *gestürzter Apfelkuchen mit Karamel*
tartelette [tartəlɛt] *f* Törtchen *n*
tartine [tartin] *f* Butter- *od* Marmeladenbrot *n*
tartre [tartr(ə)] *m* Kesselstein; *des dents* Zahnstein
tas [tɑ̃] *m* Haufen; F **un ~ de** (...) e-e Menge (...), ein Haufen (...)
tasse [tɑs] *f* Tasse
tâter [tɑte] befühlen, betasten; *pouls* fühlen
taupe [top] *f* Maulwurf *m*
taureau [toro] *m* Stier, Bulle; **course** *f* **de ~x** Stierkampf *m*
taux [to] *m montant fixé* Satz; *pourcentage* Rate *f*, Quote *f*; ~ **de change** Wechselkurs; ~ **d'alcoolémie** Alkoholspiegel
taxe [taks] *f redevance* Gebühr; *impôt* Steuer; ~ **de séjour** Kurtaxe; **toutes ~s comprises** einschließlich Mehrwertsteuer; **'hors ~s** ohne Mehrwertsteuer
taxi [taksi] *m* Taxi *n*
tchèque [tʃɛk] tschechisch; **la République** ~ die Tschechische Republik, Tschechien *n*
Tchèque [tʃɛk] *m* Tscheche
te [t(ə)] (*vor Vokal* **t'**) dich; dir
technicien [tɛknisjɛ̃] *m* Techniker
technique [tɛknik] **1.** technisch; **2.** *f* Technik
teindre [tɛ̃dr(ə)] färben
teint [tɛ̃] *m* Teint, Gesichtsfarbe *f*; **fond** *m* **de** ~ Make-up *n*
teinte [tɛ̃t] *f* Farbton *m*
teinté [tɛ̃te] getönt
teinturerie [tɛ̃tyrri] *f* (chemische) Reinigung
tel [tɛl] (*f* **-le**) solche(r, -s); ~ **que** wie
télé [tele] *f* F Fernsehen *n*; *téléviseur* Fernseher *m*
télé|carte [telekart] *f* Telefonkarte; **~commande** [~kɔmɑ̃d] *f* Fernbedienung; **~communications** [~kɔmynikasjɔ̃] *f/pl* Fernmeldewe-

sen *n*; **~copie** [~kɔpi] *f* (Tele-)Fax *n*; **~film** [~film] *m* Fernsehfilm; **~gramme** [~gram] *m* Telegramm *n*
télé|guidé [telegide] ferngelenkt; **~objectif** [~ɔbʒɛktif] *m* Teleobjektiv *n*; **~phérique** [~ferik] *m* (Draht-) Seilbahn *f*
téléphone [telefɔn] *m* Telefon *n*; ***par*** ~ telefonisch; ***au*** ~ am Telefon; ~ ***sans fil*** schnurloses Telefon *n*; ~ ***mobile*** Mobiltelefon *n*; ~ ***portable*** Handy [hen-] *n*; ~ ***à carte*** Kartentelefon *n*
téléphoner [telefɔne] telefonieren (***à q*** mit j-m), anrufen (***à q*** j-n)
téléphonique [telefɔnik] telefonisch, Telefon...
télescope [telɛskɔp] *m* Teleskop *n*, Fernrohr *n*
télescoper [telɛskɔpe] zusammenstoßen mit; **se** ~ zusammenstoßen
télé|siège [telesjɛʒ] *m* Sessellift; **~ski** [~ski] *m* Skilift
téléspecta|teur [telespɛktatœr] *m*, **~trice** [~tris] *f* Fernsehzuschauer(in) *m(f)*
télé|visé [televize] Fernseh...; **~viseur** [~vizœr] *m* Fernseher
télévision [televizjõ] *f* Fernsehen *n*; *téléviseur* Fernseher *m*; ***regarder la*** ~ fernsehen
télex [telɛks] *m* Fernschreiben *n*, Telex *n*
telle *s* ***tel***
tellement [tɛlmã] dermaßen, so
témoigner [temwaɲe] (als Zeuge) aussagen; ~ ***de*** bezeugen (*A*); *chose* zeugen von
témoin [temwɛ̃] *m* Zeuge
tempe [tãp] *f* Schläfe
température [tãperatyr] *f* Temperatur (*a Med*)
tempête [tãpɛt] *f* Sturm *m*
temple [tãpl(ə)] *m* Tempel; (protestantische) Kirche *f*
temporaire [tãpɔrɛr] zeitweilig, vorübergehend
temps[1] [tã] *m* Zeit *f*; ~ ***libre*** Freizeit *f*; **à** ~ rechtzeitig; ***de*** ~ ***en*** ~ von Zeit zu Zeit; (***ne pas***) ***avoir le*** ~ (keine) Zeit haben; ***en même*** ~ zugleich
temps[2] [tã] *m météo* Wetter *n*; ***quel*** ~ ***fait-il?*** wie ist das Wetter?
tenace [tənas] hartnäckig
tenailles [tənɑj] *f/pl* Zange *f*
tendance [tãdãs] *f* Tendenz
tendinite [tãdinit] *f* Sehnenscheidenentzündung
tendon [tãdõ] *m* Sehne *f*
tendre[1] [tãdr(ə)] spannen; *piège* stellen; *bras* ausstrecken; *main* reichen (*a fig*)
tendre[2] [tãdr(ə)] zärtlich, liebevoll; *viande* zart
tendresse [tãdrɛs] *f* Zärtlichkeit
tenir [tənir] (fest)halten; *promesse* halten; *restaurant* führen; *place* einnehmen; ~ **à** halten an (*D*); *fig* hängen an

(*D*); *être dû à* liegen an (*D*); ~ ***au frais*** kühl aufbewahren; **se** ~ sich (fest)halten (**à** an *D*); **se** ~ ***mal*** sich schlecht benehmen; ***tiens!*** *prends* da (nimm)!

tennis [tenis] *m* Tennis *n*; ~ ***de table*** Tischtennis *n*; ~ *pl* Turnschuhe

tension [tɑ̃sjõ] *f* Spannung; *Med* Blutdruck *m*

tent|ant [tɑ̃tɑ̃] verlockend; **~ation** [~asjõ] *f* Versuchung

tentative [tɑ̃tativ] *f* Versuch *m*

tente [tɑ̃t] *f* Zelt *n*

tenter [tɑ̃te] versuchen (**de** zu); *attirer* locken, reizen

tenue [təny] *f vêtements* Kleidung; *savoir-vivre* Anstand *m*; ~ ***de soirée*** Abendkleidung; *Kfz* ~ ***de route*** Straßenlage

terme [tɛrm] *m* Frist *f*; *expression* Ausdruck; **à court, long** ~ kurz-, langfristig

terminaison [tɛrminɛzõ] *f Gr* Endung

terminal [tɛrminal] *m* Terminal *m od n*; *en ville Endstation der Flughafenlinie in der Stadt*

terminale [tɛrminal] *f* Abiturklasse

terminer [tɛrmine] beenden; **se** ~ enden (**par** mit), zu Ende gehen; ***être terminé, avoir terminé*** fertig sein

terminus [tɛrminys] *m* Endstation *f*

terne [tɛrn] glanzlos, matt

terrain [tɛrɛ̃] *m* Gelände *n*; *parcelle* Grundstück *n*; *sol* Boden; ~ ***de camping*** Campingplatz; ~ ***de football*** Fußballplatz

terrasse [tɛras] *f* Terrasse

terre [tɛr] *f* Erde; Land *n*; ~ **ferme** Festland *n*

terrible [tɛribl(ə)] furchtbar, schrecklich; F toll; *appétit* gewaltig; **pas** ~ nicht besonders

terrine [tɛrin] *f* Tonschüssel *m* mit Deckel; *pâté* Pastete

territoire [tɛritwar] *m* Gebiet *n*

tétanos [tetanos] *m* Wundstarrkrampf, Tetanus

tête [tɛt] *f* Kopf *m*; *visage* Gesicht *n*; **en** ~ an der Spitze; **en** ~ **à** ~ unter vier Augen

téter [tete] saugen

tétée [tete] *f* ***donner la*** ~ **à** stillen

tétine [tetin] *f du biberon* Sauger *m*; *jouet* Schnuller *m*

têtu [tɛty] starrköpfig

texte [tɛkst] *m* Text

textile [tɛkstil] *m* Textil...; **~s** *m/pl* Textilien *pl*

TF1 [teɛfɛ̃] (*Télévision française un*) Französisches Fernsehen – 1. Programm

T.G.V. [teʒeve] *m* (*train à grande vitesse*) *correspond à* ICE

thé [te] *m* Tee; ~ ***au lait*** Tee mit Milch

théâtre [teɑtr(ə)] *m* Theater *n*; *fig* Schauplatz

théière [tejɛr] *f* Teekanne
thème [tɛm] *m* Thema *n*
théor|ie [teɔri] *f* Theorie; **~ique** [~ik] theoretisch
thermal [tɛrmal] Thermal...; *cure f* **~e** Bade- *od* Trinkkur
thermomètre [tɛrmɔmɛtr(ə)] *m* Thermometer *n*
thermos [tɛrmos] *f* (*nom déposé*) (**bouteille** *f*) **~** Thermosflasche (*Warenzeichen*)
thon [tõ] *m* Tunfisch
thorax [tɔraks] *m* Brustkorb
thym [tɛ̃] *m* Thymian
tibia [tibja] *m* Schienbein *n*
ticket [tikɛ] *m* Fahrschein; *d'entrée* Eintrittskarte *f*; **~ restaurant** Essensmarke *f*; **~ de caisse** Kassenzettel
tiède [tjɛd] lau(warm)
tien [tjɛ̃] (*f* **tienne** [tjɛn]) **le ~, la ~ne** deine(r, -s); **les ~s, les ~nes** deine
tient [tjɛ̃] *prés von* **tenir**
tiercé [tjɛrse] *m* Dreierwette *f*
tiers [tjɛr] *m* Drittel *n*
tige [tiʒ] *f Bot* Stengel *m*, Stiel *m*; *barre* Stange
tigre [tigr(ə)] *m* Tiger
tilleul [tijœl] *m* Linde *f*; *tisane* Lindenblütentee
timbre [tɛ̃br(ə)] *m* Briefmarke *f*
timbré [tɛbre] frankiert
timid|e [timid] schüchtern; **~ité** [~ite] *f* Schüchternheit
tique [tik] *f Zo* Zecke
tir [tir] *m* Schuss; *Sp* Schießen *n*
tirage [tiraʒ] *m loterie* Ziehung *f*; *Fot* Abziehen *n*; **~ au sort** Auslosung *f*
tire-bouchon [tirbuʃõ] *m* Korkenzieher
tirer [tire] ziehen; *rideau* zu- *od* aufziehen; *coup de feu* abgeben; *lièvre* schießen; *chèque* ausstellen; **~ sur q** auf j-n schießen; **s'en ~** davonkommen; F **se ~** abhauen
tiroir [tirwar] *m* Schublade *f*
tisane [tizan] *f* Kräutertee *m*
tisser [tise] weben
tissu [tisy] *m* Stoff
titre [titrə] *m* Titel; *d'un article* Überschrift *f*
titulaire [titylɛr] *m, f d'un document* Inhaber(in) *m(f)*
toast [tost] *m* Trinkspruch; *pain grillé* Toast; **porter un ~ à q** auf j-n trinken
toboggan [tɔbɔgɑ̃] *m* Rutschbahn *f*
toi [twa] *après prp* dich (*A*), dir (*D*); *sujet* du
toile [twal] *f tissu* Leinen *n*; *peinture* Gemälde *n*; **~ d'araignée** Spinnwebe, Spinnennetz *n*
toilette [twalɛt] *f* Waschen *n*; *vêtements* Kleidung; **~s** *pl* Toilette *f*, WC *n*; **faire sa ~** sich waschen
toit [twa] *m* Dach *n*; **~ ouvrant** Schiebedach *n*
tôle [tol] *f* Blech *n*; **~ ondulée** Wellblech *n*; **~s** *pl* **froissées** Blechschaden *m*
tolérant [tɔlerɑ̃] tolerant
tolérer [tɔlere] dulden; *médicament* vertragen

tomate [tɔmat] *f* Tomate; ***salade f de ~s*** Tomatensalat *m*

tomb|e [tõb] *f* Grab *n*; **~eau** [~o] *m* Grabmal *n*

tombée [tõbe] *f* ***à la ~ de la nuit*** bei Einbruch der Dunkelheit

tomber [tõbe] fallen; *glisser, trébucher* stürzen, hinfallen; *vent* sich legen; *anniversaire* ***~ un dimanche*** auf e-n Sonntag fallen; ***~ malade*** krank werden; ***~ amoureux*** sich verlieben (**de** in *A*); *Kfz* ***~ en panne*** e-e Panne haben; ***faire ~*** umwerfen; ***laisser ~*** fallen lassen; ***ça tombe bien*** das trifft sich gut

tome [tɔm] *m* Band

tomme [tɔm] *f Hartkäse aus Savoyen*

ton¹ [tõ] *m* (*f* **ta** [ta], *pl* **tes** [te]) dein(e)

ton² [tõ] *m* Ton

tonalité [tɔnalite] *f Tel* Wählton *m*

tondeuse [tõdøz] *f* ***~ à gazon*** Rasenmäher *m*

tondre [tõdr(ə)] scheren; *gazon* mähen

tongs [tõg] *f/pl* Zehensandalen

tonique [tɔnik] *m* Stärkungsmittel *n*

tonne [tɔn] *f* Tonne

tonneau [tɔno] *m* (*pl* **~x**) Fass *n*; *Kfz* ***faire un ~*** sich überschlagen

tonnerre [tɔnɛr] *m* Donner

torche [tɔrʃ] *f* Fackel; ***~ électrique*** Stablampe

torchon [tɔrʃõ] *m* Geschirrtuch *n*

tordre [tɔrdr(ə)] *linge* auswringen; *bras* verdrehen; ***se ~ de rire*** sich schieflachen; ***se ~ de douleur*** sich krümmen vor Schmerzen; ***se ~ le pied*** mit dem Fuß umknicken

torréfier [tɔrefje] *café* rösten

torrent [tɔrɑ̃] *m* Wild-, Sturzbach; *fig* Flut *f*, Strom; ***il pleut à ~s*** es gießt in Strömen

torride [tɔrid] heiß (*a fig*); *chaleur* glühend

torse [tɔrs] *m* Oberkörper

tort [tɔr] *m* Unrecht *n*; *erreur* Fehler; *dommage* Schaden; ***avoir ~*** Unrecht haben; ***à ~*** zu Unrecht; ***être dans son*** *od* ***en ~*** *conducteur* schuld sein

torticolis [tɔrtikɔli] *m* steifer Hals

tortue [tɔrty] *f* Schildkröte

torturer [tɔrtyre] foltern; *fig* quälen

tôt [to] früh; ***au plus ~*** frühestens; ***le plus ~ possible*** so bald wie möglich; ***~ ou tard*** früher oder später

total [tɔtal] **1.** völlig; *confiance* voll; *prix* Gesamt...; **2.** *m addition* (Gesamt-)Summe

touchant [tuʃɑ̃] rührend

touche [tuʃ] *f* Taste; *Sp* (***ligne f de***) **~** Seitenlinie

toucher [tuʃe] **1.** berühren; *émouvoir* rühren; *atteindre* treffen; *joindre* erreichen; *argent* bekommen; *chèque* einlösen; **~ à** berühren (*A*); **2.** *m* Tastsinn
touffe [tuf] *f* Büschel *n*
toujours [tuʒur] immer, *encore* immer noch; **~ est-il que** jedenfalls
toupie [tupi] *f* Kreisel *m*
tour¹ [tur] *f* Turm *m*; *building* Hochhaus *n*
tour² [tur] *m d'une roue, d'un moteur* Umdrehung *f*; *promenade* Rundgang, -fahrt *f*; *excursion* (Rad-, Auto-) Tour *f*; *voyage* Reise *f*; *farce* Streich; *Sp* Runde *f*; **faire le ~ de qc** um et herumgehen; **c'est mon ~** ich bin dran
tourbillon [turbijõ] *m* Wirbelwind
tourisme [turism(ə)] *m* Fremdenverkehr, Tourismus; **~ vert** Ferien *pl* auf dem Bauernhof; **office** *m* **du ~** Fremdenverkehrsamt *n*, -büro *n*
touriste [turist] *m*, *f* Tourist(in) *m(f)*
touristique [turistik] Fremdenverkehrs..., Touristen...; **menu** *m* **~** *preiswertes Menü für Touristen*
tourmenter [turmɑ̃te] quälen; **se ~** sich Sorgen machen
tournant [turnɑ̃] *m* Kurve *f*
tourne-disque [turnədisk] *m* Plattenspieler
tournedos [turnədo] *m* (Rinder-) Filetschnitte *f*, Tournedos *n*
tournée [turne] *f théâtrale* Tournee; F *au café* Runde; **en ~** auf Tournee
tourner [turne] (auf-, zu)drehen; *page* umblättern; *salade* umrühren; *film* drehen; *tête* wenden; *v/i* sich drehen; *au carrefour* abbiegen; *moteur* laufen; *lait* sauer werden; **se ~** sich umwenden; **se ~ vers** sich zuwenden (*D*)
tournesol [turnəsɔl] *m* Sonnenblume *f*
tournevis [turnəvis] *m* Schraubenzieher
tournoi [turnwa] *m* Turnier *n*
tournure [turnyr] *f* Wendung
tourte [turt] *f* (Fleisch- *od* Fisch-)Pastete; (Porree-, Spinat-, Birnen-)Torte
Toussaint [tusɛ̃] *f* Allerheiligen *n*
tousser [tuse] husten
tout [tu, tut] (*f* **toute** [tut]; *m/pl* **tous** [tu, tus], *f/pl* **toutes** [tut]) **~(e)** jede(r, -s) *avec article* ganze(r, -s); *employé seul* **~** alles; *pl* **tous, toutes** alle; **~e la ville** die ganze Stadt; **~ le monde** alle; **tous les (deux) jours** jeden (zweiten) Tag; **~ ou rien** alles oder nichts; **en ~** insgesamt; **~ propre** ganz sauber; **tout neuf** ganz neu; **~ à fait** ganz (und gar)
toutefois [tutfwa] jedoch
toux [tu] *f* Husten *m*

toxicomane [tɔksikɔman] (rauschgift)süchtig, drogenabhängig
toxique [tɔksik] **1.** giftig; **2.** *m* Gift *n*
tracasser [trakase] bekümmern; **se ~** beunruhigt sein
trace [tras] *f* Spur
tracé [trase] *m* Verlauf
tracer [trase] *ligne* ziehen; *plan* (auf)zeichnen
trachée [traʃe] *f* Luftröhre
tract [trakt] *m* Flugblatt *n*
tracteur [traktœr] *m* Traktor
traction [traksjõ] *f* **~ avant** Vorderradantrieb *m*
tradition [tradisjõ] *f* Tradition; *coutume* Brauch *m*
traditionnel [tradisjɔnɛl] traditionell
traduc|teur [tradyktœr] *m*, **~trice** [~tris] *f* Übersetzer(in) *m(f)*
traduction [tradyksjõ] *f* Übersetzung
traduire [tradɥir] übersetzen; *exprimer* ausdrücken; **se ~** sich äußern
trafic¹ [trafik] *m* Verkehr; **~ routier** Straßenverkehr; **~ aérien** Flugverkehr
trafic² [trafik] *m péj* Schleich-, Schwarzhandel; **~ de drogue** Rauschgifthandel; **faire le ~ de** schieben mit
trag|édie [traʒedi] *f* Tragödie (*a fig*); **~ique** [~ik] tragisch
trahir [trair] verraten
trahison [traizõ] *f* Verrat *m*
train [trɛ̃] *m* Zug; **~ de marchandises** Güterzug; **~ de voyageurs** Personenzug; **~ auto-couchettes** Autoreisezug; **~ d'atterrissage** Fahrgestell *n*; **être en ~ de travailler** gerade arbeiten
traîneau [trɛno] *m* Schlitten
traîner [trɛne] schleppen, schleifen; *v/i vêtements* herumliegen; *discussion* sich in die Länge ziehen; *traînasser* trödeln; *dans les rues*, *les cafés* sich herumtreiben
traire [trɛr] melken
trait [trɛ] *m* Strich; **~s** *pl* Gesichtszüge; **d'un ~** in e-m Zug(e)
traite [trɛt] *f crédit* Rate; **d'une (seule) ~** in e-m Zug(e)
traité [trɛte] *m Pol* Vertrag
traitement [trɛtmɑ̃] *m* Behandlung *f* (*a Med*); *Inform* **~ de texte** Textverarbeitung *f*
traiter [trɛte] behandeln (*a Med*); **~ q de menteur** j-n e-n Lügner nennen; **~ de qc** von et handeln
traiteur [trɛtœr] *m* Partyservice
traître [trɛtr(ə)] *m* Verräter
trajet [traʒɛ] *m* Strecke *f*
tramway [tramwɛ] *m* Straßenbahn *f*
tranchant [trɑ̃ʃɑ̃] scharf
tranche [trɑ̃ʃ] *f* Scheibe, Schnitte; **~ napolitaine** Fürst-Pückler-Eis *n*
trancher [trɑ̃ʃe] (durch-) schneiden; *fig* sich entscheiden

tranquille [trɑ̃kil] ruhig; *rassuré* unbesorgt; ***laisse-moi ~!*** lass mich in Ruhe!
tranquill|isant [trɑ̃kilizɑ̃] *m* Beruhigungsmittel *n*; **~ité** [~ite] *f* Ruhe
transférer [trɑ̃sfere] *détenu* überstellen; *bureaux* verlegen
transformation [trɑ̃sfɔrmasjõ] *f* (Ver-)Änderung; *métamorphose* Um-, Verwandlung; **~s** *pl travaux* Umbau *m*
transformer [trɑ̃sfɔrme] verändern; um-, verwandeln (**en** in *A*); *maison* umbauen; **se ~** sich (ver)ändern; sich verwandeln (**en** in *A*)
transfusion [trɑ̃sfyzjõ] *f* **~** (***sanguine***) Bluttransfusion
transit [trɑ̃zit] *m* Transit; **en ~** Transit...
transitoire [trɑ̃zitwar] Übergangs..., vorläufig
transmettre [trɑ̃smɛtr(ə)] weitergeben; *message* übermitteln; *maladie* übertragen (***à q*** auf j-n)
transmission [trɑ̃smisjõ] *f* Übertragung
transpar|ence [trɑ̃sparɑ̃s] *f* Durchsichtigkeit, Transparenz; **~ent** [~ɑ̃] durchsichtig
transpercer [trɑ̃spɛrse] durchbohren
transpir|ation [trɑ̃spirasjõ] *f* Schwitzen *n*; *sueur* Schweiß *m*; **~er** [~e] schwitzen
transport [trɑ̃spɔr] *m* Transport, Beförderung *f*; **~s** *pl* ***en commun*** öffentliche Verkehrsmittel *n/pl*
transport|able [trɑ̃spɔrtabl(ə)] transportabel; *malade* transportfähig; **~er** [~e] transportieren, befördern
transvaser [trɑ̃svaze] umfüllen, umgießen
transversal [trɑ̃svɛrsal] Quer...
traveller's chèque [travlœr(s)ʃɛk] *m* Travellerscheck
travail [travaj] *m* (*pl* ***-aux*** [-o]) Arbeit *f*; ***travaux*** *pl* Bauarbeiten *f/pl*; *panneau* Baustelle
travaill|er [travaje] arbeiten (*a bois*); *matériau* bearbeiten; **~eur** [~œr] *m*, **~euse** [~øz] *f* Arbeiter(in) *m(f)*
travers [travɛr] *m* **à ~** durch; **de ~** schief, quer, verkehrt; **en ~ de** quer über (*D*)
traversée [travɛrse] *f* (Durch-)Fahrt (**de** durch); *en bateau a* (Über-)Fahrt (**de** über *A*)
traverser [travɛrse] über-, durchqueren; *à pied a* gehen über (*A*) *od* durch, *en voiture a* fahren über (*A*) *od* durch; *transpercer* durchdringen
trébucher [trebyʃe] stolpern
trèfle [trɛfl(ə)] *m* Klee; *cartes* Kreuz *n*
treiz|e [trɛz] dreizehn; **~ième** [~jɛm] dreizehnte(r, -s)
tremblement [trɑ̃bləmɑ̃] *m* Zittern *n*; ***~ de terre*** Erdbeben *n*

trembler [trɑ̃ble] zittern (**de froid** vor Kälte); *terre, vitres* beben
trempé [trɑ̃pe] durchnässt
tremper [trɑ̃pe] *vêtement* durchnässen; ~ **dans** eintauchen, -tunken in (*A*)
tremplin [trɑ̃plɛ̃] *m* Sprungbrett *n*
trentaine [trɑ̃tɛn] *f âge* Dreißig; **une ~ (de ...)** etwa dreißig (...)
trente [trɑ̃t] dreißig
trépied [trepje] *m* Dreifuß; *Fot* Stativ *n*
très [trɛ] sehr
trésor [trezɔr] *m* Schatz
tresse [trɛs] *f* Zopf *m*
tresser [trɛse] flechten
tréteau [treto] *m* Bock
Trèves [trɛv] Trier
tri [tri] *m* Sortieren *n*; **faire un ~** auswählen
triangle [triɑ̃gl(ə)] *m* Dreieck *n*; **~ de présignalisation** Warndreieck *n*
triangulaire [triɑ̃gylɛr] dreieckig
tribord [tribɔr] *m* Steuerbord *n*; **à ~** steuerbord(s)
tribu [triby] *f* (Volks-)Stamm *m*
tribunal [tribynal] *m* Gericht *n*
tricher [triʃe] F mogeln
tricolore [trikɔlɔr] dreifarbig; **drapeau** *m* **~** Trikolore *f*
tricot [triko] *m action* Stricken *n*; *chandail* Strickjacke *f*; *pull* Pullover
tricoter [trikɔte] stricken
trier [trije] *courrier* sortieren; *lentilles* auslesen
trilingue [trilɛ̃g] dreisprachig
trimestre [trimɛstr(ə)] *m* Vierteljahr *n*, Quartal *n*
trinquer [trɛ̃ke] (mit den Gläsern) anstoßen (**à** auf *A*)
triomph|e [triɔ̃f] *m* Triumph; **~er** [~e] triumphieren, siegen (**de** über *A*)
tripes [trip] *f/pl Kochk* Kaldaunen, Kutteln; **~ à la mode de Caen** *Kaldaunen in Cidre und Calvados*
tripl|e [tripl(ə)] dreifach; **~er** [~e] verdreifachen
trist|e [trist] traurig; *temps, paysage* trist; **~esse** [~ɛs] *f* Traurigkeit
troc [trɔk] *m* Tausch(handel)
trois [trwɑ] drei; **~ quarts** drei viertel
troisième [trwɑzjɛm] dritte(r, -s); **~ âge** *m* Senioren *pl*
trombe [trɔ̃b] *f* Windhose; **~ d'eau** Wolkenbruch *m*
trombone [trɔ̃bɔn] *m Mus* Posaune *f*; *de bureau* Büroklammer *f*
trompe [trɔ̃p] *f Zo* Rüssel *m*
tromper [trɔ̃pe] täuschen; betrügen (*a en amour*); **se ~** sich irren; **se ~ de chemin** sich verlaufen, *en voiture* sich verfahren
trompette [trɔ̃pɛt] *f* Trompete
trompeur [trɔ̃pœr] trügerisch
tronc [trɔ̃] *m* **~ (d'arbre)** (Baum-)Stamm

tronçon [trõsõ] *m* (Autobahn-)Abschnitt
tronçonneuse [trõsɔnøz] *f* Kettensäge
trop [tro] zu viel; *aimer* zu sehr; *avec adj et adv* zu; **~ de** zu viel; **de, en ~** zu viel; **~ peu** zu wenig
tropical [trɔpikal] tropisch
tropiques [trɔpik] *pl* Tropen; **sous les ~** in den Tropen
trot [tro] *m* Trab
trotter [trɔte] traben
trottinette [trɔtinɛt] *f* Roller *m*
trottoir [trɔtwar] *m* Bürgersteig
trou [tru] *m* Loch *n*
trouble [trubl(ə)] **1.** *liquide* trüb(ə); *image* verschwommen; *affaire* dunkel; **2.** *m* Verwirrung *f*; **~s** *pl* **respiratoires** Atembeschwerden *f/pl*; **~s** *pl* **digestifs** Verdauungsstörungen *f/pl*
troubler [truble] stören; *personne* verwirren (*a physiquement*); **se ~** unsicher werden
trouer [true] durchlöchern
troupe [trup] *f de théâtre* Theatertruppe; *bande* Gruppe, Schar; *Mil* Truppe
troupeau [trupo] *m* Herde *f*
trousse [trus] *f* Etui *n*; *école* Federmäppchen *n*; **~ de toilette** Kulturbeutel *m*
trousseau [truso] *m* **~ de clés** Schlüsselbund *n*
trouver [truve] finden; **se ~** sich befinden
truc [tryk] *m* F Trick; *chose* Sache *f*, Ding(sda) *n*
truelle [tryɛl] *f* (Maurer-)Kelle
truffe [tryf] *f* Trüffel
truite [trɥit] *f* Forelle
truquage [trykaʒ] *m* Trickaufnahme *f*
tsigane [tsigan] *m*, *f* Zigeuner(in) *m(f)*
T.T.C. (*toutes taxes comprises*) einschl. MwSt. (*einschließlich Mehrwertsteuer*)
tu[1] [ty] du
tu[2] [ty] *p/p von* **taire**
tuba [tyba] *m Sp* Schnorchel
tube [tyb] *m* Rohr *n*; *bsd El* Röhre *f*; *de dentifrice* Tube *f*; *d'aspirine* Röhrchen *n*
tuer [tɥe] töten; **se ~** *mourir* umkommen; *en voiture* tödlich verunglücken
tuile [tɥil] *f* (Dach-)Ziegel *m*
tulipe [tylip] *f* Tulpe
tumeur [tymœr] *f* Geschwulst
Tunisie [tynizi] **la ~** Tunesien *n*
tunisien [tynizjɛ̃] **1.** tunesisch; **2. ♀** *m* Tunesier
tunnel [tynɛl] *m* Tunnel
turbot [tyrbo] *m* Steinbutt
turbulent [tyrbylɑ̃] wild
turc [tyrk] **1.** türkisch; **2. ♀** *m* Türke
Turquie [tyrki] **la ~** die Türkei
tutoyer [tytwaje] duzen
tuyau [tɥijo] *m* Rohr *n*, Röhre *f*; F Tip; **~ d'arrosage** Gar-

tenschlauch; **~ d'échappement** Auspuffrohr *n*
T.V.A. [tevea] *f* (*taxe à la valeur ajoutée*) Mehrwertsteuer
tympan [tɛ̃pɑ̃] *m Anat* Trommelfell *n*
typ|e [tip] *m* Typ; *modèle* Modell *n*; F *gars* Kerl, Typ; **~ique** [~ik] typisch (**de** für)

U

ulcère [ylsɛr] *m* Geschwür *n*; **~ de l'estomac** Magengeschwür *n*
ultérieur [ylterjœr] spätere(r, -s)
ultra... [yltra] extrem, hoch...; *Pol*, *Phys* ultra...
un [ɛ̃, œ̃] *m*, **une** [yn] *f* ein *m*, eine *f*, ein *n*; *employé seul* einer, eine, ein(e)s; *chiffre* **un** eins; **le un** die Eins; **un par un** einer nach dem anderen; **l'un(e)** der (die, das) eine; **l'un(e) l'autre** sich gegenseitig, einander; **l'un(e) et l'autre** beide
unanime [ynanim] einstimmig
uni [yni] *tissus* einfarbig; *surface*, *papier* glatt
unifier [ynifje] *pays* einigen; *tarifs* vereinheitlichen
uniforme [ynifɔrm] *m* Uniform *f*
union [ynjõ] *f* Union, Vereinigung
unique [ynik] *seul* einzig; *extraordinaire* einmalig; **~ment** [~mɑ̃] nur
unir [ynir] verein(ig)en; *relier* verbinden; *couple* trauen; **s'~** sich vereinigen
unité [ynite] *f* Einheit
univers [ynivɛr] *m* Weltall *n*; *fig* Welt *f*
université [ynivɛrsite] *f* Universität
urbain [yrbɛ̃] städtisch, Stadt...
urgence [yrʒɑ̃s] *f* Dringlichkeit; *Med* Notfall *m*; **d'~** (**service** *m* **des**) **~s** *pl* Notaufnahme *f*; **il y a ~** es eilt; **d'~** dringend
urgent [yrʒɑ̃] dringlich
urine [yrin] *f* Harn *m*
urologue [yrɔlɔg] *m* Urologe
usage [yzaʒ] *m* Gebrauch; *coutume* Brauch; '**hors d'~** außer Gebrauch
usagé [yzaʒe] gebraucht
usager [yzaʒe] *m* Benutzer; **~ de la route** Verkehrsteilnehmer
user [yze] abnutzen; *consommer* verbrauchen; **s'~** sich abnutzen
usine [yzin] *f* Fabrik
ustensile [ystɑ̃sil] *m* (Küchen-, Garten-)Gerät *n*
usuel [yzɥɛl] gebräuchlich

utile [ytil] nützlich
util|isateur [ytilizatœr] *m* Benutzer; **~iser** [~ize] benutzen, verwenden; **~ité** [~ite] *f* Nützlichkeit
utopique [ytɔpik] utopisch
U.V. [yve] *m/pl* (*ultra-violets*) UV-Strahlen

V

va [va] *prés von* ***aller***
vacances [vakɑ̃s] *f/pl* Ferien *pl*, Urlaub *m*; **~ *de neige*** Winter-, Skiurlaub *m*; ***être en*** **~** in *od* im Urlaub sein, Ferien haben
vacarme [vakarm] *m* Heidenlärm, Krach
vaccin [vaksɛ̃] *m* Impfstoff
vaccin|ation [vaksinasjõ] *f* Impfung; **~er** [~e] impfen
vache [vaʃ] *f* Kuh
vacherin [vaʃrɛ̃] *m Baisertorte mit Eis und Sahne*
va-et-vient [vaevjɛ̃] *m* Kommen und Gehen *n*
vagin [vaʒɛ̃] *m Anat* Scheide *f*, Vagina *f*
vague [vag] **1.** vage; *formes* verschwommen; **2.** *f* Welle
vain [vɛ̃] ***en*** **~** vergebens
vaincre [vɛ̃kr(ə)] siegen (***q*** über j-n), besiegen (j-n); *peur* überwinden
vainqueur [vɛ̃kœr] *m* Sieger
vais [vɛ] *prés von* ***aller***
vaisseau [vɛso] *m* **~** (***sanguin***) Blutgefäß *n*; **~ *spatial*** Raumschiff *n*
vaisselle [vɛsɛl] *f* Geschirr *n*; ***produit*** *m* **~** Geschirrspülmittel *n*; ***faire la*** **~** (das) Geschirr spülen, abwaschen
valable [valabl(ə)] *passeport* gültig; *argument* annehmbar
valet [valɛ] *m* Diener; *cartes* Bube
valeur [valœr] *f* Wert *m*; ***objet*** *m* ***de*** **~** Wertgegenstand; ***d'une*** **~ *de*** im Wert von
valid|er [valide] *billet* entwerten; **~ité** [~ite] *f* Gültigkeit
valise [valiz] *f* Koffer *m*; ***faire sa*** **~** (den Koffer) packen
vallée [vale] *f* Tal *n*
valonné [valɔne] hügelig
valoir [valwar] wert sein; *coûter* kosten; **~ *cher*** teuer sein; ***ne rien*** **~** nichts taugen; ***ça vaut mieux*** das ist (auch) besser; ***il vaut mieux que*** (+ *subj*) es ist besser, wenn; ***ça vaut la peine*** es lohnt sich
valse [vals] *f* Walzer *m*
valve [valv] *f* Ventil *n*
vanille [vanij] *f* Vanille
vaniteux [vanitø] eitel, eingebildet
vanter [vɑ̃te] ***se*** **~** prahlen, angeben (***de*** mit)
vapeur [vapœr] *f* Dampf *m*
vaporisateur [vapɔrizatœr] *m* Zerstäuber

varappe [varap] *f* (Felsen-)Klettern *n*
variable [varjabl(ə)] unterschiedlich, variabel; *temps* veränderlich
varice [varis] *f* Krampfader
varicelle [varisɛl] *f* Windpocken *pl*
vari|é [varje] *programme* abwechslungsreich; *choix* reich; **~er** [~e] abwechslungsreich gestalten; *v/i* sich ändern; *prix* schwanken
variété [varjete] *f diversité* Vielfalt; *de fruits* Sorte; *TV* (**émission** *f* **de**) **~s** *pl* Unterhaltungssendung *f*
variole [varjɔl] *f* Pocken *pl*
vase¹ [vɑz] *m* Vase *f*
vase² [vɑz] *f* Schlamm *m*; *dans la mer* Schlick *m*
vaste [vast] weit; *pièce* geräumig
vaut [vo] *prés von* ***valoir***
vautour [votur] *m* Geier
veau [vo] *m* Kalb *n*; *viande* Kalbfleisch *n*
vécu [veky] *p/p von* ***vivre***
vedette [vədɛt] *f cinéma*, *Sp* Star *m*; *Mil* Schnellboot *n*
végétal [veʒetal] Pflanzen...
végétarien [veʒetarjɛ̃] **1.** vegetarisch; **2. ~(ne)** [~ (-ɛn)] *m(f)* Vegetarier(in)
végétation [veʒetasjõ] *f* Vegetation; *Med* **~s** *pl* (Rachenmandel- *od* Nasen-)Polypen *n/pl*
véhicule [veikyl] *m* Fahrzeug *n*
veille [vɛj] *f* Vortag *m*; ***la ~*** am Tag zuvor; ***la ~ de*** am Tag vor (*D*)
veillée [vɛje] *f* abendliches Beisammensein
veiller [vɛje] ***~ tard*** lang(e) aufbleiben; ***~ sur*** aufpassen auf (*A*); **~ à** achten auf (*A*)
veilleur [vɛjœr] *m* ***~ de nuit*** Nachtwächter
veilleuse [vɛjøz] *f* Nachtlicht *n*; *Kfz* Standlicht *n*
veine [vɛn] *f* Ader, Vene; F ***avoir de la ~*** Schwein haben
véliplanchiste [veliplɑ̃ʃist] *m, f* (Wind-)Surfer(in) *m(f)*
vélo [velo] F *m* (Fahr-)Rad *n*; **~drome** [~drɔm] *m* Radrennbahn *f*; **~moteur** [~mɔtœr] *m* Moped *n*
velours [vəlur] *m* Samt
velouté [vəlute] *m* ***~ d'asperges*** Spargelcremesumme *f*
vendanges [vɑ̃dɑ̃ʒ] *f/pl* (Zeit *f* der) Weinlese *f*
vend|eur [vɑ̃dœr] *m*, **~euse** [~øz] *f* Verkäufer(in) *m(f)*
vendre [vɑ̃dr(ə)] verkaufen; **à ~** zu verkaufen
vendredi [vɑ̃drədi] *m* Freitag; ***le ~*** freitags; ***~ saint*** Karfreitag
vénéneux [venenø] giftig
vénérer [venere] verehren
vénérien [venerjɛ̃] Geschlechts...
veng|eance [vɑ̃ʒɑ̃s] *f* Rache; **~er** [~e] rächen; **se ~** sich rächen (***de q*** an j-m; ***de qc*** für et)

venimeux [vənimø] *animal* giftig (*a fig*), Gift...
venin [vənɛ̃] *m* Gift *n* (*a fig*)
venir [v(ə)nir] kommen (***en voiture, par le train*** mit dem Wagen, Zug) ~ ***de*** kommen aus; *tenir à* (her)kommen von; ~ ***de faire qc*** gerade, (so)eben et getan haben; ~ ***voir q*** j-n besuchen; ***faire*** ~ *médecin* kommen lassen; ***où veux-tu en*** ~***?*** worauf willst du hinaus?
vent [vɑ̃] *m* Wind; ~ ***contraire*** Gegenwind
vente [vɑ̃t] *f* Verkauf *m*; ~ ***par correspondance*** Versandhandel *m*; ~ ***aux enchères*** Versteigerung *f*, Auktion *f*; ***en*** ~ erhältlich (***chez*** bei)
ventilateur [vɑ̃tilatœr] *m* Ventilator
ventre [vɑ̃tr(ə)] *m* Bauch; ***bas*** ~ Unterleib
ver [vɛr] *m* Wurm; ~ ***de terre*** Regenwurm
verbal [vɛrbal] mündlich
verbe [vɛrb] *m* Verb *n*
verdict [vɛrdikt] *m* Urteilsspruch
verdure [vɛrdyr] *f* Grün *n*
véreux [verø] wurmstichig
verger [vɛrʒe] *m* Obstgarten
verglas [vɛrgla, -glɑ] *m* Glatteis *n*
verglacé [vɛrglase] vereist
vérification [verifikasjõ] *f* Überprüfung
vérifier [verifje] nach-, überprüfen; ***se*** ~ sich bestätigen
véritable [veritabl(ə)] echt
vérité [verite] *f* Wahrheit
vermicelle [vɛrmisɛl] *m* Fadennudeln *f/pl*
vermine [vɛrmin] *f* Ungeziefer *n*
vernis [vɛrni] *m* Lack; ~ ***à ongles*** Nagellack
verrai [vɛre] *fut von* ***voir***
verre [vɛr] *m* Glas *n*; ~ ***à vin*** Weinglas *n*; ***un*** ~ ***de vin*** ein Glas Wein; ~***s*** *pl* ***de contact*** Kontaktlinsen *f/pl*
verrière [vɛrjɛr] *f* Glasdach *n*
verrou [vɛru] *m* Riegel
verrouiller [vɛruje] verriegeln
verrue [vɛry] *f* Warze
vers[1] [vɛr] gegen, nach; ~ ***l'est*** nach Osten (hin); ~ ***midi*** gegen Mittag
vers[2] [vɛr] *m* Vers
versant [vɛrsɑ̃] *m* (Ab-)Hang
verse [vɛrs] *f* ***il pleut à*** ~ es gießt in Strömen
versement [vɛrsəmɑ̃] *m* (Ein-)Zahlung *f*
verser [vɛrse] (hinein)gießen; *vin* einschenken; *somme sur un compte* einzahlen
verso [vɛrso] *m* Rückseite *f*; ***au*** ~ umseitig
vert [vɛr] **1.** grün; **2.** *m* Grün *n*; ***passer au*** ~ *feu* auf Grün schalten
vertèbre [vɛrtɛbr(ə)] *f* Wirbel *m*
vertical [vɛrtikal] senkrecht
vertige [vɛrtiʒ] *m* Schwindel; ***j'ai un*** ~, ***des*** ~***s*** mir ist

schwindlig; ***j'ai le ~*** ich bin nicht schwindelfrei
vésicule [vezikyl] *f* **~ *biliaire*** Gallenblase
vessie [vɛsi] *f* (Harn-)Blase
veste [vɛst] *f* Jacke; *d'un costume* Jackett *n*
vestiaire [vɛstjɛr] *m* Garderobe *f*
vestibule [vɛstibyl] *m* Diele *f*, Flur
vestiges [vɛstiʒ] *m/pl* Überreste; *fig* Spuren *f/pl*
veston [vɛstõ] *m* Jackett *n*
vêtements [vɛtmã] *m/pl* Kleidung *f*
vétérinaire [veterinɛr] *m* Tierarzt
veuf [vœf] **1.** (*f* ***veuve*** [vœv]) verwitwet; **2.** *m* Witwer
veuille [vœj] *subj von* ***vouloir***
veuillez [vœje] *impératif von* ***vouloir***
veut [vø] *prés von* ***vouloir***
veuve [vœv] **1.** *s* ***veuf***; **2.** *f* Witwe
vex|ant [vɛksã] kränkend; **~er** [~se] kränken, beleidigen; ***se ~*** gekränkt, beleidigt sein
viande [vjãd] *f* Fleisch *n*; **~ *froide*** kalter Braten *m*; **~ *hâchée*** Hackfleisch *n*
vibrer [vibre] vibrieren, schwingen
vice [vis] *m* Laster *n*
vice versa [vis(ə)vɛrsa] umgekehrt
vicié [visje] *air* verbraucht
vicieux [visjø] *personne* pervers; *regard* lüstern
victime [viktim] *f* Opfer *n*
vict|oire [viktwar] *f* Sieg *m*; **~orieux** [~tɔrjø] siegreich
vidange [vidãʒ] *m* Ölwechsel
vide [vid] **1.** leer; **2.** *m* Leere *f* (*a fig*); *abîme* Tiefe *f*; *Phys* Vakuum *n*
vidéo [video] ***caméra f ~*** Videokamera
vidéo|cassette [videokasɛt] *f* Videokassette; **~thèque** [~tɛk] *f* Videothek
vide-ordures [vidɔrdyr] *m* Müllschlucker
vider [vide] (aus)leeren, leer machen; *boire* austrinken; *poisson* ausnehmen
vie [vi] *f* Leben *n*; ***être en ~*** am Leben sein; ***gagner sa ~*** s-n Lebensunterhalt verdienen
vieil *s* ***vieux***
vieillard [vjɛjar] *m* Greis
vieille [vjɛj] **1.** *s* ***vieux***; **2.** *f* Alte
vieillesse [vjɛjɛs] *f* (hohes) Alter *n*
vieillir [vjɛjir] altern
vient [vjɛ̃] *prés von* ***venir***
vierge [vjɛrʒ] **1.** jungfräulich; *feuille* unbeschrieben; *huile* naturrein; ***forêt f ~*** Urwald *m*; ***laine f ~*** Schurwolle; **2.** *f* Jungfrau; ***la*** (***Sainte***) **♀** die (Heilige) Jungfrau (Maria)
vieux [vjø] **1.** (*vor Vokal* ***vieil***, *f* ***vieille*** [vjɛj]) alt; **~ *jeu*** altmodisch; **2.** *m* Alte(r)
vif [vif] lebhaft; *couleur* kräftig; *allure* schnell

vigilant [viʒilɑ̃] wachsam
vigne [viɲ] *f pied de* ~ Rebstock *m*; *vignoble* Weinberg *m*
vigneron [viɲərɔ̃] *m* Winzer
vignette [viɲɛt] *f* Aufkleber *m*, Gebührenmarke; *Kfz* Steuerplakette
vignoble [viɲɔbl(ə)] *m* Weinberg
vigueur [vigœr] *f* Kraft; ***être en*** ~ gültig sein; ***entrer en*** ~ in Kraft treten
vilain [vilɛ̃] hässlich; *méchant* böse; *temps* schlecht
villa [vila] *f* Villa
village [vilaʒ] *m* Dorf *n*
ville [vil] *f* Stadt; ***en*** ~ in der *od* in die Stadt
vin [vɛ̃] *m* Wein; ~ ***rouge*** Rotwein; ~ ***de pays*** Landwein; ~ ***de table*** Tafelwein; ~ ***en pichet*** offener Wein; ~ ***mousseux*** Schaumwein, Sekt
vinaigr|e [vinɛgr(ə)] *m* Essig; **~ette** [~ɛt] *f* Salatsoße
vingt [vɛ̃] zwanzig
vingtaine [vɛ̃tɛn] *f* ***une*** ~ ***(de ...)*** etwa zwanzig (...)
vingtième [vɛ̃tjɛm] zwanzigste(r, -s)
vinicole [vinikɔl] Wein(bau)-...
viol [vjɔl] *m* Vergewaltigung *f*
violation [vjɔlasjɔ̃] *f* ~ ***de domicile*** Hausfriedensbruch *m*
viol|ence [vjɔlɑ̃s] *f* Gewalt; *d'une tempête* Heftigkeit; **~ent** [~ɑ̃] *personne* gewalttätig; *vent*, *douleur* heftig
violer [vjɔle] vergewaltigen; *loi*, *secret* verletzen
violet [vjɔlɛ] violett
violette [vjɔlɛt] *f* Veilchen *n*
violon [vjɔlɔ̃] *m* Geige *f*; **~celle** [~sɛl] *m* Cello *n*
vipère [vipɛr] *f* Viper
virage [viraʒ] *m* Kurve *f*
virement [virmɑ̃] *m* Überweisung *f*
virer [vire] *somme* überweisen; F ~ ***q*** j-n rauswerfen
virgule [virgyl] *f* Komma *n*
viril [viril] männlich
virus [virys] *m* Virus *n*
vis [vis] *f* Schraube
visa [viza] *m* Visum *n*
visage [vizaʒ] *m* Gesicht *n*
vis-à-vis [vizavi] ~ ***de*** gegenüber (*D*)
viser [vize] zielen auf (*A*); *s'adresser à* betreffen (*A*); *accusations* sich richten gegen
viseur [vizœr] *m* Visier *n*; *Fot* Sucher
vis|ibilité [vizibilite] *f* Sicht; **~ible** [~ibl(ə)] sichtbar; *manifeste* erkennbar, sichtlich
visière [vizjɛr] *f* (Mützen-)Schirm *m*
vision [vizjɔ̃] *f vue* Sehen *n*; *conception* Vorstellung; *hallucination* Vision
visite [vizit] *f* Besuch *m*; *d'une ville* Besichtigung; ~ ***guidée*** Führung; ***rendre*** (***une***) ~ ***à q*** j-n besuchen
visiter [vizite] *musée* besichtigen; *malade* besuchen
visiteur [vizitœr] *m* Besucher
vison [vizɔ̃] *m* Nerz

visqueux [viskø] zähflüssig; *péj* schmierig
visser [vise] *fixer* an-, festschrauben; *serrer* zu-, verschrauben
vitamine [vitamin] *f* Vitamin *n*
vite [vit] schnell
vitesse [vitɛs] *f* Geschwindigkeit, Tempo *n*; *Kfz* Gang *m*; **~ *maximale*** Höchstgeschwindigkeit
viti|cole [vitikɔl] Wein(bau)-...; **~culture** [~kyltyr] *f* Weinbau *m*
vitrail [vitraj] *m* (*pl* **~*aux*** [-o]) Kirchenfenster *n*
vitre [vitr(ə)] *f* Fensterscheibe
vitré [vitre] ***porte f ~e*** Glastür
vitrine [vitrin] *f* Schaufenster *n*; *meuble* Vitrine
vivant [vivɑ̃] lebend; lebendig (*a fig*); *enfant* lebhaft
vivre [vivr(ə)] leben; *v/t* erleben; ***vive ...!*** es lebe ...!
vivres [vivr(ə)] *m/pl* Lebensmittel *n/pl*
v.o. (*version originale*) Originalfassung *f*
vocabulaire [vɔkabylɛr] *m* Wortschatz; *école* ***apprendre du ~*** Vokabeln lernen
vocation [vɔkasjõ] *f* Berufung, Neigung
vodka [vɔdka] *m* Wodka
vœu [vø] *m* Wunsch; **~*x*** *pl* ***de bonne année*** Glückwünsche zum neuen Jahr; ***tous mes ~x!*** alles Gute!
voici [vwasi] hier ist *od* sind
voie [vwa] *f* Weg *m* (*a fig*), Straße; *file* Fahrspur; **~ (*ferrée*)** Gleis *n*; **~ *express*** Schnellstraße; ***à trois ~s*** dreispurig
voilà [vwala] da ist *od* sind; ***le ~*** da ist er
voile¹ [vwal] *m* Schleier
voile² [vwal] *f* Segel *n*; ***faire de la ~*** segeln
voilier [vwalje] *m* Segelboot *n*; *grand* Segelschiff *n*
voir [vwar] sehen; *film* sich ansehen; *comprendre* einsehen; ***se ~*** sich sehen; ***cela se voit*** das sieht, merkt man; ***faire ~*** zeigen; ***aller*** (*od* ***venir***) **~** besuchen
voisin [vwazɛ̃] **1.** *maison* Nachbar...; *pièce* Neben...; **2. ~(e)** [~ (-in)] *m*(*f*) Nachbar(in) *m*(*f*)
voiture [vwatyr] *f* Wagen *m*, Auto *n*; **~ *de tourisme*** Personenwagen, Pkw; ***en ~*** mit dem Auto
voiture|-couchettes [vwatyrkuʃɛt] *f* Liegewagen *m*; **~-lit** [~li] *f* Schlafwagen *m*; **~-restaurant** [~rɛstɔrɑ̃] *f* Speisewagen *m*
voix [vwa] *f* Stimme (*a Pol*); ***à ~ basse*** leise; ***à 'haute ~*** laut
vol¹ [vɔl] *m jur* Diebstahl
vol² [vɔl] *m* Flug; **~ *aller*** Hinflug; **~ *retour*** Rückflug; **~ *charter*** Charterflug; ***régulier*** Linienflug; **~ *international*** Auslandsflug; **~ *intérieur*** Inlandsflug; ***à ~ d'oiseau*** (in der) Luftlinie

volaille [vɔlaj] *f* Geflügel *n*
volant [vɔlɑ̃] *m Kfz* Lenkrad *n*; *Sp* Federball
vol-au-vent [vɔlovɑ̃] *m* Blätterteigpastete *f*
volcan [vɔlkɑ̃] *m* Vulkan
voler¹ [vɔle] stehlen; ~ ***q*** j-n bestehlen
voler² [vɔle] *oiseau* fliegen
volet [vɔlɛ] *m* Fensterladen
vol|eur [vɔlœr] *m*, **~euse** [~øz] *f* Dieb(in) *m(f)*; ~ ***à la tire*** Taschendieb(in) *m(f)*
volontaire [vɔlɔ̃tɛr] **1.** freiwillig; **2.** *m, f* Freiwillige(r) *su*
volonté [vɔlɔ̃te] *f* Wille *m*; ***bonne*** ~ guter Wille *m*; **à** ~ nach Belieben
volontiers [vɔlɔ̃tje] gern
volt [vɔlt] *m* Volt *n*
volum|e [vɔlym] *m* Volumen *n*; *tome* Band; *du son* Lautstärke *f*
vom|ir [vɔmir] sich übergeben; **~issements** [~ismɑ̃] *m/pl* Erbrechen *n*
vont [vɔ̃] *prés von* ***aller***
vorace [vɔras] gefräßig
vos [vo] *s* ***votre***
Vosges [voʒ] *f/pl* Vogesen
vot|e [vɔt] *m* Votum *n*, Stimme *f*; Abstimmung *f*; **~er** [~e] abstimmen
votre [vɔtr(ə)] (*pl* **vos** [vo]) euer (eure); Ihr(e)
vôtre [votr(ə)] ***le*** ~, ***la*** ~ eure(r, -s); Ihre(r, -s); ***les*** ~***s*** *pl* eure; Ihre
vouloir [vulwar] wollen; ***je voudrais*** ich möchte gern; ~ ***dire*** bedeuten; ***en*** ~ ***à q*** auf j-n böse sein
vous [vu] ihr, euch; *forme de politesse* Sie, Ihnen
voûte [vut] *f* Gewölbe *n*, Wölbung
vouv|oiement [vuvwamɑ̃] *m* Siezen *n*; **~oyer** [~aje] siezen
voyage [vwajaʒ] *m* Reise *f*; ~ **organisé** Pauschal-, Gruppenreise *f*; ~ ***en train*** Bahnfahrt; ***bon*** ~***!*** gute Reise! ***en*** ~ auf Reisen; ***partir en*** ~ verreisen; ***2 jours de*** ~ 2 Tage Fahrt
voyag|er [vwajaʒe] reisen; **~eur** [~œr] *m*, **~euse** [~øz] *f* Reisende(r) *su*
voyant [vwajɑ̃] auffällig
voyante [vwajɑ̃t] *f* Hellseherin
voyelle [vwajɛl] *f* Vokal *m*
voyou [vwaju] *m* jugendlicher Rowdy; *truand* Ganove
vrac [vrak] ***en*** ~ *non emballé* lose; *en désordre* durcheinander
vrai [vrɛ] wahr; **à** ~ ***dire*** offen gesagt
vraiment [vrɛmɑ̃] wirklich
vraisemblable(ment) [vrɛsɑ̃blablə(mɑ̃)] wahrscheinlich
V.T.T. [vetete] *m* (*vélo tout terrain*) Mountainbike *n*
vu¹ [vy] *p/p von* ***voir***
vu² [vy] in Anbetracht (*G*)
vue [vy] *f sens* Sehen *n*; *panorama* Aussicht, (Aus-)Blick *m* (**sur** auf *A*); *photo, dessin* Ansicht; **de** ~ vom Se-

hen; ***en ~*** in Sicht; ***en ~ de*** (+ *inf*) um zu

vulgaire [vylgɛr] gewöhnlich; *grossier* vulgär, ordinär

W

wagon [vagõ] *m* Wagen
wagon|-bar [vagõbar] *m* Büffetwagen; **~-lit** [~li] *m* Schlafwagen; **~-restaurant** [~rɛstorɑ̃] *m* Speisewagen
waters [water] *m/pl* Toilette *f*
watt [wat] *m* Watt *n*
W.-C. [(dublə)vese] *m/pl* WC *n*
week-end [wikɛnd] *m* Wochenende *n*
western [wɛstɛrn] *m* Western
whisky [wiski] *m* Whisky; ***~ nature*** Whisky pur

X

xénophobie [ksenɔfɔbi] *f* Fremdenfeindlichkeit
xérès [kserɛs, gze-] *m* Sherry

Y

y [i] **1.** *à cet endroit* da, dort; da-, dorthin; ***j'~ étais aussi*** ich war auch dort; ***tu ~ vas?*** gehst du dahin? ***on ~ va!*** gehen wir!; ***ça ~ est!*** es ist soweit; **2.** *à cela* daran, darauf; ***j'~ penserai*** ich werde daran denken; ***j'~ renonce*** ich verzichte darauf
yacht [jɔt] *m* Jacht *f*; **~ing** [~iŋ] *m* Segelsport
yaourt [jaur(t)] *m* Joghurt *m od n*
yeux [jø] *m/pl s* ***œil***

Z

zèbre [zɛbr(ə)] *m* Zebra *n*
zèle [zɛl] *m* Eifer; ***faire du ~*** übereifrig sein
zéro [zero] *m* Null *f*
zeste [zɛst] *m* ***~ de citron*** (Stück *n*) Zitronenschale *f*
zigzag [zigzag] *m* ***en ~*** im Zickzack
zinc [zɛ̃g] *m* Zink *n*; F *comptoir* Theke *f*
zone [zon] *f* Zone; Gebiet *n*; ***~ résidentielle*** Wohngebiet *n*; ***~ interdite*** Sperrgebiet *n*; ***~ de haute pression*** Hochdruckgebiet *n*; ***~ bleue*** Kurzparkzone; ***~ piétonnière*** Fußgängerzone
zoo [zo] *m* Zoo
zoom [zum] *m* Zoom *n*
zut! [zyt] verflixt!, verdammt!

A

Aachen Aix-la-Chapelle
Aal *m* anguille *f*
Aas *n* charogne *f*
ab (*D*) à partir de; *weg* parti; **~ morgen** à partir de demain; **~ Düsseldorf fliegen** prendre l'avion à Düsseldorf; *Fahrplan* **Berlin ~ 9.15** départ de Berlin à 9 h 15; **~ und zu** de temps en temps
abändern modifier
Abbau *m e-s Zelts usw* démontage; *Bergbau* extraction *f*; *Verminderung* réduction *f*; **ꝏen** démonter; *Erz usw* extraire; *verringern* réduire
ab|beißen arracher (en mordant); **~bestellen** *Hotelzimmer* annuler la réservation de; *Zeitung* résilier l'abonnement à
abbiegen tourner (**nach rechts** à droite)
Abbildung *f* illustration
abbinden *Med* ligaturer
abblend|en *Kfz* se mettre en code; **ꝏlicht** *n* feux *m/pl* de croisement, codes *m/pl*
ab|brechen casser; *Haus* démolir; *Zelt* démonter; *unterbrechen* interrompre; *Beziehungen* rompre; *v/i* se casser; **~bremsen** freiner; **~brennen** brûler; *Feuerwerk* tirer
abbringen **j-n von et ~** détourner, dissuader q de qc
abbröckeln s'effriter
Abbruch *m* démolition *f*; *von Verhandlungen* rupture *f*
abbürsten brosser
ab|decken découvrir; *Tisch* débarrasser; *zudecken* recouvrir; **~dichten** calfeutrer; **~drehen** *Mar*, *Flgw* changer de cap; F *Wasser, Licht* fermer
Abdruck *m* tirage; *Finger*ꝏ empreinte *f*
Abend *m* soir; *Abendstunden* soirée *f*; **am ~** le soir; **heute ~** ce soir; **im Laufe des ~s** dans la soirée; **guten ~!** bonsoir!; **schönen ~!** bonne soirée!; **zu ~ essen** dîner
Abend|anzug *m* tenue *f* de soirée; **~brot** *n* repas *m* du soir; **~essen** *n* dîner *m*; **~kleid** *n* robe *f* du soir, de soirée; **~land** *n* Occident *m*
abends le soir
Abenteu|er *n* aventure *f*; **ꝏerlich** aventureux; **~rer** *m* aventurier
aber mais

Aber|glaube *m* superstition *f*; **2gläubisch** superstitieux
Abf. (*Abfahrt*) départ *m*
abfahren partir (***nach*** pour, à; ***von*** de); *Müll* enlever; *Reifen* user
Abfahrt *f* départ *m*
Abfahrts|lauf *m Sp* descente *f*; **~tag** *m* jour du départ; **~zeit** *f* heure du départ
Abfall *m* déchets *m/pl*; *Müll* ordures *f/pl*; **~eimer** *m* poubelle *f*
abfallen *Blätter* tomber; *Gelände* aller en pente
ab|färben déteindre (***auf** A* sur); **~fassen** rédiger
abfertig|en contrôler (*a Reisende*); *Gepäck* enregistrer; **2ung** *f* contrôle *m*; *des Gepäcks* enregistrement *m*
abfinden ***j-n ~*** indemniser q; ***sich mit et ~*** accepter qc
Abfindung *f* indemnisation; *Betrag* indemnité
ab|fliegen partir, s'envoler (***nach*** pour); **~fließen** s'écouler
Abflug *m* départ; **~tag** *m*, **~zeit** *f s* ***Abfahrts...***
Abfluss *m* écoulement; **~rohr** *n* tuyau *m* d'écoulement
Abfuhr *f v Müll* enlèvement *m*
Abführmittel *n* laxatif *m*
Ab|gabe *f* remise; *Verkauf* vente; *Steuer* taxe; **~gang** *m* départ; **~gase** *n/pl* gaz *m/pl* d'échappement
abgeben remettre, donner; *zur Aufbewahrung* déposer; *verkaufen* vendre; ***sich ~ mit*** s'occuper de
abgebrannt F *fig* fauché
abgedroschen rebattu
abgehen partir, s'en aller; *Knopf* se défaire
abge|laufen *Pass* périmé; **~legen** isolé; **~macht!** entendu!, d'accord!; **~nutzt** usé
Abgeordnete(r) *su* député *m*
abgeschlossen fermé à clé; *beendet* terminé
abgesehen ***~ von*** à part, abstraction faite de; ***davon ~*** (mis) à part cela
abgespannt très fatigué
abgestanden éventé
abgewöhnen déshabituer (***j-m et*** q de qc); ***sich das Rauchen ~*** s'arrêter de fumer
abgrenzen délimiter
Abgrund *m* précipice; *fig* abîme
abhaken *auf e-r Liste* cocher
abhalten *Sitzung* tenir; *Gottesdienst* célébrer; ***j-n von et ~*** empêcher q de faire qc
abhanden ***~ kommen*** disparaître, s'égarer
Abhang *m* pente *f*; *Berg2* versant
abhängen dépendre (***von*** de); *Wagen* décrocher
abhängig dépendant (***von*** de); ***~ sein von*** dépendre de
Abhängigkeit *f* dépendance
abhärten endurcir, aguerrir
abhauen F foutre le camp
abheben *Geld* retirer; *Tel*

décrocher; *Karten* couper; *Flgw* décoller; **sich ~ von** se détacher de
abheilen guérir
abhetzen **sich ~** se presser
Abhilfe *f* **~ schaffen** y porter remède
abholen aller *od* venir chercher; **~ lassen** envoyer chercher
abholzen déboiser
abhorchen *Med* ausculter
abhör|en *Schüler* faire réciter (**j-n** *od* **j-m et** qc à q); *Tel* mettre sur écoute; **Ƨgerät** *n* micro *m*
Abi(tur) *n* bac(calauréat) *m*
Abiturient *m* bachelier; **~in** *f* bachelière
ab|kaufen acheter (**j-m et** qc à q); **~klingen** *Schmerz* diminuer; **~kochen** faire bouillir
abkommen *vom Weg* s'écarter (de); *vom Thema* s'éloigner (de); **von der Fahrbahn ~** entrer dans le décor
Abkommen *n* accord *m*
abkömmlich disponible
abkratzen gratter
abkühl|en **sich ~** se rafraîchir; **Ƨung** *f* rafraîchissement *m*
abkürz|en *Weg* raccourcir; *Wort*, *Besuch* abréger; **Ƨung** *f* abréviation; *Weg* raccourci *m*
abladen décharger
ablassen *Wasser* vider; *Luft* enlever; **~ von** renoncer à; **et vom Preis ~** rabattre qc sur le prix
Ablauf *m* déroulement; *e-r Frist* expiration *f*; **nach ~ von** au bout de
ablaufen se dérouler; *abfließen* s'écouler; *Frist*, *Pass* expirer
ablecken lécher
ablegen déposer; *Mantel* retirer; *Prüfung* passer; *Akten* classer; *Eid* prêter; *Gewohnheit* se défaire de
ablehn|en refuser; *Vorschlag* rejeter; *Verantwortung* décliner; **Ƨung** *f* refus *m*
ablenk|en détourner (**von** de); *zerstreuen* distraire; **Ƨung** *f* distraction
ablesen lire; *Zähler* relever
ablieferl|n livrer; *abgeben* remettre; **Ƨung** *f* livraison; remise
ablösen *et* décoller; *j-n* relayer; **sich ~** se relayer
Ablösung *f* relève
abmach|en défaire; *vereinbaren* convenir (**et** de qc); **Ƨung** *f* accord *m*
Abmagerungskur *f* cure d'amaigrissement
Abmarsch *m* départ; **Ƨbereit** prêt à partir
abmelden **sich ~** *von e-m Kurs usw* retirer son inscription; *polizeilich* faire une déclaration de changement de résidence
abmessen mesurer
abmontieren démonter
abmühen **sich ~** se donner du mal

Abnahme *f Rückgang* diminution; *Kauf* achat *m*
abnehmen *Hut* enlever; *Tel Hörer* décrocher; *Führerschein* retirer; *abkaufen* acheter; *v/i geringer werden* diminuer; *Mond* décroître; *an Gewicht* maigrir
Abnehmer *m* acheteur
Abneigung *f* aversion (***gegen*** pour)
abnutzen user
Abonn|ement *n* abonnement *m*; **~ent** *m* abonné; **≈ieren** s'abonner à
Abordnung *f* délégation
ab|packen empaqueter; **~passen** *Gelegenheit* guetter; **~pflücken** cueillir; **~prallen** rebondir; *Geschoss* ricocher; **~raten** déconseiller (***j-m von et*** qc à q); **~räumen** *Tisch* débarrasser
abrechn|en faire les comptes; *abziehen* déduire; **≈ung** *f* règlement *m* de comptes (*a fig*)
abreiben frotter
Abreise *f* départ *m*
abreise|n partir (***nach*** pour, à); *zurückreisen* rentrer; **≈tag** *m* jour du départ
abreißen arracher; *Haus* démolir; *Knopf* se détacher; *aufhören* cesser
Abriss *m Abbruch* démolition *f*; *Skizze* précis
abrunden arrondir
abrüst|en désarmer; **≈ung** *f* désarmement *m*
abrutschen glisser
ABS *n* (*Antiblockiersystem*) *Kfz* ABS *m*
Abs. (*Absender*) exp. (*expéditeur*)
Absage *f* refus *m*; *auf e-e Bewerbung* réponse négative
absagen se décommander; *et* annuler; ***j-m*** **~** annuler un rendez-vous avec q
absägen scier
Absatz *m Schuh≈* talon; *Text* alinéa; *Hdl* vente *f*; **~markt** *m* débouché
abschaff|en abolir, supprimer; **≈ung** *f* abolition, suppression
abschalten *Strom* couper; *Gerät* éteindre
abschätz|en estimer, évaluer; **~ig** méprisant
Abschaum *m fig* rebut
Abscheu *m* horreur *f* (***vor*** *D* de), répulsion *f* (pour)
abscheulich horrible
abschicken envoyer
abschieben *ins Ausland* expulser
Abschied *m* adieux *m/pl*; **~ *nehmen*** prendre congé (***von*** de); *endgültig* faire ses adieux (à)
Abschiedsgeschenk *n* cadeau *m* d'adieux
abschießen *Flugzeug*, *Wild* abattre; *Rakete* lancer
abschirmen protéger (***gegen*** contre)
ab|schlagen *Ast* couper; *Bitte* refuser; **~schlägig** négatif

Abschlagszahlung *f* acompte *m*
Abschlepp|dienst *m* entreprise *f* de dépannage; **2en** remorquer, dépanner; **~seil** *n* câble *m* de remorquage; **~wagen** *m* dépanneuse *f*
abschließ|en fermer à clé; *beenden* terminer; *Vertrag* conclure; *Versicherung* contracter; **~end** pour conclure
Abschluss *m Ende* fin *f*; *e-s Vertrages* conclusion *f*; **zum ~** pour terminer
Abschlussprüfung *f* examen *m* de fin d'études
abschmieren *Kfz* graisser
abschminken *sich* **~** se démaquiller
abschneiden couper; *fig* **gut ~** s'en tirer bien
Abschnitt *m Text2* passage, paragraphe; *zeitlich* période *f*; *Strecken2* tronçon; *Kontroll2* talon
ab|schrauben dévisser; **~schrecken** décourager; *Kochk* passer à l'eau froide
ab|schreiben copier (**von** sur); **2schrift** *f* copie
Abschuss *m Rakete* lancement
abschüssig escarpé
Abschussrampe *f* rampe de lancement
ab|schütteln secouer (*a fig*); **~schwächen** atténuer; **~schwellen** *Med* désenfler
absehbar *in* **~er Zeit** dans un proche avenir
absehen *Folgen* prévoir; **~ von** faire abstraction de; *verzichten auf* renoncer à
abseilen *sich* **~** descendre en rappel
abseits à l'écart
Abseits *n Sp* 'hors-jeu *m*
absend|en envoyer; **2er** *m* expéditeur
absetzen déposer (*a Fahrgast*); *Brille* enlever; *entlassen* révoquer; *vom Spielplan* retirer (de l'affiche); *Ware* vendre
Absicht *f* intention; *mit* **~** = **2lich** intentionnellement, exprès; *adj* intentionnel
absolut absolu
absondern séparer, isoler; *Med* sécréter; *sich* **~** s'isoler (**von** de)
absperr|en *Straße* barrer; *Tür* fermer à clé; **2ung** *f* barrage *m*
abspielen *Platte*, *Band* passer; *sich* **~** se dérouler
Absprache *f* accord *m*
ab|springen sauter; **2sprung** *m* saut; **~spülen** rincer
abstamm|en descendre (**von** de); **2ung** *f* origine
Abstand *m* distance *f*, intervalle (*a zeitlich*); **~ *halten*** garder ses distances; ***in regelmäßigen Abständen*** à intervalles réguliers; ***mit*** **~** de loin
abstauben épousseter
abstechen contraster (***gegen, von*** avec)

Abstecher *m* crochet
absteigen descendre
abstellen *Koffer usw* poser; *alte Möbel* déposer; *Auto* garer; *Maschine* arrêter; *Gas, Wasser, Strom* couper; *Radio, Heizung* fermer
Abstellraum *m* débarras
abstempeln timbrer; *entwerten* oblitérer
Abstieg *m* descente *f*; *Niedergang* déclin
abstimmen voter (***über*** *A* qc); ***aufeinander*** ~ harmoniser; *Mode* assortir
Abstimmung *f* vote *m*
abstoßen pousser; *anwidern* dégoûter
abstoßend répugnant
abstrakt abstrait
ab|streiten contester; **≗strich** *m Med* prélèvement, frottis; **≗sturz** *m* chute *f*; **~stürzen** faire une chute; *Flgw* s'écraser; **~suchen** fouiller
absurd absurde
Abszess *m* abcès
Abt *m* abbé
ab|tasten palper; **~tauen** *Kühlschrank* dégivrer
Abtei *f* abbaye
Abteil *n Bahn* compartiment *m*
Abteilung *f e-r Firma* département *m*; *e-s Kaufhauses* rayon *m*; **≗sleiter** *m* directeur du département; *im Kaufhaus* chef de rayon
ab|tippen F taper (à la machine); **~transportieren** *Verletzte* évacuer
abtreib|en *Mar* dériver; *Frau* se faire avorter; **≗ung** *f Med* avortement *m*
abtrennen détacher; *absondern* séparer
abtreten céder (***j-m et*** qc à q); *sich zurückziehen* se retirer; (***sich***) ***die Füße*** ~ s'essuyer les pieds
Abtret|er *m* paillasson; **~ung** *f* cession
ab|trocknen essuyer; **~wägen** peser; **~warten** attendre
abwärts vers le bas; ~ ***fahren***, ~ ***führen*** descendre
Abwasch *m* vaisselle *f*; **≗bar** lavable; **≗en** laver; *Geschirr* faire la vaisselle
Abwässer *n/pl* eaux *f/pl* usées
abwechseln alterner (***mit*** avec); ***sich*** ~ *Personen* se relayer
abwechselnd alternativement, tour à tour; *Personen* à tour de rôle
Abwechslung *f* changement *m*; *Zerstreuung* distraction; ***zur*** ~ pour changer
abwechslungsreich varié; *Leben* mouvementé
Abwehr *f* défense; **≗en** *Angriff* repousser; *Stoß* parer
abweichen *vom Kurs, Thema* s'écarter (**von** de); *sich unterscheiden* différer (**von** de); ***voneinander*** ~ diverger
abweichend divergent
Abweichung *f Unterschied* différence

abweisen *Bitte* rejeter; *j-n* renvoyer; éconduire
abwenden *Kopf, Blick* détourner; *Gefahr* écarter; ***sich ~ von*** se détourner de
abwerfen jeter, lancer; *Gewinn* rapporter
abwert|en *Währung* dévaluer; *gering schätzen* déprécier; **2ung** *f* dévaluation
abwesen|d absent (*a fig*); **2heit** *f* absence
ab|wickeln dérouler; *fig erledigen* régler; *Betrieb* liquider; **~wiegen** peser; **~wischen** essuyer; **~würgen** *Motor* caler; **~zahlen** payer à tempérament; **~zählen** compter
Abzahlung *f* ***auf ~*** à tempérament, à crédit
Abzeichen *n* insigne *m*
abzeichnen copier; *Schriftstück* parapher; ***sich ~*** *fig* se dessiner
abziehen *Schlüssel* retirer; *Bett* défaire; *Hdl* déduire (**von** de); *Math* soustraire; *v/i Rauch* s'échapper; F *weggehen* ficher le camp
Abzug *m Fot* épreuve *f*; *Hdl* déduction *f*
abzüglich moins, déduction faite de
abzweig|en *Straße* bifurquer; *Geld* prélever; **2ung** *f* bifurcation, embranchement *m*
ach! ah!; 'hélas!; ***~ so!*** ah bon!
Achse *f* axe *m*; *Kfz* essieu *m*
Achsel *f* aisselle; ***mit den ~n zucken*** 'hausser les épaules
Achsenbruch *m* rupture *f* d'essieu
acht 'huit; ***in ~ Tagen*** dans une semaine
Acht *f* ***außer ~ lassen*** négliger; ***sich in ~ nehmen*** prendre garde (***vor*** *D* à)
achte(r, -s) 'huitième
Achtel *n* 'huitième *m*
achten *hoch~* estimer, respecter; ***~ auf*** (*A*) faire attention à; ***darauf ~, dass ...*** faire attention à ce que (+ *subj*)
Achterbahn *f* grand 'huit *m*
acht|geben faire attention (***auf*** *A* à); **~los** négligent
acht|hundert 'huit cents; **~mal** 'huit fois
Achtung *f Hoch2* estime; *Respekt* respect *m*; ***~!*** attention!
acht|zehn dix-huit; **~zig** quatre-vingts
Acker *m* champ; **~bau** *m* agriculture *f*; **~boden** *m* terre *f* arable
ADAC *m* (*Allgemeiner Deutscher Automobil-Club*) Automobile-Club allemand
Adapter *m* adaptateur
addieren additionner
ade! F salut!
Adel *m* noblesse *f*
ad(e)lig noble
Ader *f* veine; *Schlag2* artère; *fig* don *m* (***für*** pour), sens *m* (de)
Adjektiv *n* adjectif *m*

Adler *m* aigle
adoptieren adopter
Adoptiv|eltern *pl* parents *m/pl* adoptifs; **~kind** *n* enfant *m* adoptif
Adressat *m* destinataire
Adressbuch *n* carnet *m* d'adresses
Adress|e *f* adresse; **Sieren** écrire l'adresse sur; *richten* adresser (***an** A* à)
Advent *m* Avent
Adverb *n* adverbe *m*
Affäre *f* affaire; *Liebesbeziehung* aventure
Affe *m* singe
affektiert maniéré
Afrika *n* l'Afrique *f*; **~ner** *m* Africain; **Snisch** africain
After *m* anus
AG *f* (*Aktiengesellschaft*) S.A. (*société anonyme*)
Agent *m* agent; **~ur** *f* agence
Aggress|ion *f* agression; **Siv** agressif
Ägypt|en *n* l'Egypte *f*; **~er** *m* Egyptien [-psjɛ̃]; **Sisch** égyptien
ähneln ressembler (***j-m*** à q)
Ahnen *m/pl* aïeux, ancêtres
ahnen *vermuten* se douter de; *Unglück* pressentir
ähnlich semblable; ***j-m ~ sehen, sein*** ressembler à q
Ähnlichkeit *f* ressemblance
Ahnung *f Vorgefühl* pressentiment *m*; *Vorstellung* idée; ***keine ~!*** aucune idée!
Ahorn *m* érable
Ähre *f* épi *m*

Aids *n Med* sida *m*
Airbag *m Kfz* airbag
Akadem|ie *f* académie; **~iker(in)** *m(f)* diplômé(e) de l'Université
Akazie *f* acacia *m*
akklimatisieren *sich* ~ s'acclimater
Akkord *m Mus* accord; ***im ~ arbeiten*** travailler aux pièces
Akkordeon *n* accordéon *m*
Akku *m* accus *m/pl*; **~mulator** *m* accumulateur
Akkusativ *m* accusatif
Akrobat(in) *m(f)* acrobate
Akt *m* acte (*a Theater*); *Mal* nu
Akte *f* dossier *m*; *jur* pièces *f/pl*
Akten|tasche *f* serviette; **~zeichen** *n* référence *f*
Aktie *f* action
Aktiengesellschaft *f* société anonyme (*od* par actions)
Aktion *f* action
Aktionär *m* actionnaire
aktiv actif; **Sität** *f* activité
aktuell actuel; *modisch* à la mode
akut *Med* aigu; *Frage* brûlant; *Gefahr* imminent
Akzent *m* accent
akzeptieren accepter
Alarm *m* alerte *f*, alarme *f*; **Sieren** alerter; *beunruhigen* alarmer
Alban|er *m* Albanais; **~ien** *n* l'Albanie *f*; **Sisch** albanais
albern niais, stupide; **Sheit** *f* niaiseries *f/pl*

Albtraum *m* cauchemar
Album *n* album *m*
Alge *f* algue
Algeri|en *n* l'Algérie *f*; **~er** *m* Algérien; **&sch** algérien
Alibi *n* alibi *m*
Alkohol *m* alcool; **&frei** sans alcool; *Getränk a* non alcoolisé; **~iker(in)** *m(f)* alcoolique; **&isch** alcoolisé
All *n* univers *m*
alle tous [tu] les, toutes les; *alleinstehend* tous [tus], toutes; F ***... ist*** **~** il n'y a plus de ...
Allee *f* allée; *Straße* avenue
allein seul; ***von*** **~** tout seul; **~** ***stehend*** *Haus* isolé; *Person* seul
allenfalls tout au plus
allerdings à vrai dire
Allerg|ie *f* allergie; **&isch** allergique (***gegen*** à)
allerhand F pas mal de, toutes sortes de; ***das ist doch*** **~*!*** c'est un peu fort!
Allerheiligen *n* la Toussaint
allerletzt tout dernier; ***zu*** **~** en tout dernier lieu
alles tout; **~** ***Gute!*** bonne chance; *zum Geburtstag* bon anniversaire!
allgemein général; ***im &en*** en général; **~** ***verständlich*** à la portée de tous
Allgemein|befinden *n* état *m* général; **~bildung** *f* culture générale; **~heit** *f* public *m*
allmählich *adv* peu à peu
All|tag *m* vie *f* quotidienne; **&täglich** *täglich* quotidien; *gewöhnlich* banal
allzu (viel) trop
Alm *f* alpage *m*
Alpen *pl* ***die*** **~** les Alpes *f/pl*
Alphabet *n* alphabet *m*
Alptraum *m* cauchemar
als *zeitlich* quand, lorsque; *nach Komparativ* que; *in der Eigenschaft* comme; **~** ***ob*** comme si
also *folglich* donc; *das heißt* c'est-à-dire; **~** ***gut!***, **~** ***schön!*** bon, d'accord!
alt vieux; *Person a* âgé; *früher* ancien; ***wie*** **~** ***bist du?*** quel âge as-tu?; ***ich bin 15 Jahre*** **~** j'ai 15 ans
Altar *m* autel
Alter *n* âge *m*; *hohes* **~** vieillesse *f*; ***im*** **~** ***von*** à l'âge de
älter plus âgé; *Geschwister* aîné; **~*er Herr*** monsieur d'un certain âge
Alters|erscheinung *f* signe *m* de vieillesse; **~grenze** *f* limite *f* d'âge; **~heim** *n* maison *f* de retraite
Alter|tum *n* Antiquité *f*; **&tümlich** antique
alt|modisch démodé; **&papier** *n* vieux papiers *m/pl*; **&stadt** *f* vieille ville
Alufolie *f* papier *m* alu
Aluminium *n* aluminium *m*
am **~** ***13. April*** le 13 avril; **~** ***Sonntag*** le dimanche; **~** ***Abend*** le soir; **~** ***besten*** le mieux
Amateur *m* amateur; **~fotograf** *m* photographe amateur

ambulant *Hdl* ambulant; *Med* qui ne nécessite pas d'hospitalisation
Ameise *f* fourmi
Amerika *n* l'Amérique *f*; **~ner** *m* Américain; **&nisch** américain
Amnestie *f* amnistie
Ampel *f* feu *m*
Ampulle *f* ampoule
amputieren amputer
Amsel *f* merle *m*
Amt *n Dienststelle* service *m*, office *m*; *Tätigkeit* charge *m*, fonction *f*; **&lich** officiel
amüsant amusant
amüsieren (***sich*** **~** s')amuser
an à; *Geogr* sur; ***von heute*** **~** à partir d'aujourd'hui; *Fahrplan* ***Paris*** **~** ***9.10*** arrivée à Paris à 9 h 10; **~** ***Ostern*** à Pâques; **~** ***sein*** *Licht* être allumé; *Radio* marcher; *s a* ***am***
Analphabet(in) *m(f)* illettré(e)
Ananas *f* ananas *m*
anbahnen ***sich*** **~** se préparer
Anbau *m Agr* culture *f*; *Arch* annexe *f*; **&en** cultiver; *Arch* rajouter (***an*** *A* à); **~küche** *f* cuisine intégrée
anbehalten garder
anbei ci-joint
anbelangen ***was ... anbelangt*** en ce qui concerne ...
Anbetracht *m* ***in*** **~** ***der Lage*** vu *od* étant donné la situation
an|bieten offrir; **~binden** attacher (***an*** *A od D* à)
Anblick *m* vue *f*
an|brechen *Flasche usw* entamer; **~brennen** *Essen* brûler; *Milch* attacher; **~bringen** *festmachen* fixer (***an*** *D* à)
andauern durer; *Verhandlungen* se prolonger
andauernd continuel; *Frost* persistant; *adv* sans arrêt
Andenken *n* souvenir *m*; mémoire *f*; ***zum*** **~** ***an*** (*A*) en souvenir de
andere(r, -s) autre; **~** (***Leute***) d'autres; ***ein*** **~*****s Mal*** une autre fois; ***unter*** **~*****m*** entre autres; ***etwas*** **~*****s*** autre chose
andererseits d'autre part
ändern (***sich*** **~**) changer
andernfalls sinon, autrement
anders autrement; ***jemand*** (***niemand***) **~** quelqu'un (personne) d'autre; ***ganz*** **~** ***sein*** être complètement différent
anderswo ailleurs, autre part
anderthalb un et demi; **~** ***Stunden*** une heure et demie
Änderung *f* changement *m*, modification
andeut|en indiquer (vaguement); **&ung** *f* (vague) indication
Andrang *m* affluence *f*
andrehen *Radio* allumer; *Wasser* ouvrir
aneignen ***sich et*** **~** s'approprier qc; *Kenntnisse* assimiler qc
aneinander l'un contre l'autre; *denken* l'un à l'autre; **~*****fügen*** joindre

anekeln dégoûter
anerkenn|en reconnaître; *Regel, Abmachung* respecter; **2ung** *f* reconnaissance
anfahren *Fahrzeug* démarrer; *j-n* renverser
Anfall *m Med* attaque *f*, crise *f*
anfällig de santé délicate; sujet (***für*** à)
Anfang *m* commencement, début; ***am ~, zu ~*** au début; ***~ Mai*** début mai; ***von ~ an*** dès le début
anfangen commencer (***zu*** à, ***mit*** par); ***~ zu*** *a* se mettre à
Anfänger(in) *m(f)* débutant(e)
anfangs au début
anfassen toucher; ***mit ~*** donner un coup de main
an|fertigen faire, fabriquer; *Kleidung* confectionner; **~fliegen** *Flgw* s'approcher de; *zur Zwischenlandung* faire escale à; *Fluggesellschaft* desservir
anforder|n demander; *Ware* commander; **2ung** *f* exigence
Anfrage *f* demande
anfragen demander (***bei*** à)
anfreunden ***sich ~*** se lier d'amitié (***mit j-m*** avec q)
anführ|en *Festzug* être en tête de; *Grund* donner; *Text* citer; F *täuschen* avoir; **2er** *m* chef; *péj* meneur; **2ungszeichen** *n/pl* guillemets *m/pl*
Angabe *f* indication; *Tech* donnée; F *Prahlerei* frime; ***nähere ~n*** *pl* précisions *f/pl*
angeben donner, indiquer; F *prahlen* crâner; ***genau(er) ~*** préciser
Angeb|er *m* crâneur; **2lich** soi-disant
angeboren inné; *Krankheit* congénital
Angebot *n* offre *f*
ange|bracht opportun, indiqué; **~heiratet** par alliance; **~heitert** gai
angehen *j-n* concerner; *Licht* s'allumer; ***das geht dich nichts an*** cela ne te regarde pas
Angehörige(r) *su* (proche) parent(e); ***meine ~n*** *pl* les miens, ma famille
Angeklagte(r) *su* accusé(e)
Angel *f* canne à pêche; *Tür***2** gond *m*
Angelegenheit *f* affaire
angelehnt *Tür* entrouvert
Angelhaken *m* hameçon
angel|n pêcher à la ligne; **2schein** *m* permis de pêche; **2schnur** *f* ligne; **2sport** *m* pêche *f* à la ligne
angemessen approprié; *Strafe* justifié; *Preis* raisonnable
angenehm agréable; ***~e Reise!*** bon voyage!
Angestellte(r) *su* employé(e); ***leitender ~r*** cadre *m* (supérieur)
angetrunken éméché
angewiesen ***~ sein auf*** (*A*) dépendre de

angewöhnen ***sich et*** ~ prendre l'habitude de faire qc; ***sich das Trinken*** ~ se mettre à boire
Angewohnheit *f* habitude
Angina *f* angine
Angler *m* pêcheur à la ligne
angreif|en attaquer (*a fig*); **℞er** *m* agresseur; *Sp* attaquant
angrenzend contigu (***an*** *A* à); *Zimmer* voisin
Angriff *m* attaque *f*
angriffslustig agressif
Angst *f* peur (***vor*** *D* de, ***um*** pour); ~ ***haben*** avoir peur
ängst|igen faire peur (***j-n*** à q); **~lich** peureux, craintif; *besorgt* anxieux
anhaben *Kleidung* porter
anhalt|en *j-n, et* arrêter; *Atem* retenir; *stehen bleiben* s'arrêter; *andauern* durer; **~end** *Regen usw* persistant; *adv* sans arrêt
Anhalter *m* auto-stoppeur; ***per*** ~ ***fahren*** faire de l'auto-stop *od* F du stop
Anhaltspunkt *m* point de repère
anhand (*G*) à l'aide de
anhängen accrocher
Anhänger *m Person* partisan, adhérant; *Wagen* remorque *f*; *Schmuck* pendentif; *Koffer℞* étiquette *f*
anhäufen amasser, accumuler
Anhieb ***auf*** ~ du premier coup
Anhöhe *f* 'hauteur, colline
anhören écouter; ***mit*** ~ entendre; ***sich et*** ~ écouter qc
Anislikör *m* anisette *f*
Ank. (*Ankunft*) arrivée *f*
Ankauf *m* achat
Anker *m* ancre *f*; ***vor*** ~ ***gehen*** jeter l'ancre
ankern mouiller
Anklage *f* accusation
anklagen accuser (***wegen*** de)
Anklang *m* ~ ***finden*** être bien accueilli (***bei*** par), avoir du succès (auprès de)
ankleben coller (***an*** *A* à, sur)
an|klopfen frapper (à la porte); **~knipsen** F *Licht* allumer
ankommen arriver (***pünktlich*** à l'heure); *Anklang finden* avoir du succès (***bei*** auprès de); ***es kommt auf das Wetter an*** cela dépend(ra) du temps
an|kreuzen marquer d'une croix; **~kündigen** annoncer
Ankunft *f* arrivée
Ankunfts|tag *m* jour d'arrivée; **~zeit** *f* heure d'arrivée
Anlage *f Tech* installation; *Bau* construction; *Grün℞* jardin *m* (public); *zu e-m Brief* pièce jointe; *Geld* placement *m*; *Veranlagung* disposition (***zu*** à)
Anlass *m Gelegenheit* occasion *f*; *Grund* raison *f*, motif; ~ ***geben zu*** donner lieu à
anlass|en *Motor* faire démarrer; *Licht* laisser allumé; *Mantel* garder; **℞er** *m* démarreur

anlässlich à l'occasion de
Anlauf *m* élan; **≈en** *Hafen* faire escale à
anlegen mettre (***an*** contre); *Garten, Straße* aménager; *Sammlung* constituer; *Geld* placer; *Verband* appliquer; *Schiff* accoster (***am Kai*** le quai)
Anlege|platz *m*, **~stelle** *f* embarcadère *m*, débarcadère *m*
anlehnen (***sich*** ~ s')appuyer (***an*** *A* contre, à); *Tür* laisser entrouvert
Anleihe *f* emprunt *m*
Anleitung *f* instructions *f*/*pl*
anlernen former
anliegend ci-joint
Anlieger *m* riverain
an|locken attirer; **~lügen** mentir à; **~machen** *befestigen* attacher (***an*** à); *Licht, Heizung usw* allumer; *Salat* assaisonner; F *Mädchen* draguer; **~malen** peindre
anmaßend prétentieux
Anmelde|formular *n* formulaire *m* de demande d'inscription; **~frist** *f* délai *m* d'inscription
anmelden *Besuch* annoncer; *beim Zoll* déclarer; ***sich*** ~ *zur Teilnahme* s'inscrire; *beim Arzt* prendre rendez-vous
Anmeldung *f zur Teilnahme* inscription; *behördliche* déclaration; ***nur nach vorheriger*** ~ sur rendez-vous
anmerken ***sich nichts*** ~ ***lassen*** ne rien laisser paraître
Anmerkung *f* remarque
an|nageln clouer (***an*** *A* à); **~nähen** (re)coudre (***an*** *A* à)
annähernd *adv* approximativement
Annahme *f* acceptation; *Vermutung* supposition; **~stelle** *f* réception
annehm|bar acceptable, passable; **~en** accepter; *vermuten* supposer
Annonce *f* annonce
annullieren annuler
anonym anonyme
Anorak *m* anorak
anordn|en ordonner; **≈ung** *f* ordre *m*
anpacken *Problem* s'attaquer à
anpassen (***sich***) ***j-m, e-r Sache*** ~ (s')adapter à q, qc
anpassungsfähig souple
anpflanzen planter
anpreisen vanter
Anprob|e *f* essayage *m*; **≈ieren** essayer
anrechnen *abziehen* compter (***auf*** *A* dans), déduire (de); *berechnen* compter (***j-m*** à q)
Anrecht *n* droit *m* (***auf*** *A* à)
anreden adresser la parole à; ***mit du*** ~ tutoyer
anreg|en exciter; *Appetit, Med* stimuler; *vorschlagen* suggérer; **~end** stimulant; *Buch* intéressant
Anreise *f* voyage *m*; *Hinreise* aller *m*; *Ankunft* arrivée
Anreiz *m* stimulant

anrichten *Speisen* préparer, servir; *Unheil* causer
Anruf *m* appel, coup de téléphone; **~beantworter** *m* répondeur; **≈en** appeler (***j-n*** q); téléphoner (à q)
anrühren toucher; *Kochk, Farbe* délayer
Ansage *f* annonce
ansagen annoncer
Ansager *m* présentateur *m*; **~in** *f* présentatrice *f*
ansammeln amasser, accumuler
anschaff|en faire l'acquisition de, acheter; **≈ung** *f* acquisition, achat *m*
anschalten allumer
anschau|en regarder; **~lich** clair, concret
Anschein *m* apparence *f*; **≈end** *adv* apparemment
anschieben *Auto* pousser
Anschlag *m Pol* attentat; *Plakat* affiche *f*
anschließen *El* brancher (***an*** *D od A* sur); *Schlauch* raccorder (à); ***sich*** ~ *Person* se joindre (***j-m*** à q)
anschließend ensuite, après
Anschluss *m Verkehrs≈* correspondance *f* (***nach*** pour); *El* branchement; *Tech, Tel* raccordement; *Tel Verbindung* communication *f*; **~ *finden*** se faire des relations; ***im*** **~ *an*** (*A*) juste après
Anschluss|flug *m*, **~zug** *m* correspondance *f*
an|schnallen ***sich*** ~ attacher sa ceinture; **~schneiden** entamer (*a fig*)
Anschovis *f* anchois *m*
anschrauben visser
anschreien crier (***j-n*** après q)
Anschrift *f* adresse
anschweißen souder
anschwellen *Med* enfler
ansehen regarder; ***sich et*** ~ voir qc; ***j-n* ~ *als*** considérer q comme
ansehnlich considérable
anseilen ***sich*** ~ s'encorder
ansetzen ajuster (***an*** *A* à); rapporter (à); *Termin* fixer; ***Fett*** ~ engraisser
Ansicht *f Bild* vue; *Meinung* avis *m*; ***meiner* ~ *nach*** à mon avis
Ansichts|karte *f* carte postale (illustrée); **~sache** *f* affaire d'opinion
Anspielung *f* allusion (***auf*** *A* à)
Ansporn *m* stimulant; **≈en** stimuler
Ansprache *f* allocution
ansprechen *j-n, Problem usw* aborder; *gefallen* plaire (***j-n*** à q); *Bremsen* répondre
ansprechend agréable, plaisant
anspringen *Motor* démarrer
Anspruch *m Forderung* exigence *f*; *Recht* droit (***auf*** *A* à); ***in* ~ *nehmen*** *Versicherung usw* avoir recours à; *Zeit* prendre; *j-n* accaparer
anspruchs|los peu exigeant; **~voll** exigeant

Anstalt *f* établissement *m*; *Heil*≈ hôpital *m* psychiatrique
Anstand *m* convenances *f/pl*, bonnes manières *f/pl*
anständig honnête, convenable
anstandslos sans problème
anstarren fixer
anstatt ~ ***zu*** au lieu de
ansteck|en *befestigen* attacher; *Ring* mettre; *Zigarette* allumer; *Med* contaminer; **~end** contagieux; **≈ung** *f* contagion
anstehen faire la queue
ansteigen monter
anstelle (*G*) à la place de
anstellen *Arbeitskräfte* engager, embaucher; *Gerät* mettre en marche; *Radio*, *TV* allumer; *Gas*, *Wasser* ouvrir; ***sich*** ~ prendre la file, faire la queue
Anstellung *f* emploi *m*
Anstieg *m* montée *f*
anstiften inciter (***zu*** à)
Anstoß *m* impulsion *f*; *Sp* coup d'envoi; ~ ***erregen*** choquer (***bei j-m*** q); ~ ***nehmen an*** (*D*) être choqué par
anstoßen 'heurter (***an et*** *A* qc); *mit Gläsern* trinquer (***auf*** *A* à)
an|stößig choquant; **~strahlen** *Gebäude* illuminer
anstreichen peindre
anstreng|en fatiguer; ***sich*** ~ se donner du mal; **~end** fatigant; **≈ung** *f* effort *m*; *Strapaze* fatigue
Anstrich *m* (couche *f* de) peinture *f*
Ansturm *m* ruée *f* (***auf*** *A* vers)
Anteil *m* part *f*; ~ ***nehmen an*** (*D*) prendre part à
Anteilnahme *f* intérêt *m*; *Beileid* sympathie
Antenne *f* antenne
Anti|babypille *f* pilule contraceptive; **~biotikum** *n* antibiotique *m*; **~blockiersystem** *n Kfz* système antiblocage des roues
antik antique
Antike *f* antiquité
Antiquar|iat *n* librairie *f* d'occasion; **≈isch** d'occasion
Antiquitäten *f/pl* objets *m/pl* anciens; **~händler** *m* antiquaire
Antrag *m* demande *f*; *Formular* formulaire; ***e-n*** ~ ***stellen*** faire une demande
an|treffen trouver; **~treiben** pousser, inciter (***zu*** à); *Tech* entraîner; *Motor* propulser
antreten *Arbeit*, *Studium* commencer; ***e-e Reise*** ~ partir en voyage
Antrieb *m Tech* entraînement; *Flgw*, *Mar* propulsion *f*; ***aus eigenem*** ~ de sa propre initiative
Antriebsrad *n* roue *f* motrice
Antwerpen Anvers
Antwort *f* réponse (***auf*** *A* à); **≈en** répondre (***j-m*** à q)
anvertrauen confier

anwachsen *Pflanze* prendre racine; *fig* s'accroître
Anwalt *m* avocat
anwärmen (faire) chauffer légèrement
anweis|en *anleiten* instruire; *anordnen* donner des instructions (***j-n*** à q); *zuweisen* attribuer; *Geld* virer; **2ung** *f* instruction; *Überweisung* virement *m*
anwend|en employer, utiliser; *Regel usw* appliquer (***auf A*** à); **2ung** *f* emploi *m*, utilisation, application
anwerben engager, recruter
anwesend présent; ***die 2en*** les personnes présentes
Anwesenheit *f* présence
anwidern ***j-n ~*** dégoûter q
Anzahl *f* nombre *m*; **2en** verser un acompte; **~ung** *f* acompte *m*, arrhes *f/pl*
Anzeichen *n* indice *m*, signe *m*
Anzeige *f* annonce; *Famili-en2* faire-part *m*; *jur* plainte; *anonyme* dénonciation; *Inform* affichage *m*; ***~ erstatten*** porter plainte (***gegen*** contre)
anzeigen indiquer; *Geburt usw* faire part de; *bei der Polizei* signaler; *denunzieren* dénoncer
anziehen *Kleidung* mettre; *Bremse*, *Schraube* serrer; *anlocken* attirer; ***sich ~*** s'habiller
anzieh|end attirant; **2ungskraft** *f* force d'attraction
Anzug *m* costume
anzünden allumer
Apartment *n* studio *m*; **~haus** *n* immeuble *m* de studios
apathisch apathique
Apfel *m* pomme *f*; **~baum** *m* pommier; **~kuchen** *m* tarte *f* aux pommes; **~mus** *n* compote *f* de pommes; **~saft** *m* jus de pomme
Apfelsine *f* orange
Apfel|tasche *f* chausson *m* aux pommes; **~wein** *m* cidre
Apostel *m* apôtre
Apothek|e *f* pharmacie; **~er** *m* pharmacien
Apparat *m* appareil; *Radio* poste; *Tel* ***bitte bleiben Sie am ~!*** ne quittez pas!
Appartement *n s* ***Apartment***
appellieren faire appel (***an A*** à)
Appetit *m* appétit; ***guten ~!*** bon appétit; **2lich** appétissant; **~losigkeit** *f* manque *m* d'appétit
Applaus *m* applaudissements *m/pl*
Aprikose *f* abricot *m*
April *m* avril; **~scherz** *m* poisson d'avril
Aqua|rell *n* aquarelle [-kw-] *f*; **~rium** *n* aquarium [-kw-] *m*
Äquator *m* équateur [-kw-]
Arab|er *m* Arabe; **~ien** *n* l'Arabie *f*; **2isch** arabe
Arbeit *f* travail *m*; **2en** travailler; **~er** *m* ouvrier; **~ge-**

ber *m* employeur; **~nehmer** *m* salarié; **2sam** travailleur
Arbeits|amt *n* Agence *f* pour l'emploi; **~kräfte** *pl* main-d'œuvre *f*; **~lohn** *m* salaire; **2los** au chômage; **~lose(r)** *su* chômeur *m*, chômeuse *f*; **~losengeld** *n* allocation *f* (de) chômage; **~losigkeit** *f* chômage *m*; **~platz** *m Stelle* emploi; *Ort* lieu *m* de travail; **2unfähig** invalide; **~unfall** *m* accident du travail; **~zeit** *f* heures *f/pl* de travail; **~zimmer** *n* bureau *m*
Archäologie *f* archéologie [-k-]
Architekt(in) *m(f)* architecte
Architektur *f* architecture
ARD *f* (*Arbeitsgemeinschaft der Rundfunkanstalten Deutschlands*) première chaîne de la télévision publique allemande
Ärger *m Unmut* colère *f*; *Unannehmlichkeiten* ennuis *m/pl*; **2lich** *verärgert* en colère; *unangenehm* ennuyeux
ärgern énerver; *necken* embêter; ***sich*** **~** s'énerver (***über et A*** à cause de qc, ***über j-n*** contre q)
Argument *n* argument
Arie *f* air *m* (d'opéra)
arm pauvre
Arm *m* bras
Armaturenbrett *n* tableau *m* de bord
Armband *n* bracelet *m*; **~uhr** *f* montre-bracelet
Armee *f* armée
Ärmel *m* manche *f*
Ärmelkanal ***der*** **~** la Manche
ärmlich pauvre, misérable
armselig misérable; *péj* minable
Armut *f* pauvreté
Aroma *n* arôme *m*
arrogant arrogant
Arsch *m* P cul [ky]
Art *f Sorte* genre *m*, espèce (*a Biol*); *Weise* manière, façon; **e-e ~ ...** un genre *od* une espèce de; ***aller*** **~** de toutes sortes; ***auf diese*** **~** de cette manière *od* façon
Arterie *f* artère
artig sage
Artikel *m* article
Artischocke *f* artichaut *m*
Artist(in) *m(f)* artiste de cirque *od* de music-hall
Arznei *f*, **~mittel** *n* médicament *m*
Arzt *m* médecin
Ärzt|in *f* (femme *f*) médecin *m*; **2lich** médical
Asbest *m* amiante
Asch|e *f* cendre; **~enbecher** *m* cendrier; **~ermittwoch** *m* mercredi des Cendres
Asiat *m* Asiatique; **2isch** asiatique
Asien *n* l'Asie *f*
Asphalt *m* asphalte
Aspirin *n* aspirine *f*
Ass *n* as [as] *m* (*a fig*)
Assistent(in) *m(f)* assistant(e)
Ast *m* branche *f*

ästhetisch esthétique
Asthma *n* asthme [asm] *m*
Astro|logie *f* astrologie; **~naut** *n* astronaute; **~nomie** *f* astronomie
Asyl *n* asile *m*; **~ant(in)** *m(f)* demandeur *m*, demandeuse *f* d'asile
Atelier *n* atelier *m*
Atem *m* respiration *f*; ***schlechter*** ~ mauvaise haleine *f*; ***außer*** ~ ***kommen*** s'essouffler; ~ ***holen*** respirer
Atem|beschwerden *f/pl* troubles *m/pl* respiratoires; **2los** 'hors d'haleine, essoufflé; **~not** *f* difficulté à respirer
Äther *m* éther [-ɛr]
Äthiopien *n* l'Éthiopie *f*
Athlet(in) *m(f)* athlète
atlantisch atlantique; ***der*** **2*e*** ***Ozean*** l'océan *m* Atlantique
Atlas *m* atlas [-as]
atmen respirer
Atmosphäre *f* atmosphère
Atmung *f* respiration
Atom *n* atome *m*; **2ar** atomique; **~bombe** *f* bombe atomique; **~energie** *f* énergie atomique; **~kraftwerk** *n* centrale *f* nucléaire; **~müll** *m* déchets *m/pl* radioactifs; **~waffen** *f/pl* armes atomiques
Atten|tat *n* attentat *m*; **~täter** *m* auteur d'un attentat
Attest *n* certificat *m* médical
attraktiv séduisant
au! aïe!
Aubergine *f* aubergine
auch aussi; ~ ***nicht*** non plus; ***ich*** ~ moi aussi; ***ich*** ~ ***nicht*** moi non plus; ***wenn*** ~ même si; ***wer*** **(*wo*)** ~ ***immer*** qui (où) que ce soit
auf sur; à, en; ~ ***dem Land*** à la campagne; ~ ***der Post*** à la poste; ~ ***der Reise*** pendant le voyage; ~ ***der Straße*** dans la rue; ~ ***Korsika*** en Corse; ~ ***Deutsch*** en allemand; ~ ***einmal*** tout d'un coup; ~ ***sein*** *Geschäft* être ouvert; *Person* être debout
aufatmen respirer
Aufbau *m* construction *f*; *e-s Gerüsts* montage; *Gliederung* structure *f*; **2en** construire; *aufstellen* monter
aufbekommen arriver à ouvrir
aufbewahr|en garder, conserver; **2ung** *f* conservation; *für Gepäck* consigne
auf|blasen gonfler; **~bleiben** *Kinder* rester debout; *Fenster* rester ouvert; **~blenden** *Kfz* mettre les phares; **~blühen** s'épanouir; **~brechen** *Tür* forcer, fracturer; *sich öffnen* s'ouvrir; *fortgehen* se mettre en route
Aufbruch *m* départ
auf|brühen *Tee* faire; **~bügeln** repasser; **~decken** découvrir (*a fig*)
aufdrängen ***sich*** ~ s'imposer (***j-m*** à q)
auf|drehen ouvrir; *Radio*

mettre plus fort; **~dringlich** envahissant; *anhänglich* collant; **2druck** *m* texte imprimé
aufeinander l'un sur (*od* après) l'autre; ~ ***folgen*** se succéder; ~***folgend*** consécutif; ~ ***prallen***, ~ ***stoßen*** se heurter
Aufenthalt *m* séjour; *während der Fahrt* arrêt
Aufenthalts|erlaubnis *f*, **~genehmigung** *f* permis *m* de séjour; **~ort** *m* lieu de séjour; **~raum** *m* lieu de réunion *od* de distraction
Auferstehung *f* résurrection
aufessen manger tout
auffahren 'heurter, télescoper (***auf et A*** qc); *aufschrecken* sursauter
Auffahr|t *f* rampe (d'accès); *zur Autobahn* bretelle d'accès; **2unfall** *m* télescopage
auffallen frapper (***j-m*** q); *Person* se faire remarquer; ***nicht*** ~ passer inaperçu
auf|fallend, ~fällig frappant; *Kleider* voyant
auffangen rattraper; *Wasser* recueillir; *Notruf usw* capter
auffass|en saisir, comprendre; **2ung** *f* opinion; **2ungsgabe** *f* compréhension
auffinden retrouver
aufforder|n inviter (***zu*** à); **2ung** *f* invitation
auffrischen rafraîchir; *Wind* fraîchir
aufführ|en *Theater* représenter; ***sich*** ~ se conduire; **2ung** *f* représentation
auffüllen remplir
Aufgabe *f* tâche; *Pflicht u Haus2* devoir *m*; *Math* problème *m*; *Verzicht* abandon *m*
Aufgang *m e-s Gestirns* lever; *Haus2* escalier
aufgeben *Postsendung* expédier; *Gepäck* faire enregistrer; *Annonce*, *Bestellung* passer; *Hausaufgabe* donner; *verzichten* abandonner; ***das Rauchen*** ~ arrêter de fumer
aufgehen *Gestirn* se lever; *sich öffnen* s'ouvrir; *Naht* se découdre; *Geklebtes* se décoller
aufgelegt *gut* (***schlecht***) ~ de bonne (mauvaise) humeur; ***zu et*** ~ ***sein*** être d'humeur à faire qc
aufge|regt énervé; **~schlossen** ouvert; **~weckt** éveillé
aufgießen *Tee*, *Kaffee* faire
aufgrund (*G*) en raison de
Aufguss *m* infusion *f*
aufhaben *Hut* avoir (sur la tête); *Geschäft* être ouvert
aufhalten *hemmen* enrayer; *j-n* retarder; *Tür* tenir ouvert; ***sich*** ~ séjourner
aufhäng|en suspendre, accrocher; *Wäsche* étendre; **2er** *m* attache *f*
aufheben *vom Boden* ramasser; *Person* relever; *aufbewahren* garder; *abschaffen*

abolir; *Verbot* lever, annuler
aufheitern ***j-n*** ~ égayer, dérider q; ***sich*** ~ s'éclaircir
Aufheiterung *f* éclaircie
aufhören arrêter (***zu*** de); *Sturm, Weg* s'arrêter; ***mit et*** ~ arrêter (de faire) qc
aufklär|en élucider; ***j-n*** ~ renseigner q (***über*** *A* sur); *sexuell* faire l'éducation sexuelle de q; **2ung** *f* éclaircissements *m/pl*
Aufkleber *m* autocollant
auf|knöpfen déboutonner; **~kommen** subvenir (***für*** à); *Verdacht* naître; *Wind* se lever
aufladen charger; *Batterie* recharger
Auflage *f Buch*2 édition; *Bedingung* condition
auflassen laisser ouvert; *Hut* garder
Auflauf *m Kochk* soufflé; *Menschen*2 attroupement
auf|leben renaître; **~legen** mettre, poser (***auf*** *A* sur); *Tel* raccrocher
auflehnen ***sich*** ~ s'insurger (***gegen*** contre); *gegen die Eltern* se rebeller (contre)
auflösen *in Flüssigkeit* dissoudre (*a fig Verein usw*); *Geschäft* liquider; *Rätsel* résoudre; ***sich*** ~ se dissoudre; *Nebel* se dissiper
Auflösung *f* dissolution
aufmach|en ouvrir; *Knoten* défaire; **2ung** *f* présentation
aufmerksam attentif; *zuvorkommend* attentionné; ***j-n auf et*** ~ ***machen*** attirer l'attention de q sur qc
Aufmerksamkeit *f* attention
aufmuntern encourager
Aufnahme *f Empfang* accueil; *Fot* photo, prise de vue; *Ton*2 enregistrement *m*; ***e-e*** ~ ***machen*** prendre une photo
Aufnahmeprüfung *f* examen *m* d'entrée
aufnehmen *Gast* accueillir; *zulassen* admettre (***in*** *A* à, dans); *Arbeit* commencer; *Fot* prendre en photo; *auf Band* enregistrer; ***Kontakt*** ~ prendre contact
aufpassen faire attention (***auf*** *A* à); *auf Kinder* garder
Aufprall *m* choc; **2en** 'heurter (***auf et*** qc)
Aufpreis *m* supplément
aufpumpen gonfler
aufräumen ranger
aufrecht droit (*a fig*); **~erhalten** maintenir
aufregen énerver; ***sich*** ~ s'énerver (***über et*** *A* à cause de qc, ***über j-n*** contre q)
aufreg|end excitant; **2ung** *f* énervement *m*, émotion
aufreiben *Haut* écorcher
aufreibend exténuant
aufreißen ouvrir brusquement; *zerreißen* déchirer
aufreizen exciter
aufreizend provocant
aufrichtig franc, sincère; **2keit** *f* sincérité

aufrücken avancer
Aufruf *m* appel (***an*** *A* à); **≗en** appeler
Auf|ruhr *m* émeute *f*, révolte *f*; **≗runden** arrondir; **~rüstung** *f* (ré)armement *m*; **≗sässig** rebelle; **~satz** *m* *Schule* rédaction *f*; *in e-r Zeitschrift* article; **≗schieben** remettre
Aufschlag *m* *Aufprall* choc; *an Kleidung* revers; *Preis≗* augmentation *f*; *Tennis* service; **≗en** *Buch* ouvrir; *Zelt* monter; *aufprallen* 'heurter (***auf et*** *A* qc)
aufschließen ouvrir
aufschlussreich instructif
auf|schneiden couper; *Fleisch* découper; *prahlen* se vanter; **≗schnitt** *m* charcuterie *f* (en tranches)
aufschreiben noter
Aufschrift *f* inscription
Aufschub *m* délai
aufschürfen érafler
Aufschwung *m* essor
Aufsehen *n* ***~ erregen*** faire du bruit
Aufseher(in) *m(f)* gardien(ne), surveillant(e)
aufsetzen *Hut*, *Brille* mettre; *Brief* rédiger; *Flgw* se poser
Aufsicht *f* surveillance; *Person* surveillant *m*
aufspringen se lever d'un bond; *Tür* s'ouvrir (brusquement); *Haut* (se) gercer; ***auf e-n Zug ~*** prendre un train en marche
Auf|stand *m* soulèvement, insurrection *f*; **~ständische(r)** *su* insurgé(e)
aufstapeln empiler
aufstecken *Haar* relever; F *aufgeben* abandonner
aufstehen se lever; *Tür* être ouvert
aufsteigen monter (***auf*** *A* sur); *beruflich* monter en grade
aufstell|en *hinstellen* mettre, poser; *aufrichten* dresser; *aufbauen* monter; *Programm*, *Rekord* établir; *Mannschaft* former; **≗ung** *f* *Liste* relevé *m*
Aufstieg *m* montée *f*, ascension *f*; *im Beruf* avancement
aufsuchen aller voir
Auftakt *m* début (***zu*** de)
auf|tanken faire le plein; **~tauchen** faire surface; *fig* apparaître, surgir; **~tauen** dégeler; *Tiefgekühltes* décongeler; **~teilen** partager (***in*** *A* en); répartir (***unter*** *D* entre)
Auftrag *m* mission; *Hdl* commande *f*; ***im ~ von*** au nom de, pour; ***j-m den ~ geben zu*** charger q de
auftragen *Farbe*, *Salbe* mettre, appliquer (***auf*** *A* sur); *Speisen* servir
auf|treiben F *Geld usw* trouver; **~trennen** découdre
auftreten *Theater* entrer en scène; *Schwierigkeiten* apparaître; ***entschlossen ~*** se montrer ferme

Auftritt *m* scène *f* (*a fig*); *Schauspieler* entrée *f* en scène
aufwachen se réveiller
aufwachsen grandir
Aufwand *m* dépense *f* (**an** *D* de); *an Geld* dépenses *f*/*pl*, moyens *m*/*pl*; *Luxus* luxe
aufwärmen réchauffer
aufwärts vers le haut
auf|wecken réveiller; **~weichen** ramollir; *Weg* détremper; **~weisen** présenter
aufwend|en *Geld, Zeit* dépenser, investir; **~ig** coûteux; **≗ungen** *f*/*pl* dépenses
aufwert|en réévaluer; *fig* valoriser; **≗ung** *f* réévaluation
auf|wickeln enrouler; **~wirbeln** soulever (des tourbillons de); **~wischen** essuyer; **~zählen** énumérer
aufzeichn|en dessiner; *schriftlich* noter; *auf Band* enregistrer; **≗ung** *f* note; *auf Band* enregistrement *m*; *TV* émission en différé
auf|ziehen *Vorhang* ouvrir; *Uhr* remonter; *Kind* élever; F *necken* charrier; **≗zug** *m* ascenseur; *Theater* acte; *Kleidung péj* accoutrement
aufzwingen ***j-m et*** **~** imposer qc à q
Auge *n* œil *m* (*pl* yeux); ***ins ~ fassen*** envisager; ***ins ~ fallen*** sauter aux yeux; *fig* ***ein ~ zudrücken*** fermer les yeux (sur qc)
Augenarzt *m* oculiste
Augenblick *m* instant, moment; **≗lich** *gegenwärtig* actuel; *sofortig* instantané; *vorübergehend* momentané; *adv sofort* immédiatement
Augen|braue *f* sourcil [-si] *m*; **~farbe** *f* couleur des yeux; **~lid** *n* paupière *f*; **~ringe** *m*/*pl* cernes; **~tropfen** *m*/*pl* collyre *m*; **~zeuge** *m* témoin oculaire
August *m* août [u(t)]
Auktion *f* vente aux enchères
Aula *f* salle des fêtes
aus (*D*) de; **~ *München*** de Munich; **~ *Liebe*** par amour; **~ *Gold*** en or; ***von hier*** **~** d'ici; **~ *sein*** *Veranstaltung* être fini; *Licht, Heizung* être éteint
aus|arbeiten élaborer; **~arten** dégénérer (***in*** *A* en); **~atmen** expirer; **~bauen** *vergrößern* agrandir; *umbauen* aménager; *Motor* démonter; **~bessern** réparer; *Wäsche* raccomoder; **~beulen** débosseler; *Kotflügel* redresser
Ausbeut|e *f* profit *m*; **≗en** exploiter; **~ung** *f* exploitation
ausbild|en former; **≗ung** *f* formation
Ausblick *m* vue *f*
ausbrechen *Feuer, Krankheit* se déclarer; *Krieg* éclater; *entfliehen* s'évader; ***in Tränen*** **~** fondre en larmes
ausbreiten *entfalten* étaler; *ausstrecken* étendre; ***sich*** **~** s'étendre; *Gerücht, Mode* se répandre, se propager

Ausbruch *m Flucht* évasion *f*; *Vulkan*☉ éruption *f*; *Kriegs*☉ début; ***zum ~ kommen*** éclater; *Krankheit* se déclarer
Ausdauer *f* persévérance; *Sp* endurance; ☉**nd** persévérant; *Sp* endurant
ausdehn|en (***sich*** ~ s')étendre; *zeitlich* (se) prolonger; *Phys* dilater; ☉**ung** *f* extension; prolongation; *Phys* dilatation; *Größe* étendue
ausdenken ***sich et*** ~ imaginer qc
Ausdruck[1] *m* expression *f*; ***zum ~ bringen*** exprimer
Ausdruck[2] *m Inform* listage; ☉**en** imprimer, lister
ausdrücken exprimer; *Zitrone*, *Schwamm* presser; *Zigarette* écraser; ***sich*** ~ s'exprimer
ausdrücklich exprès; *adv* expressément
ausdrucks|los inexpressif; **~voll** expressif; ☉**weise** *f* façon de s'exprimer
auseinander séparés l'un de l'autre; ***2 Jahre ~ sein*** *Brüder* avoir 2 ans de différence; ***~gehen*** *Personen* se séparer; *Menschenmenge* se disperser; *Geleimtes* se décoller; *Meinungen* diverger; ***~ halten*** distinguer; ***~ nehmen*** démonter
Auseinandersetzung *f* explication, querelle
Ausfahrt *f* sortie
ausfallen *Haare usw* tomber; *Veranstaltung* être annulé; *Tech* tomber en panne; ***gut*** (***schlecht***) ~ être bon (mauvais)
Ausfallstraße *f* route de sortie
ausfegen balayer
ausfindig ***~ machen*** (finir par) trouver
Ausflug *m* excursion *f*
ausfragen ***j-n*** ~ interroger q
Ausfuhr *f* exportation
ausführen *j-n* emmener (***zum Tanz*** danser); *Hund* sortir; *durchführen* effectuer, exécuter; *Plan* réaliser; *Hdl* exporter
ausführ|lich détaillé; *adv* en détail; ☉**ung** *f* exécution, réalisation; *Modell* version
ausfüllen remplir
Ausgabe *f Geld*☉ dépense; *Buch*☉ édition; *Verteilung* distribution
Ausgang *m* sortie *f*; *a fig* issue *f*; *fig* dénouement; **~spunkt** *m* point de départ
ausgeben *Geld* dépenser; *verteilen* distribuer; *Fahrkarten* délivrer; ***sich ~ für, als*** (*A*) se faire passer pour
ausgebucht complet
ausge|dehnt *Spaziergang* long; *Land* vaste; **~fallen** original; *Idee* saugrenu; **~glichen** équilibré
ausgehen sortir; *Licht*, *Feuer* s'éteindre; *Haare* tomber; *enden* se terminer; ***mir sind die Zigaretten ausgegan-***

gen je n'ai plus de cigarettes; ***davon*** ~, ***dass*** partir du principe que
ausge|nommen excepté; **~rechnet** justement; **~schlossen** exclu; **~schnitten** *Kleid* décolleté; **~sprochen** prononcé; *adv* vraiment; **~zeichnet** excellent
ausgiebig abondant; *Mahlzeit* copieux
ausgießen vider
Ausgleich *m* compensation *f*; *Sp* égalisation *f*; ***zum*** ~ en compensation
ausgleichen compenser; *Sp* égaliser
ausgleiten glisser
ausgrab|en déterrer; **2ungen** *f/pl* fouilles
Ausguss *m* évier
aus|halten supporter; **~händigen** remettre
Aushang *m* affiche *f*
aushelfen dépanner (***j-m*** q)
Aushilfe *f Person* auxiliaire *m, f*
Aushilfspersonal *n* personnel *m* intérimaire
aushöhlen creuser
auskehren balayer
auskennen ***sich*** ~ s'y connaître (***in*** *D* en)
ausknipsen F *Licht* fermer
auskochen faire bouillir
auskommen s'en sortir, y arriver (***mit et*** avec qc); s'entendre (***mit j-m*** avec q); ***ohne j-n*** (***et***) ***nicht*** ~ ne pouvoir se passer de q (qc)
Auskommen *n* ***sein*** ~ ***haben*** avoir de quoi vivre
Auskunft *f* renseignement *m*; *Tel, Zug*2 renseignements *m/pl*; ~ ***geben*** renseigner (***j-m über et*** *A* q sur qc)
Auskunftsschalter *m Bahn* guichet informations
aus|kuppeln *Kfz* débrayer; **~lachen** rire de; **~laden** décharger; F *Gäste* décommander
Auslagen *f/pl* dépenses
Ausland *n* étranger *m*; ***im od ins*** ~ à l'étranger
Ausländer *m* étranger; **~feindlichkeit** *f* xénophobie; **~in** *f* étrangère
ausländisch étranger
Auslands|aufenthalt *m* séjour à l'étranger; **~brief** *m* lettre *f* pour l'étranger; **~gespräch** *n Tel* communication *f* internationale; **~postanweisung** *f* mandat *m* international; **~reise** *f* voyage *m* à l'étranger; **~schutzbrief** *m* contrat d'assistance automobile à l'étranger
aus|lassen oublier; *Wort usw* sauter; *Wut* passer (***an j-m*** sur q); **~laufen** s'écouler; *Schiff* appareiller; **~leeren** vider; **~legen** *Geld* avancer; *deuten* interpréter
ausleihen prêter (***j-m*** à q); ***sich et*** ~ emprunter qc (***von j-m*** à q)
Auslese *f* sélection; *Wein* vin *m* de grand cru

auslieferln livrer; *Pol* extrader; **≈ung** *f* livraison; *Pol* extradition
aus|löschen éteindre; **~losen** tirer au sort; **~lösen** déclencher; **≈löser** *m Fot* déclencheur; **~lüften** aérer
ausmachen *Licht, Radio usw* fermer, éteindre; *Termin* fixer; ***macht es Ihnen etwas aus, wenn ...?*** ça vous dérange si...?
Ausmaß *n* ampleur *f*; *Größe* dimensions *f/pl*
ausmessen mesurer
Ausnahme *f* exception; ***mit ~ von*** à l'exception de
Ausnahmezustand *m* état d'urgence
ausnahms|los sans exception; **~weise** exceptionnellement
aus|nehmen *Fisch* vider; *fig* F *j-n* plumer; **~nutzen** profiter de; **~packen** *Koffer* défaire; **~plündern** *Person* dévaliser; **~pressen** presser; **~probieren** essayer
Auspuff *m* échappement; **~gase** *n/pl* gaz *m/pl* d'échappement; **~rohr** *n* tuyau *m* d'échappement; **~topf** *m* pot d'échappement
auspumpen pomper; ***den Magen ~*** faire un lavage d'estomac
aus|radieren gommer; **~rangieren** mettre au rancart; **~rasieren** raser; **~rauben** dévaliser; **~räumen** vider; **~rechnen** calculer
Ausrede *f* excuse
ausreden ***j-m et ~*** dissuader q de qc
ausreichen suffire
ausreichend suffisant
Ausreise *f* sortie
ausreisen (***aus e-m Land***) **~** quitter un pays
aus|reißen arracher; F *weglaufen* se sauver; **~renken** démettre; **~richten** *Gruß* transmettre; *erreichen* obtenir; **~rotten** exterminer
Ausruf *m* exclamation *f*, cri; **≈en** s'écrier; *Stationen* annoncer; *verkünden* proclamer; **~ezeichen** *n* point *m* d'exclamation
ausruhen (***sich***) **~** se reposer
ausrüst|en équiper (***mit*** de); **≈ung** *f* équipement *m*
ausrutschen glisser
Aussag|e *f* déclaration; *jur* déposition; **≈en** déclarer; *jur* déposer
aus|saugen sucer; **~schalten** *Licht, Radio, TV* éteindre, fermer; *Maschine* arrêter; *Gegner* écarter
Ausschank *m* débit
ausscheid|en éliminer (*a Biol*); *aus e-r Firma* quitter (qc); *Sp* être éliminé; *Möglichkeit* être exclu; *Bewerber* ne pas être retenu; **≈ung** *f* élimination; *Med* sécrétion; **≈ungsspiel** *n* match *m* éliminatoire
aus|scheren *Kfz* déboîter;

~schiffen (***sich***) ~ débarquer
ausschlafen dormir assez; ***s-n Rausch*** ~ dormir tout son soûl
Ausschlag *m Med* éruption *f*; ***den ~ geben*** être décisif (***für*** dans)
ausschlag|en *Zahn* casser; *Auge* crever; *Angebot* refuser; *Pferd* ruer; *Bot* bourgeonner; **~gebend** décisif
ausschließ|en exclure (***aus, von*** de); **~lich** exclusif; *adv* exclusivement
Ausschluss *m* exclusion *f*
aus|schmücken décorer; *fig* enjoliver; **~schneiden** découper (***aus*** dans)
Ausschnitt *m Zeitungs*≈ coupure *f*; *Buch*≈, extrait; *Bild*≈ détail; *Kleider*≈ décolleté
ausschreiben *Wort* écrire en toutes lettres; *Stelle* mettre au concours; *Rechnung* établir; *Scheck* remplir
Ausschuss *m* comité, commission *f*; *Ware* rebuts *m/pl*
ausschütten *Wasser* verser; *Glas* vider; *Gewinn* distribuer
ausschweif|end dissolu; **≈ung** *f* débauche
aussehen avoir l'air; ***gut*** ~ *Person* être beau; *gesundheitlich* avoir bonne mine; *Sache* faire bien; ***wie j (et)*** ~ ressembler à q (qc); ***es sieht nach Regen aus*** le temps est à la pluie
außen à l'extérieur; ***nach*** (***von***) ~ vers (de) l'extérieur
Außen|bordmotor *m* moteur 'hors-bord; **~handel** *m* commerce extérieur; **~ministerium** *n* ministère *m* des affaires étrangères; **~seite** *f* extrérieur *m*; **~seiter** *m* marginal; *Sp* outsider; **~spiegel** *m* rétroviseur extérieur; **~stürmer** *m Sp* ailier
außer (*D*) *außerhalb* 'hors de; *ausgenommen* sauf, excepté; *neben* outre, en plus de; ~ ***wenn*** sauf si; à moins que ... ne (+ *subj*); ~ ***dass*** sauf que; ~ ***Betrieb*** 'hors service
außerdem en outre, de plus
äußere(r, -s) extérieur
Äußere(s) *n* extérieur *m*
außergewöhnlich extraordinaire
außerhalb (*G*) 'hors de, en dehors de; ~ ***wohnen*** habiter en dehors de la ville
äußerlich extérieur; *fig* superficiel; *Med* ***zur ~en Anwendung*** à usage externe
äußern dire, exprimer; ***sich*** ~ se prononcer (***zu*** *A* sur); donner son avis (***über*** *A* sur); *sich zeigen* se manifester
außerordentlich extraordinaire
äußerst extrêmement
außerstande ~ ***sein*** être incapable (***et zu tun*** de faire qc)
äußerste(r, -s) extrême; *Preis*, *Termin* dernier
Äußerung *f* propos *m/pl*

aussetzen *Kind* abandonner; *Belohnung* offrir; *e-r Gefahr, der Sonne* exposer (à); *Motor* s'arrêter; ***et auszusetzen haben an*** (*D*) trouver à redire à
Aussicht *f* vue; *fig* perspective, chance
aussichts|los sans espoir; *Vorhaben* voué à l'échec; **2turm** *m* belvédère
Aussiedler *m* rapatrié
aussortieren trier
aus|spannen *Pferd* dételer; *ausruhen* se reposer; **~spielen** *Karte* jouer
Aussprache *f* prononciation; *Gespräch* discussion
aussprechen *Wort* prononcer; *äußern* exprimer; ***sich ~*** s'expliquer (***mit j-m*** avec q); se prononcer (***für, gegen*** pour, contre)
Ausspruch *m* parole *f*, sentence *f*
ausspucken cracher
ausspülen rincer
ausstatt|en équiper (***mit*** de); **2ung** *f* équipement *m*
ausstehen ***nicht ~ können*** ne pas pouvoir supporter
aussteigen descendre (***aus*** de)
ausstell|en *Waren* exposer; *Pass, Urkunde* délivrer; *Rechnung* établir; *Scheck* faire; **2ung** *f* exposition; *e-s Passes* délivrance; **2ungsgelände** *n* parc *m* d'exposition
aus|sterben disparaître; **2steuer** *f* trousseau *m*; **2stieg** *m* sortie *f*; **~stoßen** expulser; *Schrei* pousser
ausstrahlen *Wärme* répandre; *Radio, TV* diffuser
ausstrecken *Hand* tendre; *Arme, Beine* étendre
aus|streichen rayer; **~strömen** *Wärme, Geruch* se dégager (***aus*** de); *Gas, Dampf* s'échapper (de)
aussuchen choisir
Austausch *m* échange; **2en** échanger
austeilen distribuer
Auster *f* huître
austragen *Briefe* distribuer; *Wettkampf* disputer
Austral|ien *n* l'Australie *f*; **~ier** *m* Australien; **2isch** australien
aus|treten *aus e-r Partei usw* quitter (qc); F *zur Toilette* aller au petit coin; **~trinken** finir; vider; **2tritt** *m* départ (***aus*** de), démission (de); **~üben** exercer; *Sp* pratiquer
Ausverkauf *m* soldes *f/pl*
ausverkauft *Ware* épuisé; *Theater* complet
Aus|wahl *f* choix *m*; *Sp* sélection; **2wählen** choisir (***aus*** parmi)
Auswanderer *m* émigrant
auswander|n émigrer; **2ung** *f* émigration
auswärts à l'extérieur; ***von ~*** d'ailleurs; ***~ essen*** déjeuner *od* dîner en ville, aller au restaurant

aus|waschen laver; **~wechseln** remplacer (***gegen*** par)
Ausweg *m* issue *f*; **2los** sans issue
ausweichen éviter (***j-m, e-r Sache*** q, qc); *e-r Frage* éluder (qc)
ausweichend *Antwort* évasif
Ausweis *m* carte *f*; *Personal*2 carte *f* d'identité; **2en** expulser; ***sich*** ~ montrer ses papiers; **~papiere** *n/pl* papiers *m/pl* d'identité; **~ung** *f* expulsion
aus|weiten élargir; *fig* agrandir; **~wendig** par cœur; **~werten** utiliser, exploiter
auswirken *sich* ~ se répercuter (***auf*** *A* sur)
auswuchten *Kfz* équilibrer
auszahl|en payer, verser; ***sich*** ~ être payant; **2ung** *f* paiement *m*, versement *m*
auszeichn|en *ehren* distinguer; *mit Orden* décorer (de); *Ware* étiqueter; ***sich*** ~ se distinguer (***durch*** par); **2ung** *f* distinction; *Orden* décoration
auszieh|en *Kleidung* enlever; *Tisch* mettre les rallonges à; *aus e-r Wohnung* déménager; ***sich*** ~ se déshabiller; **2tisch** *m* table *f* à rallonges
Auszubildende(r) *su* apprenti(e)
Auszug *m aus e-m Buch* extrait; *aus e-r Wohnung* déménagement
Auto *n* voiture *f*; ~ ***fahren*** *Fahrer* conduire; ***mit dem ~ nach Paris fahren*** aller en voiture à Paris
Autobahn *f* autoroute; **~ausfahrt** *f* sortie d'autoroute; **~dreieck** *n* échangeur *m*; **~gebühr** *f* péage *m*; **~kreuz** *n* échangeur *m*; **~raststätte** *f* restoroute; **~zubringer** *m* bretelle *f* (*od* voie *f*) d'accès à l'autoroute
Autobus *m* autobus; *Reisebus* autocar; *s a* ***Bus...***
Auto|fähre *f* car-ferry *m*; **~fahrer(in)** *m(f)* automobiliste
Autogramm *n* autographe *m*
Auto|karte *f* carte routière; **~kino** *n* drive-in *m*; **~kolonne** *f* file de voitures
Automat *m* distributeur (automatique)
Automatik|getriebe *n* boîte *f* (de vitesses) automatique; **~gurt** *m* ceinture *f* de sécurité à enrouleur
automatisch automatique
Auto|mechaniker *m* mécanicien; **~mobilklub** *m* club automobile
autonom autonome
Autonummer *f* numéro *m* d'immatriculation
Autor *m* auteur
Auto|radio *n* autoradio *f od m*; **~reifen** *m* pneu de voiture; **~reisezug** *m* train auto-couchettes; **~rennen** *n* course *f* automobile; **~repa-**

raturwerkstatt *f* garage *m*
Autorin *f* auteur *m*
autorit|är autoritaire; **⁀ät** *f* autorité
Auto|schlüssel *m* clé *f* de voiture; **~telefon** *n* (radio)téléphone *m* de voiture; **~unfall** *m* accident de voiture; **~verkehr** *m* circulation *f* (automobile); **~vermietung** *f* location de voitures; **~zubehör** *n* accessoires *m/pl* d'automobile
Avocado *f* avocat *m*
Axt *f* hache
Azubi *su* apprenti(e) *m(f)*

B

Baby *n* bébé *m*; **~nahrung** *f* aliments *m/pl* pour bébés; **~sitter** *m* baby-sitter *m, f*; **~tragetasche** *f* porte-bébé *m*; **~wäsche** *f* layette
Bach *m* ruisseau
Backbord *n* bâbord *m*
Backe *f* joue
backen *Kuchen, Brot* faire (cuire); *Fisch* (faire) frire
Backen|knochen *m* pommette *f*; **~zahn** *m* molaire *f*
Bäcker *m* boulanger
Bäckerei *f* boulangerie
Back|form *f* moule *m* à gâteaux; **~obst** *n* fruits *m/pl* secs; **~ofen** *m* four; **~pflaume** *f* pruneau *m*; **~pulver** *n* levure *f* chimique; **~stein** *m* brique *f*
Bad *n* bain *m*; *Badezimmer* salle *f* de bains; *Kurort* station *f* thermale; *Schwimm⁀* piscine *f*
Bade|anzug *m* maillot de bain; **~hose** *f* slip *m* de bain; **~kappe** *f* bonnet *m* de bain; **~mantel** *m* peignoir; **~meister** *m* maître nageur
baden se baigner; *in der Wanne* prendre un bain; *j-n* baigner; **⁀ *verboten!*** baignade interdite!
Baden-Württemberg *n* le Bade-Wurtemberg
Bade|ort *m* station *f* balnéaire; **~strand** *m* plage *f*; **~tuch** *n* serviette *f* de bain; **~wanne** *f* baignoire; **~zimmer** *n* salle *f* de bains
Bagger *m* pelle *f* mécanique
Bahn *f Eisen⁀* chemin *m* de fer; *Weg* voie; *Renn⁀, Start⁀* piste; ***mit der ~ fahren*** aller en train; ***zur ~ bringen*** emmener à la gare
Bahnbeamte(r) *m* employé des chemins de fer
bahnen *sich e-n Weg ~* se frayer un chemin
Bahnfahrt *f* voyage *m* en train
Bahnhof *m* gare *f*; ***auf dem ~*** à la gare
Bahnhofs|halle *f* 'hall *m* (d'une gare); **~vorsteher** *m* chef de gare

Bahn|linie *f* ligne de chemin de fer; **~steig** *m* quai; **~übergang** *m* passage à niveau
Bahre *f* civière, brancard *m*
Baiser *n* meringue *f*
Bakterie *f* bactérie
bald bientôt; **~ *darauf*** peu après; ***so ~ wie möglich*** le plus tôt possible; ***bis ~!*** à bientôt!
Baldrian *m* valériane *f*
Balken *m* poutre *f*
Balkon *m* balcon
Ball *m* balle *f*; *größerer* ballon; *Tanzfest* bal
Ballast *m* lest [lɛst]; **~stoffe** *m/pl* fibres *f/pl*
Ballett *n* ballet *m*
Ballon *m* ballon
Ballungsraum *m* agglomération *f*
Balsam *m* baume
Bambus *m* bambou
Banane *f* banane
Band[1] *m* volume, tome
Band[2] *n* ruban *m*; *fig* lien *m*; ***auf ~ aufnehmen*** enregistrer
Band[3] *f Mus* groupe *m*
Banda|ge *f* bandage *m*; **2gieren** bander
Bande *f* bande; *Verbrecher*2 gang [gɑ̃g] *m*
Bänder|riss *m* déchirure *f* des ligaments; **~zerrung** *f* foulure
Bandit *m* bandit
Band|maß *n* mètre *m* à ruban; **~nudeln** *f/pl* nouilles (plates); **~scheibe** *f* disque *m* intervertébral; **~wurm** *m* ver solitaire
Bank *f* banc *m*; *gepolstert* banquette; *Hdl* banque; **~angestellte(r)** *su* employé(e) de banque
Bank|ier *m* banquier; **~konto** *n* compte *m* en banque; **~leitzahl** *f* code *m* banque; **~note** *f* billet *m* de banque
bankrott en faillite
bar (**in**) **~** *nicht auf Kredit* comptant; *nicht mit Scheck* en espèces, en liquide
Bar *f* bar *m*; *Nacht*2 boîte de nuit
Bär *m* ours [urs]
Baracke *f* baraque
barfuß pieds nus
Bargeld *n* (argent *m*) liquide *m*, espèces *f/pl*; **2los** par chèque, par virement
Barhocker *m* tabouret de bar
Bariton *m* baryton
Barkeeper *m* barman [-man]
barmherzig charitable
barock baroque
Barometer *n* baromètre *m*
Barren *m Sp* barres *f/pl* parallèles; *Gold*2 lingot
Barriere *f* barrière
barsch brusque
Barsch *m* perche *f*
Barscheck *m* chèque non barré *od* payable au porteur
Bart *m* barbe *f*
Barzahlung *f* paiement *m* comptant; *nicht mit Scheck* en espèces, en liquide
Basar *m* bazar, souk

Basel Bâle
basieren ~ ***auf*** (*D*) reposer sur
Basilika *f* basilique
Basilikum *n* basilic *m*
Basis *f* base
Baskenmütze *f* béret *m* basque
Basketball *m* basket(-ball) [-kɛt(bol)]
Bass *m* basse *f*
Bast *m* raphia
bast|eln bricoler; **≈ler** *m* bricoleur
Batterie *f* pile; *Kfz* batterie
Bau *m* construction *f*; *Gebäude* bâtiment; *Tier≈* terrier; **~arbeiten** *f/pl* travaux *m/pl*; **~arbeiter** *m* ouvrier du bâtiment
Bauch *m* ventre; **~fell** *n* péritoine *m*; **~fellentzündung** *f* péritonite
Bauchschmerzen *m/pl* ~ ***haben*** avoir mal au ventre
Bauch|speicheldrüse *f* pancréas [-s] *m*; **~tanz** *m* danse *f* du ventre
Baudenkmal *n* monument *m*
bauen construire, bâtir
Bauer[1] *m* paysan, fermier; *Schach* pion
Bauer[2] *n* cage *f*
Bäuer|in *f* paysanne, fermière; **≈lich** paysan
Bauern|haus *n*, **~hof** *m* ferme *f*; **~möbel** *pl* meubles *m/pl* rustiques
bau|fällig délabré; **≈firma** *f* entreprise de bâtiment; **≈gerüst** *n* échafaudage *m*; **≈jahr** *n* année *f* de la construction; **≈kasten** *m* jeu de construction; **≈kunst** *f* architecture; **≈leiter** *m* chef de chantier
Baum *m* arbre
Bau|material *n* matériaux *m/pl* de construction; **~meister** *m* architecte
Baum|schule *f* pépinière; **~stamm** *m* tronc d'arbre; **~stumpf** *m* souche *f*
Baumwoll|e *f* coton *m*; **~hemd** *n* chemise *f* de *od* en coton
Bauplatz *m* terrain à bâtir
Bau|sparen *n* épargne-logement *m*; **~stelle** *f* chantier *m*; **~stil** *m* style architectural; **~unternehmer** *m* entrepreneur (de bâtiment); **~werk** *n* édifice *m*, ouvrage *m* d'art
Bayer *m* Bavarois; **≈isch** bavarois
Bayern *n* la Bavière
Bazillus *m* bacille [-il]
beabsichtigen avoir l'intention (***et zu tun*** de faire qc)
beacht|en faire attention à; *Vorschrift* observer; *Vorfahrt* respecter; **~lich** considérable
Beamt|e(r) *m*, **~in** *f* fonctionnaire
beängstigend inquiétant
beanspruchen *Recht* revendiquer; *Platz*, *Zeit* prendre; *Nerven* fatiguer; *Tech* solliciter
beanstand|en trouver à redi-

re à; *Ware* faire une réclamation pour; **Չung** *f* réclamation
beantragen demander
beantwort|en répondre à; **Չung** *f* réponse (à)
bearbeiten *Material* travailler; *für den Film* adapter; *Antrag, Fall* étudier
beaufsichtig|en surveiller; **Չung** *f* surveillance
beauftragen charger (***mit*** de)
bebauen *Gelände* bâtir; *Agr* cultiver
beben trembler
Becher *m* gobelet
Becken *n* bassin *m* (*a Anat*)
bedanken ***sich bei j-m ~*** remercier q (***für et*** de *od* pour qc)
Bedarf *m* besoin(s) *m(pl)* (***an*** *D* en); ***bei ~*** en cas de besoin; ***nach ~*** selon les besoins
Bedarfshaltestelle *f* arrêt *m* facultatif
bedauerlich regrettable
bedauern regretter (***dass*** que ... ne + *subj*); *j-n* plaindre
Bedauern *n* regret *m*
bedecken (re)couvrir (***mit*** de)
bedeckt *Himmel* couvert
bedenk|en considérer, penser à; **Չen** *n/pl* doutes *m/pl*, scrupules *m/pl*; **~lich** douteux; *bedrohlich* inquiétant
bedeut|en signifier, vouloir dire; **~end** important; **Չung** *f Sinn* signification; *Wichtigkeit* importance; **~ungslos** sans importance
bedienen servir; *Maschine* faire marcher; ***sich ~*** se servir; ***werden Sie schon bedient?*** on s'occupe de vous?
Bedienung *f* service *m*; *Kellnerin* serveuse; ***einschließlich ~*** service compris
Bedienungsanleitung *f* mode *m* d'emploi
Bedingung *f* condition; ***unter der ~, dass*** à la condition que (+ *subj*)
bedroh|en menacer (***mit*** de); **~lich** menaçant
Bedürf|nis *n* besoin *m* (***nach*** de); **Չtig** nécessiteux
Beefsteak *n* bifteck *m*
beeilen ***sich ~*** se dépêcher
beein|drucken impressionner; **~flussen** influencer; **~trächtigen** porter atteinte à; *Gesundheit* nuire à
beenden finir, terminer
beerben ***j-n ~*** hériter de q
beerdig|en enterrer; **Չung** *f* enterrement *m*; **Չungsinstitut** *n* pompes *f/pl* funèbres
Beere *f* baie
Beet *n Blumen*Չ parterre *m*; *Gemüse*Չ carré *m*, planche *f*
befahrbar praticable
befahren *Straße* emprunter; *adj* ***stark ~*** très fréquenté
befassen ***sich ~ mit*** s'occuper de
Befehl *m* ordre; commandement; **Չen** ordonner (***zu*** de), donner l'ordre (de)

befestigen attacher, fixer (***an*** *D* à); *Mil* fortifier; *Straße*, *Ufer* stabiliser
befinden ***sich*** ~ se trouver
Befinden *n* état *m* de santé
befolgen suivre
beförder|n transporter; *im Rang* promouvoir (**zum Direktor** directeur); **2ung** *f* transport *m*; promotion
befragen interroger
befrei|en libérer; *freistellen* dispenser (***von*** de); **2ung** *f* libération
befreundet ami (***mit*** de); ***ich bin mit ihm*** ~ nous sommes amis
befriedig|en satisfaire; **~end** satisfaisant; **2ung** *f* satisfaction
befristet temporaire; limité (***auf*** *A* à)
befugt autorisé (***zu et*** à)
Befund *m Med* résultat; ***ohne*** ~ résultat négatif
befürcht|en craindre, redouter (***dass*** que ... ne + *subj*); **2ung** *f* crainte
befürworten préconiser
begab|t doué (***für*** pour); **2ung** *f* don *m*
Begebenheit *f* événement *m*
begegn|en rencontrer (***j-m*** q); **2ung** *f* rencontre
begehen *Verbrechen*, *Irrtum* commettre; *Fest* célébrer
begehrt demandé, recherché
begeister|n (***sich*** ~ s')enthousiasmer, (se) passionner (***für*** pour); **2ung** *f* enthousiasme *m*
begierig avide (***auf*** *A*, ***nach*** de)
Beginn *m* commencement; début; ***zu*** ~ au début; **2en** commencer (***zu*** à, ***mit*** par)
beglaubigen certifier (conforme)
begleichen *Rechnung* régler
begleit|en accompagner (*a Mus*); **2er** *m* compagnon; **2erin** *f* compagne; **2ung** *f* accompagnement *m*; ***in*** ~ (*G*) en compagnie de
beglückwünschen féliciter (***zu*** pour *od* de)
begnadig|en gracier; **2ung** *f* grâce *f*
begnügen ***sich*** ~ ***mit*** se contenter de
be|graben enterrer; **2gräbnis** *n* enterrement *m*
begreifen comprendre
begreiflich compréhensible; ***j-m et*** ~ ***machen*** faire comprendre qc à q
begrenzen limiter
Begriff *m* notion *f*; ***im*** ~ ***sein et zu tun*** être sur le point de faire qc
begründ|en justifier, motiver (***mit*** par); **~et** fondé; **2ung** *f* raison, motif *m*
begrüß|en saluer; **2ung** *f* *Empfang* accueil *m*
begünstigen favoriser, avantager
begutachten donner son avis sur; *fachlich* expertiser

behalten garder; *im Gedächtnis* retenir
Behälter *m* récipient
behand|eln traiter; *Med a* soigner; **꞉lung** *f* traitement *m*; *Med a* soins *m/pl*
beharrlich persévérant
behaupt|en affirmer, prétendre; ***sich*** ~ s'affirmer; **꞉ung** *f* affirmation
beheben *Schaden* réparer
behelfen ***sich*** ~ ***mit*** se débrouiller avec
behelfsmäßig provisoire
behelligen importuner
beherrschen dominer; *Markt* être leader sur; *Lage* contrôler; *Sprache* maîtriser; ***sich*** ~ se retenir
Beherrschung *f* ***die*** ~ ***verlieren*** ne plus pouvoir se contrôler
behilflich ***j-m*** ~ ***sein*** aider q (***bei et*** à faire qc)
behinder|n gêner; **꞉te(r)** *su* handicapé(e)
Behörde *f* autorité(s) *f(pl)*, administration
bei (*D*) près de; ~***j-m*** chez q; ~ ***der Ankunft*** à l'arrivée; ~ ***schlechtem Wetter*** par mauvais temps; ***beim Essen*** en mangeant; ***et*** ~ ***sich haben*** avoir qc sur soi
beibringen ***j-m et*** ~ apprendre, enseigner qc à q
Beicht|e *f* confession; **꞉en** se confesser; **~stuhl** *m* confessionnal
beide les deux; ***alle*** ~ tous les deux; ***eins von*** **~*n*** l'un des deux
beeinander ensemble
Beifahrer *m Pkw* passager; *Lkw* aide-conducteur; *Rallye* coéquipier; **~sitz** *m* place *f* du passager avant
Beifall *m* applaudissements *m/pl*; ~ ***klatschen*** applaudir (***j-m*** q)
beifügen joindre
Bei|geschmack *m* arrière--goût; *fig* connotation *f*; **~hilfe** *f Geld*꞉ allocation; *jur* complicité
Beil *n* 'hache *f*
Beilage *f zur Zeitung* supplément *m*; *Kochk* garniture, accompagnement *m*; ***mit*** **~*n*** garni
beiläufig en passant
beilegen *e-m Brief* joindre (à); *Streit* régler
Beileid *n* condoléances *f/pl*; ***j-m sein*** ~ ***aussprechen*** faire ses condoléances à q
beiliegend ci-joint
Bein *n* jambe *f*; *von Tieren* patte *f*; *Tisch*꞉ pied *m*
beinah(e) presque; ***ich wäre*** ~ ***gefallen*** j'ai failli tomber
Beiname *m* surnom
Beipackzettel *m* notice *f*
beisammen ensemble
Beisammensein *n* ***gemütliches*** ~ réunion *f* amicale
Beisein *n* ***im*** ~ ***von*** en présence de
beiseite ~ ***legen*** mettre de

côté (*a Geld*); ~ ***schaffen*** faire disparaître
Beisetzung *f* enterrement *m*, obsèques *f/pl*
Beispiel *n* exemple *m*; ***zum*** ~ par exemple
beispiel|haft exemplaire; **~los** sans précédent; **~weise** par exemple
beiß|en mordre; **2zange** *f* tenailles *f/pl*
Bei|stand *m* assistance *f*, aide *f*; **2stehen** assister (***j-m*** q), aider (q)
Beitrag *m* contribution *f*; *Mitglieds2* cotisation *f*; **2en** contribuer (***zu*** à)
beitreten (*D*) adhérer (à), entrer (dans)
Beiwagen *m* side-car
beizeiten à temps
bejahen répondre affirmativement à
bekämpf|en combattre, lutter contre; **2ung** *f* lutte
bekannt connu (***für*** pour); ~ ***geben*** annoncer; ***j-n mit j-m*** ~ ***machen*** présenter q à q; ***mit j-m*** ~ ***sein*** connaître q; ***mir ist*** ~, ***dass ...*** je sais que ...
Bekannt|e(r) *su* connaissance *f*; **2lich** comme on sait; **~machung** *f* annonce; *Anschlag* avis *m*; **~schaft** *f* connaissance
beklagen déplorer; ***sich*** ~ ***über*** (*A*) se plaindre de
beklagenswert déplorable
Bekleidung *f* vêtements *m/pl*
bekommen recevoir; *oft* avoir; *erlangen* obtenir; *Krankheit* attraper; *Kind* avoir; ***Hunger*** ~ commencer à avoir faim; ***j-m*** (***gut***) ~ réussir à q; ***was*** ~ ***Sie?*** *an Geld* combien je vous dois?; *im Geschäft* vous désirez?
bekömmlich digeste
bekräftigen confirmer
beladen charger (***mit*** de)
Belag *m* couche *f*; revêtement; *Brot2* garniture *f*
belager|n assiéger; **2ung** *f* siège *m*
belanglos insignifiant, sans importance
belasten charger (***mit*** de); *Umwelt* polluer; *Konto* débiter (***mit*** de); *j-n* préoccuper; *jur* accabler
belästig|en importuner; **2ung** *f* dérangement *m*, 'harcèlement *m*
Belastung *f* charge
belaufen ***sich*** ~ ***auf*** s'élever à, se monter à
belebt *Straße* animé
Beleg *m* pièce *f* justificative, preuve *f*; *Zahlungs2* reçu; **2en** *Platz* occuper; *Kurs* s'inscrire à; *beweisen* justifier de, prouver; *Brot* garnir (***mit*** de); **~schaft** *f* personnel *m*
belegt *Hotel* complet; *Zunge* chargé; **~es *Brötchen*** sandwich *m*
belehr|en informer (***über*** *A* de); **2ung** *f* instruction
beleidigen offenser, vexer;

beschimpfen insulter, injurier
beleidig|t offensé, vexé; **Ձung** *f* offense; *Beschimpfung* insulte, injure
beleucht|en éclairer; *festlich* illuminer; **Ձung** *f* éclairage *m*; *festliche* illumination
Belg|ien *n* la Belgique; **~ier** *m* Belge; **Ձisch** belge
belicht|en *Fot* exposer; **Ձung** *f* pose, exposition
Belichtungs|messer *m* posemètre; **Ձzeit** *f* temps *m* de pose
Belieben *n* ***nach*** **~** à volonté
beliebig quelconque, n'importe quel; **~** ***lange*** aussi longtemps que l'on veut
beliebt aimé (***bei*** de *od* par); *Schauspieler* populaire (auprès de); **Ձheit** *f* popularité
bellen aboyer
belohn|en récompenser (***für*** de *od* pour); **Ձung** *f* récompense
Belüftung *f* ventilation
belügen mentir à
bemalen peindre
bemängeln critiquer, trouver à redire à
bemerkbar ***sich*** **~** ***machen*** se faire remarquer; *Sache* se faire sentir
bemerken remarquer, noter
bemerk|enswert remarquable; **Ձung** *f* remarque
bemitleiden prendre en pitié
bemühen ***sich*** **~** s'efforcer (***zu*** de), se donner du mal *od* de la peine; ***sich um j-n*** **~** prendre soin de q; **~** ***Sie sich nicht!*** ne vous dérangez pas!
Bemühung *f* effort *m*, peine
benachbart voisin
benachrichtigen ***j-n*** (***von et***) **~** prévenir q (de qc)
benachteilig|en *j-n* désavantager; **Ձung** *f* désavantage *m*
benehmen ***sich*** **~** se comporter, se conduire; **Ձ** *n* comportement *m*
beneiden ***j-n um et*** **~** envier qc à q; **~swert** enviable
Bengel *m* F gamin, gosse
benötigen avoir besoin de
benutz|en utiliser; *Verkehrsmittel* prendre; *Weg* emprunter; **Ձer** *m* utilisateur; *e-s Verkehrsmittels* usager; **Ձung** *f* utilisation; **Ձungsgebühr** *f* droits *m/pl* d'utilisation; *e-r Straße* péage *m*
Benzin *n* essence *f*; **~kanister** *m* bidon d'essence, jerrycan; **~pumpe** *f* pompe à essence; **~tank** *m* réservoir d'essence; **~uhr** *f* jauge d'essence; **~verbrauch** *m* consommation *f* d'essence
beobacht|en observer; **Ձer** *m* observateur; **Ձung** *f* observation
bequem confortable; *Ausrede, Lösung* facile; ***es sich*** **~** ***machen*** se mettre à son aise
Bequemlichkeit *f* confort *m*; *Trägheit* paresse
beraten ***j-n*** **~** conseiller q; (***über***) ***et*** (*A*) **~** discuter de qc; (***sich***) **~** se consulter, délibérer (***über*** *A* sur)

Berat|er *m* conseiller; **~ung** *f durch j-n* consultation; *Besprechung* discussion
berauben dépouiller
berechnen calculer; ***j-m et ~*** compter, facturer qc à q
Berechnung *f* calcul *m* (*a fig*)
berechtigen ~ *zu* autoriser à, donner le droit de
berechtigt autorisé; *begründet* fondé
Bereich *m* domaine
bereichern *sich ~* s'enrichir
Bereifung *f* pneus *m/pl*
bereisen parcourir
bereit prêt (***zu*** à); ***sich ~ erklären zu*** être prêt *od* disposé à
bereit|en *Sorge*, *Freude* causer; *Kochk* préparer; **~halten** tenir prêt
bereits déjà
Bereit|schaftsdienst *m* permanence; *Med* (service de) garde *f*; **2stellen** préparer; mettre à la disposition (***für j-n*** de q); **2willig** empressé; *adv* volontiers
bereuen se repentir de; *bedauern* regretter
Berg *m* montagne *f*
bergab ~ *fahren*, ~ *führen* descendre
Bergarbeiter *m* mineur
bergauf ~ *fahren*, *führen* monter
Berg|bahn *f Zahnradbahn* train *m* à crémaillère; *Seilbahn* téléphérique *m*; **~bau** *m* industrie *f* minière
bergen sauver; *aus dem Wasser* repêcher; *Tote* dégager
Berg|führer *m* guide de montagne; **~hütte** *f* refuge *m*; **2ig** montagneux; **~kette** *f* chaîne de montagnes; **~mann** *m* mineur; **~rutsch** *m* éboulement; **~see** *m* lac de montagne; **~steigen** *n* alpinisme *m*; **~steiger** *m* alpiniste; **~tour** *f* course en montagne
Bergung *f* sauvetage *m*; dégagement *m*
Berg|wacht *f* secours *m* en montagne; **~werk** *n* mine *f*
Bericht *m* rapport, compte rendu; *Erzählung* récit; *Presse*2 reportage
berichten rapporter (***j-m et*** qc à q); rendre compte (***über*** *A* de), raconter (***von et*** qc)
Berichterstatter *m* reporter [-ɛr]
berichtigen corriger; *richtigstellen* rectifier
Bermudashorts *pl* bermuda(s) *m*(*pl*)
Bernstein *m* ambre (jaune)
berücksichtigen tenir compte de; prendre en considération
Beruf *m* profession *f*, métier; ***von ~*** de métier
berufen *sich ~ auf* (*A*) se référer à
beruflich professionnel
Berufs|ausbildung *f* formation professionnelle; **~beratung** *f* orientation professionnelle; **~sportler** *m* pro-

fessionnel; **&tätig** qui travaille; **~verkehr** *m* heures *f/pl* de pointe
Berufung *f innere* vocation; *jur* appel *m*; ***~ einlegen*** faire appel (***gegen ein Urteil*** d'un jugement)
beruhen ***~ auf*** (*D*) reposer sur
beruhigen (***sich ~*** se) calmer
beruhigt rassuré
Beruhigungsmittel *n* calmant *m*, tranquillisant *m*
berühmt célèbre (***für*** pour, par); **&heit** *f* célébrité
berühr|en toucher (*a fig*); **&ung** *f* contact *m*
Besatzung *f Flgw*, *Mar* équipage *m*; *Mil* (troupes *f/pl* d')occupation
besaufen F ***sich ~*** se soûler
beschädig|en endommager; **&ung** *f* endommagement *m*
beschaffen procurer
beschäftigen occuper; *Arbeitskräfte* employer; *Probleme*: *j-n* préoccuper; ***sich ~ mit*** s'occuper de
Beschäftigung *f* occupation; *berufliche* emploi *m*
beschämend 'honteux
Bescheid *m* réponse *f*; ***~ wissen*** être au courant (***über*** *A* de); ***j-m ~ geben*** *od.* ***sagen*** prévenir q (***über*** *A* de)
bescheiden modeste; **&heit** *f* modestie
bescheinig|en certifier, attester; **&ung** *f* certificat *m*, attestation
Bescherung *f* distribution des cadeaux (de Noël)
beschimpfen insulter, injurier
Beschlag ***in ~ nehmen*** accaparer
beschlagen *adj Scheibe* couvert de buée
Beschlagnahm|e *f* saisie; **&en** saisir, confisquer
beschleunig|en accélérer; **&ung** *f* accélération
beschließen décider (**zu** de); *beenden* terminer
Beschluss *m* décision *f*
beschmieren barbouiller
beschmutzen salir
beschränken limiter; ***sich ~ auf*** (*A*) se limiter à
beschrankt *Bahnübergang* gardé
beschränk|t limité; *geistig* borné; **&ung** *f* limitation
beschreib|en décrire; **&ung** *f* description
beschuldigen accuser; *jur* inculper (***j-n e-r Sache*** *G* q de qc)
Beschuldig|te(r) *su* inculpé(e); **~ung** *f* accusation
beschütz|en protéger (***vor*** *D* de *od* contre); **&er** *m* protecteur
Beschwerde *f* réclamation, plainte; **~n** *pl Med* troubles *m/pl*
beschweren ***sich ~*** se plaindre (***bei j-m*** à q, ***über*** *A* de)
be|schwichtigen apaiser, calmer; **~schwipst** F éméché
beseitigen supprimer, élimi-

ner; *Abfall*, *Fleck* enlever; *Spuren* faire disparaître
Besen *m* balai
besetzen occuper
besetzt *Platz*, *WC*, *Tel* occupé; *Bus*, *Zug* complet
Besetztzeichen *n Tel* tonalité *f* «occupé»
Besetzung *f* occupation
besichtig|en visiter; **≈ung** *f* visite
besiedelt ***dicht ~*** très peuplé
besiegen vaincre
Besinnung *f* ***die ~ verlieren*** perdre connaissance; ***zur ~ kommen*** reprendre ses esprits (*a fig*)
besinnungslos évanoui
Besitz *m* possession *f*; *Eigentum* propriété *f*; **≈en** posséder; **~er** *m* possesseur; *Eigentümer* propriétaire
besohlen ressemeler
besondere(r, -s) particulier, spécial; ***~ Kennzeichen*** signes *m/pl* particuliers; ***nichts* ≈s** rien de spécial *od* d'exceptionnel
Besonderheit *f* particularité
besonders particulièrement, spécialement; *vor allem* surtout; *sehr* très
besorgen procurer
Besorgnis *f* inquiétude, souci *m*; ***~ erregend*** inquiétant
besorgt inquiet
Besorgung *f* ***~en machen*** faire des courses
besprech|en discuter (***et*** de qc); **≈ung** *f* discussion; *Sitzung* réunion; (*Buch*≈) critique
besser meilleur; *adv* mieux; ***~ werden*** s'améliorer; ***etwas* ≈es** quelque chose de mieux; ***es geht ihm ~*** il va mieux; ***immer ~*** de mieux en mieux; ***um so ~*** tant mieux
bessern ***sich ~*** s'améliorer
Besserung *f* amélioration; ***gute ~!*** bon rétablissement!
Bestand *m* existence *f*, durée *f*; *Vorrat* stock
beständig continuel; constant; stable (*a Wetter*)
Bestandteil *m* partie *f* intégrante; composante *f*, élément
bestätigen (***sich ~*** se) confirmer; ***den Empfang ~*** accuser réception
Bestätigung *f* confirmation
Bestattung *f* inhumation
beste(r, -s) meilleur(e); ***am ~n*** le mieux; ***sein* ≈s *tun*** faire de son mieux
bestech|en corrompre; **~lich** corruptible; **≈ung** *f* corruption
Besteck *n* couvert *m*
bestehen exister; *Prüfung* réussir; ***~ auf*** (*D*) insister sur; ***~ aus*** se composer de
bestehlen voler
besteig|en monter sur, à; *Berg a* faire l'ascension de; **≈ung** *f* ascension
bestell|en *Waren*, *im Restaurant* commander; *Zimmer*, *Tisch* retenir, réserver; *Grü-*

ße transmettre; *j-n* faire venir; **℞nummer** *f* numéro *m* de commande; **℞ung** *f* commande

bestens pour le mieux

Bestie *f* bête féroce

bestimmen *festlegen* fixer; *entscheiden* décider; *vorsehen* destiner (**für** à); *ernennen* désigner (**zu** comme)

bestimmt *feststehend* déterminé; *Stunde* fixé; *gewiss* certain; *adv* certainement

Bestimmung *f Vorschrift* disposition, règlement *m*; *Zweck℞* destination; **~sort** *m* destination *f*

Bestleistung *f Sp* record *m*

bestraf|en punir; **℞ung** *f* punition

bestrahl|en *Med* traiter par les rayons; **℞ung** *f Med* (séance *f* de) rayons *m/pl*

be|streichen enduire (***mit*** de); **~streiten** contester; *Kosten* supporter; **~streuen** parsemer (***mit*** de)

bestürz|t consterné (***über*** *A* par); **℞ung** *f* consternation

Besuch *m* visite *f*; ***~ haben*** avoir de la visite; ***bei j-m zu ~ sein*** être en visite chez q

besuch|en aller voir; *herkommen* venir voir; *förmlich* rendre visite à; *Museum, Stadt* visiter; *Schule* fréquenter; **℞er** *m* visiteur; **℞szeit** *f* heures *f/pl* de visite

betätigen actionner; ***sich politisch*** (***sportlich***) ***~*** faire de la politique (du sport)

Betätigung *f* activité

betäub|en *Med* anesthésier; *örtlich* insensibiliser; **℞ung** *f Med* anesthésie (***örtliche*** locale); **℞ungsmittel** *n* anesthésique *m*

Bete *f* ***rote ~*** betterave rouge

beteiligen ***sich ~ an*** (*D*) participer, prendre part à; ***beteiligt sein*** être impliqué (***an e-m Unfall*** dans un accident)

Beteiligung *f* participation

beten prier

Beton *m* béton

beton|en accentuer (*a fig*); **℞ung** *f* accentuation

Betracht *m* ***in ~ kommen*** entrer en ligne de compte; ***in ~ ziehen*** prendre en considération, tenir compte de

betrachten regarder; *Gemälde usw* contempler; ***~ als*** considérer comme

beträchtlich considérable

Betrag *m* montant, somme *f*

betragen *Summe* se monter à, s'élever à; *Entfernung* être de; ***sich ~*** se conduire

Betragen *n* conduite *f*

betreffen concerner; ***was ... betrifft*** en ce qui concerne; ***betrifft*** *im Briefkopf* objet

betreffend concerné, en question

betreten *Raum* entrer dans; *Rasen* marcher sur

betreu|en s'occuper de; prendre soin de; **℞er** *m e-r Reisegruppe* accompagnateur; *e-r*

Jugendgruppe moniteur; *Sp* entraîneur
Betrieb *m Unternehmen* entreprise *f*; *e-r Maschine* marche *f*, fonctionnement; *lebhaftes Treiben* animation *f*; ***in ~ sein*** être en marche, fonctionner; ***außer ~*** 'hors service; ***in ~ setzen*** mettre en marche; F ***viel ~*** beaucoup de monde
Betriebs|ferien *pl* congés *m/pl* annuels; **~leitung** *f* direction; **~rat** *m* comité d'entreprise; **~wirtschaft** *f* gestion (des entreprises)
betrinken *sich ~* se soûler
betroffen touché; *erschüttert* bouleversé; ***sich ~ fühlen*** se sentir concerné
betrübt affligé, attristé
Betrug *m* fraude *f*
betrüg|en tromper (*a in der Liebe*); *jur* escroquer (***j-n um et*** qc à q); *Wi* frauder; *beim Spiel* tricher; **2er** *m jur* escroc [-o]; *Wi* fraudeur; **~erisch** frauduleux; *Person* malhonnête
betrunken soûl, ivre
Bett *n* lit *m*; ***ins*** *od* ***zu ~ gehen*** (aller) se coucher; ***ins ~ bringen*** coucher
Bett|bezug *m* 'housse *f* de couette; **~couch** *f* canapé-lit *m*; **~decke** *f* couverture; *Tagesdecke* couvre-lit *m*
betteln mendier (***um et*** qc)
Bettlaken *n* drap *m* (de lit)
Bettler(in) *m(f)* mendiant(e)
Bettruhe *f* ***~ verordnen*** ordonner un repos complet
Bett|vorleger *m* descente *f* de lit; **~wäsche** *f* draps *m/pl*
Beule *f* bosse
beunruhigen (***sich ~*** s')inquiéter
beurteil|en juger, porter un jugement sur; **2ung** *f* jugement *m*; *Gutachten* évaluation
Beute *f* proie; *Diebes*2 butin *m*
Beutel *m* sac
Bevölkerung *f* population
bevollmächtig|en donner mandat *od* procuration à; **2te(r)** *su* mandataire
bevor avant que (+ *subj*), avant de (+ *inf*)
bevorstehen se préparer; ***unmittelbar ~*** être imminent; ***et steht j-m bevor*** qc attend q
bevorzugen préférer; *j-n* favoriser
bewach|en *et* garder; *j-n* surveiller; **2er** *m* gardien; **2ung** *f* garde; surveillance
bewaffn|en armer (***mit*** de); **2ung** *f* armement *m*
bewahren garder; *j-n* préserver (***vor*** *D* de)
bewähren *sich ~* faire ses preuves
bewähr|t éprouvé; *Person* expérimenté; **2ungsfrist** *f jur* sursis *m*
bewaldet boisé
bewältigen venir à bout de
bewandert *~ sein in* (*D*) s'y connaître en

bewässern irriguer
bewegen bouger; ***j-n ~*** *rühren* toucher q; ***j-n zu et ~*** décider q à faire qc; ***sich ~*** bouger
beweglich mobile; *geistig* vif
bewegt *Leben* mouvementé; *See* agité; *fig* ému
Bewegung *f* mouvement *m*; *körperliche* exercice *m*; *Rührung* émotion
Bewegungs|freiheit *f* liberté d'action; **Ｌlos** immobile
Beweis *m* preuve *f* (***für et*** de qc); **Ｌen** prouver; *Mut usw* faire preuve de; **~stück** *n* pièce *f* à conviction
bewerben ***sich ~ um*** poser sa candidature à
Bewerb|er(in) *m(f)* candidat(e); **~ung** *f* candidature
Bewerbungs|gespräch *n* entretien *m* d'embauche; **~schreiben** *n* lettre *f* de candidature
bewert|en évaluer; *Sp, Schule* noter; **Ｌung** *f* évaluation; *Sp, Schule* note
bewilligen accorder
bewirken causer, amener; *erreichen* obtenir
bewirt|en régaler; **~schaften** exploiter, administrer; **Ｌung** *f* accueil *m*, service *m*
bewohn|en habiter; *Wohnung a* occuper; **Ｌer(in)** *m(f)* habitant(e); *e-s Hauses usw* occupant(e)
bewölken ***sich ~*** se couvrir (de nuages)
bewölkt nuageux
Bewölkung *f* nuages *m/pl*
bewundern admirer
bewunder|nswert admirable; **Ｌung** *f* admiration
bewusst conscient; *absichtlich* délibéré; *adv wissentlich* sciemment; ***sich e-r Sache ~ sein*** être conscient de qc
bewusstlos sans connaissance; **Ｌigkeit** *f* évanouissement *m*
Bewusstsein *n* conscience *f*; *Med* ***das ~ verlieren*** (***wiedererlangen***) perdre (reprendre) connaissance
bezahlen payer
bezahlt payé; ***sich ~ machen*** être payant
Bezahlung *f* paiement *m*
bezaubernd charmant, ravissant
bezeichn|en marquer; *benennen* désigner; *einschätzen* qualifier (***als*** de); **~end** caractéristique (***für*** de); **Ｌung** *f* désignation; *Name* nom *m*
bezeugen témoigner de
beziehen *Haus* emménager dans; *Zeitung* être abonné à; *Waren* acheter (***von j-m*** chez q); *Gehalt* toucher; ***das Bett frisch ~*** changer les draps; ***sich ~*** *Himmel* se couvrir; ***sich ~ auf*** (*A*) concerner; *sich berufen auf* se référer à
Beziehung *f* relation, rapport *m*; ***in dieser ~*** à cet égard; ***~en haben*** avoir des relations

beziehungsweise respectivement; *genauer gesagt* ou plutôt
Bezirk *m* district; *Wahl*2 circonscription *f*
Bezug *m Überzug* 'housse *f*; enveloppe *f*; *Kissen*2 taie *f* d'oreiller; *e-r Zeitung* abonnement; *~nehmen auf* (*A*) se référer à; *in ~ auf* (*A*) en ce qui concerne
bezwecken avoir pour but
bezweifeln douter de
BH *m* (*Büstenhalter*) soutien-gorge
Bhf. (*Bahnhof*) gare
Bibel *f* Bible
Biber *m* castor
Bibliothek *f* bibliothèque; **~ar(in)** *m*(*f*) bibliothécaire
biegen (*sich ~* se) courber; *um die Ecke ~* tourner au coin de la rue
biegsam flexible, souple
Biene *f* abeille
Bienen|stich *m* piqûre *f* d'abeille; **~stock** *m* ruche *f*
Bier *n* bière *f*; *~ vom Fass* bière (à la) pression; *dunkles* (*helles*) *~* bière brune (blonde)
Bierkrug *m* chope *f*
bieten offrir; *sich ~* se présenter; *sich et nicht ~ lassen* ne pas se laisser marcher sur les pieds
Bikini *m* bikini
Bilanz *f* bilan *m*
Bild *n* image *f*; *Gemälde* tableau *m*; *Fot* photo *f*; *sich ein ~ machen von* se faire une idée de
bilden former; *ausmachen* constituer; *sich ~* se former; *geistig* se cultiver, s'instruire
Bilderbuch *n* livre *m* d'images
Bild|hauer *m* sculpteur [-lt-] *m*; **2lich** figuratif; *übertragen* figuré; **~platte** *f* vidéodisque *m*; **~röhre** *f TV* tube *m* cathodique; **~schirm** *m* écran; **~schirmtext** *m* vidéotex, *etwa* minitel; **~telefon** *n* visiophone *m*, vidéophone
Bildung *f* formation; *geistige* culture; *Schul*2 éducation
Billard *n* billard *m*
billig bon marché, pas cher; *~er* meilleur marché
billig|en approuver; **2ung** *f* approbation
Binde *f* bande; *Verband* bandage *m*; *Damen*2 serviette hygiénique
Bindehaut *f* conjonctive; **~entzündung** *f* conjonctivite
bind|en lier, attacher (*an A* à); *Krawatte* nouer; *Buch* relier; **2estrich** *m* trait d'union; **2faden** *m* ficelle *f*; **2ung** *f innere* lien(s) *m*(*pl*); *vertragliche* engagement *m*; *Ski*2 fixation
binnen (*D*) en, dans un délai de; *~ kurzem* sous peu
Binnen|hafen *m* port fluvial; **~handel** *m* commerce intérieur; **~markt** *m* marché unique

Bio|grafie *f* biographie; **~laden** *m* magasin de produits naturels; **~logie** *f* biologie
biologisch biologique; ~ ***abbaubar*** biodégradable
Birke *f* bouleau *m*
Birnbaum *m* poirier
Birne *f* poire; *El* ampoule
bis *prp* jusqu'à; *cj* jusqu'à ce que (+ *subj*); ~ ***gleich!*** à tout à l'heure!; ~ ***morgen!*** à demain!; ***2*** ~ ***3 Tage*** 2 ou 3 jours; ***von ...*** ~ ***...*** de ... à ...; ~ ***hierher*** jusqu'ici; ~ ***dahin*** jusque-là; *zeitlich a* d'ici là; ~ ***jetzt*** jusqu'à présent; ~ ***auf*** (*A*) sauf, à part
Bischof *m* évêque
bisher jusqu'à présent
Biskuit *n* biscuit *m* de Savoie
Biss *m* morsure *f*
bisschen ***ein*** ~ un peu (de)
Bissen *m* bouchée *f*
bissig méchant; *fig* 'hargneux
Bisswunde *f* morsure
bitte s'il te *od* vous plaît; *auf Dank* je t'en *od* vous en prie, (il n'y a) pas de quoi!; *auf Entschuldigung* il n'y a pas de mal; (***wie***) ~? pardon?
Bitte *f* demande; ***ich habe e-e*** ~ ***an Sie*** j'ai un service à vous demander
bitten ***j-n um et*** ~ demander qc à q
bitter amer (*a fig*); *Kälte* rigoureux; *Armut* extrême
Blähungen *f/pl* gaz *m/pl*
Blamage *f* 'honte
blamieren (***sich*** ~ se) ridiculiser
blank brillant; *Draht* dénudé
Blankoscheck *m* chèque en blanc
Bläschen *n Med* vésicule *f*
Blase *f Luft*♀ bulle; *Brand*♀ cloque; *durch Reibung* ampoule; *Harn*♀ vessie
Blasebalg *m* soufflet
blasen souffler; *Mus* jouer de
Blasenentzündung *f* cystite
Blas|instrument *n* instrument *m* à vent; **~kapelle** *f* fanfare
blass pâle
Blatt *n* feuille *f* (*a Zeitung*)
blätter|n feuilleter (***in et*** *D* qc); **♀teig** *m* pâte *f* feuilletée
Blattlaus *f* puceron *m*
blau bleu; F *fig* noir, rond; ***~es Auge*** œil *m* au beurre noir; ***~er Fleck*** bleu *m*
Blaubeere *f* myrtille
Blaukraut *n* chou *m* rouge
bläulich bleuâtre, bleuté
Blaulicht *n* gyrophare *m*
Blech *n* tôle *f*; **~dose** *f* boîte en fer-blanc; **~schaden** *m Kfz* tôles *f/pl* froissées
Blei *n* plomb *m*
bleiben rester; ***es bleibt dabei!*** c'est entendu!; *Tel* ~ ***Sie am Apparat!*** ne quittez pas!; ~ ***lassen*** laisser tomber
bleich blême, pâle
bleifrei *Benzin* sans plomb
Bleistift *m* crayon; **~spitzer** *m* taille-crayon
Blend|e *f Fot* diaphragme *m*;

≗en éblouir (*a fig*); **≗end** *fig* fantastique
Blick *m* regard; *flüchtiger* coup d'œil; ***auf den ersten ~*** à première vue
blicken regarder (***auf*** *et A* qc); ***sich ~ lassen*** donner signe de vie
blind aveugle; ***~er Alarm*** fausse alerte *f*; ***~er Passagier*** passager *m* clandestin
Blinddarm *m* appendice [-ɛ̃-]; **~entzündung** *f* appendicite
Blinde(r) *su* aveugle
Blinden|hund *m* chien d'aveugle; **~schrift** *f* écriture Braille; **~stock** *m* canne *f* blanche
Blind|heit *f* cécité; **≗lings** aveuglément
blink|en clignoter; *Kfz* mettre son clignotant; **≗er** *m*, **≗licht** *n Kfz* clignotant *m*
blinzeln cligner des yeux
Blitz *m* éclair; *~schlag* foudre *f*; *Fot* flash; **~ableiter** *m* paratonnerre
blitzen étinceler; ***es blitzt*** il y a des éclairs
Blitz|gerät *n*, **~licht** *n Fot* flash *m*; **~schlag** *m* foudre *f*
Block *m* bloc; *Häuser≗* pâté de maisons; **~flöte** *f* flûte à bec; **~haus** *n* cabane *f* en rondins; **≗ieren** bloquer; *Räder* se bloquer
blöd(e) bête, idiot
Blödsinn *m* bêtises *f/pl*, idioties [-si] *f/pl*
blond blond; **~ieren** décolorer; **≗ine** *f* blonde
bloß *nur* seulement; *unbedeckt* nu; ***mit ~em Auge*** à l'œil nu
bloßstellen compromettre
Bluejeans *pl* blue-jean *m*
blüh|en être en fleur(s), fleurir (*a fig*); **~end** en fleur(s); *fig* florissant
Blume *f* fleur; *vom Wein* bouquet *m*
Blumen|beet *n* parterre *m* de fleurs; **~geschäft** *n*, **~händler** *m* fleuriste *m*; **~kohl** *m* chou-fleur; **~strauß** *m* bouquet de fleurs; **~topf** *m* pot de fleurs; **~vase** *f* vase *m*
Bluse *f* corsage *m*, chemisier *m*
Blut *n* sang *m*; **~abnahme** *f* prise de sang; **~alkohol** *m* alcoolémie *f*; **≗arm** anémique; **~druck** *m* tension *f* (artérielle); **~druckmesser** *m* tensiomètre
Blüte *f* fleur; *~zeit* floraison; *fig* apogée *m*
Blutegel *m* sangsue *f*
bluten saigner
Bluter *m* hémophile
Blut|erguss *m* hématome; **~fleck** *m* tache *f* de sang; **~gefäß** *n* vaisseau *m* sanguin; **~gruppe** *f* groupe *m* sanguin; **~hochdruck** *m* hypertension *f*; **≗ig** plein de sang; *grausam* sanglant; *Kochk* saignant; **~probe** *f* prise de sang; **~spender** *m* donneur de sang

blutstillend **~es** ***Mittel*** hémostatique *m*
Blut|transfusion *f* transfusion sanguine; **~ung** *f* hémorragie; **~vergiftung** *f* septicémie; **~verlust** *m* perte *f* de sang; **~wurst** *f* boudin *m*
BLZ (*Bankleitzahl*) code *m* banque
Bö *f* rafale
Bob *m* bob(sleigh); **~bahn** *f* piste de bob(sleigh)
Bock *m Ziegen*♀ bouc; *Gestell* tréteau; **♀ig** têtu; **~wurst** *f* saucisse de Francfort
Boden *m* sol; *Erde* terre *f*; *Fuß*♀ plancher; *Dach*♀ grenier; *Gefäß*♀ fond; ***zu ~ fallen*** tomber par terre
Boden|personal *n* personnel *m* au sol; **~schätze** *m/pl* richesses *f/pl* naturelles
Bodensee *m* lac de Constance
Bogen *m Krümmung* courbe *f*; *Arch*, *Waffe* arc; *Brücken*♀ arche *f*; *Mus* archet; *Papier* feuille *f*; **~gang** *m* arcade *f*; **~schießen** *n* tir *m* à l'arc
Bohle *f* madrier *m*
Bohne *f* 'haricot *m*; *Kaffee*♀ grain *m*; ***grüne ~n*** 'haricots verts
Bohnenkaffee *m* (vrai) café
bohner|n cirer; **♀wachs** *n* encaustique *f*
bohr|en percer, creuser; *nach Erdöl* forer; **♀er** *m Tech* mèche *f*, foret; *Zahn*♀ fraise *f*; **♀maschine** *f* perceuse; **♀turm** *m* tour *f* de forage
Boiler *m* chauffe-eau (à accumulation)
Boje *f* bouée, balise
Bolzen *m* boulon
Bombe *f* bombe
Bombenanschlag *m* attentat à la bombe (***auf*** *A* contre)
Bon *m* bon; *Kassenzettel* ticket de caisse
Bonbon *m od n* bonbon *m*
Boot *n* bateau *m*; *Kahn* barque *f*
Boots|fahrt *f* promenade en bateau; **~verleih** *m* location *f* de barques
Bord *m* ***an ~*** à bord; ***an ~ gehen*** embarquer; ***von ~ gehen*** débarquer
Bordell *n* maison *f* de tolérance
Bord|fest *n* fête *f* à bord; **~karte** *f* carte d'accès à bord; **~stein** *m* bordure *f* du trottoir
borgen ***j-m et ~*** prêter qc à q; (***sich***) ***et von j-m ~*** emprunter qc à q
Borke *f* écorce
Börse *f Wi* Bourse; *Geldbeutel* bourse
Borste *f* soie
bösartig méchant; *Med* malin (*f* maligne)
Böschung *f* talus [-y] *m*; *Ufer*♀ berge
böse mauvais, méchant; *verärgert* fâché (***auf*** *A* contre); ***auf j-n ~ sein*** en vouloir à q
bos|haft méchant; **♀heit** *f* méchanceté

Bosn|ien *n* la Bosnie; **~ier** *m* Bosnien; **&isch** bosnien
böswillig malveillant
Botanik *f* botanique
botanisch ***~er Garten*** jardin botanique
Bote *m* messager; *Laufbursche* garçon de courses
Botschaft *f* message *m*; *Pol* ambassade; **~er** *m* ambassadeur
Bottich *m* cuve *f*
Boulevardpresse *f péj* presse à sensation
Bowle *f etwa* punch *m* [põʃ]
Box *f* box *m*
box|en boxer; **&en** *n* boxe *f*; **&er** *m* boxeur; *Hund* boxer; **&kampf** *m* match de boxe
Boykott *m* boycottage; **&ieren** boycotter
Brachland *n* terre *f* en friche
Branche *f* branche
Branchenverzeichnis *n Tel* pages *f/pl* jaunes
Brand *m* incendie, feu; *Med* gangrène *f*; ***in ~ geraten*** prendre feu
Brandblase *f* cloque
Brandenburg *n* le Brandebourg
Brand|geruch *m* odeur *f* de brûlé; **~salbe** *f* pommade contre les brûlures; **~stiftung** *f* incendie *m* criminel
Brandung *f* ressac *m*
Brandwunde *f* brûlure
Branntwein *m* eau-de-vie *f*
Brasilien *n* le Brésil
brat|en faire rôtir, faire cuire; *auf dem Rost* faire griller; *Kartoffeln* faire sauter; **&en** *m* rôti; **&fisch** *m* poisson frit; **&huhn** *n* poulet *m* rôti; **&kartoffeln** *f/pl* pommes de terre sautées; **&pfanne** *f* poêle [pwal]; **&rost** *m* gril [-l], barbecue [-kju]
Bratsche *f* alto *m*
Brat|spieß *m* broche *f*; **~wurst** *f* saucisse grillée
Brauch *m* usage, coutume *f*; **&bar** utilisable; **&en** avoir besoin de; *Zeit* mettre; **~tum** *n* coutumes *f/pl*
Braue *f* sourcil *m*
Brauerei *f* brasserie
braun marron; *Haar* brun; *von der Sonne* bronzé; ***~e Butter*** beurre *m* noir; ***~ werden*** bronzer
bräunen *Haut* bronzer; ***sich ~ lassen*** se bronzer
Braunkohle *f* lignite *m*
Braunschweig Brunswick
Brause *f Dusche* douche; *Getränk* limonade gazeuse
Braut *f* fiancée; *am Hochzeitstag* mariée
Bräutigam *m* fiancé; *am Hochzeitstag* marié
Brautpaar *n* mariés *m/pl*
brav *Kind, a fig* sage
BRD *f* (*Bundesrepublik Deutschland*) R.F.A. (*République fédérale d'Allemagne*)
Brechdurchfall *m* gastro-entérite *f*
brechen casser (*von selber* se casser); rompre (*a Vertrag,*

Schweigen); *Rekord* battre; *Med* vomir; *fig* **mit j-m ~** rompre avec q; **sich den Arm ~** se casser le bras
Brech|mittel *n* vomitif *m*; **~reiz** *m* envie *f* de vomir, nausée *f*
Brei *m* bouillie *f*; *Kartoffel*≈ *usw* purée *f*
breit large
Breit|e *f* largeur; *Geogr* latitude; **~engrad** *m* degré de latitude
Bremen Brême
Bremsbelag *m* garniture *f* de frein
Brems|e *f* frein *m*; *Zo* taon [tɑ̃] *m*; **≈en** freiner
Brems|flüssigkeit *f* liquide *m* de frein; **~kraftverstärker** *m* servofrein; **~licht** *n* (feu *m*) stop *m*; **~pedal** *n* pédale *f* de frein; **~spur** *f* trace de freinage; **~weg** *m* distance *f* de freinage
brennbar combustible; ***leicht* ~** inflammable
brennen brûler; *Sonne* taper; *Lampe* être allumé; ***es brennt!*** au feu!
Brennnessel *f* ortie
Brenn|holz *n* bois *m* de chauffage; **~spiritus** *m* alcool à brûler; **~stoff** *m* combustible
Brett *n* planche *f*; ***Schwarzes* ~** tableau *m* d'affichage
Brief *m* lettre *f*; **~freund(in)** *m* (*f*) correspondant(e); **~kasten** *m* boîte *f* aux lettres; **≈lich** par lettre(s); **~marke** *f* timbre *m*; **~markensammler** *m* philatéliste; **~papier** *n* papier *m* à lettres; **~tasche** *f* portefeuille *m*; **~träger** *m* facteur; **~umschlag** *m* enveloppe *f*; **~wechsel** *m* correspondance *f*
Brikett *n* briquette *f*
Brillant *m* brillant
Brille *f* lunettes *f*/*pl*
Brillengestell *n* monture *f*
bringen apporter, amener; *hin*~ porter; *begleiten* emmener, accompagner (***zum Bahnhof*** à la gare); *nach Hause* ramener; *Kino*, *TV* passer; ***j-n dazu ~, et zu tun*** amener q à faire qc; ***in Ordnung* ~** arranger
Brise *f* brise
britisch britannique
bröckeln s'effriter
Brocken *m* morceau; *fig* ***ein paar ~ Englisch*** quelques bribes *f*/*pl* d'anglais
Brokkoli *pl* brocoli *m*
Brombeere *f* mûre
Bronchitis *f* bronchite
Bronze *f* bronze *m*
Brosche *f* broche
Broschüre *f* brochure
Brot *n* pain *m*; ***e-e Scheibe* ~** une tranche de pain; *bestrichen* une tartine
Brötchen *n* petit pain *m*; ***belegtes* ~** sandwich *m*
Brot|korb *m* corbeille *f* à pain; **~rinde** *f* croûte; **~röster** *m* grille-pain

Bruch *m* rupture *f* (*a fig*); **~***stelle* cassure *f*; *Knochen***≈** fracture *f*; *Eingeweide***≈** 'hernie *f*; *Math* fraction *f*
brüchig cassant, fragile
Bruch|rechnung *f* calcul *m* des fractions; **~stück** *n* fragment *m*
Brücke *f* pont *m*; *Mar* passerelle; *Teppich* carpette; *Zahn***≈** bridge *m*
Bruder *m* frère
brüderlich fraternel; **≈keit** *f* fraternité
Brüh|e *f* bouillon *m*; F *péj* eau de vaisselle; **~würfel** *m* cube de consommé
brüllen *Mensch* 'hurler
brumm|en *Mensch* grogner; **≈ig** grognon
brünett brun
Brunnen *m* puits
Brüssel Bruxelles
Brust *f* poitrine; ***die rechte*** (***linke***) **~** le sein droit (gauche)
Brustbeutel *m* pochette *f* portée autour du cou
brüsten *sich* ~ *mit* se vanter de
Brust|korb *m* thorax; **~krebs** *m* cancer du sein; **~schwimmen** *n* brasse *f*; **~umfang** *m* tour de poitrine
Brüstung *f* parapet *m*
Brustwarze *f* mamelon *m*
Brut *f* couvée; *péj* sale graine
brutal brutal; **≈ität** *f* brutalité
brüten couver
Brutkasten *m* couveuse *f*
brutto brut; **≈gehalt** *n* salaire *m* brut; **≈gewicht** *n* poids *m* brut
Btx-Gerät *n etwa* minitel *m*
Bub *m* garçon
Bube *m Kartenspiel* valet
Buch *n* livre *m*; **~druckerei** *f* imprimerie
Buche *f* 'hêtre *m*
buchen *Flug usw* réserver
Bücher|ei *f* bibliothèque; **~regal** *n* étagère *f*; **~schrank** *m* bibliothèque *f*
Buchfink *m* pinson
Buchhalt|er *m* comptable; **~ung** *f* comptabilité
Buch|händler *m* libraire; **~handlung** *f* librairie; **~macher** *m* bookmaker
Büchse *f* boîte; *Gewehr* carabine
Büchsen|fleisch *n* viande *f* en conserve; **~milch** *f* lait *m* condensé; **~öffner** *m* ouvre-boîtes
Buchstab|e *m* lettre *f*, caractère; **≈ieren** épeler
Bucht *f* baie; *kleine* crique
Buchung *f* réservation
Buckel *m* bosse *f*
bücken *sich* ~ se baisser
Bückling *m* 'hareng saur
Bude *f* baraque; *Verkaufs***≈** kiosque *m*; F *Zimmer* piaule
Büfett *n* buffet *m*; *Theke* comptoir *m*; ***kaltes* ~** buffet *m* froid
Büffel *m* buffle
Bug *m* proue *f*; *Flgw* nez
Bügel *m Kleider***≈** cintre; *Brillen***≈** branche *f*; **~brett** *n* plan

che *f* à repasser; **~eisen** *n* fer *m* à repasser; **~falte** *f* pli *m*; **⁓frei** qui ne se repasse pas, infroissable
bügeln repasser
Bühne *f* scène
Bühnenbild *n* décors *m/pl*
Bulgar|e *m* Bulgare; **~ien** *n* la Bulgarie; **⁓isch** bulgare
Bullauge *n* 'hublot *m*
Bulle *m* taureau; *péj Polizist* flic
Bummel *m* F balade *f*
bummel|n F *umherschlendern* se balader; *trödeln* traîner; **⁓streik** *m* grève *f* du zèle; **⁓zug** *m* F tortillard
bumsen P baiser
Bund[1] *n* botte *f* (***Radieschen*** de radis)
Bund [2] *m* union *f*, alliance *f*; *Hosen⁓* ceinture *f*; F **beim ~ sein** faire son service (militaire)
Bündel *n* paquet *m*
Bundes... fédéral; **~kanzler** *m* chancelier fédéral; **~land** *n* land *m*; **~republik** *f* République fédérale; **~straße** *f* route nationale; **~tag** *m* Parlement fédéral; **~wehr** *f* armée de la République fédérale
Bündnis *n* alliance *f*, pacte *m*
Bungalow *m* bungalow [bɛ̃-]
Bunker *m* abri antiaérien
bunt multicolore; *abwechslungsreich* varié; **⁓stift** *m* crayon de couleur
Burg *f* château *m* fort
Bürg|e *m* garant; **⁓en** se porter garant (**für** *A* de)
Bürger *m* bourgeois; *Staats⁓* citoyen; **~initiative** *f* comité *m* de défense; **~krieg** *m* guerre *f* civile; **⁓lich** civil, civique; *Milieu* bourgeois; **~meister** *m* maire; **~steig** *m* trottoir
Bürgschaft *f* caution
Burgund *n* la Bourgogne; **~er(wein)** *m* bourgogne
Büro *n* bureau *m*; **~angestellte(r)** *su* employé(e) de bureau; **~klammer** *f* trombone *m*; **~kratie** *f* bureaucratie [-sɪ]
Bursche *m* garçon, F gars [gɑ]; *péj* type
Bürst|e *f* brosse; **⁓en** brosser
Bus *m* bus; *Reise⁓* car; **~bahnhof** *m* gare *f* routière
Busch *m* buisson; *in Afrika* brousse *f*
Büschel *n* touffe *f*
Busen *m* poitrine *f*, seins *m/pl*
Bus|fahrer *m* conducteur *od* chauffeur de bus; **~haltestelle** *f* arrêt *m* de bus; **~linie** *f* ligne de bus; **~reise** *f* voyage *m* en car
Buß|e *f Rel* pénitence; *Geld⁓* amende; **~geld** *n* amende *f*
Büst|e *f* buste *m*; **~enhalter** *m* soutien-gorge
Butangas *n* butane *m*
Butter *f* beurre *m*; **~brot** *n* tartine *f* beurrée; **~dose** *f* beurrier *m*; **~milch** *f* petit-lait *m*, babeurre *m*
bzw. (*beziehungsweise*) respectivement

C

Cabrio(let) *n* décapotable *f*
Café *n* salon *m* de thé
Cafeteria *f* cafétéria
Camcorder *m* caméscope
cam|pen camper; **≗er** *m* campeur
Camping *n* camping *m*; **~ausrüstung** *f* matériel *m* de camping; **~bus** *m* camping-car; **~platz** *m* (terrain de) camping
Caravan *m* caravane *f*
CD *f* (*Compact-Disc*) CD *m*; **~-Spieler** *m* lecteur de CD
Cello *n* violoncelle *m*
Celsius *n* ***3 Grad*** ~ 3 degrés centigrade
Champagner *m* champagne
Champignon *m* champignon de Paris
Chance *f* chance
Chaos *n* chaos [kao] *m*
Charakter *m* caractère; **≗istisch** charactéristique (***für*** de)
Charter|flug *m* vol charter [-ɛr]; **~gesellschaft** *f* compagnie de charters; **~maschine** *f* charter *m*
chartern affréter
Chef *m* chef, patron; **~arzt** *m* médecin-chef; **~in** *f* patronne; **~sekretärin** *f* secrétaire de direction
Chemie *f* chimie; **~faser** *f* fibre synthétique
Chemiker *m* chimiste
chemisch chimique; ~ ***reinigen*** nettoyer à sec
Chemotherapie *f* chimiothérapie
Chicorée *m od f* endive *f*
Chin|a *n* la Chine; **~ese** *m* Chinois; **≗esisch** chinois
Chinin *n* quinine *f*
Chip *m* *Spielmarke* jeton; *Inform* puce *f*
Chips *m/pl* chips *f/pl*
Chirurg *m* chirurgien; **≗isch** chirurgical
Chlor *n* chlore *m*
Choke *m* *Kfz* starter
Cholesterin *n* cholestérol *m*
Chor *m* chœur
Christ *m* chrétien; **~entum** *n* christianisme *m*; **≗lich** chrétien; **~us** *m* le Christ [krist], Jésus-Christ [-i]
Chrom *n* chrome *m*
chronisch chronique
circa environ
City *f* centre-ville *m*
Clown *m* clown [klun]
Cocktail *m* cocktail
Cola *f* F coca *m*
Comics *pl* bande *f* dessinée (*Abk* B. D.)
Computer *m* ordinateur
Container *m* conteneur
Couch *f* canapé *m*
Cousin(e) *m(f)* cousin(e)
Creme *f* crème

D

da *adv räumlich* là; *zeitlich* alors, à ce moment-là; *cj weil* comme; ~ *(nun einmal)* puisque; ~ ***kommt er (ja)!*** le voilà!; ~ ***drüben*** là-bas; ***von ~ an*** depuis; ***ich bin gleich wieder ~!*** je reviens tout de suite!; ~ ***sein*** être là; ***ist noch Milch ~?*** il y a encore du lait?

dabei *örtlich* à côté; *zeitlich* en même temps; *mit enthalten* compris; ***et ~ haben*** avoir qc sur soi; ***gerade ~ sein, et zu tun*** être en train de faire qc

dableiben rester (là)

Dach *n* toit *m*; **~gepäckträger** *m Kfz* galerie *f*; **~kammer** *f* mansarde; **~rinne** *f* gouttière; **~ziegel** *m* tuile *f*

Dackel *m* teckel

dadurch par là; *deshalb* c'est pourquoi; **~, *dass*** comme

dafür pour cela; *als Ersatz* en échange; *zum Ausgleich* par contre; ~ ***sein*** être pour; ***ich kann nichts ~*** je n'y peux rien

dagegen contre cela; *im Gegensatz dazu* par contre; *im Vergleich dazu* en comparaison; ~ ***sein*** être contre

daheim à la maison, chez moi, toi, *usw*

daher de là; en; *deshalb* c'est pourquoi; *folglich* par conséquent

dahin là; y; ***bis ~*** jusque-là

dahinten là-bas

dahinter (là-)derrière

damals à l'époque

Dame *f* dame (*a Spielkarte*); *beim Schach* reine; ~ ***spielen*** jouer aux dames

Damen|binde *f* serviette hygiénique; **~friseur** *m* coiffeur pour dames; **~schuhe** *m/pl* chaussures *f/pl* de femme; **~toilette** *f* toilettes *f/pl* pour dames

damit avec cela; *cj* pour que, afin que (+ *subj*)

Damm *m* digue *f*; *Stau*\~ barrage

dämmern *es dämmert* *morgens* le jour se lève; *abends* la nuit tombe

Dämmerung *f Morgen*\~ aube; *Abend*\~ crépuscule *m*

Dampf *m* vapeur *f*; **~bad** *n* bain *m* de vapeur, bain *m* turc; **\~en** dégager de la vapeur; *Speisen* fumer

dämpfen *Speisen* (faire) cuire à l'étouffée *od* à l'étuvée; *Stoß, Geräusch* amortir; *Licht* tamiser

Dampfer *m* bâteau à vapeur; *Ozean*\~ paquebot

Dampfkochtopf *m* cocotte-minute *f*, autocuiseur

danach après (cela), ensuite

Däne *m* Danois

daneben à côté; *außerdem* en outre
Dän|emark *n* le Danemark; **2isch** danois
Dank *m* remerciement; ***vielen ~!*** merci beaucoup
dank *prp* (*G od D*) grâce à
dankbar reconnaissant (***für*** de); **2keit** *f* reconnaissance, gratitude
danke merci; ***~ schön*** (*od* ***sehr***) merci beaucoup; ***~, gleichfalls*** merci, à vous aussi
danken remercier (***j-m für et*** q de qc)
dann ensuite
daran y (*a räumlich*), en; ***~ glauben*** y croire; ***~ sterben*** en mourir; ***nahe ~ sein zu ...*** être sur le point de ...
darauf (là-)dessus; ***bald ~*** peu après; ***am Tag ~*** le lendemain; ***~ verzichten*** s'en passer; ***das kommt ~ an*** ça dépend
daraus en; ***~ folgt, dass ...*** il en résulte que ...; ***mach dir nichts ~!*** ne t'en fais pas!
darbiet|en offrir, présenter; **2ung** *f* spectacle *m*
darin (là-)dedans
darlegen exposer
Darleh(e)n *n* prêt *m*
Darm *m* intestin; **~grippe** *f* grippe intestinale
darstellen représenter; *Theater* interpréter
Darsteller(in) *m(f)* interprète
darüber (au-)dessus; *~ hinweg* par-dessus; *mehr* plus; ***sich ~ freuen*** s'en réjouir; ***~ hinaus*** *außerdem* en plus
darum c'est pourquoi; ***es geht ~, dass ...*** il s'agit de (+ *inf*)
darunter (au-)dessous; *dazwischen* parmi eux *od* elles ; ***~ leiden*** en souffrir
das *s* ***der***; *pron* cela, ça
dass que; ***so ~*** de sorte que
dasselbe *s* derselbe
Daten *n/pl* données *f/pl*; **~bank** *f* banque de données; **~verarbeitung** *f* informatique
Dativ *m* datif
Dattel *f* datte; **~palme** *f* dattier *m*
Datum *n* date *f*
Dauer *f* durée; ***auf die ~*** à la longue
dauer|haft durable; **2karte** *f* abonnement *m*
dauern durer
dauernd continuel(lement)
Dauerwelle *f* permanente
Daumen *m* pouce
davon de cela, en; **~laufen** s'enfuir, se sauver
davor devant; *zeitlich* avant; ***er hat Angst ~*** il en a peur
dazu *zusätzlich* avec cela; *Zweck* pour cela; (***noch***) ~ en plus; ***was meinen Sie ~?*** qu'en pensez-vous?
dazu|gehören en faire partie; **~rechnen, ~tun** ajouter
dazwischen entre les deux,

au milieu; *zeitlich* entre-temps
dazwischenkommen survenir; ***wenn nichts dazwischenkommt*** sauf imprévu
DB (*Deutsche Bahn*) chemins *m/pl* de fer allemands
Debatte *f* débat *m*
Deck *n* pont *m*
Decke *f* *Bett*2 couverture; *Tisch*2 nappe; *Zimmer*2 plafond *m*
Deckel *m* couvercle
decken couvrir; ***den Tisch ~*** mettre la table
Deckung *f* couverture (*a Hdl*)
defekt défectueux; *Motor* en panne
Defekt *m* défaut (***an*** *D* de); panne (de)
Defizit *n* déficit *m* (*a fig*)
Defroster *m* dégivreur
Degen *m* épée *f*
dehnbar extensible, élastique
dehnen (***sich ~*** s'étirer
Deich *m* digue *f*
Deichsel *f* timon *m*
dein(e) ton (ta); ***~e*** *pl* tes
deinerseits de ton côté, de ta part
deinetwegen à cause de toi; *für dich* pour toi
Deklination *f* déclinaison
Dekolleté *n* décolleté *m*
Dekor|ation *f* décoration; *Theater, Film* décors *m/pl*; **2ieren** décorer (***mit*** de)
Delegierte(r) *m* délégué
delikat *köstlich* délicieux; *heikel* délicat
Delikatesse *f* mets *m* délicat; ***das ist eine ~*** c'est délicieux
Delikatess(en)geschäft *n* épicerie *f* fine
Delikt *n* délit
Delle *f* F bosse
Delphin *m* dauphin
dem|entsprechend conformément à cela; **~nach** par conséquent, donc; **~nächst** prochainement
Demokrat|ie *f* démocratie [-si]; **2isch** démocratique; *Partei, Person* démocrate
demolieren démolir
Demonstr|ation *f* manifestation; **2ieren** manifester
demütigen humilier
denkbar imaginable
denken penser (***an*** *A* à); ***sich et ~*** s'imaginer qc; ***wie ~ Sie darüber?*** qu'en pensez-vous?
Denkmal *n* monument *m*
denn car; ***wo ist er ~?*** où est-il donc passé?; ***mehr ~ je*** plus que jamais; ***es sei ~, dass ...*** à moins que (+ *subj*)
dennoch cependant, pourtant
Deo(dorant) *n* déodorant *m*
Depon|ie *f* décharge; **2ieren** déposer
der, die, das le, la (*vor Vokal* l'); ***die*** *pl* les; *relativ* qui (*A* que)
derart tellement; **~ig** tel
derb grossier
deren dont
derjenige, diejenige, dasje-

nige celui, celle; ***diejenigen*** *pl* ceux, celles
dermaßen tellement
derselbe, dieselbe, dasselbe le même, la même; ***dieselben*** *pl* les mêmes; ***das ist dasselbe*** c'est la même chose
desertieren déserter
desgleichen de même
deshalb pour cette raison, c'est pourquoi
Design *n* design; **~er** *m* designer
Desinfektionsmittel *n* désinfectant *m*
desinfizieren désinfecter
Dessert *n* dessert *m*
destilliert ***~es Wasser*** *n* eau *f* distillée
desto d'autant; ***~ besser*** tant mieux
deswegen *s* ***deshalb***
Detekt|ei *f* agence de détectives; **~iv** *m* détective
deuten interpréter; ***auf et*** (*A*) **~** indiquer qc
deutlich distinct; *Schrift* lisible; *eindeutig* clair, net; **&keit** *f* netteté
deutsch allemand; ***auf &*** en allemand; ***sprechen Sie &?*** parlez-vous allemand?
Deutsch|e(r) *su* Allemand(e); **~land** *n* l'Allemagne *f*
Devisen *f/pl* devises
Dezember *m* décembre
d. h. (*das heißt*) c.-à-d. (*c'est à dire*)
Dia *n* F diapo *f*
Diabet|es *m* diabète; **~iker** *m* diabétique
Diagnose *f* diagnostic *m*
Dialekt *m* dialecte
Dialog *m* dialogue
Diamant *m* diamant
Diaprojektor *m* projecteur (de diapositives)
Diät *f* régime *m*; ***~ halten*** suivre un régime
dich te (*vor Vokal* t'); *betont, nach prp* toi; ***für ~*** pour toi
dicht dense (*a Verkehr*), épais; *wasser~* étanche; ***~ an*** (*D*), ***~ bei*** tout près de
Dicht|er *m* poète; **~ung** *f* poésie; *Tech* joint *m*
dick épais; *Person* gros; *geschwollen* enflé; ***~(er) werden*** grossir
Dick|icht *n* taillis *m*; **&köpfig** entêté, têtu; **~milch** *f* lait *m* caillé
die *s* ***der***
Dieb *m* voleur; **~stahl** *m* vol
Diele *f Flur* entrée; *Brett* planche
dienen servir (***zu*** à, ***als*** de)
Diener *m* domestique
Dienst *m* service; ***~ haben, im ~ sein*** être de service; ***j-m e-n ~ erweisen*** rendre (un) service à q
Dienstag *m* mardi
dienstags le mardi
dienstlich pour affaires; de service, officiel
Dienst|mädchen *n* bonne *f*; **~reise** *f* déplacement *m*, mission; **~stelle** *f* service *m*,

office *m*; **~stunden** *f/pl* heures de service
Diesel *m* *Fahrzeug* diesel; **~motor** *m* moteur diesel; **~öl** *n* gasoil *od* gazole *m*
diese(r, -s) ce (*vor Vokal* cet), cette; ~ *pl* ces; *alleinstehend* celui-ci, celle-ci, *pl* ceux-ci, celles-ci
diesig brumeux
dies|jährig de cette année; **~mal** cette fois(-ci); **~seits** de ce côté
Dietrich *m* passe-partout
Differenz *f* différence
digital numérique; **~uhr** *f* montre à affichage numérique
Diktat *n* dictée *f*
Diktatur *f* dictature
diktier|en dicter; **2gerät** *n* dictaphone *m*
Dill *m* aneth [-t]
Ding *n* chose *f*; ***vor allen ~en*** avant tout
Dings(da) *n* F truc *m*, machin *m*
Diphterie *f* diphtérie
Diplom *n* diplôme *m*
Diplomat|(in) *m(f)* diplomate; **2isch** diplomatique
dir te (*vor Vokal* t'); *betont* à toi; ***mit*** ~ avec toi
direkt direct; ~ ***gegenüber*** juste en face
Direktflug *m* vol sans escale
Direktion *f* direction
Direktor *m* directeur; *e-s Gymnasiums* proviseur
Direkt|übertragung *f* émission en direct; **~verbindung** *f* liaison directe
Dirig|ent *m* chef d'orchestre; **2ieren** diriger
Diskette *f* disquette
Diskettenlaufwerk *n* lecteur *m* de disquettes
Disko *f* F disco, boîte; **~thek** *f* discothèque
diskret discret
Diskussion *f* discussion
Diskuswerfen *n* lancement *m* du disque
diskutieren discuter (***über*** *A* de *od* sur)
disqualifizieren disqualifier
distanzieren ***sich von et ~*** désapprouver qc
Distel *f* chardon *m*
dividieren diviser
DM (*Deutsche Mark*) DM *m*
D-Mark *f* mark *m* allemand
doch *trotzdem* pourtant; *als Antwort* ***~!*** si!; ***das gibt's ~ gar nicht!*** c'est pas possible!
Docht *m* mèche *f*
Dock *n* dock *m*
Dogge *f* dogue *m*
Doktor *m* docteur (*a* F *Arzt*)
Dokument *n* document *m*; **~arfilm** *m* documentaire
Dolch *m* poignard
dolmetsch|en servir d'interprète; *et* traduire; **2er(in)** *m(f)* interprète
Dom *m* cathédrale *f*
Donau *f* Danube *m*
Donner *m* tonnerre
donnern ***es donnert*** il tonne
Donnerstag *m* jeudi

donnerstags le jeudi
doof F bête, idiot
Doping *n* dopage *m*
Doppel *n* double *m* (*a Sp*); **~bett** *n* lits *m/pl* jumeaux; *französisches Bett* grand lit *m*; **~punkt** *m* deux-points
doppelt double; ***das ℒe*** le double
Doppelzimmer *n* chambre *f* pour deux personnes
Dorf *n* village *m*
Dorn *m* épine *f*
Dörrobst *n* fruits *m/pl* secs
Dorsch *m* morue *f*
dort là-bas; ***warst du schon mal ~?*** tu y es déjà allé?
dorthin là-bas; **~ *fahren, kommen*** y aller
Dose *f* boîte
Dosen|bier *n* bière *f* en boîte; **~milch** *f* lait *m* concentré; **~öffner** *m* ouvre-boîte(s)
Dosis *f* dose
Dotter *n* jaune *m* d'œuf
Drache *m* dragon
Drachen *m Spielzeug* cerf-volant; *Fluggerät* deltaplane; **~fliegen** *n* deltaplane *m*
Draht *m* fil de fer; **ℒlos** sans fil; **~seilbahn** *f* téléférique *m*
Drama *n* drame *m*; **ℒtisch** dramatique
dran F *s* ***daran***; ***ich bin ~*** c'est mon tour
drängeln bousculer, pousser
drängen pousser; (***sich ~*** se) presser; ***j-n ~, et zu tun*** presser q de faire qc; ***die Zeit drängt*** le temps presse
drankommen F ***wer kommt jetzt dran?*** c'est à qui (le tour)?
draußen dehors
Dreck *m* saleté; *Straßenℒ* boue *f*; **ℒig** sale
Drehbuch *n* scénario *m*
drehen tourner (*a Film*); ***sich ~*** tourner (***um*** autour de); ***es dreht sich um ...*** il s'agit de ...
Dreh|kreuz *n* tourniquet *m*; **~tür** *f* porte à tambour; **~ung** *f* tour *m*; **~zahlmesser** *m* compte-tours
drei trois; **ℒbettzimmer** *n* chambre *f* à trois lits; **ℒeck** *n* triangle *m*; **~eckig** triangulaire; **~fach** triple; **~hundert** trois cents; **ℒkampf** *m Sp* triathlon; **~mal** trois fois; **ℒrad** *n* tricycle *m*; **ℒsprung** *m Sp* triple saut; **~spurig** à trois voies
dreißig trente
dreist effronté; F culotté
drei|tägig de trois jours; **ℒviertelstunde** *f* trois quarts *m/pl* d'heure; **~zehn** treize
dreschen battre
dressieren dresser
Dressur *f* dressage *m*
dringen **~ *durch*** (***in*** *A*) pénétrer dans; ***auf et*** (*A*) **~** exiger qc
dringend urgent
drinnen dedans
dritt|e(r, -s) troisième; **ℒel** *n* tiers *m*; **~ens** troisièmement

Droge *f* drogue
drogen|abhängig, ~süchtig drogué, toxicomane
Drogerie *f* droguerie
droh|en menacer (***j-m*** q, ***mit*** de); **~end** menaçant; *Gefahr* imminent
dröhnen retentir; *Motor* vrombir
Drohung *f* menace
drollig amusant, drôle
Dromedar *n* dromadaire *m*
Drossel *f* grive
drüben de l'autre côté; ***da ~, dort ~*** là-bas
Druck *m* pression *f*; *Buch*ℒ impression *f*; **~buchstabe** *m* caractère d'imprimerie
drucken imprimer
drücken presser; *stoßen* pousser; *Hand, Schuhe* serrer; ***auf den Knopf ~*** appuyer sur le bouton; ***sich ~*** F se défiler
drückend *Hitze* étouffant
Drucker *m* imprimeur; *Inform* imprimante *f*
Druckerei *f* imprimerie
Druck|fehler *m* faute *f* d'impression; **~knopf** *m* bouton-pression; **~luft** *f* air *m* comprimé; **~sache** *f* imprimé *m*; **~schrift** *f* caractères *m/pl* d'imprimerie
drunter es *od* **alles geht ~ *und drüber*** tout est sens dessus dessous
Drüse *f* glande
Dschungel *m* jungle *f*
du tu; *betont* toi
Dübel *m* cheville *f*
ducken *sich ~* se baisser
Dudelsack *m* cornemuse *f*
Duft *m* parfum; **ℒen** sentir bon
dulden tolérer
dumm bête; **ℒheit** *f* bêtise; **ℒkopf** *m* imbécile
dumpf sourd; *unklar* vague
Düne *f* dune
Dünger *m* engrais
dunkel obscur (*a fig*); sombre; *Farbe* foncé; ***es wird ~*** la nuit tombe; ***im ℒn*** dans l'obscurité
Dunkelheit *f* obscurité
dunkelrot rouge foncé
dünn mince; *Kaffee, Kleid* léger; *Haar, Luft* rare
Dunst *m* brume *f*; *Küchen*ℒ vapeur *f*
dünsten cuire à l'étuvée
dunstig brumeux
Duplikat *n* duplicata *m*
Dur *n* mode *m* majeur; **C-~** do *m* majeur
durch par; *quer* ~ à travers; ***hier ~*** par ici; ***das ganze Jahr ~*** toute l'année
durchaus tout à fait; ***~ nicht*** pas du tout
durchblättern feuilleter
durchblicken *~ lassen* laisser entendre
Durchblutung *f* circulation sanguine
durch|bohren percer; **~brennen** *Sicherung* sauter; *Glühbirne* griller; *fig* F filer; **~denken** examiner à fond;

~drehen *Räder* patiner; F déjanter; **~dringen** pénétrer
durcheinander en désordre; **2** *n* désordre *m*
durchfahren passer par, traverser; *nicht halten* ne pas s'arrêter; ***bei Rot ~*** griller un feu rouge
Durchfahrt *f* traversée; ***~ verboten!*** passage interdit!
Durchfall *m Med* diarrhée *f*
durchfallen *im Examen* échouer
durchführ|bar réalisable; **~en** réaliser
Durchgang *m* passage; ***kein ~!*** passage interdit!
Durchgangsverkehr *m* trafic de transit
durchgebraten bien cuit
durchgehen passer par; *Zug* être direct (***bis*** jusqu'à)
durchgehend *Zug* direct; ***~ geöffnet*** ouvert en permanence *od* à midi; ***~ warme Küche*** plats *m/pl* chauds à toute heure
durch|halten tenir jusqu'au bout; **~kommen** passer par, *fig* s'en tirer; *im Examen* être reçu; *Tel* obtenir la communication; **~lassen** laisser passer; **~lässig** perméable
Durchlauferhitzer *m* chauffe-eau instantané
durch|lesen lire en entier; *flüchtig* parcourir; **2leuchtung** *f Med* radioscopie; **2messer** *m* diamètre; **~nässt** trempé; **~queren** traverser
Durchreise *f* passage *m*; ***auf der ~*** de passage
durchreise|n passer par; **2visum** *n* visa *m* de transit
durchreißen déchirer
Durchsage *f* annonce
durchschauen *Absichten* percer à jour; ***j-n ~*** pénétrer les intentions de q
Durch|schlag *m* copie *f*, double; **2schneiden** couper (en deux)
Durchschnitt *m* moyenne *f*; ***im ~*** en moyenne; **2lich** moyen; *adv* en moyenne
Durchschnittsgeschwindigkeit *f* vitesse moyenne
Durch|schrift *f* copie, double *m*; **2sehen** examiner, réviser
durchsetzen faire adopter; ***s-n Willen ~*** imposer sa volonté; ***sich ~*** s'imposer
Durchsicht *f* examen *m*, révision; **2ig** transparent
durch|sprechen discuter; **~streichen** rayer
durchsuch|en fouiller; **2ung** *f* fouille; *e-r Wohnung* perquisition
durchtrieben rusé
Durchwahl(nummer) *f* (numéro *m* de sa) ligne directe
durchwandern parcourir à pied
durchweg sans exception
durch|wühlen fouiller (***et*** dans qc); **~zählen** compter un à un
Durchzug *m* courant d'air
dürfen avoir le droit *od* la per-

mission de; ***darf ich ...?*** est-ce que je peux...?; ***man darf nicht ...*** il ne faut pas ..., on ne doit pas...; ***was darf es sein?*** vous désirez?
dürftig médiocre; *armselig* pauvre
dürr sec (*a Mensch*); *Ast, Blatt* mort; *Land* aride
Dürre *f* sécheresse
Durst *m* soif *f*; ***ich habe ~*** j'ai soif
durstig *~ sein* avoir soif
Dusche *f* douche
duschen (***sich***) ~ prendre une douche, se doucher
Düs|e *f* tuyère; **~enflugzeug** *n* avion *m* à réaction
düster sombre
Duty-free-Shop *m* boutique *f* hors taxes
Dutzend *n* douzaine *f*
duzen tutoyer
Dynamit *n* dynamite *f*
Dynamo *m* dynamo *f*
D-Zug *m* train direct, express

E

Ebbe *f* marée basse; ***~ und Flut*** marée
eben *adj* plat; *adv* justement; ***er ist ~ gekommen*** il vient d'arriver
Ebene *f* plaine; *Tech, Pol* plan
ebenfalls également, aussi
ebenso de même; ***~ groß wie*** aussi grand que
ebenso|viel autant (***wie*** que); **~wenig** aussi peu (***wie*** que)
Eber *m* verrat
ebnen aplanir
Echo *n* écho [eko] *m*
echt véritable, authentique; **2heit** *f* authenticité
Eckball *m* corner [-ɛr]
Ecke *f* coin *m*; ***um die ~ biegen*** tourner au coin de la rue
eckig anguleux
Eckzahn *m* canine *f*
Economyklasse *f* classe économique
edel noble; **2stahl** *m* acier inoxydable; **2stein** *m* pierre *f* précieuse
EDV *f* (*elektronische Datenverarbeitung*) informatique
Efeu *m* lierre
Effekt *m* effet
egal égal; ***das ist mir ~*** ça m'est égal
Egoist *m*, **2isch** égoïste
ehe avant que (+ *subj*)
Ehe *f* mariage *m*; **~bett** *n* lit *m* conjugal; **~bruch** *m* adultère; **~frau** *f* épouse; **~leute** *pl* époux *m/pl*; **2lich** conjugal; *Kind* légitime
ehemalig ancien
Ehe|mann *m* mari; **~paar** *n* couple *m* (marié)
eher *früher* plus tôt; *lieber* plutôt

Ehe|ring *m* alliance *f*; **~scheidung** *f* divorce *m*; **~schließung** *f* mariage *m*
Ehre *f* honneur *m*
ehren honorer; **~amtlich** honorifique; **²gast** *m* invité d'honneur; **²wort** *n* parole *f* d'honneur
Ehr|furcht *f* respect *m* (***vor*** *D* de, pour); **~geiz** *m* ambition *f*; **²geizig** ambitieux
ehrlich honnête(ment); **²keit** *f* honnêteté
Ei *n* œuf *m*; ***hartes ~*** œuf *m* dur; ***weiches ~*** œuf *m* à la coque
Eibe *f* if *m*
Eich|e *f* chêne *m*; **~el** *f* gland *m*; **~hörnchen** *n* écureuil *m*
Eid *m* serment
Eidechse *f* lézard *m*
eidesstattlich ***~e Erklärung*** *f* déclaration à titre de serment
Eidotter *n* jaune *m* d'œuf
Eier|becher *m* coquetier; **~kuchen** *m* crêpe *f*; **~schale** *f* coquille d'œuf
Eifer *m* enthousiasme; **~sucht** *f* jalousie; **²süchtig** jaloux (***auf*** *A* de)
eifrig enthousiaste; *Schüler* studieux
Eigelb *n* jaune *m* d'œuf
eigen propre; **²art** *f* particularité; **~artig** étrange; **²bedarf** *m* consommation *f* personnelle; **²heim** *n* maison *f* individuelle; **²name** *m* nom propre; **~nützig** intéressé
Eigenschaft *f* caractéristique; ***gute ~en*** *pl* qualités
eigensinnig obstiné
eigentlich véritable; *adv* en réalité, à vrai dire
Eigen|tum *n* propriété *f*; **~tümer** *m* propriétaire; **~tumswohnung** *f* appartement *m* en copropriété
eignen ***sich ~*** convenir; *Person* avoir les qualités requises (***für*** pour, ***als*** *od* ***zu*** pour être)
Eilbote *m* ***durch ~n*** par exprès [-ɛs]
Eilbrief *m* lettre *f* exprès [-ɛs]
Eile *f* 'hâte; ***in ~ sein*** être pressé
eilen presser; ***eilt!*** urgent!
eilig pressé; *Sache* urgent; ***es ~ haben*** être pressé
Eilzug *m* train direct
Eimer *m* seau
ein (*f* ***~e***) un, une; ***~ für allemal*** une fois pour toutes; ***~er von beiden*** l'un des deux
einander l'un l'autre, les uns les autres; l'un à l'autre, les uns aux autres
einarbeiten ***sich ~*** se familiariser (***in*** *A* avec)
einatmen inspirer; *Gas, Rauch usw* respirer
Einbahnstraße *f* (rue à) sens *m* unique
Einband *m* reliure *f*
einbau|en *Geräte* monter, installer; *Möbel* encastrer; **²küche** *f* cuisine aménagée
einbiegen tourner (***in*** *A* dans, ***nach links*** à gauche)

einbilden ***sich et*** **~** s'imaginer qc
Einbildung *f* imagination; *irrige* illusion; *Anmaßung* suffisance
einbrech|en cambrioler (***in et*** *A* qc); **♀er** *m* cambrioleur
einbringen *Gewinn* rapporter
Einbruch *m* cambriolage; ***bei ~ der Nacht*** à la tombée de la nuit
einbürgern naturaliser
einbüßen perdre
eindecken ***sich ~ mit*** s'approvisionner en
ein|deutig clair, net, sans équivoque; **~dringen** pénétrer (***in*** *A* dans)
Eindruck *m* impression *f*
eindrücken enfoncer
eindrucksvoll impressionnant
eine *s* ***ein***
eineinhalb un et demi
einerseits d'un côté
einfach simple; *schlicht* modeste; ***e-e ~e Fahrkarte*** un aller simple (***nach*** pour)
einfahren *Zug* entrer en gare (***auf Gleis 3*** quai numéro 3); *neues Auto* roder
Einfahrt *f* entrée; *Tor* porte cochère
Einfall *m* idée *f*
einfallen *einstürzen* s'écrouler; *Mil* envahir (***in ein Land*** un pays); *Gedanke* venir à l'esprit; ***sein Name fällt mir nicht ein*** son nom m'échappe
Einfamilienhaus *n* maison *f* individuelle
einfarbig uni
einfetten graisser
Einfluss *m* influence *f*; **♀reich** influent
ein|frieren geler; *Lebensmittel* congeler; **~fügen** insérer
Einfuhr *f* importation
einführ|en introduire; *Hdl* importer; **♀ung** *f* introduction
Einfuhr|verbot *n* embargo *m* sur les importations; **~zoll** *m* taxes *f/pl* à l'importation
Eingang *m* entrée *f*
Eingangstür *f* porte d'entrée
eingeben *Inform* entrer; *Geheimnummer* taper
einge|bildet prétentieux; **♀borene(r)** *su* indigène
eingehen *Post* arriver; *Pflanze*, *Tier* mourir; *Stoff* rétrécir; ***auf et*** (*A*) **~** *Angebot* accepter; *Details* entrer dans; ***ein Risiko*** **~** courir un risque
Eingemachte(s) *n* conserves *f/pl* maison
einge|schneit bloqué par la neige; **~schrieben** *Brief* recommandé
Eingeweide *pl* intestins *m/pl*
eingewöhnen ***sich ~*** s'acclimater
ein|gießen verser (***in*** *A* dans); **~gleisig** à voie unique; **~gliedern** incorporer; **~greifen** intervenir; **♀griff** *m* intervention *f* (*a Med*); **~hal-**

ten *Frist* respecter; **~hängen** *Tel Hörer* raccrocher
einheimisch local; **2e(r)** *su* personne *f* du pays
Einheit *f* unité; **2lich** homogène; *für alle gleich* unique; **~spreis** *m* prix unique
einholen *j-n*, *Zeitverlust* rattraper
einig ***sich ~ sein*** (***werden***) être (tomber) d'accord (***über*** *A* sur)
einige quelque(s); *alleinstehend* quelques-un(e)s; ***~ Mal*** plusieurs fois
einigen ***sich*** ~ se mettre d'accord (***über*** *A* sur)
einigermaßen relativement
Einig|keit *f* union, concorde; **~ung** *f* accord *m*
einjährig d'un an
Einkauf *m* achat; ***Einkäufe machen*** = **2en** faire les courses; *et* acheter
Einkaufsbummel *m* ***e-n ~ machen*** faire du shopping
Einkaufs|tasche *f* sac *m* à provisions, cabas *m*; **~wagen** *m* caddie; **~zentrum** *n* centre *m* commercial
einklammern mettre entre parenthèses
einkleiden ***sich neu ~*** s'habiller de neuf
einklemmen coincer
Einkommen *n* revenu *m*; **~steuer** *f* impôt *m* sur le revenu
Einkünfte *pl* revenus *m/pl*
einlad|en *j-n* inviter; *Gepäck usw* charger; **2ung** *f* invitation
Einlage *f Schuh2* semelle orthopédique
Einlass *m* entrée *f*; ***~ ab 18 Uhr*** ouverture des portes à 18 heures
einlassen laisser entrer; ***sich auf et*** (*A*) ~ se laisser embarquer dans qc
einlaufen *Zug* entrer en gare; *Schiff* entrer au port; *Stoff* rétrécir
einleben ***sich ~*** s'acclimater
einlege|n *Film* mettre; *Kfz Gang* passer; *Fisch* mariner; *Pause* faire; **2sohle** *f* semelle orthopédique
Einleitung *f* introduction
einleuchtend évident
einliefern ***in ein Krankenhaus ~*** hospitaliser
Einlieferung *f Med* hospitalisation; **~sschein** *m Post* récépissé, reçu
ein|lösen *Scheck* encaisser; *Versprechen* tenir; **~machen** faire des conserves de
einmal une fois; *künftig* un jour; ***auf ~*** *plötzlich* tout à coup; *in e-m Zug* d'un seul coup; *zugleich* à la fois; ***noch*** ~ encore une fois
Einmal|eins *n* table *f* de multiplication; **2ig** unique
einmischen ***sich ~*** se mêler (***in*** *A* de)
ein|münden déboucher (***in*** *A* sur); **~mütig** unanime; *adv* à l'unanimité

Einnahme *f Hdl* recette
einnehmen *Geld* toucher; *Arznei, Platz* prendre; *Stellung* occuper
einordnen *Kfz* ***sich links ~*** prendre la file de gauche
ein|ölen huiler; **~packen** empaqueter; *in Papier* emballer; *in den Koffer* mettre (dans la valise)
einparken se garer; *rückwärts* faire un créneau
einprägen ***sich et ~*** retenir, mémoriser qc
einquartieren *u* ***sich ~*** loger
einräumen ranger; *zugestehen* accorder
einreib|en (***sich ~*** se) frictionner; **2ung** *f* friction
einreichen déposer
Einreise *f* entrée (dans un pays); **~erlaubnis** *f* permis *m* d'entrée
einreise|n entrer (***nach Frankreich*** en France); **2visum** *n* visa *m* d'entrée
einricht|en *Wohnung usw* aménager; ***sich ~*** s'installer; **2ung** *f* aménagement *m*; *Möbel* ameublement *m*; *Institution* institution
eins un; *Uhrzeit* ***es ist ~*** il est une heure
einsam *verlassen* seul; *abgelegen* isolé; **2keit** *f* solitude
einsammeln ramasser
Einsatz *m persönlicher* engagement; *Verwendung* emploi; *im Spiel* mise *f*
einschalten *Licht, Radio, TV* allumer; ***sich ~*** intervenir
Einschaltquote *f TV* audience, audimat *m*
ein|schätzen estimer; **~schenken** verser; **~schicken** envoyer; **~schieben** intercaler
einschiff|en ***sich ~*** embarquer; **2ung** *f* embarquement *m*
ein|schlafen s'endormir; *Glieder* s'engourdir; **~schläfern** endormir (*a Med*); *Tier* piquer; **~schlagen** *Nagel* enfoncer; *Glasscheibe* casser; *Weg* prendre; *Blitz* tomber (***in A*** sur); **~schleppen** *Krankheit* introduire
einschließ|en (***sich ~*** s')enfermer (à clé); *umfassen* renfermer; *Mil* encercler; **~lich** y compris
Einschnitt *m* incision *f*; *fig* tournant
einschränk|en limiter, restreindre; ***sich ~*** réduire ses dépenses; **2ung** *f* limitation; *Vorbehalt* restriction
Einschreib(e)brief *m* lettre *f* recommandée
einschreiben (***sich ~*** s')inscrire; *Brief* ***~ lassen = als od per 2 schicken*** envoyer en recommandé
ein|schreiten intervenir; **~schüchtern** intimider; **~sehen** voir; *Fehler* reconnaître; **~seitig** d'un seul côté; *Pol* unilatéral; *parteiisch* partial

einsend|en envoyer; **℆eschluss** *m* date *f* limite d'envoi; **℆ung** *f* envoi *m*

einsetzen mettre, insérer (***in*** *A* dans); *Mittel, Kräfte* employer; *Leben* risquer; *beginnen* commencer; ***sich ~*** s'engager; ***sich ~ für*** *j-n* intervenir en faveur de; *et* défendre

Einsicht *f* compréhension; **℆ig** compréhensif

einsparen économiser

einsperren emprisonner

einspringen ***für j-n ~*** remplacer q

einspritz|en injecter; **℆motor** *m* moteur à injection

Einspruch *m* protestation *f*; *jur* opposition *f*; ***~ erheben*** protester (***gegen*** contre)

einspurig *Straße* à une seule voie; *Bahn* à voix unique

einstecken empocher; *Brief* mettre à la boîte; *hinnehmen* encaisser

einsteigen monter (***in*** *A* dans); ***~!*** en voiture!

einstellen *Radio, TV* régler; *Fot* mettre au point; *Arbeitskräfte* embaucher; *Arbeit* cesser; *Rekord* égaler; ***sich auf et*** (*A*) ***~*** se préparer à qc

Einstellung *f Haltung* attitude (***zu*** envers)

ein|stimmig unanime; *adv* à l'unanimité; **~stöckig** à un étage; **~stufen** classer; **℆sturz** *m* écroulement; **~stürzen** s'écrouler; **℆sturzgefahr** *f* danger *m* d'écroulement

einstweil|en en attendant; **~ig** provisoire

ein|tägig d'une journée; **~tauchen** plonger; **~tauschen** échanger (***gegen*** contre)

einteilen diviser; *Zeit, Geld* répartir (***in*** *A* en)

einteilig d'une pièce

Einteilung *f* division, répartition

eintönig monotone

Eintopf *m* plat unique

ein|tragen inscrire; **~träglich** rentable, lucratif; **~treffen** arriver; *Voraussage* se réaliser

eintreten entrer; *sich ereignen* arriver; ***~ für*** défendre

Eintritt *m* entrée *f*; ***~ frei*** entrée gratuite; ***~ verboten*** entrée interdite

Eintritts|karte *f* billet *m* d'entrée; **~preis** *m* prix *m* d'entrée

ein|trocknen sécher; **~üben** étudier

einver|standen d'accord; (***mit*** avec); **℆ständnis** *n* accord *m*

Einwand *m* objection *f* (***gegen*** à)

Einwanderer *m* immigrant; *Eingewanderter* immigré

einwander|n immigrer; **℆ung** *f* immigration

einwandfrei impeccable, irréprochable

Einweg|flasche *f* bouteille non consignée; **~spritze** *f* seringue jetable

einweih|en *Bauwerk* inaugurer; *j-n* initier (*in A* à); **＿ung** *f* inauguration
Einweisung *f in ein Heim* envoi *m* (*in A* dans); *in ein Krankenhaus* hospitalisation
einwenden objecter
einwerfen *Brief* mettre à la boîte; *Münze* introduire
einwickeln envelopper
einwillig|en consentir (*in A* à); **＿ung** *f* consentement *m*
Einwohner *m* habitant
Einwurf *m Schlitz* fente *f*; *Sp* remise *f* en jeu
Einzahl *f* singulier *m*
einzahl|en verser; **＿ung** *f* versement *m*
einzäunen entourer d'une clôture, clôturer
Einzel *n Tennis* simple *m*; **~bett** *n* lit *m* à une place; **~fall** *m* cas isolé *od* unique; **~gänger** *m* solitaire; **~handel** *m* commerce de détail; **~heit** *f* détail *m*
einzeln seul; *adv* un à un, séparément; ***im ＿en*** en détail
Einzelzimmer *n* chambre *f* individuelle
einziehen *Bauch, Fahrwerk, Antenne* rentrer; *Steuern* percevoir; *Erkundigungen* prendre; *in e-e Wohnung* emménager (dans); *Flüssigkeit* pénétrer (*in A* dans)
einzig unique; ***kein ＿er*** pas un seul
einzigartig unique (en son genre), exceptionnel
Einzimmerwohnung *f* studio *m*
Eis *n* glace *f*; ***~ am Stiel*** esquimau *m*; ***~ laufen*** faire du patin
Eis|bahn *f* patinoire; **~bär** *m* ours blanc; **~becher** *m* coupe *f* glacée; **~bein** *n* jambonneau *m*; **~berg** *m* iceberg; **~diele** *f* glacier *m*
Eisen *n* fer *m*
Eisenbahn *f* chemin *m* de fer; **~linie** *f* ligne de chemin de fer; **~unglück** *n* accident *m* de chemin de fer
Eisenwaren(handlung *f*) *f/pl* quincaillerie *f*
eisern en fer; *fig* de fer
eis|gekühlt glacé; *Sekt* frappé; **＿hockey** *n* 'hockey *m* sur glace
eisig glacial (*a fig*)
Eis|kaffee *m* café liégeois; **＿kalt** glacé, glacial; **~kunstlauf** *m* patinage artistique; **~lauf** *m* patinage; **~pickel** *m* piolet; **~verkäufer(in)** *m*(*f*) marchand(e) de glaces; **~würfel** *m* glaçon; **~zapfen** *m* glaçon
eitel vaniteux; **＿keit** *f* vanité
Eit|er *m* pus; **＿(e)rig** purulent; **＿ern** suppurer
Eiweiß *n* blanc *m* d'œuf; *Biol* protéines *f/pl*
Ekel *n* dégoût (*vor D* de); **＿haft** répugnant
EKG *n* (*Elektrokardiogramm*) E.C.G. *m* (*électrocardiogramme*)

Ekzem *n* eczéma *m*
elastisch élastique
Elch *m* élan
Elefant *m* éléphant
elegant élégant
Elektri|ker *m* électricien; **2sch** électrique
Elektrizität *f* électricité; **~swerk** *n* centrale *f* électrique
Elektro|gerät *n* appareil *m* électrique; **~herd** *m* cuisinière *f* électrique
Elektron|enblitz *m* flash *m* électronique; **~ik** *f* électronique; **2isch** électronique
Elektro|rasierer *m* rasoir électrique; **~technik** *f* électrotechnique
Element *n* élément *m*
elementar élémentaire
elend misérable; **2** *n* misère *f*; **2sviertel** *n* bidonville *m*
elf onze; **2** *f Sp* onze *m*
Elfenbein *n* ivoire *m*
Elfmeter *m* penalty
Ell(en)bogen *m* coude *m*
Elsass *n* l'Alsace *f*
Elsäss|er *m* Alsacien; **2isch** alsacien
Elster *f* pie
Eltern *pl* parents *m/pl*
E-Mail *f* courrier *m* électronique
Email *n*, **Emaille** *f* émail *m*
emanzipiert émancipé
Empfang *m* réception *f* (*a TV*, *Radio*, *Hotel*); *Begrüßung* accueil; **2en** recevoir
Empfäng|er *m* destinataire; *Radio*, *TV* récepteur; **2lich** sensible (***für*** à)
empfängnisverhüt|end contraceptif; **2ung** *f* contraception
Empfangs|bescheinigung *f* récépissé *m*, reçu *m*; **~bestätigung** *f* accusé *m* de réception; **~büro** *n* réception *f*; **~chef** *m* réceptionniste
empfehl|en recommander; **~enswert** recommandable; **2ung** *f* recommandation
empfind|en ressentir; **~lich** sensible (***gegen***, ***für*** à); *leicht verletzt* susceptible
Empfindung *f* sensation; *Gefühl* sentiment *m*
empörend révoltant
empör|t indigné; **2ung** *f* indignation
Ende *n* fin *f*; *räumlich* bout *m*; **~ *April*** à la fin avril; ***am* ~** à la fin (de); au bout (de); *schließlich* finalement; ***zu* ~** terminé; ***zu* ~ *gehen*** toucher à sa fin
enden finir, se terminer
End|ergebnis *n* résultat *m* final; **2gültig** définitif
Endivie *f* chicorée
End|lagerung *f* stockage *m* définitif; **2lich** enfin; **2los** sans fin, infini; interminable
End|spiel *n* finale *f*; **~spurt** *m Sp* sprint; **~stand** *m Sp* score final; **~station** *f* terminus [-ys] *m*
Endung *f Gr* terminaison
Energie *f* énergie; **~versor-**

gung *f* alimentation en énergie
energisch énergique
eng étroit; *dicht* serré; **~er machen** rétrécir; **~ anliegend** *Kleid* moulant
Enge *f* **j-n in die ~ treiben** acculer q
Engel *m* ange
Eng|land *n* l'Angleterre *f*; **~länder** *m* Anglais; **&lisch** anglais
Eng|pass *m* goulot d'étranglement (*a fig*); **&stirnig** borné
Enkel *m* petit-fils; **~in** *f* petite-fille
enorm énorme
Ensemble *n Theater* troupe *f*
entbehren manquer de; **nicht ~ können** ne pas pouvoir se passer de
entbehr|lich superflu; **&ungen** *pl* privations
Entbindung *f Med* accouchement *m*
entdeck|en découvrir; **&er** *m* découvreur; **&ung** *f* découverte
Ente *f* canard *m* (*a fig*)
enteign|en exproprier; **&ung** *f* expropriation
enterben déshériter
entfallen *wegfallen* être supprimé; **j-m ~** échapper à q; **auf j-n ~** revenir à q
entfernen (**sich ~** s')éloigner; *Fleck* enlever
entfernt éloigné
Entfernung *f* distance; *Beseitigung* enlèvement *m*
entfliehen s'enfuir
Entfroster *m* dégivreur
entführ|en enlever; *Flugzeug* détourner; **&er** *m* ravisseur; **&ung** *f* enlèvement *m*; *e-s Flugzeugs* détournement *m*
entgegen (*D*) *räumlich* vers; *im Gegensatz zu* contrairement à; **~gehen** aller à la rencontre (**j-m** de q); **~gesetzt** opposé; **~kommen** *fig* faire des concessions (**j-m** à q)
entgegnen répliquer
entgehen échapper (**e-r Gefahr** à un danger); **sich et (nicht) ~ lassen** (ne pas) manquer qc
Entgelt *n* rémunération *f*
entgleisen dérailler
Enthaarungsmittel *n* dépilatoire *m*
enthalt|en contenir; **sich ~** s'abstenir (**e-r Sache** *G* de qc); **~sam** abstinent
enthüllen dévoiler
enthusiastisch enthousiaste
ent|kalken détartrer; **~kommen** s'échapper; **~korken** déboucher; **~kräften** affaiblir; *Argument* infirmer
entladen décharger (*a El*); **sich ~** *Batterie* se vider; *Gewitter* éclater
entlang den *od* **am Fluss ~** le long du fleuve
entlang|fahren, ~gehen longer (**an et** *D* qc)
entlarven démasquer

entlassen *Arbeitskräfte* licencier; **~ werden** *Patient* sortir de l'hôpital; *Häftling* sortir de prison
Entlassung *f* licenciement *m*; *aus dem Krankenhaus* sortie
entlasten décharger (*a jur*); *bei der Arbeit* aider
Entlastungs|straße *f* voie de délestage; **~zug** *m* train supplémentaire
ent|laufen s'échapper; **~legen** éloigné; **~leihen** emprunter (**von** à); **~mündigen** mettre sous tutelle; **~mutigen** décourager; **~nehmen** prendre (**aus** dans); *schließen* conclure (**aus** de); **~reißen** arracher
entrüst|en sich ~ s'indigner (**über** *A* de); **ᘐung** *f* indignation
entschädig|en dédommager (**für** de); **ᘐung** *f* dédommagement *m*; *Summe* indemnité
entscheid|en décider (**über** *A* de); **sich ~** se décider (**für** pour); **~end** décisif; **ᘐung** *f* décision
entschließen sich ~ se décider (**zu** à)
entschlossen déterminé; **ᘐheit** *f* détermination
Entschluss *m* décision *f*; **e-n ~ fassen** prendre une décision
entschuldigen excuser; **sich ~** s'excuser (**wegen, für** de, **bei** auprès de); **~ Sie bitte!** excusez-moi!
Entschuldigung *f* excuse(s) *f(pl)*; **~!** pardon!
Entsetz|en *n* effroi *m*, horreur *f*; **ᘐlich** horrible
entsorgen éliminer les déchets
entspann|en sich ~ se détendre; **ᘐung** *f* détente
entsprechen correspondre (**e-r Sache** *D* à qc)
entsprechend correspondant; *prp* (*D*) conformément à
entspringen *Fluss* prendre sa source
entsteh|en naître (**aus** de), résulter (de); **ᘐung** *f* naissance, origine
enttäuschen décevoir; **enttäuscht sein von** être déçu par
Enttäuschung *f* déception
entwaffnen désarmer
entweder ~ ... oder ou ... ou
ent|weichen s'échapper; **~werfen** *Muster* esquisser; *Plan* concevoir
entwert|en *Fahrschein* composter; *Briefmarke* oblitérer; **ᘐer** *m* composteur
entwickeln développer (*a Fot*); *Tech* mettre au point; **sich ~** se développer
Entwicklung *f* développement *m*
Entwicklungs|helfer *m* coopérant; **~land** *n* pays *m* en voie de développement
Entwurf *m* projet, plan; *Skizze* ébauche *f*

entzieh|en *Führerschein usw* retirer; **2ungskur** *f* cure de désintoxication
entziffern déchiffrer
entzückend ravissant
entzückt ravi
Entzugserscheinung *f* **~en haben** être en état de manque
entzünd|en allumer; **sich ~** s'enflammer (*a Med*); **2ung** *f Med* inflammation
entzwei cassé; **~gehen** se casser, se briser
Enzian *m* gentiane *f*
Epidemie *f* épidémie
Epilepsie *f* épilepsie
Epoche *f* époque
er il; *betont* lui
Erachten *n* **meines ~s** à mon avis
Erbarmen *n* pitié *f*
erbärmlich lamentable; *Leistung*, *moralisch* minable
erbarmungslos impitoyable
erbau|en construire; *a fig* édifier; **2er** *m* bâtisseur
Erb|e¹ *n* héritage *m*; **~e²** *m* héritier; **2en** hériter
erbeuten capturer
Erbfolge *f* succession
Erbin *f* héritière
erbitten demander (**et von j-m** qc à q)
erblich héréditaire
erblicken apercevoir
erblinden perdre la vue
erbost fâché
erbrechen *u* **sich ~** vomir; **2** *n* vomissement(s) *m*(*pl*)
Erbschaft *f* héritage *m*
Erbse *f* pois *m*; **grüne ~n** petits pois
Erd|apfel *m österr* pomme *f* de terre; **~beben** *n* tremblement *m* de terre, séisme *m*; **~beere** *f* fraise
Erdboden *m* sol; terre *f*
Erde *f* terre
erden *El* mettre à la terre
Erd|gas *n* gaz *m* naturel; **~geschoss** *n* rez-de-chaussée *m*; **~kunde** *f* géographie; **~nuss** *f* cacahuète; **~öl** *n* pétrole *m*
erdrücken écraser (*a fig*)
Erd|rutsch *m* glissement de terrain; **~teil** *m* continent
ereignen sich ~ se produire, arriver, se passer
Ereignis *n* événement *m*
Erektion *f* érection
erfahr|en apprendre; *erleben* éprouver; *adj* expérimenté; **2ung** *f* expérience
erfassen saisir (*a fig*, *Inform*)
erfind|en inventer; **2er** *m* inventeur; **2ung** *f* invention
Erfolg *m* succès, réussite *f*; **2los** infructueux; *adv* sans succès; **2reich** couronné de succès; *adv* avec succès
erforderlich nécessaire, requis
erfordern nécessiter, exiger
erforschen explorer
erfreuen faire plaisir à
erfreulich rejouissant
erfreut enchanté (**über** *A* de)
erfrieren geler; *Person* mourir de froid

erfrisch|en (***sich*** ~ se) rafraîchir; **2ung** *f* rafraîchissement *m*; **2ungstuch** *n* pochette *f* raffraîchissante
erfüllen *Pflicht* accomplir; *Bedingung* remplir; *Wunsch* réaliser; *Bitte* satisfaire à; ~ ***mit*** remplir de; ***sich*** ~ se réaliser
ergänz|en compléter; **2ung** *f* complément *m*
ergeben donner (pour résultat); ***sich*** ~ résulter (***aus*** de); *Mil* se rendre; *adj* dévoué
Ergebnis *n* résultat *m*; **2los** sans résultat
ergiebig abondant, riche (*a Diskussion*)
ergreifen saisir; *Maßnahmen*, *Flucht* prendre; *Beruf* embrasser; *rühren* toucher, émouvoir
ergriffen ému, touché; ***tief*** ~ bouleversé
erhalten recevoir; *bewahren* conserver; ***gut*** ~ en bon état
erhältlich en vente
erhängen ***sich*** ~ se pendre
erheben *Glas*, *Hand* lever; *Stimme*, *Protest* élever; *Zoll*, *Steuern* percevoir; ***sich*** ~ se lever; *Berg* s'élever; *Pol* se soulever
erheblich considérable
erheitern égayer
erhitzen chauffer
erhöh|en *u* ***sich*** ~ augmenter (***um*** de); **2ung** *f* augmentation
erholen ***sich*** ~ se remettre (***von*** de); *im Urlaub* se reposer
Erholung *f* repos *m*; **~sheim** *n* maison *f* de repos
erinnern rappeler (***j-n an et A*** qc à q); ***sich*** ~ se souvenir (***an*** de)
Erinnerung *f* souvenir *m*; ***zur*** ~ ***an*** (*A*) en souvenir de
erkält|en ***sich*** ~ prendre froid; **2ung** *f* rhume *m*
erkennen reconnaître (***an*** *D* à); *deutlich sehen* distinguer
erkenntlich ***sich*** (***j-m gegenüber***) ~ ***zeigen*** se montrer reconnaissant envers q
Erker *m* encorbellement
erklär|en expliquer; *förmlich* déclarer; **2ung** *f* explication; *Äußerung* déclaration
erkrank|en tomber malade; **2ung** *f* maladie; *e-s Körperteils* affection
erkundigen ***sich*** ~ se renseigner (***nach*** sur); ***sich nach j-m*** ~ demander des nouvelles de q
Erkundigung *f* renseignement *m*
erlangen obtenir
erlassen promulguer; *Verordnung* publier; ***j-m et*** ~ dispenser q de qc
erlaub|en permettre; **2nis** *f* permission
erläuter|n expliquer; **2ung** *f* explication
Erle *f* au(l)ne
erleb|en voir; *erfahren* vivre;

2nis *n* expérience *f*; *Ereignis* événement *m*
erledigen régler, finir
erledig|t fini; F *erschöpft* crevé; **2ung** *f* règlement *m*
erleichter|n faciliter; *seelisch* soulager; **2ung** *f* soulagement *m*
erleiden subir; *Schmerzen* endurer
erlernen apprendre
erlesen *adj* de choix
erleuchten éclairer
Erlös *m* recette *f*
erlöschen s'éteindre; *Anspruch* expirer
erlös|en délivrer (**von** de); **2er** *m Rel* Rédempteur; **2ung** *f Rel* Rédemption
ermächtig|en autoriser (**zu** à); **2ung** *f* autorisation
ermahn|en exhorter (**zu** à); **2ung** *f* exhortation
ermäßig|en réduire; **2ung** *f* réduction
ermessen évaluer, apprécier
ermitt|eln trouver; *Täter* retrouver; *bestimmen* déterminer; **2lungen** *f/pl* enquête *f*, information *f*
ermöglichen rendre possible
ermord|en assassiner; **2ung** *f* assassinat *m*
ermüd|en se fatiguer; *j-n* fatiguer; **2ung** *f* fatigue
er|muntern, ~mutigen encourager (**zu** à)
ernähr|en (**sich ~** se) nourrir (**von** de); **2ung** *f* alimentation; *Nahrung* nourriture
ernenn|en nommer; **2ung** *f* nomination
erneuer|n renouveler; **2ung** *f* renouvellement *m*
erneut de *od* à nouveau
ernst sérieux, grave; **~ nehmen** prendre au sérieux
Ernst *m* sérieux; *der Lage* gravité *f*; **im ~** sérieusement
Ernstfall *m* **im ~** en cas grave
ernst|haft, ~lich sérieux
Ernt|e *f* récolte; *Getreide*2 moisson; **2en** récolter (*a fig*); *Getreide* moissonner
Ernüchterung *f* désenchantement *m*, désillusion
Eroberer *m* conquérant
erober|n conquérir; **2ung** *f* conquête
eröffn|en ouvrir; *feierlich* inaugurer; **2ung** *f* ouverture; inauguration
erörtern examiner, discuter
Erot|ik *f* érotisme *m*; **2isch** érotique
erpress|en ***j-n* ~** faire chanter q; **2er** *m* maître chanteur; **2ung** *f* chantage *m*
erproben éprouver, tester
erraten deviner
erreg|en *erzürnen* énerver; *sexuell* exciter; **2er** *m Med* agent pathogène; **2ung** *f* énervement *m*; excitation
erreich|bar accessible; **~en** atteindre; *j-n* joindre (*a Tel*); *Zug*, *Bus* attraper; *erlangen* obtenir
errichten ériger
erröten rougir

Errungenschaft *f* conquête; *technische* progrès *m*; *soziale* acquis *m*
Ersatz *m* remplacement (***für*** de); *Entschädigung* dédommagement; **~mann** *m* remplaçant; **~rad** *n* roue *f* de rechange; **~spieler** *m* remplaçant; **~teil** *n* pièce *f* de rechange
erschein|en paraître (*a Buch*); *Person, Geist* apparaître; **2ung** *f* apparition; *Aussehen* aspect *m*; *Natur2* phénomène *m*
erschießen tuer (d'un coup de feu); *hinrichten* fusiller
erschlagen assommer; ***vom Blitz ~ werden*** être fondroyé
erschöpfen épuiser
erschöpft épuisé
Erschöpfung *f* épuisement *m*
erschrecken effrayer, faire peur à; *v/i u* ***sich ~*** s'effrayer
erschreckend effrayant
erschütter|n secouer; *fig a* bouleverser; **2ung** *f* secousse; *fig* bouleversement *m*
erschweren rendre (plus) difficile
ersetzen remplacer (***durch*** par); *Schaden* indemniser (***j-m et*** q de qc); *Unkosten* rembourser
erspar|en économiser; *fig* épargner (***j-m et*** qc à q); **2nis(se)** *f(pl)* économie(s)
erst d'abord; *nur* seulement, ne ... que; ***~ gestern*** seulement hier; ***nun ~ recht!*** plus que jamais!
erstatten *Auslagen* rembourser; ***Anzeige ~*** porter plainte (***gegen*** contre); ***Bericht ~*** faire un rapport
Erstaufführung *f* première
Erstaun|en *n* étonnement *m*; **2lich** étonnant
erstaunt étonné
erste(r, -s) premier, première; ***am ~n Juni*** le premier juin; ***zum ~n Mal*** pour la première fois; ***2 Hilfe*** premiers soins *m/pl*
erstechen poignarder
erstens premièrement
ersticken étouffer (*a fig*)
erst|klassig de première qualité; **~mals** pour la première fois
erstrecken ***sich ~*** s'étendre (***bis zu*** jusqu'à; ***über*** *A* sur)
ersuchen ***j-n um et ~*** demander qc à q
ertappen surprendre; ***auf frischer Tat ~*** prendre sur le fait
ertönen retentir
Ertrag *m* rendement
ertragen supporter; ***nicht zu ~*** insupportable
erträglich supportable
ertränken noyer
ertrinken se noyer
erübrigen avoir encore; ***sich ~*** être inutile
erwachen s'éveiller; *aufwachen* se réveiller
erwachsen adulte; **2e(r)** *su* adulte

erwägen considérer, examiner; *ins Auge fassen* envisager
erwähnen mentionner
erwärmen chauffer
erwart|en attendre; *rechnen mit* s'attendre à; **2ung** *f* attente
erwecken *Verdacht* éveiller; *Vertrauen* inspirer; *Eindruck* donner
erweisen *Dienst, Ehre* rendre; ***sich ~ als*** se révéler
erweitern (***sich ~*** s')élargir
Erwerb *m* acquisition *f*; **2en** acquérir
erwerbs|los sans travail, chômeur; **~tätig** actif; **2unfähigkeit** *f* invalidité
erwidern répondre (***auf*** *A* à), répliquer (à); *Gruß, Besuch* rendre
erwischen attraper
erwünscht souhaité
erwürgen étrangler
Erz *n* minerai *m*
erzähl|en raconter (***von et*** qc); **2ung** *f* récit *m*, nouvelle
Erzbischof *m* archevêque
erzeug|en produire; *verursachen* engendrer; **2nis** *n* produit *m*
erzieh|en élever, éduquer; **2er** *m* éducateur; **2erin** *f* éducatrice; **2ung** *f* éducation
erzielen atteindre, obtenir
erzwingen forcer
es *als Subjekt* il, ce; *als Objekt* le, la; ***~ regnet*** il pleut; ***~ ist genug!*** ça suffit!; ***~ gibt*** il y a; ***ich bin ~*** c'est moi; ***~ klingelt*** on sonne
Esche *f* frêne *m*
Esel *m* âne
Espresso *m* express
essbar comestible
essen manger; ***zu Mittag ~*** déjeuner; ***zu Abend ~*** dîner
Essen *n* nourriture *f*; *Mahlzeit* repas *m*
Essens|marke *f* ticket-repas *m*; **~zeit** *f* heure des repas
Essig *m* vinaigre; **~gurke** *f* cornichon *m*; **~- und Ölständer** *m* huilier
Ess|löffel *m* cuiller [-ɛr] *f* à soupe; **~waren** *f/pl* comestibles *m/pl*; **~zimmer** *n* salle *f* à manger
Etag|e *f* étage *m*; **~enbett** *n* lits *m/pl* superposés
Etappe *f* étape
Etat *m* budget
Etikett *n* étiquette *f*
etliche quelques, pas mal de
Etui *n* étui *m*
etwa environ, à peu près; **~ig** éventuel
etwas quelque chose; *ein wenig* un peu (de); ***~ anderes*** autre chose
EU *f* (*Europäische Union*) U.E. (*union européenne*)
euch vous, à vous
euer votre; ***eure*** *pl* vos
Eule *f* 'hibou *m*
euretwegen à cause de vous, pour vous
Europa *n* l'Europe *f*

Europä|er *m* Européen; **&isch** européen
Euroscheck *m* eurochèque
Euter *n* pis *m*
evangelisch protestant
Evangelium *n* Évangile *m*
eventuell éventuel(lement)
ewig éternel; **&keit** *f* éternité
exakt exact, précis
Examen *n* examen [ɛgzamɛ̃] *m*
Exemplar *n* exemplaire *m*
Exil *n* exil *m*
Existenz *f* existence
existieren exister
exotisch exotique
Expedition *f* expédition
Experiment *n* expérience *f*; **&ieren** faire des expériences (**mit** sur)
explodieren exploser
Explosion *f* explosion
Export *m* exportation *f*
exportieren exporter
extra *speziell* spécialement; F *absichtlich* exprès; *getrennt* à part; *zusätzlich* en plus
Extra *n Kfz* option *f*
Extrakt *m* extrait
extrem extrême; **&ist** *m* extrémiste

F

Fabel *f* fable; **&haft** formidable
Fabrik *f* usine; **~arbeiter** *m* ouvrier d'usine
Fabrikat *n* produit *m*
Fabrikationsfehler *m* défaut de fabrication
fabrizieren fabriquer
Fach *n* compartiment *m*, casier *m*; *Gebiet* branche *f*, spécialité *f*; *Schul&*, *Studien&* matière *f*; **~arbeiter** *m* ouvrier qualifié; **~arzt** *m* spécialiste; **~ausbildung** *f* formation spécialisée; **~ausdruck** *m* terme technique
Fächer *m* éventail
Fach|gebiet *n* spécialité *f*; **~geschäft** *n* magasin *m* spécialisé; **~kenntnisse** *f/pl* connaissances spéciales; **~mann** *m* spécialiste
Fachwerkhaus *n* maison *f* à colombages
Fackel *f* flambeau *m*
fad(e) fade, insipide
Faden *m* fil; **~nudeln** *f/pl* vermicelle *m*
fähig capable (**zu** de); **&keit** *f* capacité
fahnd|en rechercher (**nach j-m** q); **&ung** *f* recherches *f/pl*
Fahne *f* drapeau *m*
Fahrbahn *f* chaussée
Fähre *f* bac *m*; *große* ferry *m*
fahren aller (**mit dem Auto** en voiture); *ab~* partir (**nach** pour, à); *v/t Auto* conduire; *Lasten* transporter; **durch ... ~** passer par ...; **j-n nach ... ~** conduire q à ...
Fahrer *m* conducteur; chauf-

feur; **~in** *f* conductrice; **~flucht** *f* délit *m* de fuite
Fahr|gast *m* passager; *im Taxi* client; **~geld** *n* argent *m* du billet; **~gestell** *n* châssis *m*; **~karte** *f* billet *m*
Fahrkarten|automat *m* distributeur de billets; **~schalter** *m* guichet
fahrlässig négligent; *jur* **~e Tötung** homicide *m* involontaire
Fahr|lässigkeit *f* négligence; **~lehrer** *m* moniteur d'auto-école
Fahrplan *m* horaire; *als Broschüre* indicateur (des chemins de fer); **≈mäßig** d'après l'horaire
Fahrpreis *m* prix du billet
Fahrrad *n* bicyclette *f*; vélo *m*; **~verleih** *m* location *f* de vélos; **~weg** *m* piste *f* cyclable
Fahr|schein *m* billet; **~schule** *f* auto-école
Fährschiff *n* ferry *m*
Fahr|spur *f* voie, file; **~stuhl** *m* ascenseur; **~stunde** *f* leçon de conduite
Fahrt *f Strecke* trajet *m*; *Reise* voyage *m*; *Ausflug* excursion; ***gute ~!*** bonne route!
Fahrtrichtung *f* sens *m* de la marche
Fahr|werk *n* train *m* d'atterrissage; **~zeit** *f* durée du parcours
Fahrzeug *n* véhicule *m*; **~schein** *m* carte *f* grise
fair fair-play [-plɛ]
Fakultät *f* faculté
Falke *m* faucon
Fall *m* cas (*a Gr*); ***auf jeden (keinen) ~*** en tout (aucun) cas; ***für den ~, dass ...*** au cas où ...
Falle *f* piège *m*
fallen tomber; *Preise, Temperatur* baisser; ***~ lassen*** laisser tomber
fällen abattre; *Urteil* prononcer
fällig *Zug usw* attendu; *Zahlung* exigible
falls au cas où, si
Fallschirm *m* parachute; **~springer** *m* parachutiste
falsch faux
fälschen falsifier
Falschgeld *n* fausse monnaie *f*
Fälschung *f* contrefaçon; *Gemälde* faux *m*
Faltboot *n* canot *m* pliant
Falte *f* pli *m*; *Runzel* ride
falten plier; **≈rock** *m* jupe *f* plissée
Falter *m* papillon
familiär *vertraut* familier; *die Familie betreffend* familial
Familie *f* famille
Familien|angehörige(r) *su* membre de la famille, parent(e); **~anschluss** *m* accueil dans une famille; **~name** *m* nom de famille; **~stand** *m* situation *f* de famille
Fan *m* fan [fan]; *Sp* supporter [-tɛr]

Fanat|iker *m*, **&isch** fanatique
Fang *m* prise *f*; **&en** attraper; *Fisch* prendre
Fantasie *f* imagination
fantastisch fantastique
Farb|e *f* couleur; *Mal&* peinture; **&echt** grand teint
färben teindre; *ab~* déteindre
farbenblind daltonien
Farb|fernseher *m* téléviseur couleurs; **~film** *m* film en couleurs; *Fot* pellicule *f* couleur; **~foto** *n* photo *f* couleur; **&ig** coloré; **~ige(r)** *su* homme *m*, femme *f* de couleur; **&los** incolore; **~stift** *m* crayon de couleur; **~stoff** *m* matière *f* colorante
Farm *f* ferme; **~er** *m* fermier
Farn(kraut *n*) *m* fougère *f*
Fasan *m* faisan
Fasching *m* carnaval
Faser *f* fibre
Fass *n* tonneau *m*; *Wein&* fût *m*; **~bier** *n* bière *f* (à la) pression
Fassade *f* façade
fassen prendre, saisir; *begreifen* comprendre; *enthalten* contenir; ***sich kurz ~*** être bref
Fassung *f Brillen&* monture; *Glühbirnen&* douille; *Text* version; *fig* calme *m*; ***aus der ~ bringen*** décontenancer
fassungs|los décontenancé; **&vermögen** *n* capacité *f*
fast presque
fasten jeûner; **&** *n* jeûne *m*; **&zeit** *f Rel* carême *m*
Fastnacht *f* mardi *m* gras
faul paresseux; *verfault* pourri; ***~e Ausrede*** mauvaise excuse
faulen pourrir
faulenz|en paresser; **&er** *m* paresseux
Faulheit *f* paresse
Faust *f* poing *m*; ***auf eigene ~*** de son propre chef
Faustschlag *m* coup de poing
Favorit(in) *m(f)* favori(te)
Fax *n* fax *m*; **&en** faxer; **~gerät** *n* télécopieur *m*
Februar *m* février
Fechten *n* escrime *f*
Feder *f* plume (*a Schreib&*); *Tech* ressort *m*; **~ball** *m* volant; **~bett** *n* édredon *m*
feder|n faire ressort; **&ung** *f* ressorts *m/pl*; *Kfz* suspension
Fee *f* fée
fegen balayer
Fehlbetrag *m* déficit
fehlen manquer; *Person a* être absent; ***es fehlt uns an ...*** (*D*) nous manquons de ...
Fehler *m* faute *f*, erreur *f*; *Tech, Charakter&* défaut; **&frei** sans faute(s); sans défaut(s); **&haft** *Aussprache* incorrect; *Material* défectueux
Fehl|geburt *f* fausse couche; **&schlagen** échouer; **~start** *m* faux départ; **~zündung** *f Kfz* ratés *m/pl*
Feier *f* fête; *offiziell* cérémonie

Feierabend *m* ***nach*** ~ après le travail; ~ ***machen*** finir de travailler
feierlich solennel
feier|n faire la fête; *v/t* fêter; **&tag** *m* jour férié
feige lâche
Feige *f* figue
Feig|heit *f* lâcheté; **~ling** *m* lâche
Feil|e *f* lime; **&en** limer
fein fin; *vornehm* distingué
Feind *m* ennemi; **&lich** ennemi, hostile; **~schaft** *f* inimitié
Fein|gefühl *n* tact *m*; **~kosthandlung** *f* épicerie fine; **~schmecker** *m* gourmet
Feld *n* champ *m*; *Brettspiel* case *f*; *Spiel&* terrain *m*; **~salat** *m* mâche *f*; **~stecher** *m* jumelles *f/pl*; **~weg** *m* chemin de terre; **~zug** *m* campagne *f*
Felge *f* jante
Fell *n* poil *m*, pelage *m*; *von toten Tieren* peau *f*
Fels|en *m* rocher; roc; **&ig** rocheux; **~wand** *f* paroi rocheuse
femin|in féminin; **&ist(in)** *m(f)* féministe
Fenchel *m* fenouil
Fenster *n* fenêtre *f*; *Wagen&* glace *f*; **~brett** *n* rebord *m*; **~heber** *m* *Kfz* lève-glaces; **~laden** *m* volet; **~platz** *m* coin fenêtre; **~scheibe** *f* vitre
Ferien *pl* vacances *f/pl*; **~arbeit** *f* job *m* pour les vacances; **~dorf** *n* village *m* de vacances; **~kurs** *m* cours de vacances; **~lager** *n* colonie *f* de vacances; **~wohnung** *f* location
Ferkel *n* porcelet *m*, goret *m*
fern loin (***von*** de); *entlegen* lointain
Fernbedienung *f* télécommande
Ferne *f* lointain *m*; ***in*** (***aus***) ***der*** ~ au (de) loin
ferner de plus, en outre
Fern|fahrer *m* routier; **~gespräch** *n* communication *f* interurbaine; **&gesteuert** téléguidé, télécommandé; **~glas** *n* jumelles *f/pl*; **~heizung** *f* chauffage *m* urbain; **~licht** *n* feux *m/pl* de route, phares *m/pl*; **~meldewesen** *n* télécommunications *f/pl*; **~rohr** *n* télescope *m*; **~schreiben** *n* télex *m*
Fernseh|en *n* télévision *f*; F télé *f*; **&en** regarder la télévision; **~er** *m* téléviseur; **~nachrichten** *f/pl* journal *m* télévisé; **~programm** *n* *Heft* programme *m* de télévision; *Sendungen* programmes *m/pl*; *Kanal* chaîne *f*; **~sendung** *f* émission de télévision; **~spiel** *n* téléfilm *m*; **~werbung** *f* publicité télévisée; **~zuschauer** *m* téléspectateur
Fernsprech|... *s* ***Telefon...***; **~amt** *n* central *m* téléphonique; **~er** *m* téléphone

Fern|studium *n* cours *m/pl* par correspondance; **~verkehr** *m* trafic *m* à grande distance
Ferse *f* talon *m*
fertig fini; *bereit* prêt; F *erschöpft* à plat; ***mit et ~ sein*** avoir fini qc; ***~ bringen*** arriver (à faire qc); ***~ machen*** terminer; ***sich ~ machen*** se préparer
Fertig|gericht *n* plat *m* cuisiné; **~haus** *n* maison *f* préfabriquée
fesseln ligoter; *fig* captiver
fesselnd captivant
Fest *n* fête *f*
fest ferme; *nicht flüssig* solide; *Zeitpunkt, Preis, Wohnsitz* fixe; *Schlaf* profond; **~binden** attacher (**an** *D* à)
Festessen *n* banquet *m*
festhalten retenir; ***~ an*** (*D*) *fig* tenir à; ***sich ~ an*** (*D*) s'accrocher à
Festland *n* terre *f* ferme; continent *m*
festlich solennel
fest|machen fixer; **2nahme** *f* arrestation; **~nehmen** arrêter
Fest|platte *f Inform* disque *m* dur; **~preis** *m* prix fixe
festsetzen fixer
Festspiele *n/pl* festival *m*
feststehen être certain
feststellen constater
Festung *f* forteresse
Festzug *m* cortège
fett gras; 2 *n* graisse *f*; *am Fleisch* gras *m*; **~arm** maigre; *Milch* écrémé; **2fleck** *m* tache *f* de graisse; **~ig** graisseux
Fetzen *m* lambeau
feucht humide; **2igkeit** *f* humidité; **2igkeitscreme** *f* crème hydratante
Feuer *n* feu *m*; *Brand* incendie *m*; **~alarm** *m* alerte *f* au feu; **~bestattung** *f* incinération; **2fest** incombustible; *Schüssel* résistant à la chaleur; **2gefährlich** inflammable; **~leiter** *f* échelle de secours; **~löscher** *m* extincteur; **~melder** *m* avertisseur d'incendie; **~wehr** *f* pompiers *m/pl*; **~werk** *n* feu *m* d'artifice; **~zeug** *n* briquet *m*
Fichte *f* épicéa *m*
Fieber *n* fièvre *f*; **~anfall** *m* accès de fièvre; **2haft** fébrile; **~mittel** *n* fébrifuge *m*; **~thermometer** *n* thermomètre *m* médical
fiebrig fiévreux
Figur *f geometrische, Eislauf* figure; *e-r Frau* silhouette; *Schach*2 pièce
Filet *n* filet *m*; **~steak** *n* bifteck dans le filet
Filiale *f* succursale
Film *m* film; *Fot* pellicule *f*; **2en** filmer; **~festspiele** *n/pl* festival *m* du cinéma; **~kamera** *f* caméra; **~regisseur(in)** *m(f)* metteur *m* en scène de cinéma; **~schauspieler(in)** *m(f)* acteur (ac-

trice) de cinéma; **~star** *m* vedette *f* de cinéma, star *f*
Filter *m* filtre; **~kaffee** *m* café filtre
filter|n filtrer; **&papier** *n* papier-filtre; **&zigarette** *f* cigarette à bout filtre
Filz *m* feutre; **~schreiber** *m*, **~stift** *m* (crayon) feutre
Finale *n Mus* final(e) *m*; *Sp* finale *f*
Finanz|amt *n Gebäude* perception *f*; *Behörde* fisc *m*; **~en** *pl* finances *f/pl*; **&iell** financier; **&ieren** financer
find|en trouver; **&erlohn** *m* récompense *f*
Finger *m* doigt; **~abdruck** *m* empreinte *f* digitale; **~hut** *m* dé (à coudre); **~nagel** *m* ongle; **~ring** *m* bague *f*
Fingerspitz|e *f* bout *m* du doigt; **~engefühl** *n* doigté *m*
Fink *m* pinson
Finn|e *m* Finlandais; **&isch** finlandais; **~land** *n* la Finlande
finster obscur, sombre; **&nis** *f* obscurité
Firma *f* entreprise
Firnis *m* vernis
Fisch *m* poisson; **&en** pêcher
Fischer *m* pêcheur; **~boot** *n* bateau *m* de pêche; **~dorf** *n* village *m* de pêcheurs
Fisch|erei *f*, **~fang** *m* pêche *f*; **~geschäft** *n* poissonnerie *f*; **~händler** *m* poissonnier; **~otter** *m* loutre; **~stäbchen** *n/pl* bâtonnets *m/pl* de poisson; **~suppe** *f* soupe de poisson; **~zucht** *f* pisciculture
fit en forme; **&nesscenter** *n* club *m* de remise en forme
fix F rapide; *adv* vite; **~ und fertig** fin prêt, *erschöpft* sur les genoux
fixen F se piquer, se shooter
fixieren fixer
FKK *n* (*Freikörperkultur*) naturisme *m*, nudisme *m*; **~-Strand** *m* plage *f* naturiste
flach plat (*a fig*); *niedrig* bas
Fläche *f* surface, superficie
Flachland *n* plaine *f*
Flachs *m* lin
Flagge *f* pavillon *m*
flambiert flambé
Flame *m* Flamand
Flamingo *m* flamant (rose)
flämisch flamand
Flamme *f* flamme
Flandern *n* la Flandre
Flanke *f* flanc *m*; *Fußball* centre *m*
Flasche *f* bouteille; *Säuglings&* biberon *m*
Flaschen|bier *n* bière *f* en bouteille; **~öffner** *m* ouvre-bouteille(s); **~pfand** *n* consigne *f*; **~zug** *m* palan
flattern voleter; *Fahne* flotter
flau faible
Flaum *m* duvet
Flaute *f Mar* calme *m* plat
Flechte *f Bot* lichen [-kɛn] *m*; *Med* dartre
flechten tresser
Fleck *m* tache *f*; *Stelle* endroit; **~entferner** *m* détachant; **&ig** taché

Fledermaus *f* chauve-souris
Flegel *m* malappris
Fleisch *n* viande *f*; *lebendes* chair *f*; **~brühe** *f* consommé *m*, bouillon *m*
Fleischer *m* boucher
Fleischerei *f* boucherie *f*
fleischig charnu; *Frucht* pulpeux
Fleisch|klößchen *n* boulette *f* (de viande); **~wunde** *f* blessure (dans les chairs)
Fleiß *m* application *f*; **≈ig** appliqué, travailleur
flicken rapiécer; *Fahrradschlauch* réparer; **≈** *m* pièce *f*; *aus Gummi* rustine *f*
Flieder *m* lilas
Fliege *f* mouche; *Mode* nœud *m*, papillon *m*
fliegen voler; *im Flugzeug* prendre l'avion
Fliegen|klatsche *f* tapette; **~pilz** *m* amanite *f* tue-mouches
Flieger *m* aviateur
fliehen fuir (***vor j-m*** q); ***~ aus*** s'enfuir de; *Gefangener* s'évader de
Fliese *f* carreau *m*, dalle
Fließband *n* chaîne *f* (de montage)
fließen couler
fließend ***~es Wasser*** eau *f* courante; ***~ Französisch sprechen*** parler couramment (le) français
Flinte *f* fusil [-zi] *m*
flirten flirter
Flitterwochen *f/pl* lune *f* de miel
Flocke *f* flocon *m*
Floh *m* puce *f*; **~markt** *m* marché aux puces
Floß *n* radeau *m*
Flosse *f* nageoire
Flöte *f* flûte
flott *schwungvoll* rapide; *schick* chic
Flotte *f* flotte
Fluch *m* *Kraftwort* juron; *Verwünschung* malédiction *f*; **≈en** jurer
Flucht *f* fuite; *aus e-m Gefängnis* évasion
flüchten s'enfuir; ***sich ~*** se réfugier (***in*** *A* dans, ***zu j-m*** chez q)
flücht|ig fugitif; *oberflächlich* superficiel; **≈ling** *m* réfugié
Flug *m* vol; **~blatt** *n* tract [-kt] *m*; **~drachen** *m* deltaplane
Flügel *m* aile *f*; *Tür≈*, *Fenster≈* battant; *Mus* piano à queue
Flug|gast *m* passager; **~gesellschaft** *f* compagnie aérienne; **~hafen** *m* aéroport; **~kapitän** *m* commandant de bord; **~linie** *f* ligne aérienne; **~lotse** *m* aiguilleur du ciel; **~plan** *m* horaire des vols; **~platz** *m* aérodrome; **~reise** *f* voyage *m* en avion; **~schein** *m* billet d'avion; **~schreiber** *m* boîte *f* noire; **~steig** *m* porte *f*; **~ticket** *n* billet *m* d'avion; **~verkehr** *m* trafic aérien
Flugzeug *n* avion *m*; **~absturz** *m* catastrophe *f*

aérienne; **~entführung** *f* détournement *m* d'avion
Flur *m* couloir
Fluss *m* rivière *f*; *großer* fleuve
fluss|abwärts en aval; **~aufwärts** en amont
flüssig liquide; *Verkehr* fluide; **$\mathfrak{L}$keit** *f* liquide *m*
flüstern chuchoter
Flut *f* marée 'haute; *Wassermasse* flots *m/pl*; *fig* flot *m*; **~licht** *n* lumière *f* des projecteurs; **~welle** *f* raz *m* de marée
Fohlen *n* poulain *m*
Föhn *m* sèche-cheveux
Folge *f* suite, conséquence; *Reihe* série; ***zur ~ haben*** avoir pour conséquence
folgen suivre (***j-m*** q; *zeitlich* ***auf et*** *D* qc); *gehorchen* obéir; ***aus et ~*** résulter de qc
folgend suivant; **~ermaßen** de la manière suivante
folger|n conclure (***aus*** de); **$\mathfrak{L}$ung** *f* conclusion
folg|lich par conséquent; donc; **~sam** docile
Folie *f* *Metall$\mathfrak{L}$* feuille; *Plastik$\mathfrak{L}$* film *m*
Folklore *f* folklore *m*
Folter *f* torture
foltern torturer
fordern exiger (***et von j-m*** qc de q); *Recht* revendiquer
fördern encourager; *Kohle usw* extraire
Forderung *f* exigence; *rechtmäßige* revendication
Forelle *f* truite
Form *f* forme; *Back$\mathfrak{L}$* moule *m*; ***in ~ sein*** être en forme
formal formel; **$\mathfrak{L}$ität** *f* formalité
Format *n* format *m*
Formel *f* formule
formell formel
formen former
förmlich *steif* guindé
formlos sans façons
Formul|ar *n* formulaire *m*; **$\mathfrak{L}$ieren** formuler
forsch|en faire de la recherche; **$\mathfrak{L}$er** *m* chercheur; **$\mathfrak{L}$ung** *f* recherche
Forst *m* forêt *f*
Förster *m* garde forestier
fort parti, absent; ***in einem ~*** sans arrêt; ***und so ~*** et ainsi de suite
fortbestehen continuer à exister, se perpétuer
fortbewegen ***sich ~*** se déplacer
Fortbildung *f* formation continue *od* permanente
fort|fahren partir; *weitermachen* continuer; **~gehen** partir, s'en aller; **~geschritten** avancé; **$\mathfrak{L}$pflanzung** *f* reproduction; **~schaffen** emmener
Fortschritt *m* progrès; **$\mathfrak{L}$lich** progressiste
fortsetzen continuer, poursuivre
Fortsetzung *f* suite; ***~ folgt*** à suivre
fortwährend continuel(lement)

Foto *n* photo *f*; **~apparat** *m* appareil photo; **~graf** *m* photographe; **~grafie** *f* photographie; **2grafieren** photographier; *v/i* prendre des photos; **~kopie** *f* photocopie; **2kopieren** photocopier
Fr. (*Frau*) Mme (*Madame*)
Fracht *f* fret; **~er** *m*, **~schiff** *n* cargo *m*
Frack *m* habit
Frage *f* question; ***e-e ~ stellen*** poser une question; ***das kommt gar nicht in ~!*** il n'en est pas question!
Fragebogen *m* questionnaire
fragen demander (***j-n nach et*** qc à q; ***nach j-m*** des nouvelles de q)
Fragezeichen *n* point *m* d'interrogation
fraglich *unsicher* incertain; *betreffend* en question
Franken *m* franc suisse
Frankfurt Francfort
frankieren affranchir
Frankreich *n* la France
Franse *f* frange
Franz|ose *m* Français; **~ösin** *f* Française; **2ösisch** français; **2ösisch-deutsch** franco-allemand
Frau *f* femme (*a Ehe2*); *Anrede* Madame
Frauen|arzt *m*, **~ärztin** *f* gynécologue *m,f*; **~bewegung** *f* féminisme *m*; **~zeitschrift** *f* magazine *m* féminin
Fräulein *n* demoiselle *f*; *Anrede* Mademoiselle

frech insolent; **2heit** *f* insolence
frei libre; *kostenlos* gratuit; ***ein ~er Tag*** un jour de congé; ***ein ~es Zimmer*** une chambre de libre; ***Zimmer ~*** chambre à louer; ***im 2en*** en plein air
Frei|bad *n* piscine *f* en plein air; **2gebig** généreux; **~gepäck** *n* franchise *f* de bagages; **2haben** avoir congé
freihalten *Platz* réserver; ***Einfahrt ~!*** sortie de voitures
Freiheit *f* liberté; **~sstrafe** *f* peine de prison
Frei|karte *f* billet *m* gratuit; **~körperkultur** *f* naturisme *m*, nudisme *m*; **2lassen** libérer; **~lauf** *m* roue *f* libre
freilich bien sûr
Freilichtbühne *f* théâtre *m* de verdure
freimachen *Weg usw* dégager; *Brief* affranchir; ***sich ~*** se libérer; *beim Arzt* se déshabiller
freimütig franc
frei|sprechen *jur* acquitter; **2spruch** *m* acquittement
freistehen ***es steht Ihnen frei, zu ...*** vous êtes libre de ...
Freistoß *m Sp* coup franc
Freitag *m* vendredi
freitags le vendredi
freiwillig, 2e(r) *su* volontaire
Freizeit *f* loisirs *m/pl*; **~gestaltung** *f* organisation des loisirs; **~kleidung** *f* vêtements *m/pl* sport

fremd étranger; *unbekannt* inconnu; ***ich bin ~ hier*** je ne suis pas d'ici
Fremde(r) *su* qui n'est pas du pays; *Besucher(in)* touriste
Fremden|führer *m* guide; **~legion** *f* Légion étrangère
Fremdenverkehr *m* tourisme; **~samt** *n*, **~sbüro** *n* office *m* de *od* du tourisme, syndicat *m* d'initiative
Fremd|enzimmer *n* chambre *f* à louer; **~sprache** *f* langue étrangère; **~wort** *n* mot *m* étranger
Fresko *n* fresque *f*
fressen *Tier* manger; P *péj* bouffer
Freude *f* joie, plaisir *m*; ***j-m e-e ~ machen*** faire plaisir à q
freuen ***sich ~ über*** (*A*) se réjouir de; ***sich ~ auf*** (*A*) se réjouir à l'avance de; ***es freut mich, dass ...*** je suis heureux que ... (*+subj*)
Freund(in) *m(f)* ami(e)
freundlich gentil (***zu j-m*** avec q); *Zimmer usw* gai; *Wetter* beau; ***das ist sehr ~ von Ihnen*** c'est très aimable à vous
Freundschaft *f* amitié; **ℯlich** amical
Frieden *m* paix *f*
Friedhof *m* cimetière
friedlich pacifique; *ruhig* paisible
frieren geler; *Person* avoir froid; ***es friert*** il gèle; ***mich friert*** j'ai froid
Frikassee *n* fricassée *f*
frisch frais; *Wäsche* propre; ***~ gestrichen!*** peinture fraîche!; ***auf ~er Tat*** sur le fait
Frisch|e *f* fraîcheur; **~haltebeutel** *m* sachet fraîcheur
Friseur *m* coiffeur; **~salon** *m* salon de coiffure
Friseuse *f* coiffeuse
frisieren (***sich ~*** se) coiffer
Frist *f* délai *m*; **ℯlos** sans préavis
Frisur *f* coiffure
Frl. (*Fräulein*) Mlle (*Mademoiselle*)
froh content (***über*** *A* de); ***ich bin ~, dass ...*** je suis content que ... (+ *subj*); ***~e Weihnachten!*** joyeux Noël!
fröhlich gai, joyeux
fromm pieux
Fronleichnam *m* Fête-Dieu *f*
Front *f* front *m*; *Arch* façade
frontal de face, de front
Frontalzusammenstoß *m* choc frontal
Frontantrieb *m* traction *f* avant
Frosch *m* grenouille *f*; **~mann** *m* homme-grenouille; **~schenkel** *m/pl* cuisses *f/pl* de grenouilles
Frost *m* gel
frösteln frissonner
frost|ig froid; *fig* glacial; **ℯschutzmittel** *n* antigel *m*
Frott|eetuch *n* serviette *f* éponge; **ℯieren** (***sich ~*** se) frotter, (se) frictionner
Frucht *f* fruit *m* (*a fig*); **ℯbar**

Agr fertile; *Lebewesen* fécond; *fig* fructueux; **~eis** *n* glace *f* aux fruits; **~saft** *m* jus de fruits
früh de bonne heure, tôt; ***heute*** ~ ce matin; ***morgen*** ~ demain matin; ***zu*** ~ trop tôt
früher plus tôt; *ehemals* autrefois
Früh|aufsteher(in) *m(f)* lève-tôt; **~jahr** *n*, **~ling** *m* printemps *m*
Frühstück *n* petit déjeuner *m*; **2en** prendre le petit déjeuner
frustriert frustré
Fuchs *m* renard
fühlbar sensible
fühlen sentir; *Puls* tâter; ***sich nicht wohl*** ~ ne pas se sentir bien
führen mener, conduire; *Touristen* guider; *Betrieb* diriger; *Ware* faire; *Sp* mener; ***zu et*** ~ mener à qc
Führer *m Reise2* guide (*a Buch*); *e-r Gruppe* chef; *Pol a* leader; **~schein** *m* permis de conduire
Führung *f Besichtigung* visite guidée; *Leitung* direction; *Sp* ***in*** ~ ***liegen*** mener
Fuhr|unternehmen *n* entreprise *f* de transport; **~werk** *n* charrette *f*
Fülle *f* abondance
füllen remplir; *Kochk* farcir
Füll(federhalt)er *m* stylo (à encre)
Füllung *f* remplissage *m*; *Kochk* farce; *Zahn2* plombage *m*
Fund *m* objet trouvé; *glücklicher* trouvaille *f*; *archäologischer* découverte *f*
Fundament *n* fondations *f/pl*; *fig* fondement *m*
Fund|büro *n* bureau *m* des objets trouvés; **~gegenstand** *m*, **~sache** *f* objet *m* trouvé
fünf cinq; **~hundert** cinq cents; **~te(r, -s)** cinquième; **2tel** *n* cinquième *m*; **~zehn** quinze; **~zig** cinquante
Funk *m* radio *f*; ***über*** ~ par radio
Funkamateur *m* radio-amateur
Funke *m* étincelle *f*
funkeln étinceler, scintiller
funk|en transmettre par radio; **2er** *m* radio; **2gerät** *n* poste *m* émetteur-récepteur; **2spruch** *m* message radio; **2streife** *f* voiture *f* de police (radio); **2taxi** *n* radio-taxi *m*; **2telefon** *n* radiotéléphone *m*
Funktion *f* fonction; **2ieren** fonctionner
für (*A*) pour
Furche *f* sillon *m*
Furcht *f* crainte *f*, peur *f* (***vor*** de); **2bar** terrible, affreux
fürchten craindre (***dass ...*** que ... ne + *subj*); ***sich*** ~ avoir peur (***vor*** *D* de)
fürchterlich terrible
furcht|los intrépide; **~sam** craintif

füreinander l'un pour l'autre
Fürsorge *f* soins *m/pl*; *Sozial*≈ aide sociale
Fürsprache *f* intercession, intervention
Fürst *m* prince; **~entum** *n* principauté *f*; **~in** *f* princesse; ≈**lich** princier
Furt *f* gué *m*
Furunkel *m* furoncle
Fuß *m* pied; *e-s Tieres* patte *f*; ***zu*** ~ à pied
Fußball *m* football [-bol]; *Ball* ballon de football; ~ ***spielen*** jouer au football
Fußball|platz *m* terrain de football; **~spiel** *n* match *m* de football; **~spieler** *m* footballeur; **~toto** *n* loto *m* sportif
Fuß|boden *m* plancher; **~bremse** *f* pédale de frein
Fußgänger *m* piéton; **~brücke** *f* passerelle; **~überweg** *m* passage pour piétons; **~zone** *f* zone piétonne *od* piétonnière
Fuß|gelenk *n* cheville *f*; **~matte** *f* paillasson *m*; **~pflege** *f* soins *m/pl* des pieds; **~sohle** *f* plante du pied; **~spur** *f* trace de pied; **~tritt** *m* coup de pied; **~weg** *m* sentier, chemin
Futter *n* nourriture *f*; *Kleider*≈ doublure *f*
Futteral *n* étui *m*
füttern *Tier* donner à manger à; *Kind* faire manger; *Kleidung* doubler
Fütterung *f* alimentation
Futur *n* futur *m*

G

Gabe *f* don *m*
Gabel *f* fourchette; *Heu*≈ fourche
gabeln ***sich*** ~ *Weg* bifurquer
gackern caqueter
Gage *f* cachet *m*
gähnen bâiller
galant galant
Galerie *f* galerie
Galgen *m* potence *f*, gibet
Galle *f* bile; *Tier*≈ fiel *m*
Gallen|blase *f* vésicule biliaire; **~kolik** *f* colique hépatique; **~stein** *m* calcul biliaire
Galopp *m* galop; ≈**ieren** galoper
gammeln F glander
Gämse *f* chamois *m*
Gang *m* marche *f*; *Art des Gehens* démarche; *Ablauf* cours; *Korridor* couloir; *Kfz* vitesse *f*; *Kochk* plat; ***in ~ bringen*** mettre en marche; ***in vollem ~(e) sein*** battre son plein
Gangschaltung *f Kfz* changement *m* de vitesse; *Fahrrad* dérailleur *m*
Gangster *m* gangster [-tɛr]

Gangway *f* passerelle
Ganove *m* truand
Gans *f* oie
Gänse|blümchen *n* pâquerette *f*; **~braten** *m* oie *f* rôtie; **~haut** *f fig* chair de poule; **~leberpastete** *f* (pâté *m* de) foie *m* gras; **~marsch** *m* ***im ~*** en file indienne
ganz tout; *vollständig* entier; *heil* intact; ***den ~en Tag*** toute la journée; ***in der ~en Welt*** dans le monde entier; ***~ gut*** assez bien; ***~ und gar nicht*** pas du tout
Ganztagsarbeit *f* travail *m* à plein temps
gar *Kochk* cuit; *Fleisch* à point; *adv* ***~ nicht*** pas du tout; ***~ nichts*** rien du tout
Garage *f* garage *m*
Garantie *f* garantie; **≈ren** garantir (***für et*** qc); **~schein** *m* certificat de garantie
Garderobe *f Kleidung* garderobe; *Theater usw* vestiaire *m*; *Flur*≈ portemanteau
Garderoben|frau *f* dame du vestiaire; **~marke** *f* numéro *m* de vestiaire
Gardine *f* rideau *m*
gären fermenter
Garn *n* fil *m*
Garnele *f* crevette
garnieren garnir (***mit*** de)
Garnitur *f* ensemble *m*; *Polster*≈ salon *m*
Garten *m* jardin; **~bau** *m* horticulture *f*; **~fest** *n* garden-party *f*; **~lokal** *n* restaurant *od* café *m* avec jardin; **~zaun** *m* clôture *f* de jardin
Gärtner *m* jardinier
Gärung *f* fermentation
Gas *n* gaz *m*; ***~ geben*** accélérer
Gas|flasche *f* bouteille de gaz; **~hahn** *m* robinet du gaz; **~heizung** *f* chauffage *m* au gaz; **~herd** *m* cuisinière *f* à gaz; **~leitung** *f* conduite de gaz; **~ofen** *m* radiateur à gaz; **~pedal** *n* accélérateur *m*
Gasse *f* ruelle
Gast *m* invité; *Hotel*≈, *im Lokal* client; **~arbeiter** *m* travailleur immigré
Gäste|buch *n* livre *m* d'or; **~zimmer** *n* chambre *f* d'amis
Gast|familie *f* famille d'accueil; **≈freundlich** hospitalier; **~freundschaft** *f* hospitalité; **~geber(in)** *m(f)* hôte(sse); **~haus** *n*, **~hof** *m* auberge *f*; **≈lich** hospitalier, accueillant; **~stätte** *f* restaurant *m*; **~wirt** *m* restaurateur; **~wirtschaft** *f* café-restaurant *m*
Gas|vergiftung *f* intoxication par le gaz; **~zähler** *m* compteur à gaz
Gatt|e *m* époux; **~in** *f* épouse
Gattung *f* genre *m*; *Biol* espèce
Gaumen *m* palais
Gauner *m* escroc [-o]
Gaze *f* gaze
Gebäck *n* pâtisserie *f*; *Plätz-*

chen petits gâteaux *m/pl*
gebacken cuit (au four)
Gebärde *f* geste *m*
Gebärmutter *f* utérus *m*
Gebäude *n* bâtiment *m*
geben donner (***j-m et*** qc à q); *reichen, am Telefon* passer; ***es gibt*** il y a; ***was gibt es?*** qu'est-ce qu'il y a?
Gebet *n* prière *f*
Gebiet *n* région *f*; *Pol* territoire *m*; *Fach*≈ domaine *m*
gebildet cultivé
Gebirge *n* montagne *f*; ***im ~, ins ~*** à la montagne
gebirgig montagneux
Gebirgs|bach *m* torrent; **~kette** *f*, **~zug** *m* chaîne *f* de montagnes
Gebiss *n* dentition *f*; *künstliches* dentier *m*
Gebläse *n* *Kfz* ventilateur *m*
geblümt à fleurs
geboren né (***am*** le); ***~e Müller*** née Müller; ***~ werden*** naître
geborgen en sécurité
gebraten rôti
Gebrauch *m* usage, emploi
gebrauchen utiliser; ***gut zu ~ sein*** être utile
gebräuchlich usuel
Gebrauchs|anweisung *f* mode *m* d'emploi; **≈fertig** prêt à l'emploi; **~gegenstand** *m* objet d'usage courant
gebraucht usagé; **≈wagen** *m* voiture *f* d'occasion
gebrechlich fragile
Gebrüder *pl* frères *m/pl*
Gebrüll *n* 'hurlements *m/pl*
Gebühr *f* taxe; *Maut* péage *m*; *Fernseh*≈ redevance
gebührenfrei gratuit
gebührenpflichtig soumis à une taxe; *Parkplatz* payant; *Straße* à péage; ***~e Verwarnung*** *f* contravention
Geburt *f* naissance
Geburten|kontrolle *f* contrôle *m* des naissances; **~rückgang** *m* dénatalité *f*
Geburts|datum *n* date *f* de naissance; **~haus** *n* maison *f* natale; **~ort** *m* lieu de naissance; **~tag** *m* anniversaire; **~urkunde** *f* acte *m* de naissance
Gebüsch *n* buissons *m/pl*
Gedächtnis *n* mémoire *f*; ***aus dem ~*** de mémoire
Gedanke *m* pensée *f*, idée *f*; ***sich ~n machen*** s'inquiéter (***über*** *A* pour); *nachdenken* réfléchir (sur)
Gedanken|austausch *m* échange d'idées; **≈los** irréfléchi; *zerstreut* distrait; **~strich** *m* tiret
Gedeck *n* couvert *m*; menu *m*
gedeihen prospérer
gedenk|en (*G*) *ehrend* commémorer; *vorhaben* penser (***et zu tun*** faire qc); **≈stätte** *f* lieu *m* commémoratif; **≈tafel** *f* plaque commémorative
Gedicht *n* poème *m*
Gedränge *n* bousculade *f*
Geduld *f* patience; **≈en** ***sich ~***

patienter; 2**ig** patient
geehrt *in Briefen* **Sehr ~er Herr N.,** Monsieur,
geeignet approprié; *Person* fait (**für** pour)
Gefahr *f* danger *m*; **~ laufen zu ...** courir le risque de ...; **auf eigene ~** à ses risques et périls [-il]
gefähr|den mettre en danger; **~lich** dangereux
gefahrlos sans danger
Gefährt|e *m* compagnon; **~in** *f* compagne
Gefälle *n* pente *f*
gefallen plaire (**j-m** à q); **sich et ~ lassen** se laisser faire
Gefallen *m* service; **j-m e-n ~ tun** rendre (un) service à q; **~ finden an** (*D*) prendre plaisir à
gefällig *hilfsbereit* serviable; *anziehend* plaisant, agréable; 2**keit** *f Dienst* service
gefangen prisonnier; **~ nehmen** faire prisonnier
Gefangen|e(r) *su* prisonnier *m*, prisonnière *f*; **~schaft** *f* captivité
Gefängnis *n* prison *f*
Gefäß *n* récipient *m*; *Blut*2 vaisseau *m*
gefasst (avec) calme; **auf et ~ sein** s'attendre à qc
Gefecht *n* combat *m*
Gefieder *n* plumage *m*
Geflügel *n* volaille *f*
gefräßig vorace, glouton
gefrier|en geler; 2**fach** *n* freezer [frizœr] *m*; 2**fleisch** *n* viande *f* congelée; **~getrocknet** lyophilisé; 2**schrank** *m*, 2**truhe** *f* congélateur *m*
Gefrorene(s) *n österr* glace *f*
Gefühl *n* sentiment *m*; *physisch* sensation *f*; *Gespür* sens *m* (**für** de); *Gemütsbewegung* émotion *f*; 2**los** insensible (**gegen** à); 2**voll** sensible; sentimental
gefüllt *Kochk* farci
gegebenenfalls le cas échéant
gegen contre; *Richtung, zeitlich* vers
Gegend *f* région; *Nähe* voisinage *m*
gegen|einander l'un contre l'autre; 2**fahrbahn** *f* voie d'en face; 2**gift** *n* contrepoison *m*
Gegenleistung *f* **als ~** en contrepartie
Gegen|licht *n* contre-jour *m*; **~mittel** *n Med* antidote *m*; **~richtung** *f* direction opposée
Gegensatz *m* contraste; **im ~ zu** contrairement à
Gegenseit|e *f jur* parti *m* adverse; 2**ig** mutuel, réciproque
Gegen|stand *m* objet (*a fig*); *Thema* sujet; **~stück** *n* pendant *m*
Gegenteil *n* contraire *m* (**von** de); **im ~** au contraire
gegenüber *adv* en face; *prp* (*D*) en face de; *fig* envers; *im Vergleich zu* par rapport à;

~stehen être face à face; **~stellen** confronter
Gegen|verkehr *m* circulation *f* (venant) en sens inverse; **~wart** *f* présent *m* (*a Gr*); *Anwesenheit* présence; **&wärtig** présent (*a anwesend*); *jetzig* actuel; *adv* à présent; **~wind** *m* vent contraire
Gegner *m* adversaire
Gehackte(s) *n* viande *f* 'hachée
Gehalt[1] *m* teneur *f* (**an** *D* en)
Gehalt[2] *n* salaire *m*
Gehalts|empfänger *m* salarié; **~erhöhung** *f* augmentation de salaire
gehässig 'haineux
Gehäuse *n* boîtier *m*; *Tech* carter [-ɛr] *m*
geheim secret; **&dienst** *m* services *m/pl* secrets; **&nis** *n* secret *m*, mystère *m*; **~nisvoll** mystérieux; **&nummer** *f* code *m* secret
gehemmt complexé, inhibé
gehen aller (à pied); marcher (*a funktionieren*); *fort~* partir; *Ware* se vendre; *Zimmer* ***auf den Hof ~*** donner sur la cour; ***das geht nicht*** ça ne va pas; ***es geht um ...*** il s'agit de ...; ***wie geht es Ihnen?*** comment allez-vous?; ***es geht mir gut (schlecht)*** je vais bien (mal); ***sich ~ lassen*** se laisser aller
Gehilfe *m* aide, commis
Gehirn *n* cerveau *m*; **~erschütterung** *f* commotion cérébrale; **~schlag** *m* apoplexie *f*
Gehör *n* ouïe *f*
gehorchen obéir (***j-m*** à q)
gehören *j-m* ~ appartenir *od* être à q; ***~ zu*** faire partie de; ***es gehört sich nicht*** ça ne se fait pas
gehörlos sourd
gehorsam obéissant; **&** *m* obéissance *f*
Geh|steig *m*, **~weg** *m* trottoir
Geier *m* vautour
Geig|e *f* violon *m*; **~er(in)** *m(f)* violoniste
Geisel *f* otage *m*; **~nahme** *f* prise d'otage(s); **~nehmer** *m* preneur d'otage(s)
Geist *m* esprit; *Gespenst* fantôme; ***der Heilige ~*** le Saint-Esprit
Geister|bahn *f* train *m* fantôme; **~fahrer** *m* automobiliste roulant à contresens sur l'autoroute
geistes|abwesend absent; **&gegenwart** *f* présence d'esprit; **~gestört** dérangé; **&kranke(r)** *su* malade mental(e); **&wissenschaften** *f/pl* sciences humaines; **&zustand** *m* état mental
geistig intellectuel; *psych* mental; ***~e Getränke*** *n/pl* spiritueux *m/pl*
geistlich religieux; *Musik* sacré; **&e(r)** *m katholischer* prêtre; *evangelischer* pasteur
geistreich spirituel
Geiz *m* avarice *f*; **~hals** *m*

avare; 𝔖ig avare
Gejammer *n* lamentations *f/pl*
gekränkt vexé, blessé
Gelächter *n* rires *m/pl*
gelähmt paralysé
Gelände *n* terrain *m*
Geländer *n* *Balkon*𝔖 balustrade *f*; *Treppen*𝔖 rampe *f*; *Brücken*𝔖 parapet *m*
Geländewagen *m* voiture *f* tout-terrain
gelassen calme; 𝔖**heit** *f* calme *m*, sang-froid *m*
Gelatine *f* gélatine
geläufig courant; *vertraut* familier (***j-m*** à q)
gelaunt ***gut*** (***schlecht***) ~ de bonne (mauvaise) humeur
gelb jaune; *Ampel* orange; ***bei*** 𝔖 à l'orange
gelb|lich jaunâtre; 𝔖**sucht** *f* jaunisse
Geld *n* argent *m*; ~**automat** *m* distributeur (automatique) de billets; ~**beutel** *m* porte-monnaie *m*; ~**buße** *f* amende; ~**schein** *m* billet de banque; ~**strafe** *f* amende; ~**stück** *n* pièce *f* (de monnaie); ~**wechsel** *m* change; ~**wechsler** *m* *Automat* changeur (de monnaie)
Gelee *n* gelée *f*
gelegen *örtlich* situé; ***das kommt mir sehr*** ~ cela m'arrange; F ça tombe à pic
Gelegenheit *f* occasion; ***bei dieser*** ~ à cette occasion
Gelegenheits|arbeit *f* petit boulot *m*; ~**kauf** *m* occasion *f*
gelegentlich à l'occasion
Gelehrte(r) *su* érudit(e); *Wissenschaftler(in)* savant *m*
Gelenk *n* articulation *f*; 𝔖**ig** souple; ~**rheumatismus** *m* rhumatisme articulaire
gelernt *ausgebildet* qualifié
Geliebte *f* maîtresse
Geliebte(r) *m* amant
gelingen réussir; ***es gelingt mir zu ...*** je réussis à ...
gelten *gültig sein* être valable; *wert sein* valoir; *Gesetz* être en vigueur; ~ ***für*** concerner; ~ ***als*** passer pour; ***j-m*** ~ s'adresser à q
geltend valable, en vigueur; ~ ***machen*** faire valoir
Geltung *f* *Gültigkeit* validité; *Bedeutung* importance; *Ansehen* autorité; ***zur*** ~ ***bringen*** mettre en valeur; ***zur*** ~ ***kommen*** ressortir
Gelübde *n* vœu *m*
gelungen réussi
Gemälde *n* peinture *f*, tableau *m*; ~**galerie** *f* galerie de peinture
gemäß (*D*) conformément à, selon
gemäßigt modéré; *Klima* tempéré
gemein commun; *niederträchtig* odieux, méchant
Gemeinde *f* commune; *Rel* paroisse; ~**rat** *m* conseil municipal
Gemein|heit *f* méchanceté; 𝔖**nützig** d'utilité publique;

≈sam commun; *adv* en commun, ensemble
Gemeinschaft *f* communauté; **≈lich** (en) commun; **~santenne** *f* antenne collective
Gemisch *n* mélange *m*
gemischt mixte
Gemurmel *n* murmure *m*
Gemüse *n* légumes *m/pl*; **~händler** *m* marchand de légumes; **~suppe** *f* potage *m* aux légumes
gemütlich *Lokal* accueillant; *Wohnung* douillet; *Sessel* confortable; *Abend* tranquille; ***hier ist es ~*** on est bien ici
genau exact, précis; ***peinlich ~*** minutieux; ***~ um drei Uhr*** à trois heures précises
Genau|igkeit *f* exactitude, précision; **≈so** *s* ***ebenso***
genehmig|en autoriser; **≈ung** *f* autorisation; *Schein* permis *m*
General *m* général; **~direktor** *m* P.-D.-G.; **~konsulat** *n* consulat *m* général; **~probe** *f* répétition générale; **~streik** *m* grève *f* générale
Generation *f* génération
Generator *m* générateur
generell général; *adv* en général
Genesung *f* guérison
Genf Genève; ***der ~er See*** le lac Léman
Genetik *f* génétique
genial génial, de génie
Genick *n* nuque *f*
Genie *n* génie *m*
genieren ***sich ~*** être gêné
genieß|bar consommable; *essbar* mangeable; *trinkbar* buvable; **~en** savourer; *fig Natur*, *Ruhe* apprécier; *Ansehen usw* jouir de; **≈er** *m* bon vivant
Genitiv *m* génitif
genormt standardisé
Genoss|e *m* camarade; **~enschaft** *f* société coopérative
genug assez; ***~ Geld*** assez d'argent
genüg|en suffire; **~end** suffisant
Genugtuung *f* satisfaction
Genuss *m* plaisir; *Nahrung*, *Alkohol* consommation *f*
geöffnet ouvert
Geo|graphie *f* géographie; **~logie** *f* géologie
Gepäck *n* bagages *m/pl*; **~abfertigung** *f*, **~annahme** *f* enregistrement *m* des bagages; **~aufbewahrung** *f* consigne; **~ausgabe** *f* remise des bagages; **~karren** *m* chariot à bagages; **~kontrolle** *f* contrôle *m* des bagages; **~schein** *m* bulletin de bagages; **~schließfach** *n* consigne *f* automatique; **~stück** *n* colis *m*; **~träger** *m Person* porteur; *am Fahrrad* porte-bagages; **~versicherung** *f* assurance bagages; **~wagen** *m* fourgon (à bagages)
ge|panzert blindé; **~pfeffert** poivré; *fig* salé; **~pflegt** soigné

gerade droit; *Zahl* pair; *adv* justement; *genau* juste; **~ *ein Jahr*** juste un an; ***er ist* ~ *angekommen*** il vient (juste) d'arriver; ***nicht* ~ *leicht*** pas vraiment facile
Gerade *f* droite; **Ձaus** tout droit; **Ձwegs** directement; **Ձzu** vraiment, tout simplement
Gerät *n El* appareil *m*; *Radio, TV* poste; *Küchen*Ձ ustensile *m*; *Turnen* **~e** *pl* agrès *m/pl*
geraten tomber (***in et A*** dans qc; ***an j-n*** sur q); ***gut*** (***schlecht***) ~ (ne pas) bien réussir
Geräteturnen *n* exercices *m/pl* aux agrès
Geratewohl *n* ***aufs*** ~ à l'aventure
geräuchert fumé
geräumig spacieux
Geräusch *n* bruit *m*; **Ձlos** silencieux; **Ձvoll** bruyant
gerecht juste, équitable; **~fertigt** justifié; **Ձigkeit** *f* justice
Gerede *n* bavardage *m*
gereizt irrité
Gericht *n Speise* plat *m*; *jur* tribunal *m*; *Gebäude* palais *m* de justice; **Ձlich** judiciaire
Gerichts|arzt *m* médecin légiste; **~hof** *m* cour *f* (de justice); **~saal** *m* salle *f* d'audience; **~verhandlung** *f* débats *m/pl*, audience *f*; **~verfahren** *n* procédure *f* (judiciaire); **~vollzieher** *m* huissier (de justice)
gering peu (de), petit
gering|fügig peu important, insignifiant; **~schätzig** dédaigneux
geringste(r, -s) moindre; ***nicht im* Ձ*n*** pas le moins du monde
gerinnen *Blut* se coaguler; *Milch* se cailler
Gerippe *n* squelette *m*
gerissen *fig* rusé, roué
gern(e) volontiers; **~ *et tun*** aimer faire qc; **~ *haben*, ~ *essen*** aimer; ***ich möchte* ~ ...** j'aimerais bien ...; **~ *geschehen!*** il n'y a pas de quoi!
Geröll *n* éboulis *m*
Gerst|e *f* orge; **~enkorn** *n Med* orgelet *m*
Geruch *m* odeur *f*; *Sinn* odorat; **Ձlos** inodore
Gerücht *n* bruit *m*, rumeur *f*
gerührt touché, emu
Gerümpel *n* bric-à-brac *m*
Gerüst *n* échafaudage *m*
gesalzen salé (*a fig*)
gesamt (tout) entier; *Summe* total; ***die* ~*e Belegschaft*** l'ensemble du personnel
Gesamt|betrag *m* total; **~eindruck** *m* impression *f* générale
Gesamtgewicht *n Kfz* ***das zulässige*** ~ le poids total autorisé
Gesang *m* chant; **~verein** *m* chorale *f*
Geschäft *n* affaire *f*; *Laden*

magasin *m*; **2lich** d'affaires, commercial; *adv* pour affaires

Geschäfts|brief *m* lettre *f* d'affaires; **~frau** *f* femme d'affaires; **~führer** *m* gérant; **~mann** *m* homme d'affaires; **~reise** *f* voyage *m* d'affaires; **~stelle** *f* agence; **~zeit** *f* heures *f*/*pl* d'ouverture (des magasins *od* des bureaux)

geschehen se passer, arriver, se produire

gescheit intelligent

Geschenk *n* cadeau *m*; **~papier** *n* papier-cadeau *m*

Geschicht|e *f* histoire; **2lich** historique

Geschicklichkeit *f* adresse

geschickt adroit

geschieden divorcé

Geschirr *n* vaisselle *f*; **~spüler** *m* lave-vaisselle; **~tuch** *n* torchon *m*

Geschlecht *n Biol* sexe *m*; *Familie* famille *f*; *Gr* genre *m*; **2lich** sexuel

Geschlechts|krankheit *f* M.S.T.; **~organe** *n*/*pl*, **~teile** *n*/*pl* organes *m*/*pl* génitaux; **~verkehr** *m* rapports *m*/*pl* sexuels

geschlossen fermé

Geschmack *m* goût; **2los** insipide; *taktlos* de mauvais goût; *adv* sans goût; **~(s)sache** *f* affaire de goût; **2voll** de bon goût; *adv* avec goût

geschmeidig souple

geschmort braisé, mijoté

Geschöpf *n* créature *f*

Geschoss *n* projectile *m*; *Stockwerk* étage *m*

Geschrei *n* cris *m*/*pl*

Geschwätz *n* bavardage *m*; **2ig** bavard

Geschwindigkeit *f* vitesse

Geschwindigkeits|begrenzung *f* limitation de vitesse; **~überschreitung** *f* excès *m* de vitesse

Geschwister *pl* frère(s) *m*(*pl*) et sœur(s) *f*(*pl*)

geschwollen enflé

Geschworene(r) *m* juré

Geschwulst *f* tumeur

Geschwür *n* ulcère *m*

Geselchte(s) *n österr* viande *f* fumée

gesellig sociable; ***~es Beisammensein*** *n* réunion *f* entre amis

Gesellschaft *f* société; ***in ~ von*** en compagnie de; ***geschlossene ~*** réunion privée; ***j-m ~ leisten*** tenir compagnie à q

Gesellschaft|er *m Hdl* associé; **2lich** social

Gesellschafts|anzug *m* tenue *f* de soirée; **~reise** *f* voyage *m* organisé; **~schicht** *f* couche sociale; **~spiel** *n* jeu *m* de société

Gesetz *n* loi *f*; **~buch** *n* code *m*; **~gebung** *f* législation; **2lich** légal; **2widrig** illégal

Gesicht *n* figure *f*, visage *m*

Gesichts|ausdruck *m* expression *f* (du visage); **~far-**

be *f* teint *m*; **~maske** *f* masque *m*; **~punkt** *m* point de vue; aspect; **~wasser** *n* lotion *f* pour le visage; **~züge** *m/pl* traits
Gesindel *n* racaille *f*
Gesinnung *f* sentiments *m/pl*; *Meinung* opinion
gesondert séparé
gespannt tendu (*a fig*); ***ich bin ~, ob ...*** je suis curieux de savoir si ...
Gespenst *n* fantôme *m*
gesperrt barré
gespickt (entre)lardé
Gespräch *n* conversation *f*, entretien *m*; *Tel* communication *f*; **2ig** bavard
Gesprächs|partner *m* interlocuteur; **~stoff** *m*, **~thema** *n* sujet *m* de conversation
Gestalt *f* forme; *Wuchs* taille; **2en** former, façonner; *Freizeit* organiser
Geständnis *n* aveu *m*
Gestank *m* puanteur *f*
gestatten permettre; ***~ Sie?*** vous permettez?
Geste *f* geste *m*
gestehen avouer
Gestein *n* roche *f*
Gestell *n* *Bock* chevalet *m*; *Regal* rayonnages *m/pl*; *Brillen*2 monture *f*
gestern hier; ***~ Abend*** hier soir
Gestirn *n* astre *m*
gestreift rayé
gestrig d'hier
Gestrüpp *n* broussailles *f/pl*
Gestüt *n* 'haras *m*
Gesuch *n* demande *f* (***um*** de)
gesund sain; *Person* en bonne santé, bien portant; ***~ werden*** guérir
Gesundheit *f* santé; ***~! beim*** *Niesen* à vos souhaits!
Gesundheits|amt *n* service *m* (local) de l'hygiène sociale et de la santé publique; **2schädlich** nocif; **~zustand** *m* état de santé
Getränk *n* boisson *f*; **~ekarte** *f* carte des boissons
Getreide *n* céréales *f/pl*, blé *m*
getrennt séparé; ***~ zahlen*** payer séparément
Getriebe *n* *Kfz* boîte *f* de vitesses; **~öl** *n* huile *f* de graissage
getrocknet sec
Gewächs *n* végétal *m*
gewachsen ***e-r Sache*** (*D*) ***~ sein*** être à la hauteur de qc
Gewächshaus *n* serre *f*
gewagt risqué; osé
Gewähr *f* garantie; **2en** accorder; **2leisten** garantir
Gewahrsam *m* garde *f*; *Haft* détention *f*
Gewalt *f* force; **~***tätigkeit* violence; *Macht* pouvoir *m*; ***höhere ~*** force majeure; ***mit ~*** de force
gewaltig énorme
gewalt|los non-violent; **~sam** violent; *öffnen usw* de force; **~tätig** violent
gewandt adroit; *körperlich* agile; **2heit** *f* adresse; agilité;

im Benehmen aisance
Gewässer *n* eaux *f/pl*
Gewebe *n* tissu *m* (*a fig*)
Gewehr *n* fusil [-i] *m*
Geweih *n* bois *m/pl*
Gewerb|e *n* industrie *f*; *Beruf* métier *m*; **≈lich** industriel; **≈smäßig** professionnel
Gewerkschaft *f* syndicat *m*; **≈lich** syndical
Gewicht *n* poids *m*; *fig* importance *f*; ***nach ~*** au poids; **≈ig** *fig* important
Gewimmel *n* fourmillement *m*
Gewinde *n* pas *m* de vis
Gewinn *m* gain; *Hdl* bénéfice; ***~ bringend*** lucratif
gewinn|en gagner; **≈er** *m* gagnant; **≈spanne** *f* marge bénéficiaire; **≈zahl** *f* numéro *m* gagnant
gewiss certain(ement); ***ein gewisser Herr ...*** un certain monsieur ...
Gewissen *n* conscience *f*; **≈haft** consciencieux; **≈los** sans scrupules; **~sbisse** *m/pl* remords
gewissermaßen pour ainsi dire
Gewissheit *f* certitude
Gewitter *n* orage *m*; **~regen** *m* pluie *f* d'orage
gewitt(e)rig orageux
gewöhnen (***sich ~*** s')accoutumer, (s')habituer (***an*** *A* à)
Gewohnheit *f* habitude
gewöhnlich *gewohnt* habituel; *alltäglich* ordinaire, normal; *unfein* vulgaire; *adv* d'habitude; ***wie ~*** comme d'habitude
gewohnt habituel; ***et*** (*A*) ***~ sein*** être habitué à qc
Gewölbe *n* voûte *f*
Gewühl *n* cohue *f*
Gewürz n épice *f*; **~gurke** *f* cornichon *m*; **~nelke** *f* clou *m* de girofle
Gezeiten *pl* marée *f*
geziert affecté, maniéré
Gicht *f* *Med* goutte
Giebel *m* pignon
Gier *f* avidité; **≈ig** avide
gießen verser; *Blumen* arroser; *Tech* couler, fondre; ***es gießt*** il pleut à verse
Gießkanne *f* arrosoir *m*
Gift *n* poison *m*; *Zo* venin *m*
giftig toxique; *Tiere* venimeux; *Pflanzen* vénéneux
Gift|müll *m* déchets *m/pl* toxiques; **~pilz** *m* champignon vénéneux; **~schlange** *f* serpent *m* venimeux
gigantisch gigantesque
Gin *m* gin [dʒin]
Ginster *m* genêt
Gipfel *m* sommet (*a Pol*); F ***das ist der ~!*** c'est un comble!
Gips *m* plâtre; **≈en** *Med* plâtrer; **~verband** *m* plâtre
Giraffe *f* girafe
Girlande *f* guirlande
Giro *n* virement *m*; **~konto** *n* compte *m* courant
Gitarre *f* guitare
Gitter *n* grille *f*, grillage *m*;

~fenster *n* fenêtre *f* grillagée
Glanz *m* éclat; *fig* splendeur *f*
glänzen briller (*a fig*)
glänzend brillant (*a fig*)
Glas *n* verre *m*; **~er** *m* vitrier
gläsern de *od* en verre
Glas|hütte *f* verrerie; **~scheibe** *f* vitre *m*; **~scherbe** *f* morceau *m* de verre; **~tür** *f* porte vitrée
Glasur *f* vernis *m*; *Kochk* glaçage *m*
glatt lisse; *rutschig* glissant; *adv* sans problème
Glätte *f der Fahrbahn* état *m* glissant
Glatteis *n* verglas *m*
Glatze *f* calvitie; ***e-e ~ haben*** être chauve
Glaube *m* croyance *f* (***an*** *A* en); *Rel* foi *f* (***an*** *A* en)
glauben croire (***et*** qc; ***j-m*** q; ***an et*** *A* à qc; ***an j-n*** en q)
gläubig croyant; ***die*** **≈en** les fidèles *m/pl*
Gläubiger *m Wi* créancier
glaubwürdig crédible
gleich égal; *identisch* même; *ähnlich* pareil; *sofort* tout de suite; ***zur ~en Zeit*** en même temps; ***das*** **≈e** la même chose; ***das ist mir ~*** ça m'est égal; ***~ groß*** de même taille; ***~ gegenüber*** juste en face; ***bis ~!*** à tout à l'heure!
gleich|altrig du même âge; **~berechtigt** égal en droits
gleichen ressembler (***j-m*** à q); ***sich ~*** se ressembler
gleichfalls également; ***danke, ~!*** merci, à vous aussi
Gleich|gewicht *n* équilibre *m*; **≈gültig** indifférent; **~heit** *f* égalité; **≈mäßig** régulier
Gleich|strom *m* courant continu; **~ung** *f* équation
gleich|wertig équivalent; **~zeitig** simultané; *adv* en même temps
Gleis *n* voie *f*
gleiten glisser; ***~de Arbeitszeit*** *f* horaire *m* individualisé
Gleit|flug *m* vol plané; **~schirm** *m* parapente
Gletscher *m* glacier; **~spalte** *f* crevasse
Glied *n* membre *m*; *männliches* pénis; *Ketten***≈** maillon *m*; **≈ern** (***sich ~ se***) diviser (***in*** *A* en); **~erung** division; *e-s Aufsatzes, e-r Rede* plan *m*; **~maßen** *pl* membres *m/pl*
glitzern étinceler, scintiller
Globus *m* globe
Glocke *f* cloche
Glocken|blume *f* campanule; **~spiel** *n* carillon *m*; **~turm** *m* clocher
Glück *n* bonheur *m*; *durch Zufall* chance *f*; ***zum ~*** heureusement; ***auf gut ~*** au petit bonheur; ***viel ~!*** bonne chance!; ***~ haben*** avoir de la chance; ***~ bringen*** porter bonheur
glück|en réussir; **~lich** heureux; **~licherweise** heureusement
Glücksspiel *n* jeu *m* de hasard

Glückwunsch *m* félicitations *f/pl*; ***herzlichen ~!*** félicitations!; *zum Geburtstag* joyeux anniversaire!
Glüh|birne *f* ampoule; **2en** *Metall* être incandescent; *fig Gesicht* être en feu; **2end** ardent, brûlant (*beide a fig*); *Hitze* torride; **~wein** *m* vin chaud; **~würmchen** *n* ver *m* luisant
Glut *f* braise; *fig* ardeur
Glyzerin *n* glycérine *f*
GmbH *f* (*Gesellschaft mit beschränkter Haftung*) S.A.R.L. (*société à responsabilité limitée*)
Gnade *f* grâce; **~ngesuch** *n* recours *m* en grâce
gnädig clément; ***~e Frau!*** Madame!
Gold *n* or *m*; **~barren** *m* lingot d'or; **2en** d'or; *Farbe* doré; **~fisch** *m* poisson rouge; **2ig** mignon, adorable; **~medaille** *f* médaille d'or; **~münze** *f* pièce d'or; **~schmied** *m* orfèvre
Golf[1] *m Geogr* golfe
Golf[2] *n Sp* golf *m*; **~platz** *m* terrain de golf
Gondel *f* gondole; *Seilbahn2* cabine
gönnen ***j-m et ~*** se réjouir pour q de qc; ***sich et ~*** se payer *od* s'offrir qc
Gorilla *m* gorille
Got|ik *f* style *m od* époque gothique; **2isch** gothique
Gott *m* dieu; *christl. Rel* Dieu; ***~ sei Dank!*** Dieu merci!
Gottesdienst *m* office; *evangelischer* culte; *katholischer* messe *f*
Göttin *f* déesse
göttlich divin
Götze *m* idole
Grab *n* tombe *f*
graben creuser
Graben *m* fossé
Grabmal *n* tombeau *m*
Grabstein *m* pierre *f* tombale
Grad *m* degré; *Rang* grade; ***zehn ~ Kälte*** (***Wärme***) dix degrés en dessous (dessus) de zéro
Graf *m* comte
Gräfin *f* comtesse
Gramm *n* gramme *m*
Grammatik *f* grammaire
Granatapfel *m* grenade *f*
Granate *f* obus [-y] *m*
Granit *m* granit(e)
Grapefruit *f* pamplemousse *m*
Graphik *f* arts *m/pl* graphiques; *Druck* gravure, estampe; *Diagramm* graphique *m*; **~er** *m* graphiste
Gras *n* herbe *f*; **~halm** *m* brin d'herbe
grässlich atroce, horrible
Grat *m* crête *f*
Gräte *f* arête
gratiniert gratiné
gratis gratuitement
gratulieren ***j-m zu et ~*** féliciter q de qc
grau gris; **2brot** *n* pain *m* bis
Graubünden *n* les Grisons *m/pl*

Gräuel *m*, **~tat** *f* atrocité *f*
grauen ***mir graut vor ...*** j'ai horreur de ...
Grauen *n* horreur *f*; **2haft, 2voll** horrible
grauhaarig aux cheveux gris
Graupel|n *f/pl* grésil [-il] *m*; **~schauer** *m* giboulée *f*
grausam cruel; **2keit** *f* cruauté
gravierend sérieux, grave
Grazi|e *f* grâce; **2ös** gracieux
greifbar à portée de la main; *fig* tangible
greifen saisir (***nach et*** qc); ***zu et ~*** recourir à qc; ***um sich ~*** se propager
Greis *m* vieillard; **~in** *f* vieille femme
grell *Licht* cru; *Farbe* criard; *Ton* aigu
Grenze *f* frontière; *fig* limite; ***an der ~*** à la frontière
grenzen border (***an et*** *A* qc); *fig* friser (qc)
Grenz|gänger *m* frontalier; **~gebiet** *n* zone *f* frontalière; **~kontrolle** *f* contrôle *m* à la frontière; **~stein** *m* borne *f*; **~übergang** *m* poste frontière; **~verkehr** *m* trafic frontalier
Griech|e *m* Grec; **~enland** *n* la Grèce; **2isch** grec
Grieß *m* semoule *f*
Griff *m Tür2, Koffer2* poignée *f*; *Messer2, Werkzeug2* manche; *Sp* prise *f*; ***im ~ haben*** avoir en main
griffbereit à portée de la main
Grill *m* gril [-il]; *elektrischer* rôtissoire *f*; *Garten2* barbecue [-kju]; ***vom ~*** grillé; *Hähnchen* rôti
Grille *f* grillon *m*
grill|en griller [-ije]; *v/i* faire un barbecue [-kju]; **2fest** *n*, **2party** *f* barbecue *m*
Grimasse *f* grimace; ***~n schneiden*** faire des grimaces
grinsen ricaner
Grippe *f* grippe
grob grossier; **2heit** *f* grossièreté
Groll *m* rancœur *f*
Groschen *m* **1.** F pièce de dix pfennigs; **2.** *österr Währung* groschen
groß grand; *voluminös* gros; ***wie ~ bist du?*** tu mesures combien?; ***im 2en und Ganzen*** dans l'ensemble
groß|artig magnifique; F formidable; **2aufnahme** *f* gros plan *m*; **2britannien** *n* la Grande-Bretagne; **2buchstabe** *m* majuscule *f*
Größe *f* grandeur (*a fig*); *Körper2, Kleider2* taille; *Schuh2* pointure
Groß|eltern *pl* grands-parents *m/pl*; **~handel** *m* commerce de *od* en gros; **~händler** *m* grossiste; **~macht** *f* grande puissance; **~mutter** *f* grand-mère; **~raumwagen** *m Bahn* voiture *f* corail; **2spurig** crâneur; **~stadt** *f* grande ville

größtenteils pour la plupart
Großvater *m* grand-père
großzügig généreux
Grotte *f* grotte
Grube *f* fosse; *Bergbau* mine
grübeln ruminer (***über et A*** qc)
Gruft *f* caveau *m*
grün vert; ***~er Salat*** *m* salade *f* verte; ***~er Hering*** *m* 'hareng frais; ***≈ werden*** *Ampel* passer au vert; *Pol* ***die ≈en*** les Verts *m/pl*
Grünanlage *f* espace *m* vert
Grund *m* fond; *Erdboden* sol; *Ursache* raison *f*; ***im ~e*** au fond; ***aus diesem ~*** pour cette raison
Grundbesitz *m* propriété *f* foncière
gründ|en fonder; **≈er** *m* fondateur
Grund|fläche *f e-r Wohnung* surface; **~gebühr** *f* taxe de base; *Tel* taxe d'abonnement; **~gedanke** *m* idée *f* de base; **~gesetz** *n* loi *f* fondamentale; **~lage** *f* base, fondement *m*; **≈legend** fondamental
gründlich approfondi; *adv* à fond
grundlos pas fondé, gratuit
Gründonnerstag *m* jeudi saint
Grund|riss *m* plan; **~satz** *m* principe; **≈sätzlich** *adv* en principe; *aus Prinzip* par principe; **~schule** *f* école primaire; **~steuer** *f* impôt *m* foncier
Grundstück *n* terrain *m*; **~smakler** *m* agent immobilier
Gründung *f* fondation
Grundwasser *n* nappe *f* phréatique
grün|en verdir; **≈fläche** *f* espace *m* vert; **≈kohl** *m* chou vert; **≈streifen** *m Autobahn* bande *f* médiane
Grupp|e *f* groupe *m*; **~enreise** *f* voyage *m* organisé
gruppieren (***sich ~*** se) grouper (***um*** autour de)
Gruß *m* salut; ***j-m e-n ~ von j-m bestellen*** donner le bonjour à q de la part de q; ***herzliche Grüße an ...*** (*A*) mes amitiés à ...; (***mit***) ***freundliche***(***n***) ***Grüße***(***n***) sincères salutations
grüßen saluer; ***die Gabi läßt ~*** tu as le bonjour de Gabi
gucken F regarder
Gulasch *n* goulasch *m od f*
gültig valable; **≈keit** *f* validité
Gummi *n* caoutchouc *m*, *Radier≈* gomme *f*; **~ball** *m* balle *f* en caoutchouc; **~band** *n* élastique *m*; **~knüppel** *m* matraque *f*; **~stiefel** *m/pl* bottes *f/pl* en caoutchouc; **~strumpf** *m* bas à varices
günstig favorable; *Preis* avantageux
Gurgel *f* gorge
gurgeln se gargariser
Gurke *f* concombre *m*; *Gewürz≈* cornichon *m*
Gurt *m* sangle *f*; *Sicherheits≈* ceinture *f* (de sécurité)

Gürtel *m* ceinture *f*; **~reifen** *m* pneu à carcasse radiale; **~rose** *f* zona *m*
GUS (*Gemeinschaft Unabhängiger Staaten*) **die ~** la C.E.I. (*Communauté des Etats Indépendants*)
Guss *m Regen*≈ averse *f*; **~eisen** *n* fonte *f*
gut bon; *adv* bien; *Wetter* beau; ***ganz ~*** pas mal; ***~ gehen*** bien finir; ***es geht mir ~*** je vais bien; ***~ gelaunt*** de bonne humeur; ***~ tun*** faire du bien (***j-m*** à q); ***~ riechen*** sentir bon; ***es schmeckt ~*** c'est bon; ***mir ist nicht ~*** je ne me sens pas bien; ***also ~!*** bon d'accord!; F ***mach's ~!*** bonne chance!
Gut *n* bien *m*; *Land*≈ domaine *m*, propriété *f*; **~achten** *n* expertise *f*; **~achter** *m* expert
gutartig *Med* bénin
Güte *f* bonté; *e-r Ware* qualité
Güter|bahnhof *m* gare *f* de marchandises; **~wagen** *m* wagon de marchandises; **~zug** *m* train de marchandises
Guthaben *n* avoir *m*
gütig bon
gütlich à l'amiable
gutmachen ***wieder ~*** réparer
gutmütig (d'un naturel) bon
Gutschein *m* bon
gutschreiben ***j-m et ~*** créditer q de qc
Gutshof *m* ferme *f*
Gymnasium *n* lycée *m*
Gymnastik *f* gymnastique
Gynäkologe *m* gynécologue

H

Haar *n* cheveu *m*; **~(e)** (*pl*) cheveux *m/pl*; *Körper*≈, *Tier*≈ poil *m*; ***sich die ~e schneiden lassen*** se faire couper les cheveux
Haar|bürste *f* brosse à cheveux; **~farbe** *f* couleur des cheveux; **~färbemittel** *n* teinture *f* pour les cheveux; **~festiger** *m* fixateur; **~klemme** *f* pince à cheveux; **~nadelkurve** *f* virage *m* en épingle à cheveux; **~schnitt** *m* coupe *f* (de cheveux); **~spange** *f* barrette; **~spray** *n* laque *f*; **~trockner** *m* sèche-cheveux; **~wäsche** *f*, **~waschmittel** *n* shampooing *m*; **~wasser** *n* lotion *f* capillaire
haben avoir; ***wir ~ den 2. Mai*** nous sommes le 2 mai; ***was hast du?*** qu'est-ce que tu as?; ***bei sich ~*** avoir sur soi
Haben *n Hdl* crédit *m*
habgierig cupide
Hack|e *f* pioche; *Ferse* talon *m*; ≈**en** *Kochk* 'hacher; *Holz* casser; **~fleisch** *n* viande *f* 'hachée

Hafen *m* port; **~arbeiter** *m* docker [-ɛr]; **~kneipe** *f* bistrot *m* du port; **~rundfahrt** *f* tour *m* du port en bateau; **~stadt** *f* ville portuaire; **~viertel** *n* quartier *m* du port
Hafer *m* avoine *f*; **~flocken** *f/pl* flocons *m/pl* d'avoine
Haft *f* détention; **2bar** responsable (**für** de); **~befehl** *m* mandat d'arrêt
haften adhérer (**an** *D* à); **~ für** répondre de
Häftling *m* détenu
Haftpflicht *f* responsabilité civile; **~versicherung** *f* assurance responsabilité civile
Haftschalen *f/pl* verres *m/pl* de contact
Haftung *f* responsabilité (**für** de)
Hagel *m* grêle *f*
hageln es hagelt il grêle
Hahn *m* coq; *Tech* robinet
Hähnchen *n* poulet
Hai(fisch) *m* requin
häkeln faire du crochet
Haken *m* crochet; *Angel2* hameçon; F ***die Sache hat e-n ~*** il y a un os *od* un hic
halb demi; *adv* à moitié; ***~ leer*** (***voll***) à moitié vide (plein); ***zum ~en Preis*** à moitié prix; ***ein ~es Jahr*** six mois; ***e-e ~e Stunde*** une demi-heure; ***~ zwei*** (***Uhr***) une heure et demie
Halb|dunkel *n* pénombre *f*; **~finale** *n Sp* demi-finale *f*
halbieren partager en deux
Halb|insel *f* presqu'île, péninsule; **~jahr** *n* semestre *m*; **~kreis** *m* demi-cercle; **~kugel** *f* hémisphère *m*; **~mond** *m* croissant; **~pension** *f* demi-pension; **~schuh** *m* chaussure *f* basse; **2stündlich** toutes les demi-heures; **2tägig** d'une demie journée; **~tagsarbeit** *f* emploi *m* à mi-temps; **~zeit** *f Sp* mi-temps
Hälfte *f* moitié; ***zur ~*** à moitié
Halle *f* (grande) salle; *Bahnhofs2, Hotel2* 'hall [ol] *m*
hallen résonner
Hallenbad *n* piscine *f* couverte
hallo! *Ruf* hé!, hep!; *Gruß* salut!; *Tel* allô!
Halogenlampe *f* lampe (à) halogène
Hals *m* cou; *Kehle* gorge *f*; **~band** *n* collier *m* (*a Hunde2*); **~entzündung** *f* angine; **~kette** *f* collier *m*
Hals-Nasen-Ohren-Arzt *m* oto-rhino-laryngologiste
Halsschmerzen *m/pl* ***~ haben*** avoir mal à la gorge
Hals|tuch *n* foulard *m*; **~weite** *f* encolure
Halt *m Anhalten* arrêt; *Stütze* stabilité *f*; *moralischer* soutien; ***e-n ~ suchen*** chercher une prise; ***~ machen*** s'arrêter, faire une 'halte
halt! stop!
haltbar solide; *Lebensmittel* qui se conserve; **2keitsda-**

tum *n* date *f* limite de consommation
halten tenir; *Rekord* détenir; *Rede* prononcer, faire; *stehen bleiben* s'arrêter; ~ **für** tenir pour; *fälschlich* prendre pour; **sich rechts (links)** ~ tenir sa droite (gauche); **was ~ Sie davon?** qu'en pensez-vous?
Haltestelle *f* arrêt *m*
Halteverbot *n* arrêt *m* et stationnement *m* interdits; **eingeschränktes** ~ stationnement *m* interdit (mais arrêt toléré)
Haltung *f Körper*2 position; *Einstellung* attitude
Hammel *m* mouton; **~fleisch** *n* mouton *m*; **~keule** *f* gigot *m*
Hammer *m* marteau
hämmern marteler
Hämorrhoiden *f/pl* hémorroïdes
Hampelmann *m* pantin
Hamster *m* 'hamster
hamstern faire des stocks
Hand *f* main; **mit der** ~ à la main; **zu Händen von** à l'attention de; **et bei der ~, zur ~ haben** avoir qc sous la main
Hand|arbeit *f* travail *m* manuel; **~ball** *m* 'handball; **~bewegung** *f* geste *m* de la main; **~bremse** *f* frein *m* à main; **~buch** *n* manuel *m*
Händedruck *m* poignée *f* de main
Handel *m* commerce (**mit** de)
handeln agir; *feilschen* marchander (**um et** qc); **mit et** ~ faire le commerce de qc; **es handelt sich um** il s'agit de
Handels|beziehungen *f/pl* relations commerciales; **~kammer** *f* chambre de commerce; **~schule** *f* école de commerce
Hand|feger *m* balayette *f*; **~fläche** *f* paume; **~gelenk** *n* poignet *m*; **2gemacht** fait main; **~gepäck** *n* bagages *m/pl* à main; **~griff** *m* poignée *f*; **2haben** manier, manipuler; **~koffer** *m* petite valise *f*
Händler *m* marchand
handlich maniable
Handlung *f Tat* acte *m*; *e-s Films usw* action; *Laden* magasin *m*
Handschellen *f/pl* menottes
Handschrift *f* écriture; **2lich** écrit à la main
Handschuh *m* gant; **~fach** *n* boîte *f* à gants
Hand|stand *m* appui tendu; **~tasche** *f* sac *m* à main; **~teller** *m* paume *f* (de la main); **~tuch** *n* serviette *f* (de toilette)
Handwerk *n* métier *m*; **~er** *m* artisan; **~szeug** *n* outils *m/pl*
Handy *n* portable *m*
Hanf *m* chanvre
Hang *m* pente *f*; *fig* penchant (**zu** pour)
Hänge|brücke *f* pont *m* suspendu; **~matte** *f* 'hamac *m*

hängen pendre, être suspendu *od* accroché (**an** *D* à); *auf*~ suspendre, accrocher (**an** *A* à); *fig* ~ **an** (*D*) tenir à; ~***bleiben*** rester accroché (**an** *D* à); ~ ***lassen*** *Mantel usw* laisser
Hannover Hanovre
Hantel *f* haltère *m*
Happen *m* bouchée *f*; *fig* morceau
Hardware *f* matériel *m*
Harfe *f* 'harpe
Harke *f* râteau *m*
harmlos inoffensif
harmonisch harmonieux
Harn *m* urine *f*; ~**blase** *f* vessie; ~**leiter** *m* uretère
Harpune *f* 'harpon *m*
hart dur (*a fig*); *rau* rude; *streng* rigoureux; ~ ***werden*** durcir; ~ ***gekocht*** *Ei* dur
Härte *f* dureté
hart|herzig insensible; ~**näckig** opiniâtre
Harz *n* résine *f*; 2**ig** résineux
Haschee *n* 'hachis *m*
Hasch(isch) *n* haschisch *m*
Hase *m* lièvre
Haselnuss *f* noisette
Hasen|braten *m* rôti de lièvre; ~**pfeffer** *m* civet de lièvre; ~**scharte** *f* bec-de-lièvre *m*
Hass *m* 'haine *f*
hassen 'haïr; détester
hässlich laid, vilain
Hast *f* précipitation; 2**ig** précipité; *adv* en toute 'hâte; précipitamment
Haube *f* *Kfz* capot *m*; *Trocken*2 casque
Hauch *m* souffle; 2**dünn** très fin; 2**en** souffler
hauen battre; frapper
Haufen *m* tas; *Menschen* foule *f*
häufen ***sich*** ~ s'entasser; *Beweise* s'accumuler; *Beschwerden* se multiplier
häufig fréquent; *adv* fréquemment; 2**keit** *f* fréquence
Haupt *n* tête *f* (*a fig*); ~**bahnhof** *m* gare *f* centrale; ~**darsteller** *m* acteur principal; ~**eingang** *m* entrée *f* principale; ~**fach** *n* matière *f* principale; ~**gericht** *n* plat *m* principal; ~**geschäftszeit** *f* heures *f/pl* d'affluence; ~**gewinn** *m* gros lot
Häuptling *m* chef de tribu
Haupt|mahlzeit *f* repas *m* principal; ~**person** *f* personnage *m* principal; ~**rolle** *f* premier rôle *m*; ~**sache** *f* essentiel *m*; 2**sächlich** essentiel(lement); ~**saison** *f* pleine saison; ~**sendezeit** *f* *TV* heures *f/pl* de grande écoute; ~**stadt** *f* capitale; ~**straße** *f* rue principale; ~**verkehrsstraße** *f* route à grande circulation, artère; ~**verkehrszeit** *f* heures *f/pl* de pointe
Haus *n* maison *f*; ***nach*** ~***e, zu*** ~***e*** à la maison, chez soi
Haus|apotheke *f* (armoire à) pharmacie; ~**arbeit** *f* travaux *m/pl* du ménage; *Schu-*

le devoirs *m/pl*; **~arzt** *m*, **~ärztin** *f* médecin *m* de famille; **~aufgabe** *f* devoir *m*; **~besitzer** *m* propriétaire
Häuserblock *m* pâté de maisons
Haus|frau *f* femme au foyer; **ᴤgemacht** fait maison; **~halt** *m* ménage; *Wi* budget; **~hälterin** *f* gouvernante; **~haltsgerät** *n* appareil *m* ménager; **~herr(in)** *m(f)* maître *m* (maîtresse *f*) de maison
Hausierer *m* colporteur
häuslich domestique; *Person* casanier
Haus|mannskost *f* cuisine bourgeoise *od* des familles; **~meister** *m* concierge; **~mittel** *n* remède *m* de bonne femme; **~nummer** *f* numéro *m* (de la maison); **~ordnung** *f* règlement *m* intérieur; **~schlüssel** *m* clé *f* de la maison; **~schuh** *m* chausson; **~suchung** *f* perquisition; **~tier** *n* animal *m* domestique; **~tür** *f* porte d'entrée
Haut *f* peau; **~abschürfung** *f* écorchure; **~arzt** *m*, **~ärztin** *f* dermatologue *m*, *f*; **~ausschlag** *m* eczéma; **~creme** *f* crème pour la peau; **ᴤeng** collant, moulant; **~farbe** *f* couleur de la peau; **~krankheit** *f* maladie de peau; **~pflege** *f* soins *m/pl* de la peau
Hbf. (*Hauptbahnhof*) gare *f* centrale
Hebamme *f* sage-femme
Hebel *m* levier
heben *Last* soulever; *Hand* lever; *Niveau* relever
hebräisch hébreu
Hecht *m* brochet
Heck *n Kfz* arrière *m*; *Mar a* poupe *f*; **~antrieb** *m* traction *f* arrière
Hecke *f* 'haie
Heckenrose *f* églantine; *Strauch* églantier *m*
Heck|klappe *f Kfz* 'hayon *m*; **~motor** *m* moteur arrière; **~scheibe** *f* lunette arrière
Heer *n* armée *f*
Hefe *f* levure
Heft *n* cahier *m*; *e-r Zeitschrift* numéro *m*
heften attacher (**an** *A* à); *vornähen* bâtir
heftig violent; **ᴤkeit** *f* violence
Heft|klammer *f* agrafe; **~pflaster** *n* sparadrap *m*; **~zwecke** *f* punaise
Hehlerei *f* recel *m*
Heide¹ *m* païen
Heide² *f* lande; **~kraut** *n* bruyère *f*
Heidelbeere *f* myrtille
heikel délicat; *Person* difficile
heil *Person* indemne; *Sache* intact; F *gesund* guéri
Heil *n* salut *m*
Heil|anstalt *f* maison de santé; **ᴤbar** guérissable
Heilbutt *m* flétan
heilen guérir

heilig saint; *geweiht* sacré; **≈abend** *m* veille *f* de Noël; **≈e(r)** *su* saint(e); **≈tum** *n* sanctuaire
Heil|kräuter *n/pl* herbes *f/pl* médicinales; **~mittel** *n* remède *m*; **~pflanzen** *f/pl* plantes médicinales; **~praktiker** *m* guérisseur; **~quelle** *f* source thermale
Heilung *f* guérison; *e-r Wunde* cicatrisation
heim à la maison, chez soi
Heim *n* foyer *m*; *Alters≈* maison *f* de retraite; **~arbeit** *f* travail *m* à domicile
Heimat *f* pays *m* (natal), patrie; **~anschrift** *f* adresse du domicile; **~land** *n* pays *m* (natal); **~museum** *n* musée *m* régional
Heim|computer *m* ordinateur familial; **~fahrt** *f* retour *m*
heimisch local; ***sich ~ fühlen*** se sentir chez soi
Heimkehr *f* rentrée; **≈en** rentrer, retourner chez soi
heimlich secret; *adv* secrètement
Heim|reise *f* retour *m*; **~spiel** *n Sp* match *m* à domicile; **~weg** *m* chemin du retour; **~weh** *n* mal *m* du pays; *fig* nostalgie *f*; **~werker** *m* bricoleur
Heirat *f* mariage *m*; **≈en** se marier
Heirats|antrag *m* demande *f* en mariage; **~urkunde** *f* acte *m* de mariage; **~vermittlung** *f* agence matrimoniale
heiser enroué
heiß chaud; ***es ist ~*** il fait chaud; ***mir ist ~*** j'ai chaud
heißen s'appeler, se nommer; *bedeuten* signifier, vouloir dire; ***das heißt*** c'est-à-dire; ***ich heiße ...*** je m'appelle...; ***was heißt ... auf Französisch?*** comment dit-on ... en français?
heiter gai; *Wetter* beau; **≈keit** *f* sérénité; *Gelächter* hilarité
heiz|en chauffer; **≈kissen** *n* coussin *m* électrique; **≈körper** *m* radiateur; **≈lüfter** *m* radiateur soufflant; **≈öl** *n* mazout [-t] *m*; **≈ung** *f* chauffage *m*
Hektik *f* agitation
Held *m* 'héros
heldenhaft 'héroïque
helfen aider (***j-m*** q); ***sich nicht mehr zu ~ wissen*** ne plus savoir quoi faire
Helfer(in) *m(f)* aide
hell clair; ***~es Bier*** *n* bière *f* blonde; ***es wird ~*** il commence à faire jour; ***am ~en Tag*** en plein jour
hellblau bleu clair
Helligkeit *f* clarté
Hellseher(in) *m(f)* voyant(e)
Helm *m* casque
Hemd *n* chemise *f*; **~bluse** *f* chemisier *m*
hemmen freiner; *behindern* entraver
Hemmungen *f/pl* complexes

m/pl; ~ ***haben, et zu tun*** ne pas oser faire qc
hemmungslos déchaîné; *adv* sans retenue
Hengst *m* étalon
Henkel *m* anse *f*
Henker *m* bourreau
Henne *f* poule
her ***hier*** ~ par ici; F ~ ***damit!*** donne!; ***von weit*** ~ de loin; ***es ist lange*** ~ ça fait longtemps
herab ***von oben*** ~ d'en 'haut; *fig* de 'haut
herab|lassen baisser; **~lassend** condescendant; **~setzen** *Preis* réduire; **~steigen** descendre
heran|kommen s'approcher (***an*** *A* de); **~wachsen** grandir
herauf ***von unten*** ~ d'en bas
herauf|beschwören *Gefahr* provoquer; **~holen** *Koffer* monter; **~kommen** monter; **~setzen** *Preis* augmenter
heraus dehors; ***zum Fenster*** ~ par la fenêtre
herausbekommen parvenir à enlever; *Geheimnis* découvrir; ***ich bekomme noch zehn Franc heraus*** vous me devez encore dix francs
heraus|bringen sortir (*a Buch*); *erraten* deviner; **~fordern** provoquer, défier; **2forderung** *f* défi *m*; **~geben** remettre; *Geld* rendre (la monnaie); *Buch* publier; **~holen** sortir (***aus*** de); **~kommen** sortir; **~lassen** laisser sortir; **~nehmen** retirer; **~schrauben** dévisser
herausstellen ***sich als falsch*** ~ se révéler faux
herausziehen extraire (***aus*** de)
herb âpre; *Wein* sec
herbei|eilen accourir; **~holen** aller chercher, faire venir
Herberge *f Jugend*2 auberge de la jeunesse
herbringen apporter, amener (*a j-n*)
Herbst *m* automne; **2lich** automnal
Herd *m* cuisinière *f*; *fig* foyer
Herde *f* troupeau *m* (a *fig*)
herein dedans; ~! entrez!
herein|bitten prier d'entrer; **~fallen** *fig* F se faire avoir (***auf*** *A* par); **~kommen** entrer; **~lassen** laisser entrer; **~legen** *fig* F rouler (***j-n*** q)
Herfahrt *f* ***auf der*** ~ en venant
Hergang *m* déroulement
hergeben donner
Hering *m* 'hareng; *Zelt*2 piquet
herkommen venir; ***komm her!*** viens ici!; ***wo kommen Sie her?*** d'où venez-vous?
Herkunft *f* origine *f*
Heroin *n* héroïne *f*
Herr *m* monsieur; *als Anrede* Monsieur; *Gebieter* maître; *Rel* ***der*** ~ le Seigneur
Herren|bekleidung *f* vêtements *m/pl* pour hommes; **~friseur** *m* coiffeur pour

hommes; **2los** sans maître, abandonné; **~mode** *f* mode masculine; **~rad** *n* bicyclette *f* d'homme; **~toilette** *f* toilettes *f/pl* pour hommes
herrichten préparer; *Haus* aménager
Herrin *f* maîtresse
herrlich magnifique
Herrschaft *f* domination; *Regierungszeit* règne *m*
herrsch|en régner (***über*** *A* sur); **2er** *m* souverain
herrühren provenir (***von*** de)
herstell|en fabriquer; **2er** *m* fabricant; **2ung** *f* fabrication
herüber de ce côté-ci; **~reichen** passer
herum ***um ... ~*** autour de
herum|fahren contourner (***um et*** qc); *ziellos* circuler; **~führen** faire visiter (***j-n in et*** *D* qc à q); **~irren** errer; **~kriegen** F faire changer d'avis (***j-n*** à q); **~liegen** traîner; **~lungern** F traîner (les rues); **~reichen** faire circuler
herunter ***~ mit euch!*** descendez (de là)!
herunter|bringen descendre; **~fallen** tomber (par terre); **~gekommen** *Mensch* tombé bien bas; *Haus* à l'abandon
hervor|bringen produire; **~gehen** ressortir (***aus*** de); **~heben** faire ressortir; *betonen* souligner; **~ragend** excellent; **~rufen** provoquer
Herz *n* cœur *m*; **~anfall** *m* crise *f* cardiaque, attaque *f*; **~beschwerden** *pl* troubles *m/pl* cardiaques; **~fehler** *m* malformation *f* cardiaque; **2haft** *nahrhaft* consistant; *würzig* relevé; **~infarkt** *m* infarctus (du myocarde)
Herzklopfen *n* palpitations *f/pl*; ***~ haben*** avoir le cœur qui bat
herz|krank cardiaque; **~lich** cordial; **2lichkeit** *f* cordialité; **~los** dur, inhumain
Herzog *m* duc; **~in** *f* duchesse
Herz|schlag *m* battement du cœur; *Med* arrêt *m* du cœur; **~schrittmacher** *m* stimulateur cardiaque; **~spezialist** *m* cardiologue; **~verpflanzung** *f* greffe du cœur; **~versagen** *n* crise *f* cardiaque
Hessen *n* la Hesse
Hetz|e *f* course, bousculade; **2en** pourchasser; *Hund* lâcher (***auf*** *A* sur)
Heu *n* foin *m*
Heuchelei *f* hypocrisie
Heuernte *f* fenaison
heulen 'hurler; F *weinen* pleurnicher
Heu|schnupfen *m* rhume des foins; **~schrecke** *f* sauterelle
heute aujourd'hui; ***~ Morgen*** (***Abend***) ce matin (soir); ***~ in e-r Woche*** (***in 14 Tagen***) aujourd'hui en 'huit (en quinze); **~ Mittag** à midi
heut|ig d'aujourd'hui; *jetzig* actuel; **~zutage** de nos jours
Hexe *f* sorcière

Hexenschuss *m* lumbago
Hieb *m* coup
hier ici; **~!** présent!; **~ *entlang*** par ici; **~ *ist*, ~ *sind*** voici; ***von ~*** (***aus***) d'ici; **~ *bleiben*** rester (ici)
hier|auf (là-)dessus; **~durch** par là; **~für** pour cela; **~her, ~hin** ici, par ici; **~mit** avec cela; *im Brief* par la présente; **~von** de cela, en; **~zu** à cela ; *diesbezüglich* à ce sujet
hiesig d'ici
Hilfe *f* aide; **~!** au secours!; ***mit ~ von*** à l'aide de; ***Erste ~*** premiers soins *m/pl*
Hilferuf *m* appel au secours
hilflos *ratlos* désemparé; *unbeholfen* maladroit
Hilfs|arbeiter *m* manœuvre; **2bedürftig** dans le besoin; **2bereit** serviable; **~kraft** *f* aide *m, f*; **~mittel** *n* moyen *m*; **~motor** *m* moteur auxiliaire; **~verb** *n* verbe *m* auxiliaire
Himbeer|e *f* framboise; **~saft** *m* jus de framboise
Himmel *m* ciel; ***unter freiem ~*** en plein air
himmelblau bleu ciel
Himmelfahrt *f* l'Ascension; ***Mariä ~*** l'Assomption
Himm|elsrichtung *f* point *m* cardinal; **2lisch** céleste; *fig* divin, sublime
hin là, y; ***nach Norden ~*** vers le nord; **~ *und her*** dans un sens et dans l'autre; **~ *und wieder*** de temps à autre; **~ *und zurück*** aller et retour
hinab en bas, en descendant; **~fahren, ~gehen** descendre
hinauf en 'haut, en montant; **~fahren, ~gehen** monter
hinaus dehors; **~gehen** sortir; *Fenster* donner (***auf*** *A* sur); **~laufen** *fig* aboutir (***auf*** *A* à); **~lehnen *sich* ~** se pencher au dehors; **~schieben** *fig* reporter; **~werfen** mettre à la porte
Hinblick *m* ***im ~ auf*** (*A*) compte tenu de
hindern empêcher (***an*** *D* de)
Hindernis *n* obstacle *m*; **~rennen** *n* course *f* d'obstacles
hindurch à travers, par; ***die ganze Nacht ~*** (durant) toute la nuit
hinein dedans; **~gehen** entrer dans; **~lassen** laisser (*od* faire) entrer
hinfahren (y) aller; *j-n* (y) conduire; *et* transporter
Hinfahrt *f* aller *m*
hin|fallen tomber; **~fällig** caduc; **2gabe** *f* dévouement *m*; **~geben *sich* ~** (*D*) s'adonner à; **~gehen** aller; **~halten** *Hand* tendre; *j-n* faire attendre
hinken boiter
hinlegen poser; ***sich ~*** s'allonger; *ins Bett* se coucher
hin|nehmen *dulden* supporter, accepter; **~reißend** ravissant; *Musik* entraînant
hinricht|en exécuter; **2ung** *f* exécution

hin|schicken envoyer (***zu*** à, chez); **~setzen** ***sich*** ~ s'asseoir
Hinsicht *f* ***in dieser*** ~ à cet égard
hinsichtlich (*G*) quant à
Hinspiel *n Sp* match *m* aller
hinstellen mettre, poser; ***sich hinten*** ~ se mettre derrière
hinten derrière, à l'arrière; ***von*** ~ par derrière; ***nach*** ~ en arrière
hinter (*D*, *A*) derrière; **&achse** *f* pont *m* arrière; **&bliebene(n)** *m/pl* survivants
hintere(r, -s) de derrière, arrière; ***in der hintersten Reihe*** au dernier rang
hintereinander l'un après l'autre; ***dreimal*** ~ trois fois de suite
Hintergrund *m* fond
hinterher après
Hinter|kopf *m* occiput [-yt]; **~land** *n* arrière-pays *m*; **&lassen** laisser; **&legen** déposer; **&listig** sournois
Hintern *m* F derrière
Hinterrad *n* roue *f* arrière; **~antrieb** *m* traction *f* arrière
Hintertür *f* porte de derrière
hintun F mettre
hinüber de l'autre côté; **~gehen** traverser (***über et*** *A* qc); **~reichen** passer
Hin- und Rückfahrt *f* aller (et) retour *m*
hinunter en bas; **~bringen** *et* descendre; *j-n* raccompagner jusqu'en bas; **~fallen** tomber; **~gehen** descendre; **~schlucken** avaler
Hinweg *m* ***auf dem*** ~ à l'aller
Hinweis *m* indication *f*; **&en** faire remarquer (***j-n auf et*** *A* qc à q); **~schild** *n*, **~tafel** *f* panneau *m* indicateur
hinziehen ***sich*** ~ traîner en longueur
hinzu en plus; **~fügen** ajouter (***zu*** à); **~kommen** s'ajouter; **~rechnen, ~zählen** ajouter; **~ziehen** *Arzt* consulter
Hirn *n* cervelle *f* (*a Kochk u fig*); *Organ* cerveau; **~hautentzündung** *f* méningite
Hirsch *m* cerf [sɛr]; **~kuh** *f* biche
Hirse *f* millet *m*
Hirt *m* berger
hissen 'hisser
Histor|iker *m* historien; **&isch** historique
Hitze *f* chaleur; **&beständig** résistant à la chaleur; **~welle** *f* vague de chaleur
Hitzschlag *m* coup de chaleur
HIV|-negativ séronégatif; **~-positiv** séropositif
Hobby *n* 'hobby *m*
Hobel *m* rabot
hoch (*devant nom* **hohe**[**r, -s**]) 'haut; *Preis* élevé; *Verlust, Summe* gros; *Fieber* fort; *Geschwindigkeit* grand; *Alter* avancé; *Ton* aigu; ***zwei Treppen*** ~ au second étage
Hoch *n* anticyclone *m*; **~achtung** *f* grande estime
Hochbetrieb *m* F ***es herrscht***

~ il y a un monde fou
hochdeutsch 'haut allemand
Hochdruck *m* 'haute pression *f*; **~gebiet** *n* zone *f* de 'haute pression
Hoch|ebene *f* ('haut) plateau *m*; **~gebirge** *n* 'haute montagne *f*; **≈geschlossen** *Kleid* montant; **~geschwindigkeitszug** *m* train à grande vitesse; **~haus** *n* building *m*, tour *f*; **≈heben** *Last* soulever; *Kleid* relever; *Hand* lever; **≈klappen** relever; **~land** *n* 'hauts plateaux *m/pl*; **≈mütig** 'hautain
hochprozentig fortement alcoolisé
Hoch|saison *f* pleine saison; **~schule** *f* établissement *m* d'enseignement supérieur; **~seefischerei** *f* pêche en 'haute mer; **~sommer** *m* plein été; **~spannung** *f* 'haute tension; **~sprung** *m* saut en 'hauteur
höchst le plus 'haut, maximum; *fig* extrême; *adv* extrêmement; **~ *selten*** très rare
Hochstapler *m* imposteur
Höchst|betrag *m* plafond; **≈ens** (tout) au plus; **~geschwindigkeit** *f* vitesse maximum; **≈wahrscheinlich** très probablement
Hoch|wasser *n* crue *f*; *Überschwemmung* inondation *f*; **≈wertig** de qualité supérieure
Hochzeit *f* mariage *m*, noces *f/pl*; *Fest* noce
Hochzeits|geschenk *n* cadeau *m* de mariage; **~reise** *f* voyage *m* de noces
Hocker *m* tabouret
Hockey *n* 'hockey [-ɛ] *m*
Hoden *m* testicule
Hof *m* cour *f*; *Bauern≈* ferme *f*
hoffen espérer
hoffentlich j'espère que ...; *Antwort* ~*!* j'espère que oui!
Hoffnung *f* espoir *m*; **≈slos** desespéré; *adv* sans espoir
höflich poli; **≈keit** *f* politesse
hohe(r, -s) *s* ***hoch***
Höhe *f* 'hauteur; *Flgw* altitude; *e-r Summe* montant *m*
Hoheits|gebiet *n* territoire *m* national; **~gewässer** *n/pl* eaux *f/pl* territoriales
Höhen|angst *f* vertige *m*; **~krankheit** *f* mal *m* des montagnes; **~lage** *f* altitude; **~sonne** *f Med* lampe à rayons ultraviolets; **~unterschied** *m* différence *f* de niveau, dénivelé; **≈verstellbar** réglable en 'hauteur
Höhepunkt *m* point culminant
hohl creux (*a fig*)
Höhle *f* caverne; *Tropfstein≈* grotte; *Tier≈* tanière
holen aller *od* venir chercher; ~ ***Sie e-n Arzt!*** faites venir un médecin!; ~ ***lassen*** envoyer chercher; ***sich*** ~ *Krankheit* attraper
Holl|and *n* la Hollande; **~änder** *m* Hollandais; **≈ändisch** hollandais

Hölle *f* enfer *m* (*a fig*)
holp(e)rig *Weg* cahoteux
Holunder *m* sureau
Holz *n* bois *m*
hölzern de (*od* en) bois
Holzfäller *m* bûcheron
holzig ligneux; *Gemüse* filandreux
Holz|kohle *f* charbon *m* de bois; **~schnitt** *m* gravure *f* sur bois; **~wolle** *f* fibre de bois; **~wurm** *m* ver du bois
Homöopath *m* homéopathe
homosexuell homosexuel; **2e(r)** *su* homosexuel(le)
Honig *m* miel; **~kuchen** *m* pain d'épice
Honorar *n* honoraires *m/pl*
Hopfen *m* 'houblon
hörbar audible
hören entendre; *zu~*, *an~* écouter; ***auf j-n*** **~** écouter q; ***von j-m*** **~** avoir des nouvelles de q
Hörer *m Tel* écouteur
Hör|gerät *n* prothèse *f* auditive; **~funk** *m* radio *f*
Horizont *m* horizon
horizontal horizontal
Hormon *n* hormone *m*
Horn *n* corne *f*; *Mus* cor *m*
Hörnchen *n* croissant *m*
Hornhaut *f* durillon *m*; *des Auges* cornée
Hornisse *f* frelon *m*
Horoskop *n* horoscope *m*
Hör|saal *m* salle *f* de cours; **~spiel** *n* pièce *f* radiophonique
Hörweite *f* ***in*** (***außer***) **~** à ('hors de) portée de la voix
Hose *f* pantalon *m*; *kurze* short *m*
Hosen|rock *m* jupe-culotte *f*; **~schlitz** *m* braguette *f*; **~tasche** *f* poche (de pantalon); **~träger** *m/pl* bretelles *f/pl*
Hostess *f* hôtesse
Hotel *n* hôtel *m*; **~bar** *f* bar *m* de l'hôtel; **~gast** *m* client de l'hôtel; **~halle** *f* 'hall *m* de l'hôtel; **~verzeichnis** *n* guide *m* des hôtels; **~zimmer** *n* chambre *f* d'hôtel
Hr. (*Herr*) M. (*Monsieur*)
Hubraum *m* cylindrée *f*
hübsch joli
Hubschrauber *m* hélicoptère
Huf *m* sabot; **~eisen** *n* fer *m* à cheval
Hüfte *f* 'hanche
Hügel *m* colline *f*; **2ig** vallonné
Huhn *n* poule *f*
Hühnchen *n* poulet *m*
Hühner|auge *n* cor *m*, œil-de-perdrix *m*; **~brühe** *f* bouillon *m* de poule; **~stall** *m* poulailler
Hülle *f* enveloppe
Hülsenfrüchte *f/pl* légumes *m/pl* secs
human humain; **~itär** humanitaire
Hummel *f* bourdon *m*
Hummer *m* 'homard
Humor *m* humour; **2voll** plein d'humour
humpeln boiter
Hund *m* chien

Hunde|futter *n* nourriture *f* pour chiens; **~leine** *f* laisse
hundert cent; **≈er** *m Geldschein* billet de cent; **≈jahrfeier** *f* centenaire *m*; **~tausend** cent mille
Hündin *f* chienne
Hundstage *m/pl* canicule *f*
Hunger *m* faim *f*; **~ *haben*** avoir faim
hunger|n souffrir de la faim; **≈snot** *f* famine, disette; **≈streik** *m* grève *f* de la faim
hungrig affamé
Hupe *f* klaxon *m*
hupen klaxonner
hüpfen sautiller
Hürd|e *f* 'haie; *fig* obstacle *m*; **~enlauf** *m* course *f* de haies
Hure *f* P putain
hüsteln toussoter
husten tousser
Husten *m* toux *f*; **~bonbon** *n od m* bonbon *m* pour la toux; **~saft** *m* sirop pour la toux
Hut *m* chapeau
hüten garder; ***das Bett ~*** garder le lit; ***sich ~ vor*** (*D*) prendre garde à
Hütte *f* cabane; *Berg≈* refuge *m*
Hyazinthe *f* jacinthe
Hydrant *m* bouche *f* d'eau
Hygien|e *f* hygiène; **≈isch** hygiénique
Hymne *f* hymne *m*
hypnotisieren hypnotiser
Hypothek *f* hypothèque
hysterisch hystérique

I

IC *m* (*Intercity*) train de grandes lignes
ICE *m* (*Intercity Express*) *etwa* T.G.V. (*train à grande vitesse*)
ich je (*vor Vokal* j'); *betont* moi; ***~ bin's*** c'est moi
ideal idéal; **≈** *n* idéal *m*; **≈ismus** *m* idéalisme
Idee *f* idée
ident|ifizieren identifier; **~isch** identique (***mit*** à); **≈ität** *f* identité
ideologisch idéologique
Idiot *m* idiot; **≈isch** idiot
Idol *n* idole *f*
idyllisch idyllique
Igel *m* 'hérisson
ignorieren ignorer
ihm lui; *betont* à lui; ***mit ~*** avec lui
ihn le (*vor Vokal* l'); *betont, nach prp* lui; ***für ~*** pour lui
ihnen leur; *betont* à eux (à elles); ***mit ~*** avec eux (elles)
Ihnen vous; *betont* à vous
ihr[1] (*D von* ***sie***) lui; *betont* à elle; ***mit ~*** avec elle
ihr[2] (*pl von* ***du***) vous
ihr[3] (*f u pl* **~e**) *possessiv* son (sa), *pl* ses; *bei mehreren Besitzern* leur, *pl* leurs
Ihr (*f u pl* **~e**) votre, *pl* vos
illegal illégal

Illusion *f* illusion
Illustrierte *f* magazine *m*
im *s* ***in***; ~ ***Schrank*** dans l'armoire; ~ ***Bett*** au lit; ~ ***Mai*** en mai; ~ ***Französischen*** en français
Imbiss *m* casse-croûte; **~bude** *f* buvette, marchand *m* de frites; **~stube** *f* snack *m*
Imker *m* apiculteur
Immatrikulation *f* inscription
immer toujours; ~ ***noch*** toujours, encore; ***schon*** ~ toujours; ~ ***wieder*** sans arrêt; ***für*** ~ pour toujours; ~ ***schöner*** de plus en plus beau; ~ ***weniger*** de moins en moins; ~ ***wenn ...*** chaque fois que ...
immer|hin après tout, quand même; **~zu** toujours
Immobilien *pl* immobilier *m*
immun immunisé; ******Ꝯsystem** *n* système immunitaire
impf|en vacciner; **Ꝯschein** *m* certificat de vaccination; **Ꝯstoff** *m* vaccin; **Ꝯung** *f* vaccination
imponierend impressionnant
Import *m* importation *f*; **Ꝯieren** importer
impotent impuissant
imprägnieren imperméabiliser
improvisiert improvisé
impulsiv impulsif
imstande ~ ***sein zu*** être en mesure de
in (*A*, *D*) dans, à, en; ~ ***der Stadt*** en ville; ~ ***Paris*** à Paris; ~ ***Frankreich*** en France; ~ ***drei Tagen*** dans trois jours; ~ ***dieser Woche*** cette semaine; *s a* ***im***
inbegriffen compris; ***alles*** ~ tout compris
indem pendant que; ~ ***man et tut*** en faisant qc
Inder *m* Indien (de l'Inde)
Indianer *m* Indien
Indien *n* l'Inde *f*
indirekt indirect
indisch indien
indiskret indiscret
individuell individuel
Individuum *n* individu *m*
Indiz *n* indice *m*
Industrie *f* industrie; **~gebiet** *n* région *f* industrielle
industriell industriel
ineinander l'un dans l'autre
Infarkt *m Med* infarctus
Infektion *f* infection
Infektionskrankheit *f* maladie infectieuse
infizieren contaminer
Inflation *f* inflation
infolge (*G*) par suite de; **~dessen** par conséquent
Informatik *f* informatique
Information *f* information; renseignements *m/pl*
informieren (***sich*** ~ s')informer (***über*** *A* sur), (se) renseigner (sur)
Infusion *f Med* perfusion
Ingenieur(in) *m(f)* ingénieur *m*
Ingwer *m* gingembre
Inhaber *m* propriétaire; *Pass*Ꝯ, *Konto*Ꝯ titulaire

Inhalt *m* contenu
Inhaltsverzeichnis *n* table *f* des matières
Initiative *f* initiative
Injektion *f* injection
inklusive y compris
Inland *n* intérieur *m* du pays; **~flug** *m* vol intérieur
Inliner, Inlineskates *pl* rollers *m/pl*, patins *m/pl* en ligne
inmitten (*G*) au milieu de
innen à l'intérieur; **&kabine** *f* cabine intérieure; **&minister** *m* ministre de l'Intérieur; **&stadt** *f* centre *m* (de la) ville
innere(r, -s) intérieur; *Med* interne; **&(s)** *n* intérieur *m*
inner|halb (*G*) à l'intérieur de; *zeitlich* en (l'espace de); **~lich** interne; *geistig* intérieur; *adv* intérieurement
inoffiziell non officiel; *Mitteilung* officieux
Insasse *m Kfz, Flgw* passager
insbesondere en particulier
Inschrift *f* inscription
Insekt *n* insecte *m*; **~enspray** *n* bombe *f* insecticide; **~enstich** *m* piqûre *f* d'insecte
Insel *f* île; **~bewohner** *m* insulaire; **~gruppe** *f* archipel *m*
Inser|at *n* annonce *f*; **&ieren** faire passer une annonce
insgesamt en tout, au total
insofern ~ *als* dans la mesure où
Inspektion *f* inspection; *vom Auto* révision
Install|ateur *m* installateur, plombier; **&ieren** installer
instand ~ *halten* entretenir; **~ *setzen*** réparer
Instanz *f* instance
Instinkt *m* instinct [-ɛ̃]
Institut *n* institut *m*
Instrument *n* instrument *m*
Insulin *n* insuline *f*
Inszenierung *f* mise en scène
intakt intact
intellektuell intellectuel
intelligent intelligent
Intelligenz *f* intelligence
intensiv intense; **&kurs** *m* cours intensif; **&station** *f* service *m* de réanimation
interessant intéressant
Interesse *n* intérêt *m*; **~ *haben*** s'intéresser (***an** D*, ***für*** à)
interessieren intéresser; ***sich ~ für*** s'intéresser à
Internat *n* internat *m*
international international
Internist(in) *m(f)* spécialiste des maladies organiques
Interview *n* interview *f*
intim intime
intolerant intolérant
Intrige *f* intrigue
Invalide *m* invalide
Invasion *f* invasion
Inventur *f* inventaire *m*
invest|ieren investir; **&ition** *f* investissement *m*
inwie|fern, ~weit dans quelle mesure
inzwischen entre-temps; *einstweilen* en attendant
irdisch terrestre
Ire *m* Irlandais

irgend|ein un ... quelconque, n'importe quel ...; **~einer** quelqu'un; *egal wer* n'importe qui; **~etwas** quelque chose; *egal was* n'importe quoi; **~jemand** quelqu'un; *egal wer* n'importe qui; **~wann** un jour; *egal wann* n'importe quand; **~wie** d'une façon ou d'une autre; *egal wie* n'importe comment; **~wo(hin)** quelque part; *egal wo(hin)* n'importe où
ir|isch irlandais; **ℒland** *n* l'Irlande *f*
ironisch ironique
irre fou; F *toll* super; F *sehr groß* dingue
Irre|(r) *su* fou *m*, folle *f*; **ℒführen** induire en erreur
irren *umher~* errer; ***a sich ~*** se tromper (***in et*** *D* de; ***in j-m*** sur q)
Irr|sinn *m* folie *f*; **ℒsinnig** fou (*a fig*); **~tum** *m* erreur *f*; **ℒtümlich** erroné; *adv* par erreur
Ischias *m* sciatique *f*
Islam *m* islam; **ℒisch** islamique
Island *n* l'Islande *f*
Isländ|er *m* Islandais; **ℒisch** islandais
Isolier|band *n* ruban *m* isolant, chatterton [-ɔn] *m*; **ℒen** isoler; **~ung** *f* isolement *m*; *El* isolation
Israel *n* Israël *m*
Israel|i *m* Israélien; **ℒisch** israélien
Italien *n* l'Italie *f*; **~er** *m* Italien; **ℒisch** italien

J

ja oui; ***Sie wissen ~*** vous savez bien
Jacht *f* yacht [jɔt] *m*
Jack|e *f* veste; **~ett** *n* veston *m*
Jagd *f* chasse; **~gewehr** *n* fusil *m* de chasse; **~schein** *m* permis de chasse; **~zeit** *f* saison de la chasse
jagen chasser; *verfolgen* pourchasser
Jäger *m* chasseur
Jahr *n* an *m*, année *f*; ***im ~ 1997*** en 1997; ***einmal im ~*** une fois par an; ***mit 20 ~en*** à 20 ans; ***seit ~en*** depuis des années; ***das ganze ~*** toute l'année; ***jedes ~*** tous les ans; ***dieses ~*** cette année; ***gutes Neues ~!*** bonne année!
jahrelang pendant des années
Jahres|tag *m* anniversaire; **~urlaub** *m* congé annuel; **~zeit** *f* saison
Jahr|gang *m* année *f*; *Wein a* millésime *m*; **~hundert** *n* siècle *m*
jährlich annuel; *adv* par an
Jahr|markt *m* foire; **~tausend** *n* millénaire; **~zehnt** *n* décennie *f*

jähzornig coléreux
Jalousie *f* store *m* (vénitien)
jämmerlich *ärmlich* misérable; *beklagenswert*, *péj* lamentable
jammern se lamenter
Januar *m* janvier
Japan *n* le Japon; **~er** *m* Japonais; **2isch** japonais
Jasmin *m* jasmin
Jause *f österr* casse-croûte *m*
jawohl oui, Monsieur
Jazzband *f* orchestre *m* de jazz [dʒɑz]
je *~mals* jamais; *~weils* chacun; *pro* par; ***... kosten ~ 5 Franc*** ... coûtent 5 francs chacun; ***~ zwei*** deux de chaque; ***~ nachdem*** (***,wie***) ça dépend (de); ***~ ... desto*** plus ... plus
Jeans *pl* jean [dʒin] *m*, jeans [dʒins] *m*
jedenfalls en tout cas
jede(**r, -s**) chaque; *verallgemeinernd* tout(e); *allein stehend* chacun(e); ***jeden*** (***zweiten***) ***Tag*** tous les (deux) jours
jeder|mann tout le monde; **~zeit** à tout moment
jedesmal s. ***Mal***
jedoch cependant
jemals jamais
jemand quelqu'un
jene(**r, -s**) ce (cette) ... (-là); *vor Vokal* cet ... (-là)
jenseits (*G*) au delà de
jetzig actuel
jetzt maintenant; ***~ gleich*** tout de suite
jeweils chaque fois
Job *m* job [dʒɔb]
Jod *n* iode *m*; **~tinktur** *f* teinture d'iode
Joga *m od n* yoga *m*
Jogging *n* jogging *m*
Jog(**h**)**urt** *m od n* ya(h)ourt *m*
Johannisbeere *f* groseille; ***Schwarze ~*** cassis [-is] *m*
jonglieren jongler (***mit*** avec)
Journalist *m* journaliste
Jubel *m* joie *f*
jubeln pousser des cris de joie
Jubiläum *n* anniversaire *m*
juck|en démanger; **2reiz** *m* démangeaison *f*
Jude *m* Juif
Jüd|in *f* Juive; **2isch** juif
Jugend *f* jeunesse; **~gruppe** *f* groupe *m* de jeunes; **~herberge** *f* auberge de jeunesse; **2lich** jeune; **~liche**(**r**) *su* adolescent(e); *jur* mineur(e); **~stil** *m* Art *m* nouveau
Juli *m* juillet
jung jeune
Junge *m* garçon
Junge(**s**) *n Zo* petit *m*
jünger plus jeune; ***mein ~er Bruder*** mon frère cadet
Jungfrau *f* vierge
Junggesell|e *m*, **~in** *f* célibataire *m, f*
Jüngling *m ironisch* jouvenceau
Juni *m* juin
Jura *n*/*pl* droit

Jurist|(in) *m(f)* juriste; **&isch** juridique
Jury *f* jury *m*
Justiz *f* justice
Juwel|en *n/pl* bijoux *m/pl*; **~ier** *m* bijoutier, joaillier
Jux *m* F blague *f*; ***aus*** ~ pour rigoler

K

Kabarett *n* théâtre *m* de chansonniers
Kabel *n* câble *m*; **~anschluss** *m* raccordement, abonnement au câble; **~fernsehen** *n* (télévision *f* par) câble
Kabeljau *m* cabillaud
Kabine *f* cabine
Kabrio(lett) *n* décapotable *f*
Kachel *f* carreau *m*
Käfer *m* coléoptère
Kaffee *m* café; **~kanne** *f* cafetière; **~löffel** *m* cuillère *f* à café; **~maschine** *f* cafetière électrique; **~mühle** *f* moulin *m* à café; **~tasse** *f* tasse à café
Käfig *m* cage *f*
kahl nu; *Kopf* chauve; *Landschaft* dénudé
Kahn *m* canot, barque *f*
Kai *m* quai
Kaiser *m* empereur; **~in** *f* impératrice; **~schnitt** *m* *Med* césarienne *f*
Kajüte *f* cabine
Kakao *m* cacao; *Getränk* chocolat (chaud)
Kaktus *m* cactus
Kalb *n* veau *m*; **~fleisch** *n* veau *m*
Kalbs|braten *m* rôti de veau; **~schnitzel** *n* escalope *f* de veau
Kaldaunen *f/pl* tripes *m/pl*
Kalender *m* calendrier
Kalk *m* chaux *f*; *Med* calcium; **~stein** *n* calcaire *m*
Kalo|rie *f* calorie; **&rienarm** hypocalorique
kalt froid; ***es ist*** ~ il fait froid; ***mir ist*** ~ j'ai froid; ~ ***stellen*** mettre au frais
kaltblütig de sang froid
Kälte *f* froid *m*; *fig* froideur; **~welle** *f* vague de froid
Kaltmiete *f* loyer *m* sans les charges
Kalzium *n* calcium *m*
Kamel *n* chameau *m*
Kamera *f* appareil *m* photo; *Film&* caméra
Kamerad *m* camarade; **~schaft** *f* camaraderie
Kamille *f* camomille
Kamin *m* cheminée *f*
Kamm *m* peigne; *Hahnen&*, *Gebirgs&* crête *f*
kämmen (***sich*** ~ se) peigner
Kammer *f* chambre; **~musik** *f* musique de chambre
Kampf *m* combat, lutte *f*
kämpfen combattre (***gegen j-n*** q *od* contre q), se battre

(*mit j-m* avec q), lutter (*gegen* contre; *um od für* pour)
Kämpfer *m* combattant
Kampfrichter *m Sp* arbitre
kampieren camper
Kanada *n* le Canada
Kanad|ier *m* Canadien; **&isch** canadien
Kanal *m* canal; *TV* chaîne *f*; **~isation** *f* égouts *m/pl*
Kanarienvogel *m* canari
Kandidat *m* candidat
kandiert **~e Früchte** *f/pl* fruits *m/pl* confits
Känguru *n* kangourou *m*
Kaninchen *n* lapin *m*
Kanister *m* bidon
Kännchen *n* petit pot *m*
Kanne *f* pot *m*
Kanone *f* canon *m*
Kante *f* arête; *Rand* bord *m*
Kantine *f* cantine
Kanu *n* canoë *m*
Kanzel *f* chaire
Kanzler *m* chancelier
Kap *n* cap *m*
Kapell|e *f* chapelle; *Mus* orchestre *m*; **~meister** *m* chef d'orchestre
Kapern *f/pl* câpres
kapieren F piger
Kapital *n* capital *m*; *Vermögen* capitaux *m/pl*; **~ist** *m*, **&istisch** capitaliste
Kapitän *m* capitaine
Kapitel *n* chapitre *m*
Kaplan *m* vicaire
Kappe *f* casquette
Kapsel *f* capsule
kaputt F *defekt* en panne; *entzwei* cassé; *müde* crevé
Kapuze *f* capuchon *m*
Karaffe *f* carafe
Karat *n* carat *m*
Karawane *f* caravane
Kardinal *m* cardinal
Karfiol *m österr* chou-fleur
Karfreitag *m* vendredi saint
kariert à carreaux
Karies *f* carie
Karneval *m* carnaval; **~szug** *m* cortège du carnaval
Karo *n* carreau *m*
Karosserie *f* carrosserie
Karotte *f* carotte
Karpfen *m* carpe *f*
Karre(n *m*) *f* charrette *f*
Karriere *f* carrière
Karte *f* carte; *Fahr&*, *Eintritts&* billet *m*, ticket *m*; **nach der ~ essen** manger à la carte; **~n spielen** jouer aux cartes
Kartei *f* fichier *m*; **~karte** *f* fiche
Karten|spiel *n* partie *f* de cartes; *Satz Karten* jeu *m* de cartes; **~telefon** *n* téléphone *m* à carte
Kartoffel *f* pomme de terre; **~brei** *m* purée *f* de pommes de terre; **~puffer** *m* galette *f* de pommes de terre; **~salat** *m* salade *f* de pommes de terre
Karton *m* carton
Karussell *n* manège *m*
Käse *m* fromage; **~kuchen** *m* gâteau au fromage blanc; **~platte** *f* plateau *m* de fromages

Kaserne *f* caserne
Kasino *n Spiel*≈ casino *m*; *Kantine* restaurant *m* d'entreprise
Kaskoversicherung *f Voll*≈ assurance tous risques
Kasperle(theater *n*) *m od n* guignol *m*
Kasse *f* caisse
Kassen|arzt *m*, **~ärztin** *f* médecin *m* conventionné; **~patient(in)** *m(f)* assuré(e) social(e); **~zettel** *m* ticket de caisse
Kassette *f* cassette
Kassettenrecorder *m* magnétophone à cassettes
kassier|en encaisser; **≈er** *m* caissier; **≈erin** *f* caissière
Kastanie *f* châtaigne; *Baum* chataîgnier *m*
Kasten *m* boîte *f*; *für Flaschen* caisse *f*
Kat F *s* ***Katalysator***
Katalog *m* catalogue
Katalysator *m Kfz* pot catalytique
Katarr(h) *m* catarrhe
Katastrophe *f* catastrophe; **~ngebiet** *n* région *f* sinistrée
Kater *m* matou; F *fig* ***e-n ~ haben*** avoir la gueule de bois
Kathedrale *f* cathédrale
Kathol|ik *m*, **≈isch** catholique
Katze *f* chat *m*; *weibliche* chatte
kauen mâcher
Kauf *m* achat; **≈en** acheter
Käufer *m* acheteur
Kauf|frau *f* commerciale; **~haus** *n* grand magasin *m*; **~mann** *m* commercial; *Händler* commerçant; **≈männisch** commercial; **~preis** *m* prix d'achat; **~vertrag** *m* contrat de vente
Kaugummi *m* chewing-gum
kaum à peine, ne ... guère
Kaution *f* caution
Kaviar *m* caviar
Kegel *m Math* cône; *Spiel*≈ quille *f*; **~bahn** *f* piste de quilles
kegeln jouer aux quilles
Kehl|e *f* gorge; **~kopf** *m* larynx
Kehr|e *f* tournant *m*; **≈en** *fegen* balayer; **~seite** *f* revers *m*; *Nachteil* mauvais côtés *m/pl*
Keil *m* coin; *Unterleg*≈ cale *f*
Keilriemen *m* courroie *f*
Keim *m* germe; **≈en** germer; **≈frei** stérilisé; **≈tötend** antiseptique
kein (ne) ... pas de; *betont* (ne) ... aucun; ***ich habe ~ Geld*** je n'ai pas d'argent; ***in ~em Fall*** en aucun cas
keiner personne ... ne; **~** (***von beiden***) aucun (des deux)
keinerlei ne ... aucun
keinesfalls en aucun cas
keineswegs nullement
Keks *m* biscuit
Kelle *f* louche; *Maurer*≈ truelle
Keller *m* cave *f*
Kellner *m* garçon, serveur; **~in** *f* serveuse

kennen (*sich* ~ se) connaître; ~ *lernen* faire la connaissance de
Kenner *m* connaisseur
Kenntnis *f* connaissance (*von et* de qc); **~se** *pl* notions *f/pl*
Kennzeich|en *n* caractéristique; *Kfz* numéro *m* d'immatriculation; **ℒnen** marquer; caractériser
kentern chavirer
Keramik *f* céramique
Kerbe *f* entaille, cran *m*
Kerl *m* F type
Kern *m von Steinobst* noyau; *von Kernobst* pépin; *Reaktor*ℒ cœur; **~energie** *f* énergie nucléaire; **ℒgesund** en parfaite santé
Kernkraft *f* énergie nucléaire; **~gegner** *m* antinucléaire; **~werk** *n* centrale *f* nucléaire
Kerze *f* bougie (*a Kfz*); *Rel* cierge *m*
Kerzenhalter *m* bougeoir
Kessel *m Wasser*ℒ bouilloire *f*; *Tech* chaudière *f*
Ket(s)chup *m od n* ketchup *m*
Kette *f* chaîne; *Hals*ℒ collier *m*
keuch|en 'haleter; **ℒhusten** *m* coqueluche *f*
Keule *f Geflügel*ℒ cuisse; *Hammel*ℒ gigot *m*
Kfz *n* (*Kraftfahrzeug*) véhicule *m*
Kfz-... *s* ***Kraftfahrzeug...***; **~-Werkstatt** *f* garage *m* (auto)
Kichererbse *f* pois *m* chiche
Kiefer[1] *m* mâchoire *f*
Kiefer[2] *f* pin *m*
Kiel *m Mar* quille *f*
Kiemen *f/pl* branchies
Kies *m* gravier
Kiesel(stein) *m* galet, caillou
Kilo(gramm) *n* kilo(gramme) *m*
Kilometer *m* kilomètre; ***mit 60 ~n in der Stunde*** à 60 kilomètres (à l')heure
Kilometer|stand *m* kilométrage; **~stein** *m* borne *f* kilométrique; **~zähler** *m* compteur (kilométrique)
Kilowatt *n* kilowatt *m*; **~stunde** *f* kilowattheure
Kind *n* enfant *m*, *f*
Kinder|arzt *m*, **~ärztin** *f* pédiatre *m*, *f*; **~bett** *n* lit *m* d'enfant; **~garten** *m* maternelle; **~gärtnerin** *f* institutrice d'école maternelle; **~geld** *n* allocations *f/pl* familiales; **~heim** *n* foyer *m* d'enfants; **~hort** *m* garderie *f*; **~krankheit** *f* maladie infantile; **~krippe** *f* crèche; **~lähmung** *f* polio(myélite); **ℒlos** sans enfants; **~mädchen** *n* bonne *f* d'enfants; **~sitz** *m Kfz* siège pour enfants; **~wagen** *m* landau; *Buggy* poussette *f*; **~zimmer** *n* chambre *f* d'enfant
Kind|heit *f* enfance; **ℒisch** puéril; **ℒlich** enfantin
Kinn *n* menton *m*; **~haken** *m* crochet à la mâchoire
Kino *n* cinéma *m*
Kiosk *m* kiosque

kippen (*v/t* faire) basculer
Kirche *f* église
Kirchen|chor *m* chorale *f* paroissiale; **~fenster** *n* vitrail *m*; **~musik** *f* musique sacrée; **~schiff** *n* nef *f*
kirch|lich religieux; **2turm** *m* clocher; **2weih** *f* kermesse
Kirschbaum *m* cerisier
Kirsch|e *f* cerise; **~wasser** *n* kirsch *m*
Kissen *n* coussin *m*; *Kopf2* oreiller; **~bezug** *m* taie *f* (d'oreiller)
Kiste *f* caisse (*a* F *Auto*)
Kitsch *m*, **2ig** kitsch
Kitt *m* mastic
Kittel *m* blouse *f*
kitz|eln chatouiller; **~(e)lig** chatouilleux; *heikel* délicat
Kiwi *f* kiwi *m*
Klage *f* plainte; *jur a* action (en justice)
klagen se plaindre (***über*** *A* de); *jur* porter plainte (***gegen*** contre, ***wegen*** pour)
Kläger(in) *m(f)* *jur* plaignant(e)
Klammer *f* *Haar2*, *Wäsche2* pince; *Büro2* trombone; ***in ~n*** *pl* entre parenthèses
klammern ***sich ~ an*** (*A*) se cramponner à
Klamotten *f/pl* F fringues
Klang *m* son
Klappbett *n* lit *m* pliant
Klapp|e *f* clapet *m*; **2en** rabattre; F *gelingen* marcher; **2ern** cliqueter
Klapp|rad *n* bicyclette *f* pliante; **~sitz** *m* strapontin
klar clair; *deutlich* net
Klär|anlage *f* station d'épuration; **2en** clarifier (*a fig*)
Klarinette *f* clarinette
Klasse *f* classe; catégorie
klassisch classique
Klatsch *m* commérages *m/pl*; **2en** applaudir; F *schwätzen* jaser (***über j-n*** sur q)
Klaue *f* griffe; *Vogel* serre
klauen F piquer
Klavier *n* piano *m*; ***~ spielen*** jouer du piano
Kleb|eband *n* ruban *m* adhésif; **2en** coller; **2rig** collant; **~stoff** *m* colle *f*
Klecks *m* tache *f*
Klee *m*, **~blatt** *n* trèfle *m*
Kleid *n* robe *f*
Kleider|bügel *m* cintre; **~haken** *m* portemanteau; **~schrank** *m* penderie *f*; **~ständer** *m* portemanteau
Kleidung *f* habits *m/pl*, vêtements *m/pl*
klein petit
Kleingeld *n* monnaie *f*
Kleinigkeit *f* bagatelle; ***eine ~ essen*** manger un petit quelque chose
Kleinkind *n* petit enfant *m*
kleinlich mesquin
Kleinstadt *f* petite ville
Kleister *m* colle *f* (d'amidon)
Klemm|e *f* pince; F embarras; **2en** coincer
Klempner *m* plombier
Klette *f* bardane
kletter|n grimper (***auf*** *A* sur,

an *D* à); **2pflanze** *f* plante grimpante
klicken *Inform* cliquer
Klima *n* climat *m*; **~anlage** *f* climatisation; **~wechsel** *m* changement de climat
Klinge *f* lame
Klingel *f* sonnette
klingeln sonner; ***es klingelt*** on sonne
klingen sonner
Klinik *f* clinique
Klinke *f* poignée
Klippe *f* écueil *m* (*a fig*)
klirren *Ketten* cliqueter; *Gläser* tinter
Klischee *n* cliché *m* (*a fig*)
Klo *n* W.-C. *m/pl*; **~papier** *n* papier *m* hygiénique
klopfen battre (*a Herz*); *Motor* cogner; ***an die Tür*** ~ frapper à la porte; ***es klopft*** on frappe
Klops *m* boulette *f* (de viande)
Kloß *m* boulette *f*
Kloster *n* *Mönchs2* monastère *m*; *Nonnen2* couvent *m*
Klotz *m* *Holz2* bille *f*
Klub *m* club [klœb]
klug intelligent; **2heit** *f* intelligence
Klumpen *m* motte *f*; *Gold2*; pépite *f*; *Kochk* grumeau
knabbern grignoter (***an et D*** qc)
Knäckebrot *n* pain *m* suédois
knacken *Nüsse* casser; *Auto* forcer; *Holztreppe* craquer
Knall *m* détonation *f*; **2en** exploser; *Schuss* retentir; *Tür* claquer; **~frosch** *m*, **~körper** *m* pétard
knapp *Geld* rare; *Zeit* limité; *eng* juste, étroit
knarren *Dielen* craquer; *Bett* grincer
knattern *Motor* pétarader
Knäuel *m od n* pelote *f*
Knautschzone *f* *Kfz* zone rétractable
kneif|en pincer; **2zange** *f* tenailles *f/pl*
Kneipe *f* P bistrot *m*
kneten pétrir
Knick *m* coude; *in Papier* pli; **2en** *Papier* plier; *Zweig* (se) casser
Knie *n* genou *m*; **~bundhose** *f* knicker(bocker)s *m/pl*; **~kehle** *f* jarret *m*
knien être à genoux; ***sich*** ~ s'agenouiller
Knie|strumpf *m* chaussette *f* (montante); **~scheibe** *f* rotule
Kniff *m* pli; *fig* truc [-yk]
knipsen poinçonner; F *Fot* prendre une *od* des photo(s)
knistern *Feuer* crépiter
knitterfrei infroissable
knittern se froisser
Knoblauch *m* ail [aj]
Knöchel *m* cheville *f*
Knochen *m* os [ɔs, *pl* o]; **~bruch** *m* fracture *f*; **~mark** *n* moelle *f*
Knödel *m* boulette *f* de mie de pain *od* de pommes de terre
Knolle *f* *Bot* tubercule *m*; *Zwiebel* bulbe

Knopf *m* bouton; **~loch** *n* boutonnière *f*
Knorpel *m* cartilage
Knospe *f* bourgeon *m*, bouton *m*
Knoten *m* nœud
knüpfen nouer
Knüppel *m* gourdin
knurren *Hund* grogner, gronder; *Magen* gargouiller
knusprig croustillant
Koch *m* cuisinier; **~buch** *n* livre *m* de cuisine; **2en** *Wasser, Wäsche* faire bouillir; *Kaffee* faire; *v/i sieden* bouillir; *Essen zubereiten* faire la cuisine; **~er** *m* réchaud
Kochgelegenheit *f* possibilité de faire la cuisine
Köchin *f* cuisinière
Koch|löffel *m* cuillère *f* en bois; **~nische** *f* kitchenette, coin *m* cuisine; **~platte** *f* réchaud *m*; **~rezept** *m* recette *f* de cuisine; **~salz** *n* gros sel *m*; **~topf** *m* faitout, casserole *f*
Köder *m* appât
koffeinfrei décaféiné
Koffer *m* valise *f*; *großer Reise2* malle *f*; **~kuli** *m* chariot; **~radio** *n* transistor *m*; **~raum** *m* *Kfz* coffre
Kognak *m* cognac
Kohl *m* chou
Kohle *f* charbon *m*
Kohlensäure *f* *im Getränk* gaz *m* carbonique; ***Mineralwasser ohne ~*** eau non gazeuse
Kohlrabi *m* chou-rave
Koje *f* *Mar* couchette
Kokain *n* cocaïne *f*
Kokosnuss *f* (noix de) coco *m*
Koks *m* coke
Kolben *m* *Tech* piston
Kolik *f* colique
Kolleg|e *m*, **~in** *f* collègue
Köln Cologne
Kölnischwasser *n* eau *f* de Cologne
Kolonie *f* colonie
Kolonne *f* colonne; *Autoschlange* file
Kombi *m* *Kfz* break *m*
Kombination *f* combinaison; *Kleidung* ensemble *m*; *Ski* ***alpine ~*** combiné *m* alpin
Komfor|t *m* confort; **2tabel** confortable
Kom|iker *m* comique; **2isch** comique; *sonderbar* bizarre
Komitee *n* comité *m*
Komma *n* virgule *m*
kommandieren commander
kommen venir; *an~* arriver; ***durch Lyon ~*** passer par Lyon; ***wie komme ich nach ...?*** pour aller à ...?; ***~ lassen*** faire venir
Kommentar *m* commentaire
Kommissar *m* commissaire
Kommission *f* commission
Kommode *f* commode
Kommune *f* commune
Kommunion *f* communion
Kommun|ismus *m* communisme; **~ist** *m*, **2istisch** communiste
Komödie *f* comédie

Kompass *m* boussole *f*
kompatibel compatible
Kompetenz *f* compétence
komplett complet
Kompli|kation *f* complication; **~ment** *n* compliment *m*; **~ze** *m* complice; **2ziert** compliqué
Kom|ponist *m* compositeur; **~pott** *n* compote *f*; **~presse** *f* compresse; **~promiss** *m* compromis
Kon|densmilch *f* lait *m* concentré; **~dition** *f* *Sp* forme; *Hdl* condition; **~ditorei** *f* pâtisserie; **~dom** *n* préservatif *m*; **~fekt** *n* confiserie *f*; chocolats *m*/*pl*; **~ferenz** *f* conférence; **~fession** *f* confession; **~firmation** *f* confirmation; **~fitüre** *f* confiture; **~flikt** *m* conflit
Kongress *m* congrès; **~teilnehmer** *m* congressiste
konkret concret
König *m* roi; **~in** *f* reine; **2lich** royal; **~reich** *n* royaume *m*
Konkurrenz *f* concurrence; **2fähig** compétitif
Konkurs *m* faillite *f*
können pouvoir; *gelernt haben* savoir; ***schwimmen*** **~** savoir nager; ***Französisch*** **~** parler (le) français; (**es**) ***kann sein*** c'est possible
Konser|ve *f* conserve; **~vendose** *f* boîte de conserve; **~vierungsmittel** *n* conservateur *m*
Konstruktion *f* construction
Konsulat *n* consulat *m*
Konsum *m* consommation
Kontakt *m* contact; **~** ***aufnehmen mit*** prendre contact avec
Kontaktlinsen *f*/*pl* lentilles de contact
Kontinent *m* continent
Konto *n* compte *m*; **~auszug** *m* relevé de compte; **~nummer** *f* numéro *m* de compte; **~stand** *m* situation *f* du compte
Kontrast *m* contraste
Kontroll|e *f* contrôle *m*; **~eur** *m* contrôleur; **2ieren** contrôler; **~lampe** *f* lampe témoin
Konversation *f* conversation
Konzentrationslager *n* camp *m* de concentration
konzentrieren ***sich*** **~** se concentrer (***auf*** *A* sur)
Konzert *n* concert *m*; **~saal** *m* salle *f* de concert
Kopf *m* tête *f*; ***pro*** **~** par personne
Kopf|hörer *m* écouteur; **~kissen** *n* oreiller *m*; **~salat** *m* laitue *f*; **~schmerzen** *m*/*pl* maux *m*/*pl* de tête; **~sprung** *m* plongeon; **~stütze** *f* *Kfz* repose-tête *m*; **~tuch** *n* foulard *m*
Kopie *f* copie
kopier|en copier; **2er** *m*, **2gerät** *n* photocopieuse *f*
Kopilot *m* copilote
Koralle *f* corail *m*
Korb *m* corbeille *f*, panier;

~sessel *m* fauteuil en rotin
Korken *m* bouchon; **~zieher** *m* tire-bouchon
Korn¹ *n* grain *m*; *Getreide* céréales *f/pl*
Korn² *m* eau *f* de vie
Körper *m* corps; **~behinderte(r)** *su* 'handicapé(e) physique; **~größe** *f* taille; **Ƨlich** physique; **~pflege** *f* hygiène corporelle; **~teil** *m* partie *f* du corps
korrekt correct; **Ƨur** *f* correction; *Inform* annulation
Korrespondenz *f* correspondance
Korridor *m* couloir
korrigieren corriger
Korsika *n* la Corse
Kosmetik *f* soins *m/pl* de beauté; **~erin** *f* esthéticienne; **~salon** *m* salon de beauté; **~um** *n* produit *m* de beauté
Kost *f* nourriture
kostbar précieux
kosten coûter; *Speisen* goûter; ***was kostet ...?*** combien coûte ...?
Kosten *pl* frais *m/pl*; **Ƨlos** gratuit(ement); **~erstattung** *f* remboursement *m* des frais; **~voranschlag** *m* devis
köstlich délicieux
kostspielig coûteux
Kostüm *n* costume *m*; *Damen*Ƨ tailleur
Kot *m* excréments *m/pl*
Kotelett *n* côtelette *f*
Kotflügel *m* *Kfz* aile *f*
Krabbe *f* crabe *m*; F *Garnele* crevette
Krach *m* *Lärm* vacarme; *Streit* dispute *f*
Kraft *f* force; *Person* aide *m,f*; ***in ~ treten*** entrer en vigueur
Kraftbrühe *f* consommé *m*
Kraftfahrer(in) *m(f)* automobiliste
Kraftfahrzeug *n* véhicule *m*; **~schein** *m* carte *f* grise; **~steuer** *f* vignette (automobile); **~versicherung** *f* assurance automobile
kräftig fort; *nahrhaft* substantiel
Kraft|stoff *m* carburant; **~wagen** *m* automobile *f*; **~werk** *n* centrale *f* électrique
Kragen *m* col; **~weite** *f* encolure
Krähe *f* corneille
krähen *Hahn* chanter
Kralle *f* griffe
Krampf *m* crampe *f*; **~ader** *f* varice; **Ƨlösend** antispasmodique
Kran *m* grue *f*
Kranich *m* grue *f*
krank malade; ***~ werden*** tomber malade
kränken vexer, blesser
Kranken|haus *n* hôpital *m*; **~kasse** *f* caisse d'assurance maladie; **~pfleger** *m* infirmier; **~schein** *m* feuille *f* de maladie; **~schwester** *f* infirmière; **~versicherung** *f* assurance maladie; **~wagen** *m* ambulance *f*

Krank|e(r) *su* malade; **≈haft** maladif; **~heit** *f* maladie
kränklich maladif
Kranz *m* couronne *f*
Krapfen *m* beignet
Krater *m* cratère
kratzen (***sich*** ~ se) gratter
Kratzer *m* égratignure *f*
kraus *Haar* crépu
Kraut *n* herbe *f*; *Kohl* chou
Kräutertee *m* tisane *f*
Krawall *m* échauffourée *f*; *Lärm* tapage
Krawatte *f* cravate
Krebs *m* écrevisse *f*; *Med* cancer [-ɛr]
Kredit *m* crédit; **~karte** *f* carte de crédit
Kreide *f* craie
Kreis *m* cercle; *Pol* district
Kreisel *m* toupie *f*
kreis|en tourner (***um*** autour de); **~förmig** circulaire
Kreislauf *m* circulation *f* (*a Med*); **~störungen** *f/pl* troubles *m/pl* circulatoires
Kreis|säge *f* scie circulaire; **~verkehr** *m* sens giratoire
Kren *m österr* raifort
Kresse *f* cresson *m*
Kreta *n* la Crète
Kreuz *n* croix *f*; *Anat* reins *m/pl*; *Kartenspiel* trèfle *m*; **≈ *und quer*** dans tous les sens
kreuzen (***sich*** ~ se) croiser
Kreuz|fahrt *f* croisière; **~gang** *m* cloître; **~igung** *f* crucifixion
Kreuzschmerzen *m/pl* ~ ***haben*** avoir mal aux reins
Kreuzung *f* croisement *m*
Kreuzworträtsel *n* mots *m/pl* croisés
kriechen ramper
Krieg *m* guerre *f*
kriegen F *s* ***bekommen***
Kriegs|dienstverweigerer *m* objecteur de conscience; **~verbrecher** *m* criminel de guerre
Krimi *m* F policier
Kriminal|film *m* film policier; **~ität** *f* criminalité; **~polizei** *f* police judiciaire; **~roman** *m* roman policier
kriminell criminel
Krippe *f Rel u Kinder≈* crèche
Krise *f* crise
Krit|ik *f* critique; **~iker** *m* critique; **≈isch** critique; **≈isieren** critiquer
Kroat|e *m* Croate; **~ien** *n* la Croatie; **≈isch** croate
Krokodil *n* crocodile *m*
Krokus *m* crocus
Kron|e *f* couronne; **~leuchter** *m* lustre
Kröte *f* crapaud *m*
Krücke *f* béquille
Krug *m* cruche *f*, pichet
Krümel *m* miette *f*
krumm tordu; *Linie* courbe
Krüppel *m* infirme
Kruste *f* croûte
Kruzifix *n* crucifix [-i] *m*
Kübel *m* baquet; *Eimer* seau
Kubikmeter *m od n* mètre *m* cube
Küche *f* cuisine; ***kalte*** ~ repas *m/pl* froids

Kuchen *m* gâteau
Küchenschrank *m* buffet de cuisine
Kuckuck *m* coucou
Kugel *f* boule (*a Billard*2); *Geschoss* balle; *Sp* poids *m*; **~lager** *n* roulement *m* à billes; **~schreiber** *m* stylo (à) bille; **~stoßen** *n* lancement *m* du poids
Kuh *f* vache
kühl frais; *fig* froid; **2box** *f* glacière; **~en** rafraîchir; *Lebensmittel* réfrigérer; *Motor* refroidir; **2er** *m Kfz* radiateur; **2fach** *n* freezer *m*; **2schrank** *m* réfrigérateur; **2tasche** *f* sac *m* isotherme; **2truhe** *f* congélateur *m*; **2wasser** *n* eau *f* de refroidissement
kühn audacieux, courageux; *gewagt* osé
Küken *n* poussin *m*
Kuli *m* F stylo
Kultur *f* culture; **~film** *m* (film) documentaire
Kümmel *m* cumin
Kummer *m* chagrin; *Sorgen* souci(s) *m(pl)*
kümmern ***sich ~ um*** (*A*) se soucier de
Kund|e *m* client; **~endienst** *m* service après-vente
Kundgebung *f* manifestation
kündig|en licencier (***j-m*** q); *Vertrag* résilier; *selbst* donner sa démission; **2ung** *f* licenciement *m*; résiliation; démission; **2ungsfrist** *f* délai *m* de préavis
Kundin *f* cliente
Kundschaft *f* clientèle
Kunst *f* art *m*; **~ausstellung** *f* exposition; **~faser** *f* fibre synthétique; **~gewerbe** *n* arts *m/pl* décoratifs; **~leder** *n* similicuir *m*
Künstl|er(in) *m(f)* artiste; **2erisch** artistique; **2ich** artificiel
Kunst|sammlung *f* collection d'objets d'art; **~seide** *f* rayonne; **~stoff** *m* plastique; **~stück** *n* tour *m* d'adresse; **~werk** *n* œuvre *f* d'art
Kupfer *n* cuivre *m*; **~stich** *m* taille-douce *f*
Kuppel *f innere* coupole; *äußere* dôme *m*
kupp|eln *Kfz* embrayer; **2lung** *f* embrayage *m*; **2lungspedal** *n* pédale *f* d'embrayage
Kur *f* cure
Kür *f* figures *f/pl* libres
Kurbel *f* manivelle
Kürbis *m* courge *f*; *großer* potiron
Kur|gast *m* curiste; **2ieren** guérir; **~ort** *m* station *f* thermale
Kurs *m* cours; *Mar* route *f*; **~buch** *n* indicateur *m* des chemins de fer
Kursus *m* cours
Kurswagen *m* voiture *f* directe
Kurtaxe *f* taxe de séjour
Kurv|e *f* courbe; *Straßen*2 vi-

rage *m*; **≗enreich** sinueux
kurz court; *zeitlich a* bref; ***vor ~em*** récemment; ~ (***und gut***) bref
Kurzarbeit *f* chômage *m* partiel
Kürze *f* brièveté; ***in ~*** sous peu
kürzen raccourcir
Kurz|film *m* court métrage; **≗fristig** à court terme
kürzlich récemment
Kurz|parkzone *f* zone bleue; **~schluss** *m* court-circuit; **≗sichtig** myope; **~welle** *f* onde courte
Kusine *f* cousine
Kuss *m* baiser
küssen (***sich*** ~ s')embrasser
Küst|e *f* côte; **~enschifffahrt** *f* navigation côtière
Kutsch|e *f* calèche; *prächtige* carrosse; **~er** *m* cocher
Kutteln *pl* tripes *f|pl*
Kuvert *n* enveloppe *f*

L

labil instable
Labor *n* laboratoire *m*
lächeln sourire (***über*** *A* de)
lachen rire (***über*** *A* de); ≗ *n* rire *m*
lächerlich ridicule
Lachs *m* saumon
Lack *m* laque *f*, vernis; *Kfz* peinture *f*; **≗ieren** laquer, vernir
laden charger (*a Inform*)
Laden *m* magasin; *kleiner* boutique *f*; **~schluss** *m* fermeture *f* des magasins; **~tisch** *m* comptoir
Ladung *f* chargement *m*; *Mar* cargaison; *El* charge
Lage *f* situation; position; *Schicht* couche; ***in schöner ~*** bien situé; ***in der ~ sein zu*** être en mesure de
Lager *n* camp *m*; *Hdl* entrepôt; **~feuer** *n* feu *m* de camp
lagern camper; *Waren* stocker
Lagune *f* lagune
lahm paralysé; F *fig* mou
lähm|en paralyser (*a fig*); **≗ung** *f* paralysie
Laie *m* profane; *Rel* laïque
Laken *n* drap *m* (de lit)
Lamm *n* agneau *m*; **~fleisch** *n* agneau *m*
Lamp|e *f* lampe; **~enschirm** *m* abat-jour
Land *n* pays *m*; *Fest*≗ terre *f*; *Gegensatz zu Stadt* campagne *f*; ***auf dem ~*** à la campagne; ***an ~ gehen*** débarquer
Land|ebahn *f* piste d'atterrissage; **≗en** *Flgw* atterrir
Länderspiel *n Sp* rencontre *f* internationale
Landes|grenze *f* frontière nationale; **~sprache** *f* langue nationale; **~tracht** *f* costume *m* national (*od* régional)

Land|haus *n* maison *f* de campagne; **~karte** *f* carte
ländlich rural
Landschaft *f* paysage *m*
Landsmann *m* compatriote
Land|straße *f* route départementale; **~streicher** *m* vagabond
Landung *f Flgw* atterrissage *m*; *Mar* débarquement *m*; **~sbrücke** *f* débarcadère *m*
Landwein *m* vin de pays
Landwirt *m* agriculteur; **~schaft** *f* agriculture; **2schaftlich** agricole
lang long; ***drei Wochen ~*** pendant trois semaines
lange longtemps; ***wie ~?*** combien de temps?; ***seit ~m*** depuis longtemps
Läng|e *f* longueur; *zeitlich* durée; **~engrad** *m* degré de longitude
Langeweile *f* ennui *m*
langfristig à long terme
Langlauf *m* ski de fond
länglich oblong
längs (*G*) le long de
langsam lent; ***~er fahren*** ralentir
Langschläfer *m* lève-tard
längst depuis longtemps
Languste *f* langouste
langweil|en (***sich ~*** s')ennuyer; **~ig** ennuyeux
Langwelle *f* grandes ondes *f/pl*
Lappen *m* chiffon
Laptop *m Inform* portable
Lärm *m* bruit; **2en** faire du bruit
Laserdrucker *m Inform* imprimante *f* (à) laser [lazɛʀ]
lassen *zu~* laisser; *veran~* faire; ***machen ~*** faire faire; ***~ Sie sich nicht stören!*** ne vous dérangez pas!
lässig nonchalant
Last *f* charge; *fig* fardeau *m*; **~enaufzug** *m* monte-charge(s)
Laster[1] *n* vice *m*
Laster[2] *m* F poids lourd
lästern médire (***über*** *A* de)
lästig embêtant, pénible
Last|kahn *m* péniche *f*; **~(kraft)wagen** *m* camion, poids lourd
Latein *n* latin *m*; **~amerika** *n* l'Amérique *f* latine; **2isch** latin
Laterne *f* lanterne; *Straßen2* réverbère
Latte *f* latte; *Sp* barre
Latzhose *f* salopette
lau tiède; *Wetter* doux
Laub *n* feuillage *m*; **~baum** *m* (arbre) feuillu
Lauch *m* poireau
lauern guetter (***auf*** *A* qc)
Lauf *m* course *f*; *Maschine* marche *f*; *Gewehr* canon; ***im ~e*** (*G*) au cours de
Laufbahn *f* carrière
laufen aller à pied, marcher; *rennen* courir; *Film* passer; *Maschine* marcher
laufend *am ~en Band* sans arrêt; ***auf dem 2en sein*** être au courant

Läufer *m* coureur; *Schach* fou; *Teppich* passage; **~in** *f* coureuse
Lauf|steg *m* podium *m*; **~werk** *n Inform* lecteur *m*
Laune *f* humeur; ***gute*** (***schlechte***) ~ ***haben*** être de bonne (mauvaise) humeur
launisch lunatique
Laus *f* pou *m*
laut¹ bruyant; *Stimme* 'haut
laut² *prp* (*G*) d'après, selon
Laut *m* son
läuten sonner
laut|los silencieux; **$\mathcal{Q}$sprecher** *m* 'haut-parleur; **$\mathcal{Q}$stärke** *f* volume *m*
lauwarm tiède
Lava *f* lave
Lavendel *m* lavande *f*
Lawine *f* avalanche
leb|en vivre; **$\mathcal{Q}$en** *n* vie *f*; **~endig** vivant; *Stadt* animé; *Farbe* vif
Lebens|gefahr *f* danger *m* de mort; **~gefährte** *m* compagnon; **~gefährtin** *f* compagne; **~haltungskosten** *pl* coût *m* de la vie; **$\mathcal{Q}$länglich** à perpétuité; **~lauf** *m* curriculum vitae
Lebensmittel *n*/*pl* vivres *f*/*pl*; denrées *f*/*pl* alimentaires; **~geschäft** *n* épicerie *f*; **~vergiftung** *f* intoxication alimentaire
Lebensstandard *m* niveau de vie
Lebensunterhalt *m* moyens *m*/*pl* d'existence; ***s-n*** ~ ***verdienen*** gagner sa vie
Lebensversicherung *f* assurance-vie
Leber *f* foie *m*; **~pastete** *f* pâté *m* de foie
Lebewesen *n* être *m* vivant
lebhaft vif; *Diskussion* animé; *Verkehr* intense
Lebkuchen *m* pain d'épice
leblos inanimé
Leck *n* fuite *f*; *Mar* voie *f* d'eau
lecken lécher
lecker appétissant; **$\mathcal{Q}$bissen** *m* régal
Leder *n* cuir *m*; **~handschuhe** *m*/*pl* gants de peau; **~jacke** *f* veste, *kurze* blouson *m* de cuir; **~warengeschäft** *n* maroquinerie *f*
ledig célibataire
leer vide; *unbewohnt* inoccupé; **~en** vider; **$\mathcal{Q}$lauf** *m Kfz* point mort; **$\mathcal{Q}$ung** *f des Briefkastens* levée
legal légal
legen mettre; poser; ***sich*** ~ se coucher; *Wind* tomber
Legende *f* légende
Lehm *m* glaise *f*
Lehne *f Rücken*$\mathcal{Q}$ dossier *m*; *Arm*$\mathcal{Q}$ accoudoir *m*
lehnen (***sich*** ~ s')appuyer (***an*** *A* contre)
Lehrbuch *n* manuel *m*
Lehre *f* leçon; *Ausbildung* apprentissage *m*
lehren enseigner, apprendre (***j-n et*** qc à q)
Lehrer(in) *m*(*f*) *Grundschul*$\mathcal{Q}$

instituteur *m*, institutrice *f*; *Gymnasial*⁀ professeur *m*
Lehr|fach *n* discipline *f*; **~gang** *m* cours; **~ling** *m* apprenti; **⁀reich** instructif; **~stuhl** *m* chaire *f*; **~zeit** *f* apprentissage *m*
Leib *m* corps; *Bauch* ventre
Leibesvisitation *f* fouille corporelle
Leib|gericht *n* plat *m* préféré; **~schmerzen** *m/pl* mal *m* au ventre; **~wächter** *m* garde du corps
Leiche *f* cadavre *m*
Leichen|halle *f* chapelle mortuaire; **~wagen** *m* corbillard
leicht léger; *einfach* facile; **⁀athletik** *f* athlétisme *m*; **~gläubig** crédule; **⁀igkeit** *f* *fig* facilité; **⁀metall** *n* métal *m* léger; **⁀sinn** *m* inconscience *f*; **~sinnig** inconscient
Leid *n* mal *m*; ***es tut mir*** ~ je suis désolé; ***er tut mir*** ~ il me fait pitié
leiden souffrir (**an** *D* de); ***nicht ~ können*** ne pas pouvoir souffrir
Leiden *n* souffrance *f*; *Med* affection
Leidenschaft *f* passion; **⁀lich** passionné(ment)
leider malheureusement
leidlich passable
Leihbücherei *f* bibliothèque de prêt
leihen prêter (***j-m et*** qc à q); ***sich et*** ~ emprunter qc (***von j-m*** à q)
Leih|gebühr *f* frais *m/pl* de location; **~haus** *n* mont-de-piété *m*; **~wagen** *m* voiture *f* de location; **⁀weise** à titre de prêt
Leim *m* colle *f*
Leine *f* corde; *Hunde*⁀ laisse
Lein|en *n* toile *f*; **~wand** *f* écran *m*
leise bas; *adv* doucement; ***~r stellen*** baisser
Leiste *f* liteau *m*; *Anat* aine
leisten faire; *vollbringen* accomplir; *Dienst* rendre; *Zahlung* effectuer; ***Widerstand*** ~ résister; ***j-m Hilfe*** ~ secourir q; ***sich et*** ~ se permettre qc; *sich et gönnen* se payer qc
Leistung *f* résultats *m/pl* (obtenus); *große* performance; *Tech* puissance
leistungsfähig performant
Leitartikel *m* éditorial
leiten *Betrieb* diriger; *Tech* conduire
Leiter[1] *f* échelle
Leiter[2] *m* directeur, chef; *El* conducteur; **~in** *f* directrice
Leit|planke *f* glissière de sécurité; **~ung** *f* direction; *Tel*, *El* ligne; *Wasser*⁀ conduite; **~ungswasser** *n* eau *f* du robinet
Lektion *f* leçon
Lektüre *f* lecture
lenk|en diriger; *Kfz* conduire; **⁀rad** *n* volant *m*; **⁀radschloss** *n* antivol *m*; **⁀stange** *f* guidon *m*; **⁀ung** *f* *Kfz* direction

Lerche *f* alouette
lernen apprendre
lesbisch lesbien
lesen lire
Leser *m* lecteur; **2lich** lisible
letzte(r, -s) dernier, dernière; *äußerste* extrême; **~ *Woche*** la semaine dernière
Leucht|e *f* lampe; **2en** luire; *Lampe* éclairer; **2end** lumineux; **~er** *m* chandelier; **~reklame** *f* enseigne lumineuse; **~röhre** *f* tube *m* fluorescent; **~turm** *m* phare
leugnen nier
Leukämie *f* leucémie
Leute *pl* gens *m/pl*; ***viele* ~** beaucoup de monde; ***die jungen* ~** les jeunes (gens)
Lexikon *n* encyclopédie *f*
Libelle *f* libellule
Licht *n* lumière *f*; **~ *machen*** allumer (la lumière)
Lichtbild *n* photographie *f*
Lichthupe *f* ***die* ~ *betätigen*** faire un appel de phares
Licht|maschine *f Kfz* dynamo; **~schalter** *m* interrupteur; **~schutzfaktor** *m* indice de protection (solaire)
Lichtung *f* clairière
Lid *n* paupière *f*; **~schatten** *m* ombre *f* à paupières
lieb cher; *nett, artig* gentil
Liebe *f* amour *m*
lieben aimer; ***sich* ~** *körperlich* faire l'amour
liebenswürdig aimable; **2keit** *f* amabilité
lieber ~ *haben* aimer mieux, préférer; ***et* ~ *tun*** aimer mieux *od* préférer faire qc
Liebes|brief *m* lettre *f* d'amour; **~kummer** *m* chagrin d'amour; **~paar** *n* amoureux *m/pl*
lieb|evoll affectueux; **2haber** *m* amant; *Fan* amateur; **~lich** *Wein* moelleux; **2ling** *m* préféré(e) *m(f)*; *Anrede* chéri(e) *m(f)*
Lied *n* chanson *f*, chant *m*
liederlich désordonné
Liedermacher *m* auteur-compositeur-interprète
Liefer|ant *m* fournisseur; **2bar** livrable; **~frist** *f* délai *m* de livraison
liefer|n livrer, fournir (*a Beweis*); **2ung** *f* livraison; **2wagen** *m* camionnette *f*
Liege *f* divan *m*; *Garten2* chaise longue
liege|n être couché; *Geogr* être situé; **2sitz** *m Kfz* siège-couchette; **2stuhl** *m* chaise *f* longue; **2wagen** *m* voiture-couchettes *f*; **2wiese** *f* pelouse de repos
Lift *m* ascenseur; *Ski2* remonte-pente, téléski
Liga *f* ligue; *Sp* division
light allégé
Likör *m* liqueur *f*
lila lilas
Lilie *f* lilas *m*
Limonade *f* limonade
Limousine *f* berline
Linde *f* tilleul *m*
lindern soulager, apaiser

Lineal *n* règle *f*
Linie *f* ligne
Linien|bus *m* autobus régulier; **~flug** *m* vol régulier; **~maschine** *f* avion de ligne
Linke *f* gauche (*a Pol*)
linke(r, -s) gauche
links à gauche; ***nach ~*** à gauche; ***von ~*** de la gauche; ***sich ~ einordnen*** prendre la file de gauche
Links|abbieger *m* véhicule qui tourne à gauche; **~händer** *m* gaucher
Linse *f Bot, Optik* lentille
Lippe *f* lèvre
Lippenstift *m* rouge à lèvres
lispeln zézayer
List *f* ruse
Liste *f* liste
listig rusé
Liter *m od n* litre *m*
Literatur *f* littérature
Litfaßsäule *f* colonne Morris
live *TV* en direct; **2sendung** *f* émission en direct
Lizenz *f* licence
Lkw, LKW *m* (*Lastkraftwagen*) camion, poids lourd; **~-Fahrer** *m* routier
Lob *n* louange *f*, éloge *m*; **2en** louer; **2enswert** louable
Loch *n* trou *m*; **2en** poinçonner; **~er** *m* perforateur
Locke *f* boucle
locken attirer
Lockenwickler *m* bigoudi
locker *Schraube* desserré; *entspannt* décontracté
lockern (***sich ~*** se) relâcher
Löffel *m* cuillère [-ɛr] *f*
Loge *f* loge
logisch logique
Lohn *m* salaire, paie *f*; *fig* récompense *f*; **~empfänger** *m* salarié
lohnen ***es lohnt sich*** (***nicht***) cela (ne) vaut (pas) la peine
Lohn|erhöhung *f* augmentation (de salaire); **~steuer** *f* impôt *m* sur le salaire
Loipe *f* piste de ski de fond
Lok *s* ***Lokomotive***
Lokal *n* restaurant *m*, café *m*
Lokomotiv|e *f* locomotive; **~führer** *m* mécanicien
London Londres
Lorbeer *m* laurier
los *abgetrennt* détaché; ***~!*** allez!; ***was ist ~?*** qu'est-ce qu'il y a?; ***hier ist nicht viel ~*** il ne se passe pas grand-chose ici
Los *n* billet *m* de loterie; *Schicksal* sort *m*
löschen éteindre; *Tonband* effacer; *Durst* étancher
lose lâche; *unverpackt* en vrac
Lösegeld *n* rançon *f*
losen tirer au sort (***um et*** qc)
lösen détacher; *Handbremse* desserrer; *Problem* résoudre; *Fahrkarte* prendre
los|fahren, ~gehen partir; **~lassen** lâcher
löslich soluble
losmachen détacher
Lösung *f* solution (*a Chem*)
Lösungsmittel *n* solvant *m*
löten souder

Lotse *m* pilote
lotsen piloter
Lotterie *f* loterie
Lotto *n* loto *m*; **~schein** *m* bulletin de loto
Löw|e *m* lion; **~enzahn** *m* pissenlit; **~in** *f* lionne
Luchs *m* lynx *m*
Lücke *f* vide *m* (*a fig*); *Mangel* lacune
Luft *f* air *m*; **~ballon** *m* ballon; **~bild** *n* photo *f* aérienne; **2dicht** hermétique; **~druck** *m* pression *f* atmosphérique
lüften aérer
Luft|fahrt *f* aviation; **~fracht** *f* fret *m* aérien; **~gewehr** *n* fusil *m* à air comprimé; **~kissenboot** *n* aéroglisseur *m*; **~krankheit** *f* mal *m* de l'air; **~kühlung** *f* refroidissement *m* par air; **~kurort** *m* station *f* climatique; **~loch** *n Flugw* trou *m* d'air; **~matratze** *f* matelas *m* pneumatique; **~pirat** *m* pirate de l'air
Luftpost *f* **mit ~** par avion
Luft|pumpe *f* pompe à air; **~röhre** *f* trachée
Lüftung *f* aération
Luft|verkehr *m* trafic aérien; **~verschmutzung** *f* pollution atmosphérique; **~waffe** *f* armée de l'air; **~zug** *m* courant d'air
Lüg|e *f* mensonge *m*; **2en** mentir; **~ner** *m* menteur
Luke *f* lucarne; *Mar* écoutille
Lunchpaket *n* panier-repas *m*
Lung|e *f* poumon *m*; **~enentzündung** *f* pneumonie
Lupe *f* loupe
Lust *f* envie; (**keine**) **~ haben zu** (ne pas) avoir envie de
lustig *fröhlich* gai; *witzig* drôle; ***sich ~ machen über*** (*A*) se moquer de
lustlos sans entrain
Lustspiel *n* comédie *f*
lutsch|en sucer; **2er** *m* sucette *f*
Luxemburg *n* le Luxembourg; **~er** *m* Luxembourgeois; **2isch** luxembourgeois
luxuriös luxueux
Luxus *m* luxe; **~hotel** *n* hôtel *m* de luxe
lynchen lyncher

M

machen faire; ***j-n glücklich ~*** rendre q heureux; ***was od wieviel macht das?*** ça fait combien?; ***das macht nichts*** cela ne fait rien
Macht *f* pouvoir *m*; *Staat* puissance
mächtig puissant; *adv* F *sehr* énormément
machtlos impuissant
Mädchen *n* fille *f*; **~name** *m* nom de jeune fille
Mad|e *f* ver *m*; **2ig** véreux
Magazin *n Zeitschrift* maga-

zine *m*; *Lager* entrepôt *m*
Magen *m* estomac [-a]; ***auf nüchternen ~*** à jeun; ***sich den ~ verderben*** se détraquer l'estomac
Magen|bitter *m* amer; **~geschwür** *n* ulcère *m* de l'estomac; **~schmerzen** *m/pl* maux d'estomac; **~verstimmung** *f* indigestion
mager maigre; **2milch** *f* lait *m* écrémé
Magnet *m* aimant
Mahagoni *n* acajou *m*
mähen *Gras* faucher; *Rasen* tondre; *Getreide* moissonner
mahlen moudre
Mahlzeit *f* repas *m*
Mähne *f* crinière
Mahnung *f* avertissement *m*; *Hdl* rappel *m*
Mai *m* mai; **~glöckchen** *n* muguet *m*; **~käfer** *m* 'hanneton
Mailbox *f* boîte à lettres électronique
Mainz Mayence
Mais *m* maïs; **~kolben** *m* épi de maïs
Majoran *m* marjolaine *f*
makellos immaculé
Make-up *n* maquillage *m*
Makkaroni *pl* macaronis *m/pl*
Makler *m* agent immobilier
Makrele *f* maquereau *m*
Makrone *f* macaron *m*
mal *s* ***einmal***; *Math* ***zwei ~ zwei*** deux fois deux; ***guck ~!*** regarde!; ***zeig ~!*** fais voir!
Mal *n* fois; ***zum ersten ~*** pour la première fois; ***das nächste ~*** la prochaine fois; ***jedes ~*** chaque fois; ***jedes ~ wenn*** toutes les fois que; ***ein für alle ~*** une fois pour toutes
Malaria *f* malaria
mal|en peindre; **2er** *m* peintre; **2erei** *f* peinture; **2erin** *f* femme peintre; **~erisch** pittoresque
Malz *n* malt *m*; **~bier** *n* bière *f* de malt
Mama *f*, **Mami** *f* maman
man on
manche(r, -s) plus d'un(e); *pl* certains
manchmal quelquefois
Mandel *f* amande; *Anat* amygdale; **~entzündung** *f* amygdalite
Manege *f* *Zirkus* piste *f*
Mangel *m* *Fehlen* manque (***an*** *D* de); *Fehler* défaut; **2haft** défectueux; *Schulnote* médiocre
mangels (*G*) faute de
Manieren *f/pl* bonnes manières
Maniküre *f* manucure
manipulieren manipuler
Mann *m* homme; *Ehe2* mari
Männchen *n* *Zo* mâle *m*
Mannequin *n* mannequin *m*
männlich masculin (*a Gr*); *Biol* mâle
Mannschaft *f* équipe (*a Sp*); *Flgw, Mar* équipage *m*
Manöver *n* manœuvre *f*
Manschettenknopf *m* bouton de manchette

Mantel *m* manteau; *Reifen*≈ bandage pneumatique
Mappe *f* serviette; *Schul*≈ cartable *m*
Märchen *n* conte *m* (de fées); **≈haft** féérique; fabuleux
Marder *m* martre *f*
Margarine *f* margarine
Marienkäfer *m* coccinelle *f*
Marille *f österr* abricot *m*
Marine *f* marine
mariniert mariné
Mark[1] *f Geld* mark *m*
Mark[2] *n* moelle *f*
Mark|e *f Hdl* marque; *Spiel*≈, *Tel* jeton *m*; *Gebühren*≈, *Brief*≈ timbre *m*; *Essens*≈ ticket; **~enartikel** *m* produit de marque
markier|en marquer; *Weg* baliser; **≈ung** *f* balise
Markise *f* store *m*
Markt *m* marché; **~halle** *f* marché *m* couvert; **~platz** *m* place *f* du marché; **~stand** *m* étal
Marmelade *f* confiture
Marmor *m* marbre
Marok|kaner *m* Marocain; **≈kanisch** marocain; **~ko** *n* le Maroc
Marone *f* marron *m*
Marsch *m* marche *f* (*a Mus*); **≈ieren** marcher
März *m* mars
Marzipan *n* pâte *f* d'amandes
Maschine *f* machine; *Flgw* appareil *m*; ***mit der ~ schreiben*** taper à la machine
Maschinen|bau *m* construction *f* mécanique; **~gewehr** *n* mitrailleuse *f*; **~pistole** *f* mitraillette
Maschinist *m* chef mécanicien
Masern *pl* rougeole *f*
Mask|e *f* masque *m*; **≈ieren** masquer; ***sich ~*** se déguiser (***als*** en)
Maß[1] *n* mesure *f*; ***nach ~*** sur mesure
Maß[2] *f* chope d'un litre de bière
Massage *f* massage *m*
Massaker *n* massacre *m*
Masse *f* masse
massenhaft en masse
Massen|karambolage *f* carambolage *m*; **~medien** *n/pl* mass media *m/pl*; **~tourismus** *m* tourisme de masse
Masseur *m* masseur; **~in** *f* masseuse
maß|gebend, ~geblich déterminant, décisif
massieren masser
mäßig modéré; *mittel~* médiocre
mäßigen (***sich ~*** se) modérer
massiv massif
maß|los démesuré; **≈nahme** *f* mesure; **≈stab** *m* échelle *f*; **~voll** modéré
Mast *m* mât
mästen engraisser
Material *n* matériel *m*; *Bau*≈ matériau *m*
materiell matériel; *péj* matérialiste
Mathematik *f* mathématiques *f/pl*

Matjeshering *m* 'hareng salé
Matratze *f* matelas *m*
Matrose *m* matelot, marin
matt épuisé; *Fot*, *Schach* mat; *Glas* dépoli
Matte *f* natte; *Fuß*℞ paillasson *m*; *Sp* tapis
Mauer *f* mur *m*
Maul *n* gueule *f*; **~beerbaum** *m* mûrier; **~esel** *m* mulet; **~korb** *m* muselière *f*; **~wurf** *m* taupe *f*
Maurer *m* maçon
Maus *f* souris (*a Inform*); **~efalle** *f* souricière
Mausoleum *n* mausolée *m*
Maut *f*, **~gebühr** *f*, **~stelle** *f* *österr* péage *m*
maximal maximal; *adv* au maximum
Mayonnaise *f* mayonnaise
MC *f* (*Musikkassette*) K7
Mechan|ik *f* mécanique; **~iker** *m* mécanicien; **℞isch** mécanique; *fig* machinal; **~ismus** *m* mécanisme
meckern *fig* F rouspéter
Mecklenburg-Vorpommern *n* le Mecklembourg et la Poméranie occidentale
Medaille *f* médaille
Medien *n/pl* médias *m/pl*
Medi|kament *n* médicament *m*; **~zin** *f* médecine; *Arznei* médicament
Meer *n* mer *f*; ***am* ~** au bord de la mer; ***ans* ~** à la mer
Meerenge *f* détroit *m*
Meeresfrüchte *f/pl* fruits *m/pl* de mer
Meeresspiegel *m* ***über dem* ~** au dessus du niveau de la mer
Meer|rettich *m* raifort; **~schweinchen** *n* cochon *m* d'Inde
Mehl *n* farine *f*
mehr plus (***als*** que; *vor Substantiven* de); ***nicht* ~** ne ... plus; ***immer* ~** de plus en plus; ***noch* ~** encore plus
mehrere plusieurs
mehr|fach à plusieurs reprises; **℞heit** *f* majorité; **℞kosten** *pl* frais *m/pl* supplémentaires; **~mals** plusieurs fois; **℞wertsteuer** *f* taxe sur la valeur ajoutée, T.V.A.; **~zahl** *f* majorité; *Gr* pluriel *m*
meiden éviter
Meile *f* mille *m*
mein(e) mon (ma); **~e** *pl* mes
Meineid *m* parjure
meinen croire, penser; *sagen wollen* vouloir dire
meinetwegen à cause de moi; *für mich* pour moi; **~!** si tu veux (vous voulez)!
Meinung *f* avis *m*, opinion; ***meiner* ~ *nach*** à mon avis
Meinungs|umfrage *f* sondage *m* (d'opinions); **~verschiedenheit** *f* désaccord
Meise *f* mésange
Meißel *m* burin
meist la plupart du temps
meiste ***der, die, das* ~ ...** la plupart de ..., la majeure partie de ...; ***die* ~n** la plupart; ***am* ~n** le plus

meistens le plus souvent
Meister *m* maître; *Sp* champion; **~schaft** *f Sp* championnat *m*; **~werk** *n* chef-d'œuvre *m*
melden annoncer; *Unfall* déclarer; ***sich*** ~ se présenter (***bei*** chez); *von sich hören lassen* donner de ses nouvelles; *Schule* lever la main; *Tel* répondre
Meldepflicht *f* déclaration obligatoire
Meldung *f Nachricht* information; *amtliche* déclaration; *Bericht* rapport *m*
melken traire
Melodie *f* mélodie
Melone *f* melon *m*
Menge *f* quantité; *Menschen*2 foule
Mensa *f* restaurant *m* universitaire
Mensch *m* homme
Menschen|leben *n* vie *f* humaine; **2leer** désert; **~menge** *f* foule; **~rechte** *n/pl* droits *m/pl* de l'homme; **2scheu** farouche
Mensch|heit *f* humanité; **2lich** humain; **~lichkeit** *f* humanité
Menstruation *f* règles *f/pl*
Menü *n* menu *m* (*a Inform*)
Merkblatt *n* notice *f*
merken remarquer, s'apercevoir de; ***sich et*** ~ retenir qc
merk|lich sensible; **2mal** *n* caractéristique *f*; **~würdig** curieux, bizarre
Messe *f Rel* messe; *Hdl* foire; **~gelände** *n* parc *m* des expositions
messen mesurer
Messestand *m* stand
Messer *n* couteau *m*
Messing *n* laiton *m*
Metall *n* métal *m*
meteorologisch météorologique
Meter *m*, *n*, **~maß** *n* mètre *m*
Methode *f* méthode
Metzge|r *m* boucher; **~rei** *f* boucherie
Meuterei *f* mutinerie
Mexikan|er *m* Mexicain; **2isch** mexicain
Mexiko *n* le Mexique
mich me (*vor Vokal* m'); *betont, nach prp* moi; ***für*** ~ pour moi
Miene *f* air *m*, mine
Miet|e *f* loyer *m*; **2en** louer; **~er** *m* locataire; **~wagen** *m* voiture *f* de location; **~wohnung** *f* appartement *m* loué
Migräne *f* migraine
Mikro|phon *n* micro *m*; **~prozessor** *m* microprocesseur; **~skop** *n* microscope *m*; **~wellenherd** *m* four à micro-ondes
Milch *f* lait *m*; **~flasche** *f Baby*2 biberon *m*; **~kaffee** *m* café au lait; **~mixgetränk** *n* milk-shake *m*; **~produkte** *n/pl* produits *m/pl* laitiers; **~pulver** *n* lait *m* en poudre; **~zahn** *m* dent *f* de lait
mild doux; **~ern** adoucir

Militär *n* armée *f*; **&isch** militaire
Milli|arde *f* milliard *m*; **~meter** *n od m* millimètre *m*
Millio|n *f* million *m*; **~när** *m* millionnaire
Milz *f* rate
Minarett *n* minaret *m*
Minder|heit *f* minorité; **&jährig** mineur; **&wertig** inférieur; *Hdl* de mauvaise qualité
Mindest... ... minimum
mindeste(r, -s) moindre
mindestens au moins
Mindestlohn *m* salaire minimum
Mine *f* mine
Mineral *n* minéral *m*; **~wasser** *n* eau *f* minérale
Minigolf *n* golf *m* miniature
Minimum *n* minimum *m* (**an** *D* de)
Minirock *m* minijupe *f*
Minister(in) *m(f)* ministre *m*; **~ium** *n* ministère *m*
minus moins; ***2 Grad ~*** 2 degrés au-dessous de zéro
Minute *f* minute
mir me (*vor Vokal* m'); moi; *betont* à moi; ***mit ~*** avec moi
Misch|brot *n* pain *m* bis; **&en** mélanger; *Karten* battre; **~ung** *f* mélange *m*
miss|achten *Vorfahrt usw* ne pas respecter; *verachten* dédaigner; **~billigen** désapprouver; **&brauch** *m* abus; **~brauchen** abuser; **&erfolg** *m* échec; **&geschick** *n* mésaventure *f*; **~handeln** maltraiter; **~lingen** échouer
misstrau|en se méfier (***j-m*** de q); **&en** *n* méfiance *f*; **~isch** méfiant
Miss|verständnis *n* malentendu *m*; **&verstehen** mal comprendre
Mist(haufen) *m* (tas de) fumier
mit (*D*) avec; ***~ dem Zug*** en train
Mit|arbeiter *m* collaborateur; **~benutzung** *f* utilisation en commun; **&bringen** amener; *Sache* apporter; **&einander** ensemble
mitfahren ***bei j-m ~*** partir *od* venir avec q; ***wollen Sie ~?*** je peux vous déposer quelque part?
mitgeben donner
Mitgefühl *n* compassion *f*
Mitgift *f* dot [-ɔt]
Mitglied *n* membre *m*
mitkommen ***kommst du*** (***mit uns***) ***mit?*** tu viens avec nous?
Mitleid *n* pitié *f*; **&ig** compatissant; *adv* plein de pitié
mit|machen participer (***bei*** à); **~nehmen** emmener; *Sache* emporter; **&reisende(r)** *su* compagnon (compagne) de voyage; **~schuldig** complice (***an D*** de)
mitspielen prendre part au jeu; ***spielst du mit?*** tu joues avec nous (*od* moi *usw*)?
Mittag *m* midi; ***heute ~*** ce mi-

di; ***morgen*** ~ demain (à) midi; (***zu***) ~ ***essen*** déjeuner
Mittagessen *n* déjeuner *m*
mittags à midi; **⁓pause** *f* heure du déjeuner; **⁓ruhe** *f*, **⁓schlaf** *m* sieste *f*
Mitte *f* milieu *m*; ~ ***März*** à la mi-mars
mitteil|en communiquer, faire savoir (***j-m et*** qc à q); **⁓ung** *f* information; *amtliche* communiqué *m*
Mittel *n* moyen *m*; *Heil⁓* remède *m*; *Putz⁓* produit *m*; **~alter** *n* moyen âge *m*; **⁓alterlich** médiéval; **~amerika** *n* l'Amérique *f* centrale; **⁓fristig** à moyen terme; **⁓los** sans moyens; **⁓mäßig** médiocre
Mittelmeer ***das*** ~ la (mer) Méditerranée
Mittel|ohrentzündung *f* otite moyenne; **~punkt** *m* centre; **~streifen** *m auf Autobahnen* terre-plein central; **~welle** *f* ondes *f/pl* moyennes
mitten ~ ***in ...*** (*D*) au milieu de
Mitternacht *f* minuit *m*
mittlere(r, -s) moyen
Mittwoch *m* mercredi
mittwochs le mercredi
mitunter de temps en temps
mitwirk|en collaborer (***bei*** à); **⁓ung** *f* collaboration
Mix|becher *m* shaker; **⁓en** mélanger; **~er** *m* barman; *Küchen⁓* mixer
Möbel *n* meuble *m*; *pl* ameublement *m*; **~wagen** *m* voiture *f* de déménagement
Mobiltelefon *n* téléphone *m* mobile
möbliert ~***es Zimmer*** chambre *f* meublée (*od* garnie)
Mode *f* mode
Modell *n* modèle *m*
Modenschau *f* défilé *m* de mode
Mode|rator *m TV* présentateur; **⁓rieren** présenter
modern *adj* moderne; **~isieren** moderniser
Mode|schmuck *m* bijoux *m/pl* (de) fantaisie; **~zeitschrift** *f* revue de mode
modisch à la mode
Mofa *n* cyclomoteur *m*, mobylette *f*
mögen aimer; ***ich möchte*** je voudrais; ***ich möchte gern*** j'aimerais bien; ***das mag sein*** ça se peut
möglich possible; **⁓keit** *f* possibilité
Mohammeda|ner *m*, **⁓nisch** musulman
Mohn *m* pavot
Möhre *f*, **Mohrrübe** *f* carotte
Mokka *m* moka
Mole *f* môle, jetée
Molkerei *f* laiterie
Moll *n* mode *m* mineur; ***c-Moll*** do *m* mineur
Moment *m* instant; ***im*** ~ actuellement
Monarchie *f* monarchie
Monat *m* mois; **⁓lich** mensuel, par mois
Monats|karte *f* carte men-

suelle; **~rate** *f* mensualité
Mönch *m* moine
Mond *m* lune *f*; **~finsternis** *f* éclipse de lune; **~schein** *m* clair de lune
Monitor *m Inform* écran
Montag *m* lundi
Montage *f* montage *m*
montags le lundi
Mont|eur *m* monteur; **≈ieren** monter
Moor *n* marais *m*; **~bad** *n* bain *m* de boue
Moos *n* mousse *f*
Moped *n* vélomoteur *m*
Moral *f* morale
Morast *m* bourbe *f*
Mord *m* meurtre
Mörder *m* meurtrier, assassin
morgen demain; ~ ***Abend*** (***früh***) demain soir (matin)
Morgen *m* matin; ***am*** ~ le matin; ***heute*** ~ ce matin; ***guten*** ~***!*** bonjour!
Morgen|dämmerung *f*, **~grauen** *n* aube *f*; **~land** *n* Orient *m*; **~mantel** *m*, **~rock** *m* peignoir; **~röte** *f* aurore
morgens le matin
morgig de demain
Morphium *n* morphine *f*
morsch pourri
Mörtel *m* mortier
Mosaik *n* mosaïque *f*
Moschee *f* mosquée
Moskito *m* moustique; **~netz** *n* moustiquaire *f*
Moslem *m* musulman
Most *m* moût; *Apfel≈* cidre
Motel *n* motel *m*
Motiv *n* motif *m*; *jur* mobile *m*; **≈ieren** motiver
Motor *m* moteur; **~boot** *n* bateau *m* à moteur; **~haube** *f* capot *m*; **~rad** *n* moto *f*; **~radfahrer** *n* motocycliste; **~roller** *m* scooter [-ɛr]; **~schaden** *m* panne *f* de moteur
Motte *f* mite
Mountainbike *n* vélo *m* tout terrain, V.T.T. *m*
Möwe *f* mouette
Mücke *f* moucheron *m*; *Stech≈* moustique *m*
Mückenstich *m* piqûre *f* de moustique
müde fatigué
Müdigkeit *f* fatigue
muffig ~ ***riechen*** sentir le renfermé
Mühe *f* peine; ***sich*** ~ ***geben*** se donner de la peine; ***der*** ~ ***wert sein*** valoir la peine
Mühle *f* moulin *m*
mühsam pénible(ment)
Mulde *f* cuvette
Müll *m* ordures *f/pl*; **~abfuhr** *f* ramassage *m* des ordures; **~beutel** *m* sac poubelle
Mullbinde *f* bande de gaze
Müll|deponie *f* décharge (publique); **~eimer** *m* poubelle *f*; **~schlucker** *m* vide-ordures; **~tonne** *f* poubelle; **~trennung** *f* collecte sélective; **~verbrennungsanlage** *f* usine d'incinération des ordures ménagères; **~wagen** *m* benne *f* à ordures

multiplizieren multiplier
Mumps *m* oreillons *m/pl*
München Munich [-ik]
Mund *m* bouche *f*; **~art** *f* dialecte *m*
münden ~ *in* (*A*) se jeter dans
Mundharmonika *f* harmonica *m*
mündig majeur
mündlich oral
Mündung *f* embouchure
Mundwasser *n* eau *f* dentifrice
Mund-zu-Mund-Beatmung *f* bouche-à-bouche *m*
Munition *f* Munition
munter gai; *lebhaft* vif; *wach* éveillé
Münz|e *f* pièce (de monnaie); **~fernsprecher** *m* cabine *f* téléphonique (fonctionnant avec des pièces); **~tank** *m* distributeur d'essence; **~wechsler** *m* changeur de monnaie
murmeln murmurer
murren grogner
mürrisch grincheux
Mus *n* marmelade *f*; *Apfel*≈ compote; *Kartoffel*≈ purée *f*
Muschel *f* *Zo* coquillage *m*; *Schale* coquille; *Mies*≈ moule
Museum *n* musée *m*
Musik *f* musique
musikalisch musical; ~ ***sein*** être musicien
Musik|box *f* juke-box *m*; **~er** *m* musicien; **~instrument** *n* instrument *m* de musique; **~hochschule** *f* conservatoire *m*
musizieren faire de la musique
Muskat *n* muscade *f*
Muskel *m* muscle; **~kater** *m* courbatures *f/pl*; **~zerrung** *f* claquage *m*
muskulös musclé
Muße *f* temps *m* (libre)
müssen devoir; ***ich muss jetzt gehen*** il faut que j'aille
Muster *n* modèle *m*; *Stoff*≈ motif *m*; *Warenprobe* échantillon *m*; **≈gültig, ≈haft** exemplaire; **~wohnung** *f* appartement-témoin *m*
Mut *m* courage; **≈ig** courageux; **≈los** découragé
Mutter *f* mère; *Tech* écrou *m*
mütterlich maternel
Mutter|mal *n* tache *f* de vin; **~sprache** *f* langue maternelle; **≈tag** *m* fête *f* des mères
Mutti *f* maman
mutwillig volontaire
Mütze *f* bonnet *m*, casquette
MwSt. (*Mehrwertsteuer*) T.V.A. *f* (*taxe sur la valeur ajoutée*)

N

Nabe *f* moyeu *m*
Nabel *m* nombril [-i]
nach (*D*) *örtlich* à, vers, en; *zeitlich* après; ~ ***Paris*** à Paris, *Zug* pour Paris; ~ ***Frankreich*** en France; ~ ***Osten*** (***zu***) vers l'est; ***fünf*** ~ ***drei*** trois heures cinq; ~ ***und*** ~ peu à peu
nachahm|en imiter; **2ung** *f* imitation
Nachbar(in) *m(f)* voisin(e)
Nachbarschaft *f* voisinage *m*; *die Nachbarn* voisins *m/pl*
nachbestellen commander encore
Nachbildung *f* réplique
nachdem après que, après avoir (+ *inf*); ***je*** ~, ***ob*** suivant que; *s* ***je***
nach|denken réfléchir (***über*** *A* à *od* sur); **~denklich** pensif; **~drücklich** ferme; *adv* vivement; **~einander** l'un après l'autre; **2folger** *m* successeur; **2forschung** *f* recherches *f/pl*; **2frage** *f Hdl* demande; **~füllen** recharger; **~geben** céder; **2gebühr** *f* surtaxe; **~gehen** suivre (***j-m*** q); *Uhr* retarder (***zwei Minuten*** de deux minutes); **2geschmack** *m* arrière-goût; **~giebig** conciliant
nachher après, plus tard; ***bis*** ~***!*** à tout à l'heure!
Nach|hilfe *f* cours *m/pl* particuliers; **2holen** rattraper; **~komme** *m* descendant; **~kriegszeit** *f* après-guerre *m*; **~lass** *m Hdl* remise *f*, réduction *f*; *Erbe* succession *f*
nachlassen *Fieber* diminuer; *Schmerz*, *Wind* se calmer; *Regen* cesser; *leistungsmäßig*, *Augen* baisser
nach|lässig négligent; **~laufen** courir (***j-m*** après q)
nachmachen imiter; ~ ***lassen*** *Foto* faire refaire
Nachmittag *m* après-midi; ***am*** ~ l'après-midi; ***morgen*** ~ demain après-midi
nachmittags l'après-midi
Nachnahme *f* ***per*** ~ contre remboursement
Nach|name *m* nom de famille; **2prüfen** vérifier; **2rechnen** recompter, vérifier
Nachricht *f* nouvelle; **~en** *pl Radio* bulletin *m* d'informations; *TV* journal *m* télévisé
Nachrichten|agentur *f* agence de presse; **~satellit** *m* satellite de télécommunications
Nach|saison *f* arrière-saison; **2schicken** faire suivre; **~schlüssel** *m* fausse clé; **2sehen** vérifier; voir (***ob*** si); **2senden** faire suivre; **~sicht** *f* indulgence; **2sichtig** indul-

gent; **~speise** *f* dessert *m*
nächste(r, -s) prochain (*a räumlich*), suivant; **~ *Woche*** la semaine prochaine; ***am ~n Tag*** le jour suivant, le lendemain; ***der* ☊ *bitte!*** au suivant!
nachstellen *Uhr* retarder
Nacht *f* nuit; ***gute ~!*** bonne nuit!; ***heute ~*** cette nuit; ***in der ~, bei ~*** la nuit
Nachtdienst *m* garde *f od* service de nuit
Nachteil *m* inconvénient; ***im ~ sein*** être désavantagé
Nacht|frost *m* gelée nocturne; **~hemd** *n* chemise *f* de nuit
Nachtigall *f* rossignol *m*
Nachtisch *m* dessert
Nacht|dienst *m im Krankenhaus* garde *f* de nuit; **~leben** *n* vie *f* nocturne; **~lokal** *n* boîte *f* de nuit; **~portier** *m* concierge de nuit
Nachtrag *m* supplément
nachtragend rancunier
nachträglich ultérieur
nachts la nuit
Nachttisch *m* table *f* de nuit; **~lampe** *f* lampe de chevet
Nacht|vorstellung *f im Kino* dernière séance; **~wächter** *m* veilleur de nuit
Nach|weis *m* preuve *f*; **☊weisen** prouver, démontrer; **~wirkungen** *f/pl* séquelles; **~wuchs** *m* progéniture *f*; *Beruf* relève *f*; **☊zahlen** payer un supplément; **☊zählen** recompter; **~zahlung** *f* paiement *m* ultérieur; **~zügler** *m* retardataire
Nacken *m* nuque *f*
nackt nu; **☊badestrand** *m* plage *f* pour nudistes
Nadel *f* aiguille; *Steck*☊ épingle; **~baum** *m* conifère
Nagel *m* clou; *Finger*☊ ongle; **~bürste** *f* brosse à ongles; **~feile** *f* lime à ongles; **~lack** *m* vernis à ongles; **~lackentferner** *m* dissolvant
nagel|n clouer; **~neu** flambant neuf; **☊schere** *f* ciseaux *m/pl* à ongles
Nagetier *n* rongeur *m*
nah(e) proche; **~ *bei*** près de
Nähe *f* proximité; ***ganz in der ~*** tout près
nähen coudre
näher plus proche, plus près
nähern ***sich j-m, e-r Sache ~*** s'approcher de q, qc
Näh|garn *n* fil *m* à coudre; **~maschine** *f* machine à coudre; **~nadel** *f* aiguille
nahr|haft nourrissant; *Essen* substantiel; **☊ung** *f* nourriture; **☊ungsmittel** *n/pl* produits *m/pl* alimentaires
Naht *f* couture; *Med* suture
Nahverkehr *m Bahn* trafic de banlieue; **~szug** *m* train de banlieue
Nähzeug *n* nécessaire *m* de couture
naiv naïf
Name *m* nom; ***im ~n von*** au nom de
Namenstag *m* fête *f*

namentlich nominal; *adv* par son (mon *usw*) nom
namhaft renommé
nämlich à savoir; *denn* car
Napf *m* écuelle *f*, jatte *f*
Narbe *f* cicatrice
Narkose *f* anesthésie
Narr *m*, **närrisch** fou
naschen manger par gourmandise; ***gern ~*** aimer les sucreries
Nase *f* nez *m*
Nasenbluten *n* ***~ haben*** saigner du nez
Nasenloch *n* narine *f*
Nashorn *n* rhinocéros *m*
nass mouillé; ***~ machen*** mouiller
Nässe *f* humidité
Nation *f* nation
national national; **≗elf** *f* équipe nationale de football; **≗feiertag** *m* fête *f* nationale; **≗gericht** *n* plat *m* national; **≗hymne** *f* hymne *m* national; **≗ität** *f* nationalité; **≗mannschaft** *f* *Sp* équipe nationale; **≗park** *m* parc national
NATO ***die ~*** l'OTAN *f*
Natur *f* nature; **~ereignis** *n* phénomène *m* naturel; **~heilkunde** *f* médecines *f/pl* naturelles; **~katastrophe** *f* catastrophe naturelle
natürlich naturel(lement)
Naturschutz *m* protection *f* de la nature; **~gebiet** *n* réserve *f* naturelle
Naturwissenschaften *f/pl* sciences physiques et naturelles
Nebel *m* brouillard; *Dunst* brume *f*; **~scheinwerfer** *m* phare antibrouillard; **~schlussleuchte** *f* feu *m* arrière antibrouillard
neben (*A*, *D*) à côté de, auprès de; **~an** à côté; **~bei** en passant; **≗beschäftigung** *f* activité annexe; **~einander** l'un à côté de l'autre; **≗fluss** *m* affluent; **≗gebäude** *n* dépendance *f*, annexe *m*; **≗kosten** *pl* faux frais *m/pl*; *Miete* charges *f/pl*; **≗sache** *f* accessoire *m*; **≗straße** *f* route secondaire; **≗verdienst** *m* gain supplémentaire; **≗wirkung** *f* effet *m* secondaire
neblig brumeux
necken (***sich ~*** se) taquiner
Neffe *m* neveu
Negativ *n* *Fot* négatif *m*
Neger(in) *m(f)* Noir(e); *oft péj* nègre (négresse)
nehmen prendre; ***Platz ~*** prendre place
Neid *m* jalousie *f*, envie *f*; **≗isch** envieux, jaloux (***auf*** *A* de)
neigen pencher; *fig* ***~ zu*** avoir tendance à
Neigung *f* pente; *fig* tendance (***zu*** à)
nein non
Nelke *f* œillet *m*
nennen appeler; *angeben* nommer; ***sich ~*** s'appeler
Neonröhre *f* tube *m* au néon

Nerv *m* nerf
Nerven|schock *m* choc nerveux; **~zusammenbruch** *m* dépression *f* nerveuse
nervös nerveux
Nervosität *f* nervosité
Nerz *m* vison
Nesselfieber *n* urticaire *f*
Nest *n* nid *m*
nett gentil, sympathique
netto net; **≈preis** *m* prix net
Netz *n* filet *m*; *fig* réseau *m*; *Strom≈* secteur *m*; **~anschluss** *m* raccordement au secteur; **~haut** *f* rétine; **~karte** *f* carte d'abonnement
neu nouveau, neuf; **≈bau** *m* construction *f* récente; **≈erscheinung** *f* nouveauté
Neuerung *f* innovation
Neugeborene(s) *n* nouveau-né *m*
Neugier *f* curiosité; **≈ig** curieux
Neu|heit *f* nouveauté; **~igkeit** *f* nouvelle
Neujahr *n* nouvel an *m*; ***Prosit ~!*** bonne année!
neu|lich l'autre jour; **≈ling** *m* nouveau; novice; **≈mond** *m* nouvelle lune *f*
neun neuf; **~hundert** neuf cents; **~te(r, -s)** neuvième; **≈tel** *n* neuvième *m*; **~zehn** dix-neuf; **~zig** quatre-vingt-dix
Neuralgie *f* névralgie
Neu|reiche(r) *m* nouveau riche; **~schnee** *m* neige *f* fraîche
neutral neutre
nicht ne ... pas; **~ *mehr*** ne ... plus; **noch ~** pas encore; **~ *einmal*** même pas; ***gar ~, überhaupt ~*** pas du tout; ***ich auch ~*** moi non plus; **~ (*wahr*)?** n'est-ce pas?, hein?
Nichte *f* nièce
Nichtraucher *m* non-fumeur; ***ich bin ~*** je ne fume pas
nichts (ne) rien
Nichtschwimmer *m* non-nageur; ***er war ~*** il ne savait pas nager
nicken faire un signe de tête
nie ne ... jamais; *ohne Verb* jamais; **~ *mehr*, ~ *wieder*** (ne ...) plus jamais
niedergeschlagen abattu
Niederlage *f* défaite
Nieder|lande ***die ~*** *pl* les Pays-Bas *m/pl*; **~länder** *m* Néerlandais; **≈ländisch** néerlandais
niederlassen ***sich ~*** s'établir
Nieder|lassung *f Hdl* succursale; **≈legen** *Amt* se démettre de
Niedersachsen *n* la Basse-Saxe
Nieder|schlag *m* précipitations *f/pl*; **≈schlagen** jeter à terre; *Aufstand* écraser
niederträchtig infâme
niedlich mignon
niedrig bas
niemals ne ... jamais; *ohne Verb* jamais
niemand personne ne ...; ne

... personne; *ohne Verb* personne
Niere *f* rein *m*; *Kochk* rognon *m*
Nieren|kolik *f* colique néphrétique; **~stein** *m* calcul rénal
Nieselregen *m* bruine *f*
niesen éternuer
Niete *f Los* billet *m* perdant
Nikotin *n* nicotine *f*
Nilpferd *n* hippopotame *m*
nirgend|s, ~wo nulle part
Nische *f* niche
nisten nicher
Nizza *n* Nice *f*
noch encore; ~ ***nicht*** pas encore; ***immer*** ~ toujours, encore; ***weder*** ... ~ ni ... ni
nochmals encore une fois
Nomade *m* nomade
Nominativ *m* nominatif
Nonne *f* religieuse
Nonstopflug *m* vol sans escale
Norden *m* nord
nördlich du nord; ~ ***von*** au nord de
Nordosten *m* nord-est
Nordrhein-Westfalen *n* la Rhénanie-du-Nord-Westphalie
Nord|pol *m* pôle nord; **~see** *f* mer du Nord; **~westen** *m* nord-ouest; **~wind** *m* vent du nord
Norm *f* norme
normal normal; **2benzin** *n* essence *f* ordinaire; **~erweise** normalement
Norweg|en *n* la Norvège; **~er** *m* Norvégien; **2isch** norvégien
Not *f* besoin *m*, embarras *m*; *Elend* misère; *~lage* détresse; ***zur*** ~ à la rigueur
Notar *m* notaire
Notarzt *m* médecin d'urgence; **~wagen** *m* ambulance *f*
Not|aufnahme *f* (service *m* des) urgences *f/pl*; **~ausgang** *m* sortie *f* de secours; **~bremse** *f* signal *m* d'alarme; **~dienst** *m* (service de) garde; **2dürftig** provisoire
Note *f* note (*a Schule*, *Mus*)
Notfall *m* cas d'urgence; ***im*** ~ en cas de besoin
notfalls au besoin
notieren noter
nötig nécessaire; ***et*** ~ ***haben*** avoir besoin de qc
Notiz *f* note; **~buch** *n* bloc-notes *m*
Not|lage *f* situation difficile; **~landung** *f* atterrissage *m* forcé; **~lösung** *f* solution de fortune *od* provisoire; **~ruf** *m* (numéro d')appel d'urgence; **~rufsäule** *f* borne téléphonique *od* d'appel; **~wehr** *f* légitime défense; **2wendig** nécessaire
Novelle *f* nouvelle
November *m* novembre
nüchtern ***auf ~en Magen*** à jeun
Nudeln *f/pl* nouilles, pâtes
Nudist *m* nudiste
null zéro; ***eins zu*** ~ un à zéro;

3 Grad unter ***2*** 3 degrés au-dessous de zéro
Nummer *f* numéro *m*
nummerieren numéroter
Nummernschild *n Kfz* plaque *f* d'immatriculation
nun maintenant; ***von ~ an*** dorénavant; ***kommst du ~?*** alors, tu viens?
nur ne ... que, seulement
Nuss *f Wal2* noix; *Hasel2* noisette; **~baum** *m* noyer; **~knacker** *m* casse-noix; casse-noisettes
Nutte *f* P *péj* pute
nutzen, nützen *j-m* servir (**zu** à); *et* utiliser; *Gelegenheit* profiter de; ***nichts ~*** ne servir à rien
Nutz|en *m* utilité *f*, profit; **~fahrzeug** *n* véhicule *m* utilitaire
nützlich utile
nutzlos inutile

O

Oase *f* oasis
ob si; ***als ~*** comme si
obdachlos, 2e(r) *su* sans abri
Obduktion *f* autopsie
oben en 'haut; ***da ~*** là-haut; ***nach ~*** vers le 'haut; ***von ~*** d'en 'haut; ***von ~ bis unten*** de 'haut en bas; F ***~ ohne*** seins nus
Ober *m* garçon; ***Herr ~!*** garçon!, Monsieur!
Ober|arm *m* bras; **~deck** *n Mar* pont *m* supérieur
obere(r, -s) supérieur
Ober|fläche *f* surface, superficie; **2flächlich** superficiel; **2halb** (*G*) au-dessus de; **~hemd** *n* chemise *f*; **~kiefer** *m* mâchoire *f* supérieure; **~körper** *m* torse; **~lippe** *f* lèvre supérieure
Obers *n österr* crème *f*
Oberschenkel *m* cuisse *f*
oberste(r, -s) le (la) plus 'haut(e); *im Rang* suprême
Oberweite *f* tour *m* de poitrine
obgleich bien que (+ *subj*)
Objekt *n* objet *m*
objektiv, 2 *n* objectif *m*
obligatorisch obligatoire
Oboe *f* 'hautbois *m*
Obst *n* fruits *m/pl*; **~baum** *m* arbre fruitier; **~garten** *m* verger; **~kuchen** *m* tarte *f* aux fruits; **~saft** *m* jus de fruits; **~salat** *m* salade *f* de fruits
obszön obscène
obwohl bien que (+ *subj*)
Ochse *m* bœuf; **~nschwanzsuppe** *f* oxtail *m*
öde désert
oder ou; ***~ aber*** ou alors
Ofen *m* poêle [pwal]; *Back2* four
offen ouvert; *Stelle* vacant; *Wein* en pichet; *freimütig*

franc; ~ ***gesagt*** franchement; ***auf ~er See*** au large
offenbar *adv* apparemment
Offen|heit *f* franchise; **\&lassen** laisser ouvert; *Frage* laisser en suspens; **\&sichtlich** manifeste(ment)
öffentlich public; *adv* publiquement, en public; **\&keit** *f* public *m*
offiziell officiel
Offizier *m* officier
öffn|en ouvrir; *Flasche a* déboucher; **\&er** *m Flaschen\&* ouvre-bouteilles; **\&ung** *f* ouverture; **\&ungszeiten** *f/pl* heures d'ouverture
oft souvent; ***wie ~?*** combien de fois?
öfter(s) assez souvent
ohne (*A*) sans
Ohnmacht *f Med* évanouissement *m*
ohnmächtig évanoui; ~ ***werden*** s'évanouir
Ohr *n* oreille *f*
Ohren|arzt *m*, **~ärztin** *f* oto-rhino *m, f*
Ohrenschmerzen *m/pl* ***ich habe*** ~ j'ai mal aux oreilles
Ohr|feige *f* gifle; **~ring** *m* boucle *f* d'oreille
Öko|laden *m* magasin de produits naturels; **~logie** *f* écologie; **\&logisch** écologique
Oktober *m* octobre
Öl *n* huile *f*; *Erd\&* pétrole *m*; *Heiz\&* mazout [-t] *m*, fioul *m*; *Kfz* ***das ~ wechseln*** faire la vidange
Oleander *m* laurier-rose
ölen graisser
Öl|farbe *f* peinture à l'huile; **~gemälde** *n* (peinture *f* à l')huile *f*; **~heizung** *f* chauffage *m* au mazout
Olive *f* olive
Oliven|baum *m* olivier; **~öl** *n* huile *f* d'olive
Öl|messstab *n* jauge *f* (de niveau) d'huile; **~pest** *f* marée noire; **~sardinen** *f/pl* sardines à l'huile; **~stand** *m* niveau d'huile; **~wechsel** *m* vidange *f*
Olympiasieger *m* champion olympique
olympisch ***~e Spiele*** *n/pl* jeux *m/pl* olympiques
Oma *f* mamie, mémé
Omelett *n* omelette *f*
Omnibus *m* autobus; *Reisebus* autocar
Onkel *m* oncle
online *Inform* en ligne
OP *m s* ***Operationssaal***
Opa *m* papy, pépé
Oper *f* opéra *m*
Operation *f* opération; **~ssaal** *m* salle *f* d'opération
Operette *f* opérette
operieren opérer
Opernhaus *n* opéra *m*
Opfer *n* sacrifice *m*; *Person* victime *f*
opfern sacrifier
Opium *n* opium *m*
Opposition *f* opposition
Optiker *m* opticien
Optimist *m*, **\&isch** optimiste

Orange *f* orange
Orangensaft *m* jus d'orange
Orchester *n* orchestre *m*
Orchidee *f* orchidée
Orden *m* décoration *f*; *Rel* ordre
ordentlich *Zimmer* en ordre; *Person* ordonné
ordinär vulgaire
ordnen ranger; *regeln* régler
Ordner *m Akten*⁀ classeur
Ordnung *f* ordre *m*; ***in ~*** *Papiere* en règle; *Fahrzeug* en bon état; ***in ~!*** d'accord!; ***in ~ bringen*** arranger
Organ *n* organe *m*; **~isation** *f* organisation; **⁀isieren** organiser; **~ismus** *m* organisme
Orgel *f* orgue *m*
orientalisch oriental
orientieren ***sich ~*** s'orienter; *sich informieren* se renseigner (***über** A* sur)
Original *n* original *m*
original *echt* véritable; *ursprünglich* d'origine
originell original
Orkan *m* ouragan
Ort *m* lieu, endroit; *~schaft* localité *f*; ***an ~ und Stelle*** sur place
Orthographie *f* orthographe
Orthopä|de *m*, **~din** *f* orthopédiste *m*, *f*
örtlich, Orts... local
Ortschaft *f* localité
Orts|gespräch *n Tel* communication *f* urbaine (*od* locale); **~zeit** *f* heure locale
Öse *f* œillet *m*
Osten *m* est [ɛst]; ***im ~*** à l'Est
Oster|ei *n* œuf *m* de Pâques; **~montag** *m* lundi de Pâques
Ostern *n* Pâques *f|pl*
Österreich *n* l'Autriche *f*; **~er** *m* Autrichien; **⁀isch** autrichien
östlich de l'est, d'est, oriental; ***~ von*** à l'est de
Ost|see *f* mer Baltique; **~wind** *m* vent d'est
Otter *f* vipère
oval ovale
Overall *m* combinaison *f*
Ozean *m* océan
Ozon *n* ozone *m*; **~loch** *n* trou *m* dans la couche d'ozone

P

Paar *n Sachen* paire *f*; *Personen* couple *m*; ***ein ⁀*** quelques; ***vor ein ⁀ Tagen*** il y a quelques jours
Pacht *f* bail *m*; **⁀en** prendre en bail
Päckchen *n* petit paquet *m*
pack|en *Koffer*, *Paket* faire; *ergreifen* saisir (***an** D* par); **⁀papier** *n* papier *m* d'emballage; **⁀ung** *f* paquet *m*; *Med* compresse
Paddel *n* pagaie *f*; **~boot** *n* canoë *m*

paddeln pagayer
Paket *n* colis *m*, paquet *m*; **~annahme** *f* réception des colis; **~karte** *f* bulletin *m* d'expédition
Pakt *m* pacte
Palast *m* palais
Palm|e *f* palmier *m*; **~sonntag** *m* dimanche des Rameaux
Pampelmuse *f* pamplemousse *m od f*
Paniermehl *n* chapelure *f*
paniert pané
Panik *f* panique
Pann|e *f* panne; **~enhilfe** *f* (service *m* de) dépannage *m*
Panorama *n* panorama *m*
Panther *m* panthère *f*
Pantoffel *m* pantoufle *f*
Panzer *m Zo* carapace *f*; *Mil* blindé, char; **~schrank** *m* coffre-fort
Papa *m* papa
Papagei *m* perroquet
Papier *n* papier *m*; **~e** *pl* papiers *m/pl*; **~geld** *n* billets *m/pl* (de banque); **~korb** *m* corbeille *f* à papier; **~taschentuch** *n* mouchoir *m* en papier; **~warenhandlung** *f* papeterie
Pappe *f* carton *m*
Pappel *f* peuplier *m*
Paprika *m* paprika; **~schote** *f* poivron *m*
Papst *m* pape
Parabolantenne *f* antenne parabolique
Parade *f* revue, défilé *m*
Paradeiser *m österr* tomate *f*
Paradies *n* paradis *m*
Paragraph *m* paragraphe
parallel parallèle
Pärchen *n* couple
Parfüm *n* parfum *m*; **~erie** *f* parfumerie
Paris Paris [-ri]
Park *m* parc; **~automat** *m* horodateur
parken se garer; *Auto* garer; **Ձ *verboten*** stationnement interdit
Parkett *n* parquet *m*; *Theater* orchestre *m*, parterre *m*
Park|gebühr *f* droit *m* de stationnement; **~haus** *n* parking *m* à plusieurs étages; **~kralle** *f* sabot *m* de Denver; **~lücke** *f* place libre (*pour se garer*); **~platz** *m* parking; **~scheibe** *f* disque *m* de stationnement; **~uhr** *f* parcmètre *m*; **~verbot** *n* interdiction *f* de stationner
Parlament *n* parlement *m*
Parodie *f* parodie
Partei *f* parti *m*; *jur* partie
Parterre *n* rez-de-chaussée *m*
Partie *f* partie
Partner|(in) *m(f)* partenaire *m, f*; *Lebensgefährte* compagnon *m*, compagne *f*; **~stadt** *f* ville jumelée
Party *f* fête; *abends* soirée; *bei jungen Leuten* boum; **~service** *m* traiteur (*livrant à domicile*)
Pass *m* passeport; *Gebirgs*Ձ col; *Sp* passe *f*

Passage *f* passage *m*
Passagier *m* passager
Passbild *n* photo *f* d'identité
passen *Kleidung* aller bien (***j-m*** à q); convenir; ~ ***zu*** aller avec
passend *Schlüssel* bon; *Worte* juste; *Krawatte* assorti
passier|en *Grenze* traverser; *geschehen* arriver, se passer; **♀schein** *m* laissez-passer
passiv, ♀ *n Gr* passif (*m*)
Passkontrolle *f* contrôle *m* des passeports
Pastete *f* pâté *m*; *Blätterteig*♀ vol-au-vent *m*
Pate *m* parrain
Paten|kind *n* filleul(e) *m*(*f*); **~schaft** *f* parrainage *m*
Patent *n* brevet *m*
Patient(in) *m*(*f*) patient(e)
Patin *f* marraine
Patrone *f* cartouche
Pauke *f* grosse caisse
pauschal forfaitaire; *allgemein* global
Pauschal|e *f* forfait *m*; **~preis** *m* prix forfaitaire; **~reise** *f* voyage *m* organisé
Pause *f* pause; *Schule* récréation; *Theater* entracte *m*
PC *m* (*Personalcomputer*) micro(-ordinateur), P.C.
Pay-TV *n* chaîne *f* cryptée
Pazifik ***der*** ~ le Pacifique
pazifisch ***der*** ♀***e Ozean*** l'océan *m* Pacifique
Pech *n* F poisse *f*; ~ ***haben*** ne pas avoir de veine
Pedal *n* pédale *f*
Pediküre *f* pédicure
peinlich gênant; ~ ***genau*** méticuleux
Peitsche *f* fouet *m*
Pell|e *f* pelure; *Wurst*♀ peau; **~kartoffeln** *f*/*pl* pommes de terre en robe des champs
Pelz *m* fourrure *f*; **~mantel** *m* manteau de fourrure
pendel|n *Zug, Person* faire la navette; **♀verkehr** *m* navette *f*
Penis *m* pénis
Penizillin *n* pénicilline *f*
Pension *f Hotel* pension (de famille); *Ruhegehalt*, *-stand* retraite; **♀iert** retraité; **~ierung** *f* retraite
Peperoni *f* piment *m*
perfekt parfait
Periode *f* période; *Menstruation* règles *f*/*pl*
Peripherie *f* périphérie; **~geräte** *n*/*pl Inform* périphériques *m*/*pl*
Perl|e *f* perle; **~mutt** *n* nacre *f*
Person *f* personne; *Theater* personnage *m*
Personal *n* personnel *m*; **~abbau** *m* compression *f* du personnel; **~ausweis** *m* carte *f* d'identité; **~computer** *m* micro-ordinateur
Personalien *pl* identité *f*
Personen|(kraft)wagen *m* voiture *f* de tourisme; **~zug** *m* train de voyageurs
persönlich personnel(lement); **♀keit** *f* personnalité

Perücke *f* perruque
Pessimist *m*, **≈isch** pessimiste
Pest *f* peste
Petersilie *f* persil *m*
Petroleum *n* pétrole *m*
Pfad *m* sentier; **~finder** *m* (boy-)scout
Pfahl *m* pieu
Pfalz ***die*** ~ le Palatinat
Pfand *n* consigne *f*; **~flasche** *f* bouteille consignée
Pfann|e *f* poêle [pwal]; **~kuchen** *m* crêpe *f*; *Krapfen* beignet
Pfarrer *m katholischer* curé; *evangelischer* pasteur
Pfau *m* paon
Pfeffer *m* poivre; **~kuchen** *m* pain d'épice
Pfefferminz|e *f* menthe; **~tee** *m* infusion *f* de menthe
pfeffern poivrer
Pfeif|e *f* sifflet *m*; *Tabaks≈* pipe; **≈en** siffler
Pfeil *m* flèche *f*
Pfeiler *m* pilier
Pfennig *m* pfennig
Pferd *n* cheval *m*
Pferde|rennen *n* course *f* de chevaux; **~schwanz** *m* queue *f* de cheval; **~stall** *m* écurie *f*; **~stärke** *f* cheval-vapeur *m*
Pfiff *m* coup de sifflet; **~erling** *m* chanterelle *f*, girolle *f*
Pfingsten *n* la Pentecôte
Pfingstmontag lundi *m* de Pentecôte
Pfirsich *m* pêche *f*
Pflanz|e *f* plante; **≈en** planter; **~enschutzmittel** *n* pesticide *m*; **≈lich** végétal; **~ung** *f* plantation
Pflaster *n* sparadrap *m*; *Straßen≈* pavé *m*; **~stein** *m* pavé
Pflaume *f* prune
Pfleg|e *f* soins *m/pl*; **≈en** soigner; **~er** *m* infirmier
Pflicht *f* devoir *m*; **~versicherung** *f* assurance obligatoire
Pflock *m* piquet
pflücken cueillir
Pflug *m* charrue *f*
pflügen labourer
Pförtner *m* concierge, gardien
Pfosten *m* poteau
Pfote *f* patte
pfui! pouah!
Pfund *n* livre *f*
pfuschen F bâcler
Pfütze *f* flaque; *größere* mare
Phantasie *s* ***Fantasie***
Phase *f* phase
Photo *n usw s* ***Foto***
Physik *f* physique
physisch physique
Pianist(in) *m(f)* pianiste
Pickel *m* piolet; *Med* bouton
Picknick *n* pique-nique *m*; ~ ***machen*** pique-niquer
Pik *n* pique *m*
pikant épicé
Pilger *m* pèlerin; **~fahrt** *f* pèlerinage *m*
Pille *f* pilule
Pilot *m* pilote
Pils *n*, **Pils(e)ner** *n* Pils *f*
Pilz *m* champignon; F **~erkrankung** mycose *f*

Pinguin *m* pingouin
Pinie *f* pin *m* parasol
pinkeln F pisser P
Pinsel *m* pinceau
Pinzette *f* pince *f* à épiler
Pistazie *f* pistache
Piste *f* piste
Pistole *f* pistolet *m*
Pkw, PKW *m* (*Personenkraftwagen*) voiture *f* de tourisme
Plakat *n* affiche *f*
Plan *m* plan; *Vorhaben* projet
Plane *f* bâche
planen projeter
Planet *m* planète *f*
Planierraupe *f* bulldozer *m*
Planke *f* planche
planmäßig *Ankunft* prévu; *adv* comme prévu; *ankommen* à l'heure prévue
Plansch|becken *n* pataugeoire *f*; **≳en** patauger
Plantage *f* plantation
Plastik¹ *f* sculpture
Plastik² *n* plastique *m*; **~beutel** *m*, **~tüte** *f* sac *m* en plastique
plätschern clapoter
platt plat; *Reifen* à plat, crevé; ***einen ≳en haben*** avoir crevé
Platte *f* plaque; *Kochk* plat *m*; ***kalte ~*** assiette anglaise
Plattenspieler *m* tourne-disque
Platz *m* place *f*; *Ort* endroit; ***nehmen Sie ~!*** asseyez-vous!
Platzanweiserin *f* ouvreuse
Plätzchen *n* gâteau *m* sec
platzen éclater
Platzkarte *f* réservation
Platzregen *m* averse *f*
plaudern causer (***über*** *A*, ***von*** de)
Pleite *f* faillite
Plomb|e *f* *Zahn≳* plombage *m*; **≳ieren** *Zahn* plomber
plötzlich soudain
plump lourd; *Lüge* grossier
plündern piller
Plural *m* pluriel
plus plus; ***3 Grad ~*** 3 degrés au-dessus de zéro
PLZ (*Postleitzahl*) code *m* postal
Po *m* F derrière
Pocken *f/pl* variole *f*; **~schutzimpfung** *f* vaccination antivariolique
Podium *n* estrade *f*
poetisch poétique
Pokal *m* coupe *f*
Pol *m* pôle
Polarstern *m* étoile *f* polaire
Pole *m* Polonais
Polen *n* la Pologne
Police *f* police (d'assurance)
polieren polir
Politesse *f* contractuelle
Poli|tik *f* politique; **~tiker(in)** *m(f)* homme (femme) politique; **≳tisch** politique
Polizei *f* police; **≳lich** de la police; *adv* par la police; **~revier** *n* commissariat *m* de police; **~streife** *f* patrouille de police; **~stunde** *f* heure réglementaire de fermeture (des cafés *usw*)
Polizist *m* agent de police

polnisch polonais
Polstersessel *m* fauteuil rembourré
Pommes frites *pl* frites *f/pl*
Pony[1] *n* poney *m*
Pony[2] *m Frisur* frange *f*
Pop|musik *f* musique pop; **~sänger** *m* chanteur pop
populär populaire
Por|e *f* pore; **2ös** poreux
Porree *m* poireau
Portemonnaie *n* porte-monnaie *m*
Portier *m* concierge; *Hotel2* portier
Portion *f* portion
Porto *n* port *m*; **2frei** franc(o) de port
Porträt *n* portrait *m*
Portug|al *n* le Portugal; **~iese** *m* Portugais; **2iesisch** portugais
Porzellan *n* porcelaine *f*
Posaune *f* trombone *m*
Post *f* poste; *Postsendung* courrier *m*; ***mit der ~*** par la poste
Post|amt *n* bureau *m* de poste; **~anweisung** *f* mandat-poste *m*; **~bote** *m* facteur
Posten *m Stellung* poste
Post|fach *n* boîte *f* postale; **~girokonto** *n* compte *m* courant postal; **~karte** *f* carte postale; **2lagernd** poste restante; **~leitzahl** *f* code *m* postal
Post|sparbuch *n* livret *m* d'épargne de la poste; **~sparkasse** *f* caisse d'épargne de la poste; **~stempel** *m* cachet de la poste; **2wendend** par retour du courrier
prächtig magnifique
prahlen se vanter (***mit*** de)
Praktik|ant(in) *m(f)* stagiaire; **~um** *n* stage *m*
praktisch pratique; ***~er Arzt*** *m* généraliste
Prali|ne *f*, **~né** *n*, **~nee** *n* chocolat *m*
Prämie *f* prime
Präparat *n* préparation *f*
Präsens *n* présent
Präservativ *n* préservatif *m*
Präsident *m* président
Praxis *f* pratique; *Med* cabinet *m* de consultation
predigen prêcher
Predigt *f* sermon *m*
Preis *m* prix; ***um jeden ~*** à tout prix
Preisausschreiben *n* concours *m*
Preiselbeere *f* airelle
preisen louer, vanter
Preis|erhöhung *f* augmentation des prix; **~ermäßigung** *f* réduction; **2gekrönt** primé; **2günstig** avantageux; **~liste** *f* liste des prix; **~nachlass** *m* rabais, remise *f*; **~senkung** *f* baisse des prix; **~träger** *m* lauréat; **2wert** bon marché
Prellung *f Med* contusion
Premiere *f* première
Presse *f* presse
pressen presser

prickeln picoter; *Getränk* pétiller
Priester *m* prêtre
prima F super
primitiv primitif
Prinz *m* prince; **~essin** *f* princesse
Prinzip *n* principe *m*; **&iell** *aus Prinzip* par principe; *im Prinzip* en principe
privat privé; *persönlich* personnel; **&adresse** *f* adresse personnelle; **&eigentum** *n* propriété *f* privée; **&sender** *m TV* chaîne *f* privée; **&unterricht** *m* cours *m*/*pl* particuliers
pro par; *~ Tag* par jour
Probe *f* essai *m*; *Hdl* échantillon *m*; *Theater* répétition; **~fahrt** *f* essai *m*
probe|n répéter; **~weise** à titre d'essai; **&zeit** *f* période d'essai
probieren essayer
Problem *n* problème *m*
Produkt *n* produit *m*
Produktion *f* production
produzieren produire
Professor(in) *m*(*f*) professeur *m* (d'université)
Profi *m Sp* professionnel
Profil *n* profil *m*; *Reifen&* sculptures *f*/*pl*
Profit *m* profit; **&ieren** profiter (*von* de)
Prognose *f* prognostic *m*
Programm *n* programme *m* (*a Inform*); *TV* chaîne *f*
programmier|en programmer; **&er** *m* programmeur
Projekt *n* projet *m*
Projektor *m* projecteur
Prokurist *m* fondé de pouvoir
Promenade *f* promenade
Promille *n* F ***1,5 ~*** 1 gramme 5 d'alcoolémie
Promillegrenze *f* taux *m* légal d'alcoolémie
prominent célèbre
Propangas *n* propane *m*
Propeller *m* hélice *f*
Prospekt *m* prospectus
prost! à ta (*od* à votre) santé!
Prostituierte *f* prostituée
Protest *m* protestation *f*
Protestant *m*, **~isch** protestant
protestieren protester
Prothese *f* prothèse
Protokoll *n* procès-verbal *m*
Proviant *m* provisions *f*/*pl*
Provinz *f* province
Provision *f* commission
provisorisch provisoire
provozieren provoquer
Prozent *n* pour cent *m*; **~satz** *m* pourcentage *m*
Prozess *m* procès
prüf|en examiner; *nach~* vérifier; **&ung** *f* examen *m*; *Nach&* vérification
Prügelei *f* bagarre
prügeln (***sich ~*** se) battre
prunkvoll fastueux
PS (*Pferdestärke*) ch (*cheval-vapeur*)
Psych|iater *m* psychiatre [-k-]; **&isch** psychique; **&ologisch** psychologique [-k-]

Pubertät *f* puberté
Publikum *n* public *m*
Pudding *m* flan, crème *f* renversée
Pudel *m* caniche
Puder *m* poudre *f*; **~dose** *f* poudrier *m*; **~zucker** *m* sucre glace
Pulli *m*, **Pullover** *m* pull-over
Puls *m* pouls; **~ader** *f* artère
Pulver *n* poudre *f*; **~schnee** *m* poudreuse *f*
Pumpe *f* pompe
pumpen pomper; F prêter; (***sich***) ***et von j-m ~*** emprunter qc à q; *Geld* taper q (de) qc
Punkt *m* point; **~ *drei Uhr*** à trois heures précises
pünktlich ponctuel; *adv* à l'heure
Pupp|e *f* poupée; **~enspiel** *n* marionnettes *f/pl*
pur pur
Püree *n* purée *f*
pusten souffler
Pute *f* dinde
Putsch *m Pol* putsch
Putz *m Arch* enduit; *Rauh*2 crépi; **2en** nettoyer; *Schuhe* cirer; *Zähne* se laver; **~frau** *f* femme de ménage; **~mittel** *n* produit *m* d'entretien
Pyjama *m* pyjama [-ʒɑ-]
Pyramide *f* pyramide
Pyrenäen *pl* ***die ~*** les Pyrénées

Q

Quadrat *n*, **2isch** carré (*m*); **~meter** *m* mètre *m* carré
Qual *f* supplice *m*; **~*en*** *pl* souffrances *f/pl*, agonie *f*
quälen tourmenter; *foltern* torturer; ***sich ~*** se donner de la peine
qualifizieren ***sich ~*** se qualifier (***für*** *A* pour)
Qualität *f* qualité; **~serzeugnis** *n* produit *m* de qualité
Qualle *f* méduse
Qualm *m* fumée *f* épaisse
Quantität *f* quantité
Quark *m* fromage blanc
Quartal *n* trimestre *m*
Quartett *n* quatuor [kw-] *m*
Quartier *n* logement *m*
Quarz *m* quartz [kw-]; **~uhr** *f* montre à quartz [kw-]
Quatsch F *m* bêtises *f/pl*
Quecksilber *n* mercure *m*
Quelle *f* source (*a fig*)
quer en travers (***über*** *A* de); **~ *durch*** à travers
Quer|flöte *f* flûte traversière; **~schiff** *n Arch* transept *m*; **~schnitt** *m* coupe *f* transversale; **2schnittsgelähmt** paraplégique; **~straße** *f* rue transversale
Quetschung *f Med* contusion
quietschen grincer

Quirl *m* batteur; **&en** battre
quitt ~ ***sein*** être quitte
Quitte *f* coing *m*
quitt|ieren acquitter; **&ung** *f* quittance, reçu *m*
Quote *f* quota *m*, taux *m*
Quiz *n* jeu *m* de questions-réponses

R

Rabatt *m* rabais
Rabbi(ner) *m* rabbin
Rabe *m* corbeau
Rache *f* vengeance
Rachen *m* gorge *f*
rächen (***sich*** ~ se) venger
Rad *n* roue *f*; *Fahr&* vélo *m*; ~ ***fahren*** faire du vélo
Radar *m od n* radar *m*; **~kontrolle** *f* contrôle *m* radar
Radfahr|er(in) *m(f)* cycliste; **&weg** *m* piste *f* cyclable
Radiergummi *m* gomme *f*
Radieschen *n* radis *m* (rose)
radikal radical; *Pol* extrémiste
Radio *n* radio *f*; *s a* ***Rundfunk***; **&aktiv** radioactif; **~rekorder** *m* radiocassette *f*; **~wecker** *m* radio-réveil *m*
Rad|kappe *f* enjoliveur *m*; **~rennen** *n* course *f* cycliste; **~sport** *m* cyclisme; **~tour** *f* randonnée, *kleinere* balade à vélo; **~wandern** *n* cyclotourisme; **~wechsel** *m* changement de roue; **~weg** *m* piste *f* cyclable
raffiniert raffiné (*a fig*)
Rahm *m* crème *f*
Rahmen *m* cadre (*a Fahrrad&*); *Auto&* châssis
Rakete *f* fusée
Ramsch *m* camelote *f*
Rand *m* bord; *Buch* marge *f*
randalieren faire du chahut
Randstreifen *m* accotement
Rang *m* rang; *Mil* grade; *Theater* balcon
rangieren *Bahn* manœuvrer
ranken *u* ***sich*** ~ grimper
ranzig rance
rar rare; **&ität** *f* rareté
rasch rapide; *adv* vite
rascheln bruire, frémir
Rasen *m* gazon, pelouse *f*
rasen foncer; ***vor Wut*** ~ être furieux
rasend furieux; *Tempo* fou; *Kopfschmerzen* violent; *Beifall* frénétique
Rasenmäher *m* tondeuse *f* à gazon
Rasier|apparat *m* rasoir; **~creme** *f* mousse à raser; **&en** (***sich*** ~ se) raser; **~klinge** *f* lame de rasoir; **~messer** *n* rasoir *m*; **~schaum** *m* mousse *f* à raser; **~wasser** *n* lotion *f* après-rasage
Rass|e *f* race; **~ismus** *m* racisme; **&istisch** raciste
Rast *f* 'halte; **&en** s'arrêter; **~platz** *m* aire *f* de repos;

~stätte *f* restoroute *m*
Rat *m* conseil; *Person* conseiller; ***j-n um ~ fragen*** demander conseil à q
Rate *f* traite *f*; ***auf ~n kaufen*** acheter à crédit
raten conseiller (***et*** *od* ***zu et*** qc); *Rätsel* deviner
Ratenzahlung *f* paiement *m* en plusieurs versements
Rathaus *n* mairie *f*
Ration *f* ration; **2alisieren** rationaliser; **2ell** rationnel
rat|los perplexe; **~sam** préférable; **2schlag** *m* conseil
Rätsel *n* énigme *f*; *~aufgabe* devinette *f*; **2haft** énigmatique
Ratte *f* rat *m*
rau rude (*a Klima*); *Stimme* rauque; *Sitte* grossier
Raub *m* vol (***bewaffneter*** à main armée); **2en** voler
Räuber *m* voleur
Raub|mord *m* crime crapuleux; **~tier** *n* fauve *m*; **~überfall** *m* hold-up, attaque *f* à main armée; **~vogel** *m* oiseau de proie, rapace
Rauch *m* fumée *f*
rauchen fumer; **2** ***verboten!*** défense de fumer!
Raucher *m* fumeur; **~in** *f* fumeuse; **~abteil** *n* compartiment *m* fumeurs
Räucher... *Lachs usw* fumé
räuchern fumer
Rauch|fleisch *n* viande fumée; **~melder** *m* détecteur de fumée; **~verbot** *n* interdiction *f* de fumer; **~wolke** *f* nuage *m* de fumée
raufen *u* ***sich ~*** se battre
Rauferei *f* bagarre
rauh *s* ***rau***
Raum *m* espace; *Platz* place *f*; *Zimmer* pièce *f*
räumen *Ort* évacuer; *weg~* enlever
Raum|fähre *f* navette spatiale; **~fahrt** *f* astronautique; **~flug** *m* vol spatial
räumlich de *od* dans l'espace
Raum|pflegerin *f* femme de ménage; **~schiff** *n* vaisseau *m* spatial
Räumung *f* évacuation
Räumungsverkauf *n* liquidation *f* totale
Raupe *f* chenille
Raureif *m* givre
raus ~! dehors!; *s a* ***heraus*** *u* ***hinaus***
Rausch *m* ivresse *f*; **2en** *Bach* murmurer; *Blätter* frémir; *Radio* grésiller
Rauschgift *n* stupéfiant *m*; *s a* ***Drogen...***; **2süchtig** toxicomane
Razzia *f* descente de police
reagieren réagir (***auf*** *A* à)
real réel; **~istisch** réaliste; **2ität** *f* réalité
Rebe *f* vigne
rebellieren se rebeller
Rebhuhn *n* perdrix *f*
Rechen *m* râteau
Rechen|aufgabe *f* problème *m* d'arithmétique; **~fehler** *m* erreur *f* de calcul

Rechenschaft *f* ~ ***ablegen*** rendre compte (***über*** *A* de); ***j-n zur*** ~ ***ziehen*** demander des comptes à q
rechnen calculer; ***mit et*** ~ s'attendre à qc; ***mit j-m*** ~ compter sur q
Rechnung *f* calcul *m*; *Hdl* facture; *Hotel* note; *Restaurant* addition
recht *richtig* juste; ***das ist mir*** ~ cela me convient
Recht *n* droit *m* (***auf*** *A* à); ~ ***haben*** avoir raison
Rechte *f* droite (*a Pol*)
rechte(r, -s) droit
Rechteck *n* rectangle *m*; **２ig** rectangulaire
rechtferti|gen justifier; **２gung** *f* justification
recht|lich juridique(ment); **~mäßig** légal, légitime
rechts à droite
Rechtsabbieger *m* véhicule tournant à droite
Rechtsanwalt *m* avocat
Rechtschreibung *f* orthographe
Rechts|extremist *m* extrémiste de droite; **~verkehr** *m* circulation *f* à droite
rechtzeitig à temps
Reck *n* barre *f* fixe
Recycling *n* recyclage *m*; **２fähig** recyclable; **~papier** *n* papier *m* recyclé
Redakt|eur *m* rédacteur; **~ion** *f* rédaction
Red|e *f* discours *m*; **２en** parler (***über*** *A*, ***von*** de); **~ensart** *f* locution; **~ner** *m* orateur; **~ewendung** *f* expression
reduzieren réduire
Reede|r *m* armateur; **~rei** *f* compagnie maritime
reell *Chance* réel; *Preis usw* correct
Referat *n* exposé *m*
Reflex *m Med* réflexe
Reform *f* réforme; **~haus** *n* magasin *m* de produits diététiques
Regal *n* étagère *f*
Regatta *f* régates *f/pl*
rege actif; *Geist* vif; *Diskussion* animé; *Verkehr* intense
Regel *f* règle; *Med* règles *f/pl*; **２mäßig** régulier
regeln régler
Regelung *f* règlement *m*
Regen *m* pluie *f*; ***bei*** ~ par temps de pluie; ***im*** ~ sous la pluie
Regen|bogen *m* arc-en-ciel; **~mantel** *m* imperméable
Regensburg Ratisbonne
Regen|schauer *m* averse *f*; **~schirm** *m* parapluie; **~wasser** *n* eau *f* de pluie; **~wurm** *m* ver de terre; **~zeit** *f* saison des pluies
Regie *f* mise en scène
regier|en gouverner; *Herrscher* régner; **２ung** *f* gouvernement *m*
regional régional
Regisseur *m* metteur en scène
Register *n* registre *m*; *in Büchern* index *m*

regnen pleuvoir; ***es regnet*** il pleut
regnerisch pluvieux
regungslos immobile
Reh *n* chevreuil *m*
Reib|e *f* râpe; **&en** frotter; *Kochk* râper; **~ung** *f* frottement *m*; **&ungslos** sans problèmes
reich riche
Reich *n* empire *m*; *fig* royaume
reichen *Salz* passer; *Hand* tendre; *sich erstrecken* s'étendre, aller (***bis*** jusqu'à); *genügen* suffire; ***mir reicht's!*** j'en ai assez!
reich|haltig abondant; **~lich** abondant; *Essen* copieux; **&tum** *m* richesse *f*; **&weite** *f* portée
reif mûr
Reif *m* gelée *f* blanche
Reife *f* maturité (*a fig*)
reifen mûrir
Reifen *m* cerceau; *Kfz* pneu; **~druck** *m* pression *f* du pneu; **~panne** *f* crevaison
Reifeprüfung *f* baccalauréat *m*
Reihe *f* rangée; *Sitz&* rang *m*; *nacheinander* file; *Serie* série, suite; ***der ~ nach*** l'un après l'autre; ***ich bin an der ~*** c'est mon tour
Reihenfolge *f* ordre *m*
rein pur; **&heit** *f* pureté
reinigen nettoyer
Reinigung *f* ***chemische ~*** nettoyage *m* à sec; *Geschäft* teinturerie
Reinigungs|milch *f* lait *m* démaquillant; **~mittel** *n* détergent *m*
Reis *m* riz
Reise *f* voyage *m*; ***auf ~n*** en voyage; ***gute ~!*** bon voyage!
Reise|andenken *n* souvenir *m*; **~apotheke** *f* pharmacie portative; **~büro** *n* agence *f* de voyages; **~bus** *m* (auto)car; **~führer** *m* guide (*a Buch*); **~gepäck** *n* bagages *m/pl*; **~gesellschaft** *f*, **~gruppe** *f* groupe *m* (de touristes); **~kosten** *pl* frais *m/pl* de voyage; **~leiter(in)** *m(f)* guide *m*
reisen voyager; **&de(r)** *su* voyageur *m*, voyageuse *f*
Reise|pass *m* passeport; **~route** *f* itinéraire *m*; **~scheck** *m* chèque de voyage; **~tasche** *f* sac *m* de voyage; **~veranstalter** *m* tour-opérateur voyagiste; **~wecker** *m* réveil de voyage; **~ziel** *n* destination *f*
reißen *Seil* (se) rompre; *Papier* se déchirer; *weg~* arracher (***aus den Händen*** des mains)
Reiß|verschluss *m* fermeture *f* éclair; **~zwecke** *f* punaise
reit|en monter à cheval; *Sp* faire du cheval; **&er** *m* cavalier; **&sport** *m* équitation *f*; **&stall** *m* écurie *f*; **&stiefel** *m* botte *f* d'équitation; **&turnier** *n* concours *m* hippique;

2**weg** *m* piste *f* cavalière
Reiz *m fig* charme, attrait; 2**en** *anziehen* attirer; *ärgern* exciter; *Med* irriter; 2**end** charmant; ~**ung** *f Med* irritation
Reklamation *f* réclamation
Reklame *f* publicité
reklamieren réclamer
Rekord *m* record; ~**zeit** *f* temps *m* record
Rekrut *m* conscrit, recrue *f*
relativ relatif
Relief *n* relief *m*
Religion *f* religion
Reling *f* bastingage *m*
Rendezvous *n* rendez-vous *m* amoureux
Renn|bahn *f Pferde*2 hippodrome *m*; *Rad*2 vélodrome *m*; *Auto*2 circuit *m*; 2**en** courir; ~**en** *n* course *f*; ~**fahrer** *m* coureur (automobile, cycliste *usw*); ~**pferd** *n* cheval *m* de course; ~**rad** *n* vélo *m* de course; ~**strecke** *f* parcours *m*; ~**wagen** *m* voiture *f* de course
renovieren rénover
rentabel rentable
Rent|e *f* retraite; *Kapital*2 rente; 2**ieren** ***sich*** ~ être rentable; ~**ner(in)** *m(f)* retraité(e)
Reparatur *f* réparation; ~**kosten** *pl* frais *m/pl* de réparation; ~**werkstatt** *f* atelier *m* de réparation; *Kfz* garage *m*
reparieren réparer
Report|age *f* reportage *m*; ~**er** *m* reporter [-ɛr]

Republik *f* république
Reserve *f* réserve; ~**rad** *n* roue *f* de secours
reser|vieren réserver; ~**viert** réservé; 2**vierung** *f* réservation
resignieren se résigner
Respekt *m* respect (***vor*** *D* pour); 2**ieren** respecter
Rest *m* reste
Restaurant *n* restaurant *m*
restaurieren restaurer
Rest|betrag *m* restant, solde; 2**lich** restant; 2**los** complètement
rett|en (***sich*** ~ se) sauver (***aus, vor*** *D* de); 2**er** *m* sauveteur; *fig* sauveur
Rettich *m* radis
Rettung *f* sauvetage *m*
Rettungs|aktion *f* opération de sauvetage; ~**boot** *n* canot *m* de sauvetage; ~**dienst** *m* secours *m/pl*; ~**mannschaft** *f* équipe de secours, sauveteurs *m/pl*; ~**ring** *m* bouée *f* de sauvetage; ~**wagen** *m* ambulance *f*
Reue *f* repentir *m*, regret *m*
Revier *n* territoire *m*; *Polizei*2 commissariat *m*
Revolution *f* révolution
Revolver *m* revolver
Revue *f* revue
Rezept *n* recette *f*; *Med* ordonnance *f*; 2**frei** délivré sans ordonnance; 2**pflichtig** délivré uniquement sur ordonnance
Rhabarber *m* rhubarbe *f*

Rhein ***der*** **~** le Rhin
Rheinland-Pfalz *n* la Rhénanie-Palatinat
Rheuma *n* rhumatisme *m*
Rhythmus *m* rythme
Ribisel *f österr* groseille
richten *Blick* diriger (***auf*** *A* vers); *Bitte, Brief* adresser (**an** *A* à); *her~* préparer; *ordnen* arranger; ***sich ~ nach*** régler sa conduite sur
Richter *m* juge
Richtgeschwindigkeit *f* vitesse maximale conseillée
richtig juste; **~stellen** rectifier
Richt|linien *f/pl* directives; **~ung** *f* direction
riechen sentir (***nach et*** qc)
Riegel *m* verrou; *Schokolade usw* barre *f*
Riemen *m* courroie *f*; *Ruder* rame *f*
Ries|e *m* géant; **~enslalom** *m Sp* slalom géant
rieseln couler; *Wasser* ruisseler; *Schnee* tomber doucement
riesig gigantesque
Riff *n* récif *m*
Rille *f* rainure
Rind *n* bœuf *m*
Rinde *f* écorce; *Brot***2** croûte
Rind|erbraten *m* rôti de bœuf; **~fleisch** *n* bœuf *m*
Ring *m* anneau; *Finger*2 bague *f*; *Boxen* ring; *Straße* périphérique; **2en** lutter; **~er** *m* lutteur; **~finger** *m* annulaire; **~kampf** *m Sp* lutte *f*
rings(her)um tout autour
Rinn|e *f* rigole; *Dach*2 gouttière; **2en** couler; **~stein** *m* caniveau
Ripp|e *f* côte; **~enfellentzündung** *f* pleurésie
Risiko *n* risque *m*
risk|ant risqué; **~ieren** risquer
Riss *m* déchirure *f*; *Mauer*2 fissure *f*; *im Stoff* accroc; *in der Haut* gerçure *f*
rissig fissuré; *Haut* gercé
Ritt *m* tour, promenade *f* à cheval
Ritter *m* chevalier
Ritz|e *f* fente; **2en** *kratzen* rayer; **~ *in*** (*A*) graver dans
Rival|e *m* rival; **~in** *f* rivale; **2isieren** rivaliser (***mit*** avec)
Rizinusöl *n* huile *f* de ricin
Roastbeef *n* rosbif *m*
Robbe *f* phoque *m*
Roboter *m* robot
robust robuste
Rock[1] *m* jupe *f*
Rock[2] *m Mus* rock; **~band** *f* groupe *m* rock; **~musik** *f* rock *m*
Rodelbahn *f* piste de luge
rodeln faire de la luge
Rodelschlitten *m* luge *f*
roden défricher
Roggen *m* seigle
roh cru; *unverarbeitet* brut [-t]; *fig* grossier; **2kost** *f* crudités *f/pl*; **2öl** *n* pétrole *m* brut
Rohr *n* tube *m*, tuyau *m*; *Bot* roseau *m*

Röhre *f* tuyau *m*; *Back*♀ four *m*
Rohstoff *m* matière *f* première
Rollbahn *f Flgw* piste
Rolle *f* rouleau *m*; *Theater* rôle *m*; ***e-e ~ spielen*** jouer un rôle, être (l')important
Roll|er *m* patinette *f*; **~kragen** *m* col roulé; **~kragenpullover** *m* pull à col roulé; **~laden** *m* volet roulant; **~schuh** *m* patin à roulettes; **~stuhl** *m* fauteuil roulant; **~treppe** *f* escalier *m* roulant
Roman *m* roman
romanisch roman; *Länder* latin
Romant|ik *f* romantisme *m*; **♀isch** romantique
römisch romain
röntgen radiographier; **♀arzt** *m*, **♀ärztin** *f* radiologue *m*; **♀aufnahme** *f*, **♀bild** *n* radio *f*; **♀strahlen** *m/pl* rayons X
rosa rose
Rose *f* rose
Rosen|kohl *m* chou de Bruxelles; **~kranz** *m* rosaire; **~montag** *m* lundi avant le Mardi gras
Rosé(wein) *m* (vin) rosé
rosig rose
Rosine *f* raisin *m* sec
Rosmarin *m* romarin
Rost[1] *m* rouille *f*
Rost[2] *m Brat*♀ gril; *Gitter* grille *f*; **~braten** *m* grillade *f*
rosten rouiller
rösten griller; *Kaffee* torréfier
rost|frei inoxydable; **~ig** rouillé; **♀schutzmittel** *n* antirouille *m*
rot rouge; *Haar* roux; ***~ werden*** rougir; ***bei ♀ rübergehen*** traverser au rouge; ***das ♀e Kreuz*** la Croix Rouge
Röteln *pl Med* rubéole *f*
Rotkohl *m* chou rouge
Rotwein *m* vin rouge
Roulade *f* paupiette
Route *f* itinéraire *m*
Routine *f Übung* expérience; *péj* routine
Rübe *f* rave; ***weiße ~*** navet *m*; ***rote ~*** betterave rouge
Rubin *m* rubis
Rubrik *f* rubrique
Ruck *m* secousse *f*
Rückblick *m* rétrospective *f*
rücken déplacer; ***näher ~*** approcher; ***zur Seite ~*** se pousser
Rücken *m* dos; **~lehne** *f* dossier *m*; **~mark** *n* moelle *f* épinière
Rückenschmerzen *m/pl* ***~ haben*** avoir mal au dos
Rücken|schwimmen *n* nage *f* sur le dos; **~wind** *m* vent arrière
Rück|erstattung *f* remboursement *m*; **~fahrkarte** *f* billet *m* aller et retour; **~fahrt** *f* retour *m*
rückfällig ***~ werden*** récidiver; *Med* rechuter
Rück|flug *m* (vol de) retour; **~gabe** *f* restitution; **~gang** *m* recul, baisse *f*

rückgängig ~ machen annuler
Rück|grat *n* colonne *f* vertébrale; **~licht** *n* feu *m* arrière; **~porto** *n* port *m* pour la réponse; **~reise** *f* retour *m*; **~ruf** *m Tel* rappel
Rucksack *m* sac à dos; **~tourist(in)** *m(f)* F routard(e)
Rück|schlag *m fig* revers; **~seite** *f* dos *m*; *e-s Blattes a* verso *m*; *e-s Stoffes* envers *m*
Rücksicht *f* égard(s) *m(pl)*; **~ nehmen auf** (*A*) tenir compte de
rücksichts|los sans égard(s), brutal; **~voll** plein d'égard(s), attentionné
Rück|sitz *m* siège arrière; **~spiegel** *m* rétroviseur; **~stand** *m* retard; **⁀ständig** arriéré; *Mensch* rétrograde; **~tritt** *m* démission *f*; **⁀wärts** en arrière; **~wärtsgang** *m* marche *f* arrière; **~weg** *m* retour; **⁀wirkend** rétroactif; **~zahlung** *f* remboursement *m*; **~zug** *m Mil* retraite *f*
Ruder *n* rame *f*; aviron *m*; *Steuer* gouvernail *m*; **~boot** *n* barque *f*
rudern ramer
Rudersport *m* aviron
Ruf *m* appel; *Schrei* cri; *Ansehen* réputation *f*; **⁀en** appeler, crier; **~name** *m* prénom usuel; **~nummer** *f* numéro *m* de téléphone
Ruhe *f* calme *m*; *Stille* silence *m*; *Ausruhen* repos *m*; **~!** silence!; **j-n in ~ lassen** laisser q tranquille
ruhelos agité
ruhen se reposer; **~ auf** (*D*) reposer sur; **hier ruht ...** ci-gît ...
Ruhe|pause *f* pause; **~stand** *m* retraite *f*; **~störung** *f* perturbation; **~tag** *m* jour de repos (hebdomadaire)
ruhig calme; tranquille
Ruhm *m* gloire *f*
Rühr|eier *n/pl* œufs *m/pl* brouillés; **⁀en** *um~* remuer; *innerlich* toucher; **⁀end** touchant; **~ung** *f* émotion
Ruine *f* ruine
ruinieren (**sich ~** se) ruiner
rülpsen roter
Rum *m* rhum
Rumän|e *m* Roumain; **~ien** *n* la Roumanie; **⁀isch** roumain
Rummel *m* foire *f*; **~platz** *m* fête *f* foraine
Rumpf *m Anat* tronc
Rumpsteak *n* romsteck *m*
rund rond; *ungefähr* environ; **~ um** autour de; **⁀blick** *m* vue *f* panoramique
Runde *f Rundgang* ronde; *Bier* tournée; *Sp* tour *m*; *Boxen* reprise, round *m*
Rundfahrt *f* circuit *m*, tour *m*
Rundfunk *m* radio *f*; **im ~** à la radio; **~gerät** *n* poste *m* de radio; **~sender** *m* station *f* de radio; **~sendung** *f* émission de radio
Rund|gang *m* tour (**durch**

de); **≈herum** tout autour; **~reise** *f* circuit *m*; **~schreiben** *n* circulaire *f*
Runzel *f* ride
rupfen plumer
Ruß *m* suie *f*
Russ|e *m* Russe; **≈isch** russe
Russland *n* la Russie
rüst|en *Mil* armer; **~ig** vigoureux; **≈ung** *f* armement *m*
Rutsch|bahn *f* toboggan *m*; **≈en** glisser; *Kfz* déraper; **≈ig** glissant
rütteln secouer

S

Saal *m* salle *f*
Saarland ***das*** ~ la Sarre
Saat *f Saatgut* semences *f/pl*; *Aussaat* semailles *f/pl*
Säbel *m* sabre
Sache *f* chose; *Angelegenheit* affaire; ***meine*** **~n** *pl* mes affaires
Sach|kenntnis *f* connaissance des faits; **≈kundig** expert, compétent; **≈lich** objectif
sächlich neutre
Sachschaden *m* dégâts *m/pl* matériels
Sachsen *n* la Saxe; **~-Anhalt** *n* la Saxe-Anhalt
Sachverständige(r) *su* expert *m*
Sack *m* sac; **~gasse** *f* impasse, cul-de-sac *m* (*beide a fig*)
säen semer
Safe *m* coffre-fort
Safran *m* safran
Saft *m* jus; **≈ig** juteux
Sage *f* légende
Säge *f* scie; **~mehl** *n* sciure *f*
sagen dire
säge|n scier; **≈werk** *n* scierie *f*
sagenhaft légendaire; F formidable
Sahne *f* crème; *Schlag≈* (crème) chantilly; ***mit*** ~ *Eis* avec de la chantilly
Saison *f* saison; **≈bedingt** saisonnier
Sait|e *f* corde; **~eninstrument** *n* instrument *m* à cordes
Sakko *m* veston
Salami *f* salami *m*
Salat *m* salade *f*; **~platte** *f* assiette *f* de crudités; **~schüssel** *f* saladier *m*
Salbe *f* pommade
Salbei *m* sauge *f*
Salmiakgeist *m* ammoniaque *f*
Salmonellen *f/pl* salmonelles
Salz *n* sel *m*; **≈en** saler; **≈ig** salé; **~kartoffeln** *f/pl* pommes de terre à l'eau; **~stange** *f* stick *m* salé; **~streuer** *m* salière *f*; **~wasser** *n* eau *f* salée
Samen *m* graine *f*; *männlicher* sperme *m*
sammeln *Beweise* rassem-

bler; *Briefmarken usw* collectionner; *Geld* collecter
Samm|ler *m* collectionneur; **~ung** *f Kunst*≈ collection; *Geld*≈ collecte
Samstag *m* samedi
samstags le samedi
Samt *m* velours
Sanatorium *n* maison *f* de santé
Sand *m* sable
Sandale *f* sandale *f*
Sand|bank *f* banc *m* de sable; **≈ig** sablonneux; **~papier** *n* papier *m* de verre; **~stein** *m* grès; **~strand** *m* plage *f* de sable
sanft doux
Sänger *m* chanteur; **~in** *f* chanteuse
Sanitäter *m* secouriste *m, f*
Sardelle *f* anchois *m*
Sardine *f* sardine
Sarg *m* cercueil
Satellit *m* satellite; **~enfernsehen** *n* télévision *f* par satellite
satt ~ *sein* ne plus avoir faim; F *fig* ***et ~ haben*** en avoir marre de qc
Sattel *m* selle *f*
sättigend nourrissant
Satz *m* phrase *f*; *Sprung* bond; *Briefmarken* série *f*; *Tennis* set; *Mus* mouvement; **~zeichen** *n* signe *m* de ponctuation
Sau *f* truie
sauber propre; **≈keit** *f* propreté
säubern nettoyer
sauer aigre; *Chem* acide (*a Regen*); F fâché (***auf j-n*** contre q); **~ *werden*** se fâcher
Sauer|kraut *n* choucroute *f*; **~stoff** *m* oxygène
saufen boire; P pinter
Säufer *m* ivrogne
saugen sucer; *Kind* téter; *Tech* aspirer; ***Staub* ~** passer l'aspirateur
Säug|etier *n* mammifère *m*; **~ling** *m* nourrisson
Säule *f* colonne
Saum *m* ourlet
Sauna *f* sauna *m*
Säure *f* acide *m*; *Geschmack* acidité
sausen siffler; *rasen* foncer
Saxophon *n* saxophone *m*
S-Bahn *f etwa* R.E.R. *m* (*réseau express régional*)
Schabe *f* blatte, cafard *m*
schäbig râpé; *fig* mesquin
Schach *n* échecs *m/pl*; **~ *spielen*** jouer aux échecs
Schach|brett *n* échiquier *m*; **~figur** *f* pièce (d'un jeu d'échec); **≈matt** échec et mat; **~spiel** *n* jeu *m* d'échecs
Schachtel *f* boîte
schade *es ist* ~, *dass ...* c'est dommage que ... (+ *subj*); **~!** (c'est) dommage!
Schädel *m* crâne
schaden nuire (***j-m*** à q)
Schaden *m* dommage; *durch Unwetter, Feuer* dégâts *m/pl*; **~ersatz** *m* dédommagement, dommages-intérêts

m/pl; **~freude** *f* joie maligne
schadhaft endommagé
schäd|igen porter préjudice à; **~lich** nuisible, nocif; **&ling** *m* parasite
Schadstoff *m* polluant; **&frei** non polluant
Schaf *n* brebis *m*
Schäfer *m* berger; **~hund** *m* berger allemand
schaffen *er~* créer; *Platz, Ordnung* faire; *bewältigen* arriver à (finir); *arbeiten* travailler; **es ~** y arriver
Schaffner *m Bahn* contrôleur
Schal *m* écharpe *f*
Schale *f Obst&, Kartoffel&* peau; *Orangen&* écorce; *abgeschält* pelure, épluchure; *Eier&, Nuss&* coquille; *Gefäß* coupe
schälen peler, éplucher
Schall *m* son; **~dämpfer** *m Kfz usw* silencieux; **~dämmung** *f* insonorisation; **&dicht** insonorisé; **~mauer** *f* mur *m* du son; **~platte** *f* disque *m*
schalt|en *El* brancher, connecter; *Kfz* changer de vitesse; **&er** *m El* interrupteur; *Bank&, Post&* guichet; **&hebel** *m Kfz* levier de vitesse; **&jahr** *n* année *f* bissextile
Scham *f* 'honte, pudeur
schämen ***sich*** **~** avoir 'honte
scham|haft pudique; **~los** impudique; *Lüge* éhonté
Schande *f* 'honte
schändlich 'honteux
Schar *f* bande
scharf *Essen* épicé; *Klinge* tranchant; *Fot* net; *Kurve* dangereux; *Verstand* aigu; **&blick** *m* perspicacité *f*
Schärfe *f* acuité; *Fot* netteté
schärfen *Messer* aiguiser
Scharfsinn *m* sagacité *f*
Scharlach *m* scarlatine *f*
Scharnier *n* charnière *f*
Schaschlik *m od n* brochette
Schatt|en *m* ombre *f*; **&ig** ombragé
Schatz *m* trésor
schätz|en évaluer; *hoch&* estimer, apprécier; **~ungsweise** approximativement
Schau *f* spectacle *m*; *Ausstellung* exposition; ***zur*** **~** ***stellen*** exposer
schauderhaft horrible
schauen voir, regarder
Schauer *m* frisson; *Regen&* averse *f*; **&lich** horrible
Schaufel *f* pelle
Schaufenster *n* vitrine *f*; **~bummel** *m* lèche-vitrines
Schaukel *f* balançoire
schaukel|n (*selber* se) balancer; **&stuhl** *m* fauteuil à bascule; rocking-chair
Schaulustige(n) *m/pl* curieux
Schaum *m* écume *f*; *Bier&, Seifen&* mousse *f*; **~bad** *n* bain *m* moussant
schäumen mousser
Schaum|gummi *m* mousse *f*; **~stoff** *m* mousse *f*; **~wein** *m* (vin) mousseux

Schauplatz *m* théâtre
Schauspiel *n* spectacle *m*; **~er** *m* acteur; **~erin** *f* actrice; **~haus** *n* théâtre *m*
Scheck *m* chèque; **~buch** *n*, **~heft** *n* chéquier *m*, carnet *m* de chèques; **~karte** *f* carte (de garantie) bancaire
Scheibe *f* disque *m*; *Fenster*② vitre; *Brot*②, *Wurst*② tranche
Scheiben|bremse *f* frein *m* à disque; **~waschanlage** *f* lave-glace *m*; **~wischer** *m* essuie-glace
Scheide *f Anat* vagin *m*
scheiden *sich* **~** *lassen* divorcer (**von** d'avec)
Scheidung *f* divorce *m*
Schein *m Bescheinigung* certificat; *Geld*② billet; *Licht*② lueur *f*; *An*② apparence *f*; ②**bar** apparent; *adv* en apparence; ②**en** briller; *den An*② *haben* sembler; **~werfer** *m* projecteur; *Kfz* phare
Scheiße P *f* merde
Scheitel *m Haar*② raie *f*
scheitern échouer
Schellfisch *m* aiglefin
Schema *n* schéma *m*; ②**tisch** schématique
Schemel *m* tabouret
Schenkel *m* cuisse *f*
schenken offrir
Scherbe *f* tesson *m*; **~n** *pl* débris *m/pl*
Schere *f* ciseaux *m/pl*
Scherereien F *f/pl* ennuis *m/pl*
Scherz *m* plaisanterie *f*; ②**en** plaisanter; ②**haft** pour rire
scheu timide; *Kind* sauvage
Scheuerlappen *m* serpillière *f*
scheuern récurer; *reiben* frotter
Scheune *f* grange
Scheusal *n* monstre *m*
scheußlich horrible
Schi *m* ski; *s* ***Ski***
Schicht *f* couche (*a fig*); *Arbeits*② poste *m*; **~arbeit** *f* travail *m* posté
schick chic
schicken envoyer (***j-m, an j-n*** à q)
Schickeria *f* F gotha *m*
Schicksal *n* destin *m*
Schieb|edach *n* toit *m* ouvrant; ②**en** pousser; *Hdl péj* faire le trafic (***mit*** de); **~etür** *f* porte coulissante
Schiedsrichter *m* arbitre
schief penché; *geneigt* en pente; **~** ***gehen*** tourner mal
Schiefer *m* ardoise *f*
schielen loucher
Schienbein *n* tibia *m*
Schiene *f Bahn* rail *m*; *Med* attelle
schieß|en tirer; (***auf j-n*** sur q); ②**erei** *f* fusillade; ②**scheibe** *f* cible; **~stand** *m* stand de tir
Schiff *n* bateau *m*; *Kirchen*② nef *f*; ***auf dem*** **~** à bord; ***mit dem*** **~** par bateau
Schiff|bruch *m* naufrage; **~brüchige(r)** *su* naufragé(e)
Schifffahrt *f* navigation;

~sgesellschaft *f* compagnie maritime, de navigation
Schiffs|arzt *m* médecin de bord; **~junge** *m* mousse; **~karte** *f* billet *m* de bateau; **~reise** *f* voyage en bateau
Schikan|e *f* chicane; **2ieren** chicaner
Schild *n* pancarte *f*; *Namens2* plaque *f*; *Verkehrs2* panneau *m*; *Firmen2* enseigne *f*
Schilddrüse *f* (glande) thyroïde
schilder|n décrire; **2ung** *f* description
Schildkröte *f* tortue
Schilf *n* roseau *m*
Schilling *m* schilling
Schimmel *m* *Zo* cheval blanc; *Bot* moisissure *f*; **2ig** moisi
schimmeln moisir
schimpf|en pester (***auf** A* contre); se fâcher (***mit j-m*** contre q); **2wort** *n* gros mot *m*
Schinken *m* jambon
Schirm *m* parapluie; *Sonnen2* parasol; *Bild2* écran
Schlacht *f* bataille; **2en** abattre; **~hof** *m* abattoir
Schlaf *m* sommeil; **~anzug** *m* pyjama; **~couch** *f* canapé-lit *m*
Schläfe *f* tempe
schlafen dormir; ***~ gehen*** (aller) se coucher; ***mit j-m ~*** coucher avec q
schlaff lâche; *Haut* flasque; *kraftlos* mou
schlaflos ***~e Nacht*** *f* nuit blanche
Schlaflosigkeit *f* insomnie
Schlafmittel *n* somnifère *m*
schläfrig somnolent
Schlaf|sack *m* sac de couchage; **~tablette** *f* somnifère *m*; **~wagen** *m* wagon-lit; **~zimmer** *n* chambre *f* à coucher
Schlag *m* coup; **~ader** *f* artère; **~anfall** *m* attaque *f* d'apoplexie; **2artig** brusque; **~baum** *m* barrière *f*
schlagen battre (*a Sp*, *Herz*), frapper; *Uhr* sonner; *Sahne* fouetter
Schlager *m* tube
Schläger *m* *Tennis* raquette *f*; *Golf* club; **~ei** *f* bagarre
Schlagersänger(in) *m(f)* chanteur (chanteuse) à la mode
schlagfertig ***~ sein*** avoir la répartie facile
Schlag|loch *n* nid-de-poule *m*; **~sahne** *f* (crème) chantilly; **~zeile** *f* manchette; **~zeug** *n* *Mus* batterie *f*
Schlamm *m* *Erde* boue *f*; *Schlick* vase *f*
schlampig *Mensch* négligé; *Arbeit* bâclé
Schlange *f* serpent *m*; ***~ stehen*** faire la queue
schlängeln ***sich ~*** serpenter
schlank mince; **2heitskur** *f* cure d'amaigrissement
schlapp épuisé; *energielos* mou
schlau rusé, malin

Schlauch *m* tuyau; *Fahrrad*☐ chambre *f* à air; **~boot** *n* canot *m* pneumatique
schlecht mauvais; *adv* mal; *~ **werden** verderben* pourrir; *Milch* avoir tourné; ***mir ist ~*** je me sens mal
Schleier *m* voile
schleierhaft mystérieux; ***das ist mir ~*** c'est un mystère pour moi
Schleife *f* boucle; nœud *m*
schleifen[1] traîner
schleif|en[2] *Messer* aiguiser; *Edelstein* tailler; **☐stein** *m* meule *f*
Schleim *m Med* mucus *m*; *zäher ~* glaires *m/pl*; *der Schnecke* bave *f*; **~haut** *f* muqueuse
schlemmen festoyer
schlendern flâner
schleppen traîner; *Mar* remorquer; ***sich ~*** se traîner
Schlepp|er *m Kfz* tracteur; *Mar* remorqueur; **~lift** *m* téléski, remonte-pente
Schleswig-Holstein *n* le Schleswig-Holstein
Schleuder *f* lance-pierres *m*; *Wäsche*☐ essoreuse
schleudern lancer; *Wäsche* essorer; *Kfz **ins ☐ kommen*** déraper
Schleuse *f* écluse
schlicht simple, modeste; **~en** *Streit* arbitrer
schließen fermer; *Vertrag* conclure; ***aus et ~*** conclure de qc
Schließ|fach *n Gepäck*☐ consigne *f* automatique; *Bank*☐ coffre *m*; **☐lich** finalement; *immerhin, doch* quand même; **~ung** *f* fermeture
schlimm mauvais; *adv* mal; *schwerwiegend* grave; **~er** pire; ***das ~ste*** le pire
Schling|e *f* nœud *m* coulant; *Arm*☐ écharpe; **~pflanze** *f* plante grimpante
Schlips *m* cravate *f*
Schlitten *m* traîneau; *Rodel*☐ luge *f*; ***~ fahren*** faire de la luge
Schlittschuh *m* patin; ***~ laufen*** patiner
Schlittschuh|bahn *f* patinoire; **~läufer** *m* patineur
Schlitz *m* fente *f*
Schloss *n Bau* château *m*; *Tür*☐ serrure
Schlosser *m* serrurier
Schlucht *f* ravin *m*
schluchzen sangloter
Schluck *m* gorgée *f*; **~auf** *m* 'hoquet; **☐en** avaler (*a fig*); **~impfung** *f* vaccination par voie buccale
schlummern sommeiller
Schlüpf|er *m* slip; **☐rig** glissant; *fig* scabreux
Schlupfwinkel *m* cachette *f*
Schluss *m* fin *f*; *Folgerung* conclusion *f*; ***zum ~*** à la fin
Schlüssel *m* clé *f*; **~bein** *n* clavicule *f*; **~bund** *n* trousseau *m* de clés; **~loch** *n* trou *m* de serrure
Schluss|folgerung *f* conclu-

sion; **~licht** *n* feu *m* arrière; **~verkauf** *m* soldes *m/pl*
schmächtig fluet, chétif
schmackhaft savoureux
schmal étroit
Schmalfilm *m* film (de) format réduit
Schmalz *n* saindoux *m*
Schmarotzer *m* parasite
schmecken ***j-m*** ~ plaire à q; ***nach et*** ~ avoir le goût de qc; (***gut***) ~ être bon; ***hat es geschmeckt?*** *im Restaurant* vous êtes satisfaits?
Schmeichel|ei *f* flatterie; **2haft** flatteur
schmeicheln flatter (***j-m*** q)
schmeißen F flanquer
schmelz|en fondre; **2käse** *m* fromage fondu
Schmerz *m* douleur *f*; **~en** ***haben*** avoir mal
schmerz|en faire mal; **~haft** douloureux; **~lich** douloureux; **~los** indolore; **~stillend** analgésique; **2tablette** *f* comprimé *m* contre la douleur
Schmetterling *m* papillon
Schmied *m* forgeron
Schmiede *f* forge; **~eisen** *n* fer *m* forgé
schmieden forger (*a fig*)
schmier|en graisser; *verstreichen* étaler (***auf*** *A* sur); *Brote* tartiner; F *bestechen* graisser la patte à; **2geld** *n* pot-de--vin *m*; **~ig** graisseux; *fig* graveleux; **2mittel** *n* lubrifiant; **2seife** *f* savon *m* mou
Schminke *f* fard *m*
schminken (***sich*** ~ se) maquiller
Schmirgelpapier *n* papier *m* émeri
schmollen bouder (***mit j-m*** q)
Schmor|braten *m* bœuf braisé; **2en** braiser; **~topf** *m* cocotte *f*
Schmuck *m* ornement, décoration *f*; *Juwelen* bijoux *m/pl*
schmücken orner, décorer (***mit*** de)
Schmugg|el *m* contrebande *f*; **2eln** faire de la contrebande; *et* passer en fraude; **~ler** *m* contrebandier
schmunzeln sourire
Schmutz *m* saleté *f*
schmutzig sale; *fig a* sordide; (***sich***) ~ ***machen*** (se) salir
Schnabel *m* bec
Schnalle *f* boucle
schnappen F *erwischen* attraper; ***Luft*** ~ prendre l'air
Schnappschuss *m Fot* instantané
Schnaps *m* schnaps
schnarchen ronfler
Schnauze *f* museau *m*; P *Mund* gueule
Schnecke *f* escargot *m*; *Nackt2* limace
Schnee *m* neige *f*; **~ball** *m* boule *f* de neige; **2bedeckt** enneigé; **~besen** *m Kochk* fouet; **~fall** *m* chute *f* de neige; **~flocke** *f* flocon *m* de neige; **2frei** sans neige; **~gestöber** *n* rafales *f/pl* de neige;

~glöckchen *n* perce-neige *m*; **~höhe** *f* enneigement *m*; **~ketten** *f/pl Kfz* chaînes; **~mann** *m* bonhomme de neige; **~pflug** *m* chasse-neige *m*; **~regen** *m* neige *f* fondue; **~schmelze** *f* fonte des neiges; **~sturm** *m* tempête *f* de neige; **~verhältnisse** *n/pl* enneigement *m*; **~wehe** *f* congère
schneid|en couper; *Kfz* ***j-n*** **~** faire une queue de poisson à q; **~end** *Kälte* mordant
Schneider *m* tailleur; **~in** *f* couturière
schneien ***es schneit*** il neige
Schneise *f* laie; percée
schnell rapide; *adv* vite; **2gaststätte** *f* snack *m*, fast food *m*; **2hefter** *m* chemise *f*; **2igkeit** *f* vitesse, rapidité; **2imbiss** *m* snack; **2straße** *f* voie express; **2zug** *m* rapide, (train) express
Schnitt *m* coupe *f*; ***im*** **~** en moyenne
Schnitt|blumen *f/pl* fleurs coupées; **~lauch** *m* ciboulette *f*; **~muster** *n* patron *m*; **~wunde** *f* coupure, entaille
Schnitzel *n* escalope *f*; ***Wiener*** **~** escalope *f* viennoise
schnitz|en sculpter (sur bois); **2erei** *f* sculpture sur bois
Schnorchel *m* tuba
schnüffeln renifler (***an et*** *D* qc); fouiner (***in*** *D* dans)
Schnuller *m* tétine *f*
Schnupfen *m* rhume
schnuppern flairer (***et*** *od* ***an et*** *D* qc)
Schnur *f* ficelle; *Kabel* fil *m*
schnüren ficeler, lacer
Schnurrbart *m* moustache *f*
schnurren ronronner
Schnür|schuh *m* chaussure *f* lacée; **~senkel** *m* lacet
Schock *m* choc; **2ieren** choquer, scandaliser
Schokolade *f* chocolat *m*
Scholle *f Zo* plie
schon déjà; **~** ***wieder*** encore
schön beau; *adv* bien
schonen (***sich*** **~** se) ménager
Schönheit *f* beauté
Schönheits|chirurgie *f* chirurgie esthétique; **~fehler** *m* petit défaut; **~pflege** *f* soins *m/pl* de beauté
Schon|kost *f* régime *m*; **~ung** *f* ménagement *m*; *nach Krankheit* repos *m*; **~zeit** *f* fermeture de la chasse
schöpfen puiser (***aus*** à *od* dans); *fig* ***wieder Mut*** **~** reprendre courage
Schöpf|er *m* créateur; **2erisch** créatif; **~kelle** *f* louche; **~ung** *f* création
Schoppen *m* chope *f*
Schorf *m* croûte *f*, escarre *f*
Schornstein *m* cheminée *f*; **~feger** *m* ramoneur
Schoß *m* sein, giron; ***auf dem*** **~** sur les genoux
Schote *f* cosse, gousse
Schotte *m* Écossais
Schotter *m* pierraille *f*, galets *m/pl*; *Bahn* ballast

schott|isch écossais; **2land** *n* l'Écosse *f*
schräg oblique, biais
Schramme *f* éraflure
Schrank *m* armoire *f*
Schrank|e *f* barrière; **~enwärter** *m* garde-barrière
Schraub|e *f* vis; *Mar, Flgw* hélice; **2en** visser
Schrauben|mutter *f* écrou *m*; **~schlüssel** *m* clé *f*; **~zieher** *m* tournevis
Schraub|stock *m* étau; **~verschluss** *m* fermeture *f* à vis
Schreck *m* frayeur *f*; **2lich** terrible
Schrei *m* cri
schreiben écrire (***j-m*** *od* ***an j-n*** à q)
Schreib|en *n* lettre *f*; **~heft** *n* cahier *m*; **~maschine** *f* machine à écrire; **~papier** *n* papier *m* pour écrire; **~tisch** *m* bureau; **~warengeschäft** *n* papeterie *f*
schreien crier
Schreiner *m* menuisier
Schrift *f* écriture; *Werk* écrit *m*; **2lich** écrit; *adv* par écrit; **~steller(in)** *m(f)* écrivain *m*; **~wechsel** *m* correspondance *f*
schrill aigu, strident
Schritt *m* pas; *fig* démarche *f*; ***~ fahren*** rouler au pas
schroff brusque; *steil* raide
Schrott *m* ferraille *f*; **~händler** *m* ferrailleur; **2reif** bon pour la casse
schrubb|en frotter; **2er** *m* balai-brosse
Schub|fach *n* tiroir *m*; **~karre** *f* brouette
schüchtern timide; **2heit** *f* timidité
Schuh *m* chaussure *f*; **~anzieher** *m* chausse-pied; **~band** *n* lacet *m*; **~bürste** *f* brosse à chaussures; **~creme** *f* cirage *m*; **~geschäft** *n* magasin *m* de chaussures; **~größe** *f* pointure; **~löffel** *m* chausse-pied; **~macher** *m* cordonnier; **~putzer** *m* cireur; **~sohle** *f* semelle
Schul|arbeiten *f/pl* devoirs *m/pl*; **~bildung** *f* formation scolaire; **~buch** *n* livre *m* de classe
Schuld *f* faute; *jur* culpabilité; *Geld*2 dette; ***an*** *et D* ***2 sein*** être responsable de qc
schuldig coupable; ***j-m*** *et* ***~ sein*** devoir qc à q
schuldlos innocent
Schule *f* école
Schüler *m* élève; **~austausch** *m* échange scolaire; **~in** *f* élève
Schulferien *pl* vacances *f/pl* scolaires
schulfrei ***~ haben*** ne pas avoir cours *od* classe
Schul|freund(in) *m(f)* camarade d'école; **~jahr** *n* année *f* scolaire; **~stunde** *f* heure de cours; **~tasche** *f* cartable *m*
Schulter *f* épaule
Schul|ung *f* formation; **~zeit** *f* scolarité

Schund *m Ware* camelote *f*
Schuppe *f* écaille; **~n** *pl im Haar* pellicules
Schuppen *m* remise *f*
Schurke *m* canaille *f*
Schurwolle *f* laine vierge
Schürze *f* tablier *m*
Schuss *m* coup de feu; *Fußball* shoot
Schüssel *f* plat *m* creux; *Salat*≗ saladier *m*; *Suppen*≗ soupière
Schusswaffe *f* arme à feu
Schuster *m* cordonnier
Schutt *m* gravats *m/pl*; *Trümmer* décombres *m/pl*
Schüttelfrost *m* frissons *m/pl*
schütteln (*sich* ~ se) secouer; *Hand* serrer
schütten verser
Schutz *m* protection *f* (**vor** *D* contre); *bei Unwetter* abri; **~blech** *n* garde-boue *m*; **~brille** *f* lunettes *f/pl* de protection
Schütze *m* tireur
schützen (*sich* ~ se) protéger (**vor** *D* de *od* contre)
Schutz|engel *m* ange gardien; **~heilige(r)** *m* patron; **~hütte** *f* refuge *m*; **~impfung** *f* vaccination; **≗los** sans défense
schwach faible; *schlecht* médiocre; *Gedächtnis* mauvais; *Tee* léger
Schwäch|e *f* faiblesse; *fig* faible *m* (**für** pour); **≗en** affaiblir; **≗lich** faible
Schwachsinn *m* débilité *f*; **≗ig** débile
Schwachstrom *m El* courant faible *od* de basse tension
Schwager *m* beau-frère
Schwägerin *f* belle-sœur
Schwalbe *f* hirondelle
Schwamm *m* éponge *f*
Schwan *m* cygne
schwanger enceinte; **≗schaft** *f* grossesse; **≗schaftsabbruch** *m* interruption *f* volontaire de grossesse
schwanken se balancer; *Betrunkene* tituber; *Temperatur*, varier; *zögern* hésiter
Schwanz *m* queue *f*
Schwarm *m Insekten*≗ essaim; *Vogel*≗ volée *f*
schwärmen ~ **für** s'enthousiasmer pour
Schwarte *f Speck*≗ couenne
schwarz noir; **≗arbeit** *f* travail *m* au noir; **≗brot** *n* pain *m* noir
Schwarze(r) *su* Noir(e)
Schwarz|fahrer *m* resquilleur; **~markt** *m* marché noir; **~weißfilm** *m* film en noir et blanc; *Fot* pellicule *f* noir et blanc
schwatzen bavarder; *péj* bavasser
Schwebebahn *f* monorail *m* suspendu; téléphérique *m*
schweben planer; *in Gefahr* ~ être en danger
Schwed|e *m* Suédois; **~en** *n* la Suède; **≗isch** suédois
Schwefel *m* soufre

schweig|en se taire; **2en** *n* silence *m*; **~sam** taciturne
Schwein *n* cochon *m*, porc *m*
Schweine|braten *m* rôti de porc; **~fleisch** *n* porc *m*; **~rei** *f* F *péj* cochonnerie(s) *f(pl)*; **~stall** *m* porcherie *f*
Schweiß *m* sueur *f*
schweißen *Tech* souder
Schweiz ***die*** ~ la Suisse; ***in der*** ~ en Suisse; ***die französische*** ~ la Suisse romande
Schweizer *m* Suisse; *adj* suisse; ~ ***Käse*** *m* gruyère
Schwelle *f* seuil *m* (*a fig*)
schwell|en *Med* enfler; **2ung** *f* enflure
schwer lourd; *schwierig* difficile; *Krankheit* grave; ~ ***krank*** gravement malade; ~ ***verdaulich*** indigeste; ~ ***verletzt*** grièvement blessé; ~ ***verständlich*** difficile à comprendre
Schwer|behinderte(r) *su* invalide; **2fällig** lourd; **2hörig** dur d'oreille; **~industrie** *f* industrie lourde; **~punkt** *m* centre *m* de gravité; *fig* point principal
Schwert *n* épée *f*
schwerwiegend grave, sérieux
Schwester *f* sœur
Schwieger|eltern *pl* beaux-parents *m/pl*; **~mutter** *f* belle-mère; **~sohn** *m* beau-fils, gendre; **~tochter** *f* belle-fille, bru; **~vater** *m* beau-père
schwierig difficile; **2keit** *f* difficulté
Schwimm|bad *n* piscine *f*; **~becken** *n* bassin *m*
schwimmen nager; *Sachen* flotter; ~ ***gehen*** aller se baigner
Schwimm|er(in) *m(f)* nageur *m*, nageuse *f*; **~flosse** *f* palme; **~halle** *f* piscine couverte; **~weste** *f* gilet *m* de sauvetage
Schwind|el *m* *Med* vertige; F *Betrug* escroquerie *f*; **~ler** *m* escroc; *Lügner* menteur
schwindlig ***mir ist*** ~ j'ai le vertige
schwing|en agiter; *Pendel* osciller; **2ung** *f* oscillation
Schwips F *m* ***e-n*** ~ ***haben*** être éméché
schwitzen suer
schwören jurer
schwul F homo, gay
schwül lourd, étouffant
Schwüle *f* chaleur étouffante
Schwule(r) *m* F homo, gay
Schwung *m* élan; *fig* entrain; **2voll** plein d'entrain
Schwur *m* serment
sechs six; **~hundert** six cents; **~te(r, -s)** sixième; **2tel** *n* sixième *m*
sech|zehn seize; **~zig** soixante
See[1] *m* lac
See[2] *f* mer; ***an der*** ~ au bord de la mer
Seeblick *m* ***mit*** ~ avec vue sur le lac *od* la mer
Seegang *m* 'houle *f*; ***starker od schwerer*** ~ mer *f* forte

Seehund *m* phoque
seekrank ~ ***sein*** avoir le mal de mer; **~heit** *f* mal *m* de mer
Seel|e *f* âme; **~isch** psychique
See|luft *f* air *m* marin; **~mann** *m* marin; **~meile** *f* mille *m* marin; **~not** *f* détresse; **~stern** *m* étoile *f* de mer
Seeweg *m* voie *f* maritime; ***auf dem*** ~ par mer
Seezunge *f* sole
Segel *n* voile *f*; **~boot** *n* canot *m* à voiles; **~fliegen** *n* vol *m* à voile; **~flugzeug** *n* planeur *m*
segeln faire voile (**nach** pour); *Sp* faire de la voile
Segel|schiff *n* voilier *m*; **~sport** *m* voile *f*
Segen *m* bénédiction *f*
sehen voir; ***vom ~ kennen*** connaître de vue
sehens|wert qui vaut la peine d'être vu; **~würdigkeit** *f* curiosité
Sehne *f* tendon *m*
sehnen ***sich*** ~ aspirer (***nach et*** à qc); s'ennuyer (***nach j-m*** de q)
Sehnenscheidenentzündung *f* tendinite
Sehnsucht *f* besoin *m* (**nach** de); impatience (de + *inf*); nostalgie (de)
sehr très; *mit Verben* beaucoup; ***zu*** ~ trop; ~ ***viel*** énormément
seicht peu profond, bas
Seide *f* soie
Seife *f* savon *m*
Seil *n* corde *f*; *starkes* câble *m*; **~bahn** *f* téléphérique *m*
sein être; exister; *sich befinden* se trouver; *stattfinden* avoir lieu; ***ich bin's!*** c'est moi!; ***das wär's!*** voilà!; *beim Einkaufen* c'est tout
sein(e) son (sa); **~e** *pl* ses
seit (*D*) depuis; *cj* depuis que; ~ ***wann?*** depuis quand?
seitdem depuis; *cj* depuis que
Seite *f* côté *m*; *Buch~* page
Seitensprung *m* ***e-n ~ machen*** avoir une aventure
Seiten|stechen *n* point *m* de côté; **~straße** *f* rue latérale; **~streifen** *m* accotement; **~wind** *m* vent de côté
Sekretärin *f* secrétaire
Sekt *m* (vin) mousseux
Sekunde *f* seconde
selbst même; ***ich*** ~ moi-même; ***von*** ~ de soi-même, tout seul; ~ ***gemacht*** (fait à la) maison
selbständig indépendant
Selbstauslöser *m* déclencheur automatique
Selbstbedienung *f* libre-service *m*; **~sladen** *m* libre-service; **~srestaurant** *n* self (-service) *m*
Selbst|beherrschung *f* maîtrise de soi; **~bewusst** conscient de sa valeur; **~disziplin** *f* autodiscipline; **~kostenpreis** *m* prix coûtant; **~los** désintéressé; **~mord** *m* suicide; **~sicher** sûr de soi;

2ständig indépendant
Selbstverpflegung *f im Urlaub* **mit ~** sans pension
selbstverständlich naturel, normal; *adv* bien sûr; **das ist ~** cela va de soi
Sellerie *m od f* céleri *m*
selten rare; **2heit** *f* rareté
seltsam étrange, bizarre
Semester *n* semestre *m*; **~ferien** *pl* vacances *f/pl* universitaires (entre les semestres d'études)
Semmel *f* petit pain *m*
send|en envoyer; *TV*, *Radio* diffuser; **2er** *m* émetteur; *TV* chaîne *f*; *Radio* station *f* de radio; **2ung** *f* envoi *m*; *TV*, *Radio* émission
Senf *m* moutarde *f*
Senioren *pl* **die ~** le troisième âge; **~heim** *n* maison *f* de retraite; **~pass** *m Bahn* carte *f* vermeil
senken *Kopf*, *Preise* baisser; *Fieber* faire baisser; **sich ~** *Boden* s'affaisser
senkrecht vertical
Sensation *f* sensation
Sense *f* faux
sensibel sensible
sentimental sentimental
September *m* septembre
Serb|e *m* Serbe; **~ien** *n* la Serbie; **2isch** serbe
Serie *f* série; *TV* feuilleton *m*
Serpentine *f* lacet *m*
Serum *n* sérum *m*
Serv|ice *m* service; **2ieren** servir; **~iererin** *f* serveuse; **~iette** *f* serviette (de table)
Servolenkung *f Kfz* direction assistée
Sessel *m* fauteuil; **~lift** *m* télésiège
setzen mettre, poser; **~ auf** (*A*) miser sur; **sich ~** s'asseoir
Seuche *f* épidémie
seufzen soupirer
Sex *m* sexe; *Geschlechtsverkehr* rapports *m/pl* sexuels
sexuell sexuel
Shampoo *n* shampo(o)ing *m*
Shorts *pl* short *m*
Show *f* show *m*
sich se (*vor Vokal* s'); *nach prp* soi; **jeder für ~** chacun pour soi
sicher sûr, certain; **2heit** *f* sécurité
Sicherheits|gurt *m* ceinture *f* de sécurité; **~nadel** *f* épingle à nourrice; **~schloss** *n* serrure *f* de sûreté
sicherlich sûrement
sichern assurer
Sicherung *f El* fusible *m*
Sicht *f* vue; *Sichtweite* visibilité; **in ~** en vue; **auf lange ~** à long terme
sicht|bar visible; **2vermerk** *m* visa; **2weite** *f* **in ~** en vue
sie elle; *A* la (*vor Vokal* l'); *pl* ils (elles); *A* les; *betont u nach prp* eux (elles)
Sie *Anrede* vous
Sieb *n* passoire *f*
sieben sept; **~hundert** sept cents

sieb|te(r, -s) septième; **≈tel** *n* septième *m*; **~zehn** dix-sept; **~zig** soixante-dix
Siedl|er *n* colon *m*; **~ung** *f* lotissement *m*
Sieg *m* victoire *f*
Siegel *n* sceau *m*, cachet *m*
siegen gagner; **~ *über*** (*A*) remporter une victoire sur, *fig u Sp* l'emporter sur
Sieger *m* vainqueur
siezen vouvoyer
Signal *n* signal *m*
Silbe *f* syllabe
Silber *n* argent *m*; **~medaille** *f* médaille d'argent
silbern argenté
Silvester *n* la Saint-Sylvestre
Sinfonie *f* symphonie
singen chanter
Single¹ *m* célibataire
Single² *f* single *m*
Singular *m* singulier
sinken *Preise, Temperatur* baisser; *Schiff* couler
Sinn *m* sens (***für et*** de qc); **≈lich** sensuel; **≈los** insensé; **≈voll** sensé, judicieux
Sintflut *f* déluge *m*
Sitte *f* coutume; **~*n pl*** mœurs
sittlich moral
Sitz *m* siège; **≈en** être assis; *Kleid* aller bien; **~platz** *m* place *f* assise; **~ung** *f* séance
Skala *f* échelle
Skandal *m* scandale
Skelett *n* squelette *m*
skeptisch sceptique
Ski *m* ski; **~ *laufen*, ~ *fahren*** skier
Ski|akrobatik *f* ski *m* acrobatique; **~anzug** *m* combinaison *f* de ski; **~fahrer(in)** *m(f)* *s* ***~läufer(in)***; **~gebiet** *n* domaine *m* skiable; **~kurs** *m* cours de ski; **~läufer(in)** *m* (*f*) skieur *m* (skieuse *f*); **~lehrer** *m* moniteur (de ski); **~lift** *m* téléski; **~pass** *m* forfait ski; **~sport** *m* ski; **~stiefel** *m* chaussure *f* de ski; **~träger** *m Kfz* porte-skis; **~urlaub** *m* vacances *f/pl* de neige; **~wachs** *n* fart *m*; **~wandern** *n* ski *m* de randonnée
Skizze *f* esquisse
Slip *m* slip
Skulptur *f* sculpture
Slowak|e *m* Slovaque; **~ei** *f* Slovaquie; **≈isch** slovaque
so ainsi; ***~ groß wie*** aussi grand que; ***~ sehr*** tant, tellement; ***ich bin ~ weit*** je suis prêt; ***ach ~!*** ah bon!; ***~ dass*** *s* ***sodass***
sobald aussitôt que, dès que
Socke *f* chaussette
Sockel *m* piédestal
sodass de sorte que
Sodbrennen *n* aigreurs *f/pl* d'estomac
soeben tout à l'heure
Sofa *n* canapé *m*
sofort tout de suite, immédiatement
Software *f Inform* logiciel *m*
sogar même
Sohle *f Schuh≈* semelle; *Fuß≈* plante
Sohn *m* fils

solange tant que
Solar|energie *f* énergie solaire; **~ium** *n* solarium *m*
solche(r, -s) tel(le), pareil(le)
Soldat *m* soldat
Söldner *m* mercenaire
solide solide; *Person* sérieux
Solist(in) *m(f)* soliste
Soll *n Hdl* débit *m*
sollen devoir; ***du solltest***... tu devrais...; ***sie soll sehr krank sein*** il paraît qu'elle est très malade; ***was soll das?*** à quoi ça rime?
Sommer *m* été *f*; ***im ~*** en été
Sommer|ferien *pl* vacances *f/pl* d'été; **2lich** estival, d'été; **~schlussverkauf** *m* soldes *m/pl* d'été; **~sprossen** *f/pl* taches de rousseur; **~zeit** *f Uhrzeit* heure d'été
Sonder|... spécial; **2bar** étrange; **~müll** *m* déchets *m/pl* dangereux
sondern mais; ***nicht nur ..., ~ auch*** non seulement ..., mais (encore)
Sonnabend *m* samedi
Sonne *f* soleil *m*; ***in der ~*** au soleil
sonnen ***sich ~*** prendre un bain de soleil
Sonnen|aufgang *m* lever du soleil; **~bad** *n* bain *m* de soleil; **~blende** *f Kfz* pare-soleil *m*; **~blume** *f* tournesol *m*; **~brand** *m* coup de soleil; **~brille** *f* lunettes *f/pl* de soleil; **~creme** *f* crème solaire; **~finsternis** *f* éclipse du soleil; **~öl** *n* huile *f* solaire; **~schein** *m* soleil; **~schirm** *m* parasol; **~schutzmittel** *n* produit solaire; **~stich** *m* insolation *f*; **~studio** *n* centre *m* de bronzage; **~untergang** *m* coucher du soleil
sonnig ensoleillé
Sonntag *m* dimanche
sonntags le dimanche
sonst autrement, sinon; *außerdem* à part cela; ***~ noch etwas?*** et avec ça *od* cela?; ***~ nichts*** (***niemand***) rien (personne) d'autre
sooft aussi souvent que
Sorge *f* souci *m*; ***sich ~n machen*** se faire des soucis (***um*** pour)
sorgen ***~ für*** s'occuper de; ***dafür ~, dass ...*** veiller à ce que ... (+ *subj*); ***sich ~ um*** s'inquiéter pour
sorg|fältig soigneux; **2los** insouciant
Sort|e *f* sorte, espèce; **2ieren** trier, classer; **~iment** *n* assortiment *m*
Soße *f* sauce
Souvenir *n* souvenir *m*
soviel ***~ ich weiß*** autant que je sache
sowie ainsi que
sowieso de toutes façons
sowohl ***~ ... als auch*** aussi bien ... que
sozial social; **~demokratisch** social-démocrate; **~istisch** socialiste; **2hilfe** *f* aide sociale; **2versicherung**

f assurance sociale; **ˆwohnung** *f* H.L.M. *m od f*
sozusagen pour ainsi dire
Spaghetti *pl* spaghetti *m/pl*
Spalte *f* fente, fissure; *Gletscher*ˆ crevasse; *Zeitungs*ˆ colonne
spalten (***sich*** ~ se) fendre; *fig* (se) diviser
Späne *m/pl* copeaux
Spange *f* agrafe
Span|ien *n* l'Espagne *f*; **~ier** *m* Espagnol; **ˆisch** espagnol
Spann *m* cou-de-pied
Spanne *f* *Zeit*ˆ laps *m* de temps
spann|en tendre; **~end** captivant; **ˆung** *f* tension (*a El u fig*); *in Filmen* suspense *m*
Spar|buch *n* livret *m* de caisse d'épargne; **ˆen** épargner; *ein*~ économiser (**an** *D* sur); **~er** *m* épargnant
Spargel *m* asperge *f*
Spar|kasse *f* caisse d'épargne; **ˆsam** *Person* économe; *Gerät* économique
Spaß *m* plaisanterie *f*; *Freude* plaisir; ***es macht*** (***mir***) ~ cela me plaît beaucoup; ***er macht*** ~ il plaisante; ***viel*** ~***!*** amuse-toi (amusez-vous) bien
spaßen plaisanter
spät tard; ***wie*** ~ ***ist es?*** quelle heure est-il?; ***zu*** ~ trop tard; F ~ ***dran sein*** être à la bourre
Spaten *m* bêche *f*
später plus tard; ***bis*** ~***!*** à tout à l'heure
spätestens au plus tard
Spätnachrichten *f/pl* *TV* dernier journal *m*
Spatz *m* moineau
spazieren ~ ***gehen*** (aller) se promener
Spazier|gang *m* promenade *f*; **~stock** *m* canne *f*
Specht *m* pivert
Speck *m* lard
Spedit|eur *m* transporteur; **~ion** *f* entreprise de transport
Speer *n* javelot *m*
Speiche *f* rayon *m*
Speichel *m* salive *f*
Speicher *m* *Dachboden* grenier; *Warenlager* entrepôt; *Inform* mémoire *f*
speichern stocker; *Inform* mémoriser; *Text* sauvegarder
Speise *f* *Gericht* plat *m*; *Süß*ˆ entremets *m*; *Nahrung* nourriture; **~eis** *n* glace *f*; **~karte** *f* carte; **~röhre** *f* œsophage *m*; **~saal** *m* salle *f* à manger; **~wagen** *m* wagon-restaurant
Spend|e *f* don *m*; **ˆen** *Blut, Geld* donner; **~er** *m* donateur; **ˆieren** F offrir
Sperma *n* sperme *m*
Sperr|e *f* barrage *m*; **ˆen** *Straße* fermer à la circulation; *Grenze, Pass* fermer; *Hafen, Konto* bloquer; **~gebiet** *n* zone *f* interdite; **~holz** *n* contre-plaqué *m*; **ˆig** encombrant; **~müll** *m* encombrants *m/pl*; **~stunde** *f* couvre-feu *m*

Spesen *pl* frais *m/pl*
Spezialist(in) *m(f)* spécialiste
Spezialität *f* spécialité
speziell spécial
Spiegel *m* miroir, glace *f*; **~ei** *n* œuf *m* sur le plat; **2glatt** *Straße* verglacé
spiegeln miroiter; ***sich* ~** se refléter
Spiel *n* jeu *m*; *Sp* match *m*; **~automat** *m* machine *f* à sous; **~bank** *f* casino *m*; **~dose** *f* boîte à musique; **2en** jouer (***Karten*** aux cartes); **~er** *m* joueur; **~feld** *n* terrain *m*; *Tennis* court *m*; **~film** *m* long-métrage; **~halle** *f* salle de jeu; **~karte** *f* carte (à jouer); **~kasino** *n* casino *m*; **~marke** *f* jeton *m*
Spielplan *m* programme; ***auf dem* ~** à l'affiche
Spiel|platz *m* terrain de jeu; **~regel** *f* règle du jeu; **~zeit** *f* *Theater* saison; **~zeug** *n* jouet *m*, joujou *m*
Spieß *m* *Kochk* broche *f*; ***am* ~** à la broche
Spinat *m* épinard
Spinn|e *f* araignée; **2en** filer; *fig* F déjanter; **~gewebe** *n* toile *f* d'araignée
Spion *m* espion; **~age** *f* espionnage *m*
Spirale *f* spirale; *Med* stérilet *m*
Spirituosen *pl* spiritueux *m/pl*
Spiritus *m* alcool; **~kocher** *m* réchaud à alcool
spitz pointu; *Winkel* aigu
Spitze *f* pointe (*a fig*); *Gipfel* sommet *m*; *Gewebe* dentelle; ***an der* ~ *stehen*** être en tête; F **~!** super!
Spitzel *m* mouchard
spitzen *Bleistift* tailler
Spitzen|geschwindigkeit *f* vitesse maximum, de pointe; **~leistung** *f* *Sp* record *m*
Spitzname *m* surnom
Splitter *m* éclat; *in der Haut* écharde *f*
Sponsor *m* sponsor
Sport *m* sport; **~ *treiben*** faire du sport
Sport|artikel *m/pl* articles de sport; **~flugzeug** *n* avion de tourisme; **~halle** *f* stade *m* couvert; **~kleidung** *f* vêtements *m/pl* de sport; **~ler** *m* sportif; **~lerin** *f* sportive; **2lich** sportif; **~platz** *m* terrain de sport; **~tauchen** *n* plongée *f* sous-marine; **~veranstaltung** *f* rencontre, compétition (sportive); **~verein** *m* club (sportif); **~wagen** *m* voiture *f* de sport
Spott *m* moquerie(s) *f(pl)*; **2billig** donné; **2en** se moquer (***über** A* de)
spöttisch moqueur
Sprach|e *f* langue; **~enschule** *f* école *f* de langues; **~führer** *m* guide de conversation; **~kurs** *m* cours de langue
sprachlos interloqué
Spray *m od n* spray *m*; **~dose** *f* bombe

sprech|en parler (***mit*** à, avec; ***über*** *A* de); **2er(in)** *m(f) TV*, *Radio* présentateur *m*, présentatrice *f*; *Wortführer(in)* porte-parole
Sprechstunde *f* heures *f/pl* de consultation; ~ ***haben*** recevoir
Sprech|stundenhilfe *f* assistante médicale; **~zimmer** *n* cabinet *m* de consultation
spreng|en faire sauter; *Garten* arroser; **2stoff** *m* explosif
Sprichwort *n* proverbe *m*
Spring|brunnen *m* jet d'eau; **2en** sauter; *Glas* se fêler
Sprit F *m* essence *f*
Spritz|e *f Med* seringue; *Einspritzung* piqûre; **2en** jaillir, gicler; *Med* injecter
spröde *Nägel* cassant; *Lippen* sec; *Stimme* cassé; *fig* froid
Spruch *m* dicton; **~band** *n* banderole *f*, calicot *m*
Sprudel *m* eau *f* gazeuse
Sprüh|dose *f* atomiseur *m*; **~regen** *m* bruine *f*
Sprung *m* saut; *Riss* fêlure *f*; **~brett** *n*, **~schanze** *f* tremplin *m*; **~tuch** *n* toile *f* de sauvetage
Spuck|e *f* salive; **2en** cracher
Spule *f* bobine
Spüle *f* évier *m*
spül|en *Geschirr* faire la vaisselle; *WC* tirer la chasse d'eau; *Gläser*, *Wäsche* rincer; **2maschine** *f* lave-vaisselle *m*; **2mittel** *n* liquide *m* vaisselle; **2ung** *f WC* chasse d'eau
Spur *f Fuß2* trace; *Ski2*, *Tonband* piste; *Fahr2* voie
spüren sentir
spurlos sans trace
Staat *m* État; **2lich** de l'État, national; *adv* par l'État
Staats|angehörigkeit *f* nationalité; **~anwalt** *m*, **~anwältin** *f* procureur *m*; **~bürger(in)** *m(f)* citoyen(ne)
Stab *m* bâton; **~hochsprung** *m* saut à la perche
Stachel *m Bot* épine *f*; *Insekten2* dard; **~beere** *f* groseille à maquereau; **~draht** *m* (fil de fer) barbelé
Stadion *n* stade *m*
Stadt *f* ville; **~bummel** *m* F tour *f* en ville
Städt|epartnerschaft *f* jumelage *m*; **2isch** urbain; ~ *verwaltet* municipal
Stadt|mitte *f* centre(-ville) *m*; **~plan** *m* plan de la ville; **~rand** *m* périphérie *f*; **~rundfahrt** *f* visite (guidée) de la ville (en car); tour *m* de ville; **~teil** *m*, **~viertel** *n* quartier *m*
Stahl *m* acier; **~werk** *n* aciérie *f*
Stall *m Vieh2* étable *f*; *Pferde2* écurie *f*
Stamm *m* tronc; *Volks2* tribu *f*; *Gr* radical; **2en** être originaire (***aus*** de); **~gast** *m* habitué; **~kunde** *m* bon client
Stand *m Zu2* état; *Messe2*

stand; **~bild** *n* statue *f*
Ständer *m* support
Stand|esamt *n* bureau *m* de l'état civil; **2halten** (*D*) résister (à)
ständig constant; *adv* constamment
Stand|licht *n* feux *m/pl* de position; **~ort** *m* endroit; *e-r Firma* emplacement; **~punkt** *m* point de vue; **~spur** *f* bande d'arrêt d'urgence
Stange *f* perche; *Metall2* barre; *Zigaretten* cartouche
Stängel *m* tige *f*
Stapel *m* pile *f*; **~lauf** *m* mise *f* à l'eau, lancement *m*
stapeln empiler
Star *m Zo* étourneau, *Film2* star *f*; *Med* ***grauer*** ~ cataracte; ***grüner*** ~ glaucome
stark fort; *mächtig* puissant; *Verkehr* intense; *Raucher, Esser* gros
Stärke *f* force; *starke Seite* (point *m*) fort *m*; *Wäsche2* amidon *m*
stärken fortifier, renforcer; *Wäsche* amidonner; ***sich*** ~ se restaurer
Starkstrom *m* courant fort *od* de haute tension
Stärkung *f* renforcement; *Imbiss* collation; **~smittel** *n Med* fortifiant *m*
starr *Blick* raide; *steif* rigide
Start *m* départ; *Flgw* décollage; *Kfz* démarrage; **~automatik** *f* starter *m* automatique; **~bahn** *f* piste de décollage; **2en** partir; *Flgw* décoller; *Kfz* démarrer; **~er** *m Kfz* démarreur
Starthilfekabel *n* câbles *m/pl* de démarrage
Station *f U-Bahn* station; *Bus, Bahn* arrêt *m*; *im Krankenhaus* service *m*
stationär *Med* à l'hôpital; **~e** ***Behandlung*** *f* (traitement *m* nécessitant l')hospitalisation
Statist *m* figurant
Stativ *n* trépied *m*
statt au lieu de; **~finden** avoir lieu
Statue *f* statue
Stau *m Kfz* bouchon
Staub *m* poussière *f*; **2ig** poussiéreux; **2saugen** passer l'aspirateur; **~sauger** *m* aspirateur
Stau|damm *m* barrage; **2en** *Wasser* retenir; ***sich*** ~ s'amasser; *Verkehr* former un bouchon
staunen s'étonner (***über*** *A* de)
Stausee *m* lac de retenue
Steak *n* steak *m*, bifteck *m*
stech|en *Insekt* piquer; **~end** *Schmerz* lancinant; **2mücke** *f* moustique *m*
Steck|brief *m* avis de recherche; **~dose** *f* prise (de courant)
stecken mettre (***in*** *A* dans); *sich befinden* se trouver; ~ ***bleiben*** rester bloqué
Steck|er *m* fiche *f* mâle; **~nadel** *f* épingle

Steg *m Boots*2 passerelle *f*
stehen être *od* se tenir debout; *sich befinden* se trouver; *Kleidung* ***j-m*** **(*gut*)** ~ aller bien à q; ~ ***bleiben*** s'arrêter
Stehlampe *f* lampadaire *m*
stehlen voler
Stehplatz *m* place *f* debout
steif raide (*a fig*)
steigen monter (***auf*** *A* sur)
steig|ern augmenter; *verbessern* améliorer; 2**erung** *f* augmentation; 2**ung** *f* montée
steil raide, escarpé
Stein *m* pierre *f*; *Spiel*2 pion; *Obst*2 noyau; ~**bruch** *m* carrière *f*; ~**gut** *n* faïence *f*; 2**ig** pierreux; ~**kohle** *f* 'houille; ~**schlag** *m* chute *f* de pierres
Stelldichein *n* rendez-vous *m*
Stelle *f* endroit *m*; *Arbeits*2 emploi *m*; *Text*2 passage *m*; ***an deiner*** ~ à ta place
stellen mettre; *aufrecht* ~ mettre debout; *Uhr* régler; *Frage* poser
Stellenangebot *n* offre *f* d'emploi
Stellung *f* position; *berufliche* emploi *m*
Stellvertreter(in) *m(f)* suppléant(e), adjoint(e)
Stemp|el *m* tampon; 2**eln** tamponner; *Post* oblitérer
Stengel *m s* ***Stängel***
Stenotypistin *f* sténodactylo
Steppdecke *f* couette
Sterb|ehilfe *f* euthanasie; 2**en** mourir; ~**eurkunde** *f* acte *m* de décès; 2**lich** mortel
Stereo *n* ***in*** ~ en stéréo; ~**anlage** *f* chaîne stéréo *od* hi-fi
steril stérile; *Instrumente* stérilisé; *fig* aseptisé
Stern *m* étoile *f*; ~**bild** *n* constellation *f*; ~**schnuppe** *f* étoile filante; ~**warte** *f* observatoire *m*; ~**zeichen** *n* signe *m* astrologique
stets toujours
Steuer[1] *n Mar* barre *f*; *Kfz* volant *m*
Steuer[2] *f* impôt *m* (***auf*** sur); ~**erklärung** *f* déclaration d'impôt; 2**frei** non imposable
Steuermann *m Sp* barreur
steuern piloter; *Kfz a* conduire; *Tech* commander
steuer|pflichtig imposable; 2**ung** *f Tech* commande; 2**zahler** *m* contribuable
Steward *m* steward; ~**ess** *f* hôtesse de l'air
Stich *m Insekten*2 piqûre *f*; *Messer*2 coup; *Näh*2 point; *Kupfer*2 gravure *f*; ***im*** ~ ***lassen*** abandonner
stichhaltig valable; ***nicht*** ~ peu sérieux
sticke|n broder; 2**rei** *f* broderie
stickig suffocant
Stickstoff *m* azote
Stiefel *m* botte *f*
Stief|mutter *f* belle-mère; ~**sohn** *m* beau-fils; ~**tochter** *f* belle-fille; ~**vater** *m* beau-père

Stiel *m* manche *f*; *Bot* tige *f*
Stier *m* taureau
Stift *m Blei*♀ crayon
stift|en *gründen* fonder; *spenden* donner; ♀**ung** *f* fondation
Stil *m* style
still calme; *schweigsam* silencieux; **~!** silence!; **~ halten** ne pas bouger
Stille *f* calme *m*; silence *m*
stillen *Kind* allaiter; *Schmerz, Durst* apaiser
Stimme *f* voix
stimm|en voter (**für** pour; **gegen** contre); *Mus* accorder; **das stimmt** c'est vrai
Stimmrecht *n* droit *m* de vote
Stimmung *f* humeur; *Atmosphäre* ambiance; **für ~ sorgen** mettre de l'ambiance
stinken puer
Stipendium *n* bourse *f*
Stirn *f* front *m*; **~höhlenentzündung** *f* sinusite
Stock *m* bâton; *Spazier*♀ canne *f*; *~werk* étage; ♀**en** s'arrêter; **~ung** *f* arrêt *m*; *Verkehrs*♀ ralentissement *m*; **~werk** *n* étage *m*
Stoff *m* tissu; *Materie* matière *f*; **~wechsel** *m* métabolisme
stöhnen gémir
stolpern trébucher (**über** *A* sur)
stolz fier [fjɛr] (**auf** *A* de)
Stolz *m* fierté *f*
stopfen *Pfeife* bourrer; *Wäsche* repriser
stopp|en *Auto* arrêter; *Zeit* chronométrer; *v/i anhalten* s'arrêter; ♀**schild** *n* stop *m*; ♀**uhr** *f* chronomètre *m*
Stöpsel *m* bouchon
Storch *m* cigogne *f*
stör|en déranger; *Ruhe* troubler; *Unterricht* perturber; *missfallen* déplaire; ♀**ung** *f* dérangement *m* (*a Tel*); *Tech a* panne; *Radio* parasites *m/pl*
Stoß *m* coup; *Stapel* tas; **~dämpfer** *m* amortisseur
stoßen pousser; **~ gegen, an** (*A*) 'heurter; **auf j-n ~** tomber sur q; **sich ~ an** (*D*) se cogner contre; *fig* être choqué par
Stoß|stange *f* pare-chocs *m*; **~verkehr** *m* embouteillages *m/pl* (aux heures de pointe); **~zeit** *f* heures *f/pl* de pointe
stottern bégayer
Str. (*Straße*) rue
Straf|anstalt *f* maison d'arrêt; **~anzeige** *f* plainte; ♀**bar** répréhensible
Straf|e *f* punition; *jur* peine; *Geld*♀ amende; ♀**en** punir
straff tendu, raide
straf|frei impuni; ♀**gefangene(r)** *su* détenu(e); ♀**gesetzbuch** *n* code *m* pénal; ♀**raum** *Sp m* surface *f* de réparation; ♀**recht** *n* droit *m* pénal; ♀**stoß** *m Sp* penalty; ♀**tat** *f* délit; ♀**zettel** *m* F P.V. (*procès verbal*)
Strahl *m* rayon; *Wasser*♀ jet; *Phys* **~en** *pl* radiations *f/pl*
strahl|en rayonner (*a fig*);

Uran être radioactif; **2enschutz** *m* radioprotection *f*; **2ung** *f Phys* rayonnement *m*
Strähne *f* mèche
Stram|pelanzug *m* grenouillère *f*; **2peln** gigoter
Strand *m* plage *f*; ***am*** ~ sur, à la plage
Strand|bad *n* plage *f*; **~gut** *n* épave *f*; **~korb** *m* fauteuil-cabine *m* (en osier); **~promenade** *f* front *m* de mer
Strapaz|e *f* fatigue; **2ierfähig** résistant, solide; **2iös** fatigant
Straßburg Strasbourg [-bur]
Straße *f* rue; *Fahr*2 route; ***auf der*** ~ dans la rue
Straßen|arbeiten *f/pl* travaux *m/pl* (de voirie); **~bahn** *f* tramway *m*; **~beleuchtung** *f* éclairage *m* des rues; **~café** *n* café *m* (avec terrasse); **~glätte** *f* verglas *m*; **~händler** *m* marchand ambulant; **~karte** *f* carte routière; **~lage** *f* tenue de route; **~netz** *n* réseau *m* routier; **~rand** *m* bas-côté; **~schild** *n* plaque *f* de rue; **~sperre** *f* barrage *m* routier; **~verkehr** *m* circulation *f*; **~verkehrsordnung** *f* code *m* de la route; **~zustand** *m* état des routes
sträuben ***sich*** ~ ***gegen*** s'opposer à
Strauch *m* arbrisseau
Strauß *m Zo* autruche *f*; *Blumen*2 bouquet
streb|en aspirer (***nach*** à); **~sam** ambitieux
Strecke *f* distance; *Route* trajet *m*; *Bahn* ligne
strecken (***sich*** ~ s'étendre
Streich *m fig* tour
streicheln caresser
streichen *an~* peindre; *Brote* tartiner (***mit*** de); *aus~* supprimer; *Name* rayer; *Flug usw* annuler
Streich|holz *n* allumette *f*; **~käse** *m* fromage à tartiner; **~instrument** *n* instrument *m* à cordes
Streife *f* patrouille
streifen effleurer
Streifen *m* bande *f*; *im Stoff* rayure *f*; **~wagen** *m* voiture *f* de police
Streik *m* grève *f*; **2en** faire grève
Streit *m* querelle *f*; *Wort*2 dispute *f*; **2en** se quereller; se disputer; **~kräfte** *f/pl* forces
streng sévère; *Regeln* strict
Stress *m* stress
stressig stressant
streuen répandre; ***Zucker auf et*** (*A*) ~ saupoudrer qc de sucre
Strich *m* trait; F *Prostitution* trottoir
Strick *m* corde *f*; **2en** tricoter; **~jacke** *f* gilet *m*; **~nadeln** *f/pl* aiguilles à tricoter; **~waren** *f/pl* articles *m/pl* en tricot; **~zeug** *n* tricot *m*
strikt strict
Striptease *m* strip-tease

strittig controversé
Stroh *n*, **~halm** *m* paille *f*; **~hut** *m* chapeau de paille
Strom *m* fleuve; *El* courant; **~anschluss** *m* prise *f* de courant; **~ausfall** *m* panne *f* d'électricité
strömen couler (à flots); *Menschenmenge* affluer
Stromstärke *f* intensité du courant
Strömung *f* courant *m*
Stromverbrauch *m* consommation *f* de courant
Strumpf *m* bas; **~hose** *f* collant(s) *m(pl)*
Stück *n* morceau *m* (*a Mus*); *e-r Sammlung* pièce *f* (*a Theater*); **5 *Mark pro* ~** 5 marks (la) pièce
Student(in) *m(f)* étudiant(e)
Studenten|ausweis *m* carte *f* d'étudiant; **~(wohn)heim** *n* foyer *m* d'étudiants
studi|eren faire ses études; *et* étudier; **2um** *n* études *f*|*pl*
Stufe *f* marche
Stuhl *m* chaise *f*
Stuhlgang *m* selles *f*|*pl*
stumm muet
Stummel *m* bout; *Zigaretten2* mégot
Stummfilm *m* film muet
stumpf *Messer* émoussé; *fig Blick* terne; **~sinnig** stupide
Stunde *f* heure; *Schul2* cours *m*, leçon
Stunden|kilometer *m*|*pl* kilomètres-heure; **2lang** pendant des heures; **~lohn** *m* salaire horaire; **~plan** *m* emploi du temps
stündlich toutes les heures
stur entêté
Sturm *m* tempête *f*
stürm|en *Sp* attaquer; *Mil* prendre d'assaut (*a fig*); **2er** *m Sp* avant; **~isch** orageux; *fig* impétueux; *Beifall* frénétique
Sturz *m* chute *f* (*a fig u Pol*)
stürzen tomber (***auf j-n*** sur q); *et u fig* renverser; ***sich ~ auf*** (*A*) se jeter sur
Sturzhelm *m* casque
Stute *f* jument
Stütze *f* soutien *m* (*a fig*)
stützen soutenir (*a fig*); ***sich ~ auf*** (*A*) s'appuyer sur
Subjekt *n Gr* sujet; *péj* individu; **2iv** subjectif
Substantiv *n* substantif *m*
Substanz *f* substance
subtrahieren soustraire
Such|e *f* recherche (***nach*** de); **2en** chercher; *intensiv* rechercher; **~er** *m Fot* viseur
Sucht *f* manie (***nach*** de); *Abhängigkeit* dépendance (à)
süchtig dépendant
Süd|en *m* sud; **~deutschland** *n* l'Allemagne *f* du Sud; **~frankreich** *n* le Midi; **~früchte** *f*|*pl* fruits *m*|*pl* tropicaux
südlich du sud; **~ *von*** au sud de
Süd|osten *m* sud-est; **~westen** *m* sud-ouest; **~wind** *m* vent du sud

Sülze *f* museau *m*
Summe *f* somme
Sumpf *m* marais
Sünde *f* péché *m*
super F super
Super *n*, **~benzin** *n* super *m*; **~markt** *m* supermarché
Supp|e *f* soupe, potage *m*; **~enlöffel** *m* cuillère *f* à soupe; **~enteller** *m* assiette *f* creuse
süß sucré; *niedlich* mignon; **~en** sucrer; **Ⓢigkeiten** *f/pl* friandises; **Ⓢspeise** *f* entremets *m*; **Ⓢstoff** *m* édulcorant
sympathisch sympathique
Symptom *n* symptôme *m*
Synagoge *f* synagogue
synthetisch synthétique
System *n* système *m*; **Ⓢatisch** systématique
Szene *f* scène; *Milieu* milieux *m/pl*

T

Tabak *m* tabac [-a]; **~laden** *m* bureau de tabac
tabel|larisch sous forme de tableau; **Ⓢle** *f* tableau *m*
Tablett *n* plateau *m*
Tablette *f* comprimé *m*
Tachometer *m Kfz* compteur (de vitesse)
Tadel *m* blâme; **Ⓢlos** irréprochable
tadeln blâmer
Tafel *f Schild* panneau *m*; *Schule* tableau *m*; *Tisch* table; *Schokolade* tablette
Tag *m* jour, journée *f*; ***guten ~!*** bonjour!; ***am ~e*** de jour; ***am nächsten ~*** le lendemain
tagelang *adv* des jours entiers
Tages|gericht *n* plat *m* du jour; **~karte** *f* billet *m* valable pour la journée; *im Restaurant* menu *m* du jour; **~licht** *n* (lumière *f* du) jour *m*; **~mutter** *f* nourrice; **~ordnung** *f* ordre *m* du jour; **~schau** *f TV* journal *m* télévisé; **~zeitung** *f* quotidien *m*
täglich quotidien; *adv* tous les jours; ***zweimal ~*** deux fois par jour
tagsüber pendant la journée
Tagung *f* congrès *m*
Taille *f* taille
Takt *m Mus* mesure *f*; **~*gefühl*** tact; **Ⓢlos** sans tact; *Frage* indiscret; **~stock** *m* baguette *f*; **Ⓢvoll** plein de tact; *adv* avec tact
Tal *n* vallée *f*
Talent *n* talent *m*
Talg *m* suif
Talsperre *f* barrage *m*
Tampon *m* tampon
Tang *m* varech [-k]
Tank *m* réservoir; **Ⓢen** prendre de l'essence; *voll* faire le plein; **~er** *m Mar* pétrolier;

~stelle *f* station-service; **~wart** *m* pompiste
Tanne *f* sapin *m*
Tante *f* tante
Tanz *m* danse *f*; **2en** danser
Tänzer *m* danseur; **~in** *f* danseuse
Tanz|lokal *n* dancing *m*; **~musik** *f* musique de danse
Tapete *f* papier *m* peint
tapfer courageux
Tarif *m* tarif; **~partner** *m/pl* partenaires sociaux; **~vertrag** *m* convention *f* collective
Tasche *f an der Kleidung* poche; *Einkaufs2, Hand2* sac *m*
Taschen|buch *n* livre *m* de poche; **~dieb** *m* pickpocket; **~geld** *n* argent *m* de poche; **~lampe** *f* lampe de poche; **~messer** *n* canif *m*; **~rechner** *m* calculette *f*; **~tuch** *n* mouchoir *m*
Tasse *f* tasse
Tastatur *f* clavier *m*
Tast|e *f* touche; **~entelefon** *n* téléphone *m* à touches
Tat *f* action, acte *m*; *Verbrechen* crime *m*; ***in der ~*** en effet
Tatbestand *m* faits *m/pl*
Täter(in) *m(f)* auteur *m* du délit, du crime
tätig actif; ***in e-r Bank ~ sein*** travailler dans une banque
Tätigkeit *f* activité
Tatort *m* lieu du crime
Tat|sache *f* fait *m*; **2sächlich** vrai(ment), réelle(ment)
Tatze *f* patte
Tau[1] *n* cordage *m*
Tau[2] *m* rosée *f*
taub sourd
Taube *f* pigeon *m*
taubstumm sourd-muet
tauchen plonger
Taucher *m* plongeur; *mit ~anzug* scaphandrier; **~brille** *f* masque *m* de plongée
Tauch|sieder *m* thermo-plongeur; **~sport** *m* plongée *f* (sous-marine)
tauen fondre; ***es taut*** il dégèle
Tauf|e *f* baptême [-at-] *m*; **2en** baptiser [-at-]; **~pate** *m* parrain; **~patin** *f* marraine
taugen être bon (***zu, für*** pour); ***nichts ~*** *Sache* ne rien valoir; *Person* n'être bon à rien
tauglich bon (***zu, für*** pour); *Mil* apte au service
Tausch *m* échange; **2en** échanger (***gegen*** contre); *Geld* changer
täusch|en tromper; ***sich ~*** se tromper (***in D*** sur); **2ung** *f* tromperie; *Sinnes2* illusion
tausend mille; **2er** F *m* billet de mille; **2stel** *n* millième *m*
Tauwetter *n* dégel *m*
Taxi *n* taxi *m*; **~fahrer** *m* chauffeur de taxi; **~stand** *m* station *f* de taxis
Team *n* équipe *f*; **~arbeit** *f*, **~work** *n* travail *m* en équipe
Techn|ik *f* technique [-k-]; **~iker** *m* technicien [-k-]; **~ologie** *f* technologie [-k-]

technisch technique [-k-]
Tee *m* thé; *Kräuter*2 infusion *f*, tisane *f*; **~beutel** *m* sachet de thé; **~gebäck** *n* gâteaux *m/pl* secs; **~kanne** *f* théière; **~löffel** *m* cuillère *f* à café
Teer *m* goudron
Tee|sieb *n* passe-thé *m*; **~tasse** *f* tasse à thé
Teich *m* étang
Teig *m* pâte *f*; **~waren** *f/pl* pâtes (alimentaires)
Teil *n od m* partie *f*; *An*2 part *f*; ***zum*** **~** en partie
teilen (***sich*** **~** se) diviser (***in*** *A* en); *auf*~ partager (***mit*** avec)
Teil|haber *m* associé; **2nahme** *f* participation (***an*** *A* à); *An*2 sympathie
teilnehm|en participer (***an*** *D* à); **2er** *m* participant
teil|s en partie; **2ung** *f* division; partage *m*; **~weise** partiel; *adv* en partie; **2zahlung** *f* paiement *m* à tempérament; **2zeitarbeit** *f* travail *m* à temps partiel
Telefax *n* télécopie *f*
Telefon *n* téléphone *m*; **~anruf** *m* appel (téléphonique), coup de téléphone; **~buch** *n* annuaire *m*; **~gespräch** *n* conversation *f* téléphonique; **2ieren** téléphoner (***mit*** à); **2isch** par téléphone; **~istin** *f* standardiste; **~karte** *f* télécarte; **~nummer** *f* numéro *m* de téléphone; **~zelle** *f* cabine téléphonique; **~zentrale** *f* central *m* (téléphonique); *e-r Firma* standard *m*
telegrafieren télégraphier
Telegramm *n* télégramme *m*
Teleobjektiv *n* téléobjectif *m*
Telex *n* télex *m*
Teller *m* assiette *f*
Tempel *m* temple
temperamentvoll plein d'entrain, de fougue
Temperatur *f* température
Tempo *n* vitesse *f*, allure *f*; *Mus* tempo *m*; **~limit** *n* limitation *f* de vitesse
Tendenz *f* tendance
Tennis *n* tennis *m*; **~ball** *m* balle *f* de tennis; **~platz** *m* court [kur] (de tennis); **~schläger** *m* raquette *f*
Teppich *m* tapis; **~boden** *m* moquette *f*
Termin *m* date *f*; *beim Arzt usw* rendez-vous; **~kalender** *m* agenda
Terrasse *f* terrasse
Terrine *f* soupière
Terror|anschlag *m* attentat terroriste; **~ist(in)** *m(f)* terroriste
Tesafilm *m* scotch
Test *m* test
Testament *n* testament
testen tester
teuer cher; ***wie*** **~** ***ist das?*** combien ça coûte?; ***zu*** **~** trop cher
Teufel *m* diable
Text *m* texte
Textilien *pl* textiles *m/pl*
Textverarbeitung *f* traitement *m* de texte

Theater *n* théâtre *m*; *fig* ~ ***machen*** faire des histoires
Theater|stück *n* pièce *f* (de théâtre); **~vorstellung** *f* représentation (théâtrale)
Theke *f* comptoir *m*
Thema *n* sujet *m*, thème *m*
Theorie *f* théorie
Therapie *f* thérapie
Therm|albad *n* station *f* thermale; **~ometer** *n* thermomètre *m*; **~osflasche** *f* thermos
Thunfisch *m* thon
Thüringen *n* la Thuringe
tief profond; *niedrig* bas; *Stimme* grave; *Teller* creux
Tief *n*, **~druckgebiet** *n* zone *f* de basse pression
Tiefe *f* profondeur
Tief|garage *f* parking *m* souterrain; **2gekühlt** surgelé
Tiefkühl|fach *n* freezer [-zœr]; **~kost** *f* surgelés *m/pl*; **~truhe** *f* congélateur *m*
Tier *n* animal *m*; **~arzt** *m* vétérinaire; **~garten** *m* zoo; **~versuche** *m/pl* expérimentation *f* animale
Tiger *m* tigre
tilgen *Schulden* rembourser
Tint|e *f* encre; **~enfisch** *m* seiche *f*
Tipp *m* F *Hinweis* tuyau
tippen taper à la machine; *wetten* parier (***auf*** *A* sur); *im Lotto, Toto* jouer
Tisch *m* table *f*; ***bei*** ~ à table
Tischler *m* menuisier
Tisch|tennis *n* ping-pong *m*; **~tuch** *n* nappe *f*; **~wein** *m* vin de table
Titel *m* titre
Toast *m* toast; **~er** *m* grille-pain
toben être furieux; *Kinder* faire les fous
Tochter *f* fille
Tod *m* mort *f*
Todes|anzeige *f* faire-part *m* de décès; **~opfer** *n* mort *m*; **~strafe** *f* peine de mort
tödlich mortel
todmüde mort de fatigue
Toilett|e *f* toilettes *f/pl*, W.-C. *m(pl)*; **~enpapier** *n* papier *m* hygiénique
toll fou; F *großartig* super; **2wut** *f* rage; **~wütig** enragé
Tomat|e *f* tomate; **~ensaft** *m* jus de tomates
Ton[1] *m Lehm* argile *f*; (terre *f*) glaise *f*
Ton[2] *m* ton; *Film, TV usw* son
Tonband *n* bande *f* magnétique; **~gerät** *n* magnétophone *m*
tönen *Haar* teindre
Tonfilm *m* film parlant
Tonne *f* tonneau *m*; *Maß* tonne
Tönung *f* coloration
Topf *m* pot; *Koch*2 faitout, marmite *f*
Topfen *m österr* fromage blanc
Töpferwaren *f/pl* poteries
Tor *n* porte *f*; *Sp* but *m*
Torf *m* tourbe *f*
töricht fou

Torschütze *m* buteur
Törtchen *n* tartelette *f*
Torte *f* gâteau *m*; *Obst*2 tarte
Torwart *m* gardien de but
tot mort
total total; **2ausverkauf** *m* liquidation *f* totale
Totalschaden *m Kfz* destruction *f* totale du véhicule
Tote(r) *su* mort(e)
töten tuer
Totenschein *m* acte de décès
Toto *n* loto sportif; **~schein** *m* bulletin du loto sportif
Totschlag *m* homicide
Toupet *n* postiche *m*
Tour *f* tour *m* (**durch** de); *Ausflug* excursion; *Route* itinéraire *m*; **~ismus** *m* tourisme; **~ist** *m* touriste; **~istenklasse** *f* classe touriste; **~istik** *f* tourisme *m*; **~istin** *f* touriste
Trab *m* trot; **2en** trotter
Tracht *f* costume *m* régional
Tradition *f* tradition
Trag|bahre *f* civière; **2bar** portable, portatif
träge indolent; *faul* paresseux
tragen porter; ***bei sich ~*** avoir sur soi
Träger *m Kleidung* bretelle *f*; *Arch* poutre *f*
Tragetasche *f* sac *m*
Trag|fläche *f* aile; **~flügelboot** *n* hydroptère *m*
trag|isch tragique; **2ödie** *f* tragédie
Tragweite *f* portée
Trai|ner *m* entraîneur; **2nieren** (s')entraîner; **~ning** *n* entraînement *m*; **~ningsanzug** *m* survêtement
Traktor *m* tracteur
tramp|en faire du stop; **2er** *m* auto-stoppeur
Trän|e *f* larme; **~engas** *n* gaz *m* lacrymogène
Transfer *m* tranfert
Transistor(radio *n*) *m* transistor
Transitverkehr *m* trafic de transit
Transport *m* transport; **2fähig** transportable; **2ieren** transporter; **~kosten** *pl* frais *m/pl* de transport
Traube *f Wein*2 (grain *m* de) raisin *m*; *Bot* grappe (*a fig*); ***~n kaufen*** acheter du raisin
Trauben|saft *m* jus de raisin; **~zucker** *m* glucose *m*
trauen ***j-m ~*** avoir confiance en q; ***sich ~ zu*** oser (+ *inf*); *v/t* marier; ***sich ~ lassen*** se marier
Trauer *f* deuil *m*; **~feier** *f* funérailles *f/pl*
trauern être en deuil; ***um j-n ~*** pleurer (la mort de) q
Traum *m* rêve
träumen rêver
traurig triste; **2keit** *f* tristesse
Trau|ring *m* alliance *f*; **~schein** *m* acte de mariage; **~ung** *f* mariage *m*; **~zeuge** *m* témoin du (de la) marié(e)
Treff *n* trèfle *m*
treffen *Ziel* toucher; *begegnen* (***sich ~*** se) rencontrer;

kränken blesser; *Entscheidung* prendre
Treffen *n* rencontre *f*
treff|end juste; **≈punkt** *m* (lieu de) rendez-vous
treiben pousser; *Sp, Studien, Handel* faire; *auf dem Wasser* dériver
Treibhaus *n* serre *f*; **~effekt** *m* effet de serre
Treibstoff *m* carburant
trenn|en (***sich*** ~ se) séparer (***von*** de); **≈ung** *f* séparation; **≈wand** *f* cloison
Treppe *f* escalier *m*
Treppen|geländer *n* rampe *f*; **~haus** *n* cage *f* d'escalier
Tresor *m* coffre-fort
Tretboot *n* pédalo *m*
treten *j-n* donner un coup de pied à; ***auf et*** (*A*) ~ marcher sur qc; ***auf die Bremse*** ~ appuyer sur le frein
treu fidèle, loyal
Treu|e *f* fidélité, loyauté; **≈los** infidèle, déloyal
Tribüne *f* tribune
Trichter *m* entonnoir
Trick *m* truc; **~film** *m* dessins *m/pl* animés
Trieb|kraft *f* force motrice; **~wagen** *m* automotrice *f*; **~werk** *n Flgw* réacteur *m*
Trier Trèves
Trikot *n Sp* maillot *m*
trink|bar buvable; *Wasser* potable; **~en** boire; **≈geld** *n* pourboire *m*; **≈wasser** *n* eau *f* potable
Tritt *m* pas; *Fuß≈* coup de pied; **~brett** *n* marchepied *m*
trocken sec (*a Wein*); **≈haube** *f* séchoir *m*; **≈heit** *f* sécheresse; **≈milch** *f* lait *m* en poudre
trockn|en sécher; **≈er** *m Wäsche≈* sèche-linge
Trödelmarkt *m* marché aux puces
Trommel *f* tambour *m*
Trommelfell *n* tympan *m*
trommeln battre le tambour
Trompete *f* trompette
Tropen *pl* tropiques *m/pl*; ***in den*** ~ sous les tropiques
Tropf *m Med* ***am*** ~ ***hängen*** être sous perfusion
tropfen *Wasserhahn* goutter
Tropfen *m* goutte *f*
tropisch tropical
Trost *m* consolation *f*
trösten consoler (***über*** A de); ***sich*** ~ se consoler (***mit*** avec)
trost|los désolant; *öde* désolé; **≈preis** *m* prix de consolation
trotz (*G*) malgré; ~ ***allem*** malgré tout
Trotz *m* obstination *f*; **≈dem** quand même; **≈ig** obstiné
trübe *Flüssigkeit* trouble; *glanzlos* terne; *Wetter* sombre; *fig* triste
Trubel *m* tumulte
trübsinnig mélancolique
Trüffel *f* truffe
trügerisch trompeur
Truhe *f* coffre *m*, bahut *m*
Trümmer *pl* décombres *m/pl*
Trumpf *m* atout
Trunkenheit *f* ~ ***am Steuer*** conduite en état d'ivresse

Trunksucht *f* alcoolisme *m*
Trupp *m* bande *f*; *Arbeits*♀ équipe *f*
Truppe *f* troupe; *Theater a* compagnie
Truthahn *m* dindon
Tschech|e *m* Tchèque; **~ien** *n* la République tchèque; ♀**isch** tchèque
tschüs(s)! F salut!
Tube *f* tube *m*
Tuch *n* drap *m*; *Kopf*♀, *Hals*♀ foulard *m*; *Staub*♀ chiffon *m*
tüchtig bon; *fähig* capable; *fleißig* travailleur; F *adv* beaucoup
tückisch perfide, sournois
Tugend *f* vertu
Tulpe *f* tulipe
Tumor *m* tumeur *f*
Tümpel *m* mare *f*
Tumult *m* tumulte
tun faire; *hin*♀ mettre; **so ~, als ob** faire semblant de
Tunes|ien *n* la Tunisie; **~ier** *m* Tunisien; ♀**isch** tunisien
Tunfisch *m* thon
Tunnel *m* tunnel
Tür *f* porte
Turbine *f* turbine
turbulent turbulent
Türke *m* Turc
Türkei *die* ~ la Turquie
Türkis *m* turquoise *f*
türkisch turc
Türklinke *f* poignée de porte
Turm *m* tour *f*
turn|en faire de la gymnastique; ♀**er(in)** *m(f)* gymnaste; ♀**halle** *f* gymnase
Turnier *n* tournoi *m*
Turnus *m* roulement
Turnschuh *m* tennis; *knöchelhoher* basket *f*
Tusche *f* encre de Chine
Tüte *f* sac *m* en papier *od* en plastique; *spitze* cornet *m*
TÜV *m* (*Technischer Überwachungsverein*) *Kfz* (centre de) contrôle technique
Typ *m* type
Typhus *m* (fièvre *f*) typhoïde *f*
typisch typique (*für* de)

U

U-Bahn *f* métro *m*; **~hof** *m* station *f* de métro
übel mauvais; ***mir ist*** ~ je me sens mal; ~ ***nehmen*** prendre mal; ***ich nehme es ihm nicht*** ~ je ne lui en veux pas
Übelkeit *f* envie de vomir
üben exercer
über (*A*, *D*) au-dessus de; *auf* sur; *mehr als* plus de; ***reisen*** ~ passer par; ***sprechen*** ~ parler de; ~ ***Nacht*** pendant la nuit
überall partout
überanstrengen ***sich*** ~ se surmener
über|backen *Kochk* gratiné; **~belichtet** surexposé; **~bie-**

ten *j-n* enchérir sur; *Rekord* battre; **≈bleibsel** *n* reste *m*
Überblick *m* vue *f* d'ensemble; *Darstellung* résumé; **≈en** embrasser d'un coup d'œil
überbring|en remettre; **≈er** *m* porteur
über|dacht couvert; **~dauern** survivre à; **~denken** réfléchir à; **~durchschnittlich** au dessus de la moyenne; **~eilt** précipité
übereinander l'un sur l'autre
übereinkommen **~**, ***dass*** convenir de (+ *inf*)
übereinstimmen être d'accord (***mit*** avec)
überfahren *j-n* renverser
Überfahrt *f* traversée
Überfall *m* attaque *f* (***auf*** *A* de), agression *f* (de); **≈en** *Bank* attaquer; *j-n* agresser; *fig* F débarquer chez
über|fliegen survoler; **≈fluss** *m* abondance *f* (***an*** *D* de); **~flüssig** superflu; **~fluten** inonder; **~fordern** *j-n* demander trop à; **~führen** *Leiche* transférer; *Verbrecher* convaincre (***e-r Sache*** *G* de qc); **≈führung** *f* *Bahn* passage *m* supérieur; **~füllt** *Saal* comble; *Zug usw* bondé; **≈gabe** *f* remise; **≈gang** *m* passage; *fig* transition *f*; **≈gangszeit** *f* période transitoire; *Jahreszeit* demi-saison
übergeben remettre; ***sich*** **~** vomir
übergehen *übersehen* ignorer; **~** ***zu*** passer à
Über|gepäck *n* excédent *m* de bagages; **~gewicht** *n* excédent *m* de poids; *fig* prédominance *f*
überhaupt en général; **~** ***nicht*** pas du tout
über|heblich arrogant; **~holen** *Kfz* doubler, dépasser; *Tech* réviser; **~holt** périmé; **≈holverbot** *n* interdiction de dépasser; **~laden** *adj* surchargé (*a fig*); **~lassen** laisser, céder; **~laufen¹** *Gefäß* déborder; **~laufen²** *adj* envahi; **~leben** survivre; **≈lebende(r)** *su* survivant(e); **~legen¹** réfléchir (***et*** sur qc); **~legen²** *adj* supérieur; **≈legung** *f* réflexion; **~mäßig** excessif; **~mitteln** transmettre; **~morgen** après-demain; **~müdet** surmené
übernachten passer la nuit
Übernachtung *f* nuit (à l'hôtel); **~** ***und Frühstück*** chambre et petit déjeuner
über|nehmen *Arbeit* se charger de; *Verantwortung* assumer; **~prüfen** vérifier; **~queren** traverser; **~ragen** dépasser
überrasch|en surprendre; **~end** surprenant; **≈ung** *f* surprise
über|reden persuader (***zu et*** de faire qc); **~reichen** remettre; **~rumpeln** prendre au dépourvu; **~schätzen** surestimer

überschlagen *Kosten* faire un calcul rapide; *Seite* sauter; ***sich ~*** *Kfz* capoter
überschneiden ***sich ~*** *Linien* se croiser; *zeitlich* coïncider
über|schreiten franchir; **&schrift** *f* titre *m*; **&schuss** *m* excédent (***an*** *D* de); **&schwemmung** *f* inondation; **~seeisch** d'outre-mer
übersehen *nicht bemerken* ne pas voir; ***das habe ich ~*** cela m'a échappé
übersenden envoyer
übersetz|en *Text* traduire; *mit der Fähre* passer sur l'autre rive; **&er** *m* traducteur; **&erin** *f* traductrice; **&ung** *f* traduction
Übersicht *f* vue d'ensemble; *Zusammenfassung* résumé *m*; **&lich** clair
über|siedeln aller s'établir (***nach*** à); **~springen** sauter; **~steigen** *fig* dépasser; **&stunden** *f/pl* heures supplémentaires; **~stürzt** précipité; **~tragen** *Radio*, *TV*, *Krankheit* transmettre; **&tragung** *f* transmission; **~treffen** surpasser; **~treiben** exagérer; **&treibung** *f* exagération; **~treten** *Gesetz* enfreindre; **~völkert** surpeuplé; **~wachen** surveiller; **~wältigen** vaincre; **~wältigend** grandiose; *Mehrheit* écrasant
überweis|en *Geld* virer; *Patienten* envoyer (***zu*** chez); **&ung** *f* virement *m*
über|wiegen prédominer; **~wiegend** *adv* principalement; **~winden** vaincre; **~zeugen** convaincre (***von*** de); **&zeugung** *f* conviction
überziehen *Mantel* mettre; (***sein Konto***) **~** avoir un découvert (***um*** de); ***~ mit*** recouvrir de
Überzug *m* couverture *f*
üblich habituel, d'usage
U-Boot *n* sous-marin *m*
übrig restant; ***~ bleiben*** rester; ***~ lassen*** laisser
übrigens du reste, d'ailleurs
Übung *f* exercice *m*
Ufer *n* rive *f*; *Meer* rivage *m*
Uhr *f* montre; *Turm&* horloge; ***wieviel ~ ist es?*** quelle heure est-il?; ***es ist ein ~*** il est une heure; ***um wieviel ~?*** à quelle heure?
Uhr|armband *n* bracelet *m* (pour montre); **~macher** *m* horloger; **~zeiger** *m* aiguille *f*; **~zeit** *f* heure
Uhu *m* grand duc
UKW (*Ultrakurzwelle*) FM *f* (*modulation de fréquence*)
um (*A*) *örtlich* **~** (***... herum***) autour de; *zeitlich* aux environs de, vers; *Uhrzeit* à; ***~ drei*** (***Uhr***) à trois heures; ***~ jeden Preis*** à tout prix; ***~ zu*** pour; *s* ***besser***
um|armen embrasser; **&bau** *m* transformations *f/pl*; **~binden** *Tuch* mettre; **~blättern** tourner la page; **~bringen** F tuer

umdreh|en tourner; ***sich*** ~ se retourner (***nach*** vers); **2ung** *f* tour *m*
um|fallen tomber; **2fang** *m Größe* étendue *f*; *Menge* volume; **~fangreich** volumineux; **~fassen** comprendre; **2frage** *f* enquête; **~füllen** transvaser
umgänglich sociable
Umgangs|formen *f/pl* (bonnes) manières; **~sprache** *f* langage *m* familier
umgeb|en entourer (***mit*** de); **2ung** *f e-r Person* entourage *m*; *e-s Ortes* environs *m/pl*
umgehen *Hindernis, Gesetz* contourner; *fig vermeiden* éviter; ***mit j-m*** ~ traiter q
umgehend *adv* immédiatement
Umgehungsstraße *f* rocade
umgekehrt inverse, contraire; *adv* inversement; ***und*** ~ et vice versa
Umhängetasche *f* sac *m* à bandoulière
Umkehr *f* retour *m*; **2en** faire demi-tour; *Taschen* retourner
umkippen renverser; *v/i* se renverser; F *ohnmächtig werden* tomber dans les pommes
Umkleideraum *m* vestiaire *m*
umkommen périr, être tué (***bei*** dans)
Umkreis *m* ***im*** ~ ***von*** dans un rayon de
umleit|en dévier; **2ung** *f* déviation
um|liegend environnant; **~packen** *Koffer* refaire; **~pflanzen** transplanter; **~quartieren** loger ailleurs
umrech|nen convertir (***in*** *A* en); **2nungskurs** *m* taux de change
um|ringen entourer; **2risse** *m/pl* contours; **~rühren** remuer; **2satz** *m Hdl* chiffre d'affaires
Um|schlag *m Med* compresse *f*; *Brief*2 enveloppe *f*; *Buch*2 jaquette *f*; **2schlagen** *v/i Boot* chavirer; *Wetter* changer brusquement; **2schulen** *Berufstätige* recycler, reconvertir; **~schwung** *m* changement brusque, revirement
umsehen ***sich*** ~ *zurücksehen* se retourner; *ringsherum* regarder autour de soi; ***sich in der Stadt*** ~ faire un tour en ville; ***sich nach et*** ~ chercher qc
um|sichtig circonspect; **2siedler** *m* personne *f* déplacée; **~sonst** *gratis* gratuitement; *vergebens* en vain
Umstände *m/pl* circonstances *f/pl*; *Förmlichkeiten* façons *f/pl*; ***unter diesen*** **~n** dans ces circonstances, conditions; ***unter*** **~n** éventuellement; ***unter keinen*** **~n** en aucun cas; ***ohne*** ~ sans faire de façons; ***in anderen*** **~n** ***sein*** être enceinte
umständlich compliqué
Umstandskleid *n* robe *f* de grossesse

umsteigen changer (de train)
umstellen changer de place; *fig Betrieb usw* réorganiser; **sich ~** s'adapter (**auf** *A* à)
um|stoßen renverser; **~stritten** contesté; **2sturz** *m* révolution *f*
Umtausch *m* échange; **2en** échanger
um|wandeln transformer (**in** *A* en); **~wechseln** changer
Umweg *m* détour
Umwelt *f* environnement *m*; **~belastung** *f* nuisances *f/pl*, pollution; **2bewusst** respectueux de l'environnement; **2freundlich** *Auto, Verpackung* non-polluant; **2schädlich** polluant; **~schutz** *m* protection *f* de l'environnement; **~schützer** *m* écologiste *m*; **~verschmutzung** *f* pollution
umwerfen renverser
umziehen déménager; **sich ~** se changer
Umzug *m* déménagement; *Festzug* cortège
unabhängig indépendant (**von** de); **2keit** *f* indépendance
unabsichtlich involontaire
unachtsam inattentif
unan|gebracht déplacé; **~genehm** désagréable; **~nehmbar** inacceptable; **2nehmlichkeit** *f* désagrément *m*; **~ständig** indécent
un|appetitlich peu appétissant; **~artig** *Kind* mal élevé
unauf|fällig discret; **~hörlich** incessant; **~merksam** inattentif
unausstehlich insupportable
unbarmherzig impitoyable
unbe|absichtigt involontaire; **~deutend** insignifiant; **~dingt** *adv* absolument; **~fahrbar** impraticable; **~fangen** impartial; *adv* sans parti pris; **~friedigend** peu satisfaisant; *nicht ausreichend* insuffisant; **~fugt** non autorisé; **~gabt** peu doué (**zu, für** pour); **~greiflich** incompréhensible; **~grenzt** illimité; **~gründet** non fondé; **2hagen** *n* malaise *m*; **~holfen** maladroit; **~kannt** inconnu; **~kümmert** insouciant; **~liebt** impopulaire
unbe|mannt *Raumfahrt* non habité; **~merkt** inaperçu; **~quem** inconfortable; **~rechenbar** *Person* imprévisible; **~rührt, ~schädigt** intact; **~scheiden** présomptueux; **~schränkt** illimité; **~schreiblich** indescriptible
unbe|ständig changeant; **~stechlich** incorruptible; **~stimmt** indéfini; *unsicher* incertain; **~stritten** incontesté; **~teiligt** étranger (**an** *D* à); *gleichgültig* indifférent; **~wacht** *Parkplatz* non gardé; **~weglich** immobile; **~wohnt** inhabité; *Haus* inoccupé; **~wusst** inconscient; **~zahlbar** impayable (*a fig*)

unbrauchbar inutilisable
und et; ~ ***so weiter*** et cetera; ***na ~?*** et alors?
un|dankbar ingrat; **~denkbar** impensable; **~deutlich** *Foto* flou (*a fig*); *Schrift* illisible; *Aussprache* mauvais; **~dicht** perméable
undurch|lässig imperméable; **~sichtig** opaque
un|eben inégal; **~echt** faux; **~ehelich** illégitime; naturel; **~ehrlich** malhonnête; **~eigennützig** désintéressé; **~einig** en désaccord (***über*** *A* sur); **~empfindlich** insensible (***gegen*** à); **~endlich** infini
unent|behrlich indispensable; **~geltlich** gratuit; *Tätigkeit* bénévole; **~schieden** indécis; *adv* en suspens; **&schieden** *n Sp* match *m* nul; **~schlossen** indécis
uner|bittlich inexorable; **~fahren** inexpérimenté; **~freulich** désagréable; **~hört** inouï; **~klärlich** inexplicable; **~lässlich** indispensable; **~ledigt** non fait, inachevé; **~müdlich** infatigable; **~reichbar** inaccessible; **~schütterlich** imperturbable; **~setzlich** irremplaçable; *Verlust* irréparable; **~träglich** insupportable; **~wartet** inattendu; **~wünscht** indésirable
unfähig incapable (***zu*** de); **&keit** *f* incapacité
unfair déloyal
Unfall *m* accident; **~flucht** *f* délit *m* de fuite; **~ort** *m* lieu de l'accident; **~station** *f* service *m* de traumatologie; **~versicherung** *f* assurance accidents; **~wagen** *m* voiture *f* accidentée
un|fassbar inconcevable; *unerklärlich* incompréhensible; **~fehlbar** infaillible; **~frankiert** non affranchi; **~freiwillig** involontaire
un|freundlich peu aimable, désagréable; *Wetter* maussade; **~fruchtbar** stérile
Unfug *m* bêtises *f/pl*
Ungar *m* 'Hongrois
ungarisch 'hongrois
Ungarn *n* la 'Hongrie
ungebildet inculte
unge|bräuchlich peu usité; **~duldig** impatient; **~eignet** qui n'est pas approprié (***für*** à); *Person* non qualifié (pour)
unge|fähr *adv* à peu près, environ; **~fährlich** inoffensif, sans danger; **~heuer** énorme; **&heuer** *n* monstre *m*; **~horsam** désobéissant
ungelegen inopportun ***j-m ~ kommen*** ne pas arranger q
unge|lernt non qualifié; **~mütlich** peu accueillant; *steif* guindé; **~nau** inexact
ungeniert sans gêne
unge|nießbar immangeable; *Getränk* imbuvable; **~nügend** insuffisant; **~pflegt** négligé

ungerade *Zahl* impair
ungerecht injuste; **2igkeit** *f* injustice
ungern à contrecœur
ungeschickt maladroit
ungestört tranquille
ungesund malsain; *Klima* insalubre; *Aussehen* malade
unge|wiss incertain; **~wöhnlich, ~wohnt** inhabituel
Ungeziefer *n* vermine *f*
ungezogen mal élevé
ungezwungen naturel, décontracté
un|glaublich incroyable; **~gleichmäßig** inégal
Unglück *n* malheur *m*; *Unfall* accident *m*; **2lich** malheureux; **2licherweise** malheureusement
un|gültig non valable; *Ausweis* périmé; **~günstig** défavorable; **2heil** *n* malheur *m*, désastre *m*; **~heilbar** incurable; **~höflich** impoli; **~hygienisch** peu hygiénique
Uniform *f* uniforme *m*
Universität *f* université
un|klar peu clair; **~klug** imprudent; **2kosten** *pl* frais *m/pl*; **2kraut** *n* mauvaise herbe *f*; **~längst** dernièrement, récemment; **~leserlich** illisible; **2menge** *f* quantité énorme (***von*** de); **~menschlich** inhumain; **~merklich** imperceptible; **~mittelbar** immédiat; **~möbliert** non meublé; **~modern** démodé; **~möglich** impossible; **~moralisch** immoral; **~mündig** mineur; **~natürlich** peu naturel; *geziert* affecté; **~nötig, ~nütz** inutile
UNO *f* ***die ~*** l'ONU
unord|entlich en désordre; *Person* désordonné; **2nung** *f* désordre *m*
un|parteiisch impartial; **~passend** *Zeitpunkt* mal choisi; *Bemerkung* déplacé; **~persönlich** impersonnel; **~praktisch** peu pratique; *Person* maladroit; **~pünktlich** inexact; *adv* en retard
Unrecht *n* injustice *f*, tort *m*; ***~ haben*** avoir tort
unregelmäßig irrégulier
unreif pas mûr (*a fig*); *Obst* vert
Unruhe *f* inquiétude (*a fig*); ***~n*** *pl Pol* troubles *m/pl*
unruhig inquiet
uns (à) nous
un|sauber malpropre; *Arbeit* bâclé; *Geschäfte* malhonnête; **~schädlich** inoffensif; **~scharf** *Fot* flou; **~schlagbar** imbattable; **~schlüssig** indécis
Unschuld *f* innocence; **2ig** innocent
unser(e) notre; ***~e*** *pl* nos
unsicher peu sûr; *ungewiss* incertain; *Person* qui manque d'assurance; **2heit** *f* incertitude; *e-r Person* manque *m* d'assurance; *e-r Gegend* insécurité
Unsinn *m* bêtises *f/pl*, absur-

dité(s) *f(pl)*; **ᘔig** insensé, absurde
un|sittlich immoral; **~sterblich** immortel; **~sympathisch** antipathique; **~tätig** inactif
unten en bas; ***von ~*** d'en bas; ***nach ~*** vers le bas; ***von ~ nach oben*** de bas en 'haut
unter *(A, D)* sous; *unterhalb* au-dessous de; *zwischen* parmi; ***~ uns*** entre nous
Unter|arm *m* avant-bras; **ᘔbelichtet** sous-exposé; **~bewusstsein** *n* subconscient *m*
unterbrech|en interrompre; **ᘔung** *f* interruption
unter|bringen *Gast* loger; **~dessen** en attendant; **~drücken** réprimer; *Volk* opprimer
untere(r, -s) inférieur; *Stockwerk* du dessous
untereinander l'un sous l'autre; *miteinander* entre eux (nous *usw*); *gegenseitig* mutuellement
unter|entwickelt sous-développé; **~ernährt** sous-alimenté; **ᘔführung** *f* passage *m* souterrain; **ᘔgang** *m Mar* naufrage; **ᘔgebene(r)** *su* subordonné(e); **~gehen** *Sonne* se coucher; *Schiff* couler
Untergrundbahn *f* métro *m*
unterhalb *(G)* au-dessous de
Unterhalt *m Lebens*ᘔ subsistance *f*; *Instandhaltung* entretien; *jur* pension *f* alimentaire
unterhalten *Person, Gebäude* entretenir; *zerstreuen* distraire; ***sich ~*** s'entretenir (***über*** *A* de); *sich zerstreuen* s'amuser
Unterhaltung *f Gespräch* conversation; *Vergnügen* amusement *m*; *Instandhaltung* entretien *m*
Unter|hemd *n* maillot *m*, tricot *m* de corps; **~hose** *f Herren*ᘔ caleçon *m*; *Damen*ᘔ culotte; **~kunft** *f* hébergement *m*; **ᘔlassen** *et* s'abstenir de; **~leib** *m* bas-ventre; **~lippe** *f* lèvre inférieure; **~mieter** *m* sous-locataire
unternehm|en entreprendre; **ᘔen** *n* entreprise *f*; **ᘔer** *m* entrepreneur; **~ungslustig** entreprenant
Unterredung *f* entretien *m*
Unterricht *m* enseignement; *Schulstunden* cours *m/pl*
unterrichten enseigner (***et*** qc, ***j-n in et*** *D* qc à q); *informieren* informer (***über*** *A*, ***von*** de)
Unterrock *m* jupon
unterscheid|en distinguer; **ᘔung** *f* distinction
Unterschied *m* différence *f*; **ᘔlich** différent
unter|schreiben signer; **ᘔschrift** *f* signature; **ᘔseeboot** *n* sous-marin *m*
unterste(r, -s) le (la) plus bas(se)
unterstreichen souligner
unterstütz|en soutenir; *fi-*

nanziell aider; **2ung** *f* soutien *m*; *Beihilfe* aide
untersuchen examiner (*a Med*); *ermitteln* enquêter sur; *jur* instruire
Untersuchung *f* examen [-ɛ̃] *m* (*a Med*); *Ermittlung* enquête; *jur* instruction
Untersuchungs|haft *f* détention préventive; **~richter** *m* juge d'instruction
Unter|tasse *f* soucoupe; **2tauchen** plonger; *fig* disparaître; **~teil** *n od m* partie *f* inférieure; **~titel** *m Film* sous-titre; **~wäsche** *f* linge *m* de corps
unterwegs en route
unterzeichnen signer
unterziehen *Hemd* mettre par-dessous; ***sich*** ~ se soumettre (***e-r Sache D*** à qc)
Un|tiefe *f* bas-fond *m*; **2tragbar** intolérable; **2trennbar** inséparable; **2treu** infidèle; **~treue** *f* infidélité; **2tröstlich** inconsolable
unüberlegt irréfléchi
unübersichtlich peu clair
unumgänglich indispensable
ununterbrochen ininterrompu; *adv* sans interruption
unver|änderlich invariable; **~ändert** inchangé; **~antwortlich** irresponsable; **~besserlich** incorrigible; **~bindlich** qui n'oblige à rien; **~bleit** sans plomb; **~daulich** indigeste; **~einbar** incompatible (***mit*** avec); **~gesslich** inoubliable; **~gleichlich** incomparable; **~heiratet** célibataire; **~käuflich** invendable; **~letzt** sans blessure(s); indemne; **~meidlich** inévitable; **~mutet** inattendu; **~nünftig** déraisonnable
unverschämt impertinent; **2heit** *f* impertinence
unver|sehrt intact; *Person* indemne; **~ständlich** incompréhensible; *Worte* inintelligible; **~züglich** immédiat; *adv* sans délai
unvoll|endet inachevé; **~kommen** imparfait; **~ständig** incomplet
unvor|bereitet non préparé; **~hergesehen** imprévu; **~sichtig** imprudent; **~stellbar** inimaginable
unwahr faux; **2heit** *f* mensonge *m*; **~scheinlich** peu probable, invraisemblable
un|wesentlich peu important; **2wetter** *n* tempête *f*; **~wichtig** sans importance; **~widerstehlich** irrésistible; **~willkürlich** involontaire; **~wirksam** inefficace; **~wissend** ignorant; **~wohl** indisposé; **2wohlsein** *n* indisposition *f*; **~würdig** indigne; **~zählig** innombrable; **~zerbrechlich** incassable; **~zertrennlich** inséparable
unzu|frieden mécontent; **~gänglich** inaccessible; **~länglich** insuffisant; **~läs-**

sig inadmissible; **~verlässig** peu fiable
üppig *Vegetation* luxuriant; *Mahlzeit*, *Busen* plantureux
Ur|aufführung *f* première; **~enkel** *m* arrière-petit-fils; **~großmutter** *f* arrière-grand-mère; **~großvater** *m* arrière-grand-père
Urheber *m* auteur
Urin *m* urine *f*
Urkunde *f* document *m*
Urlaub *m* vacances *f/pl*; *bei Berufstätigen a* congé; ***in ~ sein*** être en vacances
Urlauber *m* vacancier
Urlaubs|anschrift *f* adresse de vacances; **~ort** *m* lieu de vacances; **~zeit** *f* période des vacances
Urne *f* urne
Ursache *f* cause; ***keine ~!*** (il n'y a) pas de quoi!
Ur|sprung *m* origine *f*; **&sprünglich** d'origine, initial; *adv* à l'origine
Urteil *n* jugement *m* (*a jur*); **&en** juger (***über** A* de), porter un jugement (sur)
Urwald *m* forêt *f* vierge
USA *pl* ***die ~*** les U.S.A. *m/pl*
usw. (*und so weiter*) etc.
Utensilien *pl* ustensiles *m/pl*
utopisch utopique

V

vage vague
vakuumverpackt emballé sous vide
Vanille *f* vanille; **~eis** *n* glace *f* à la vanille
Varietee *n* music-hall *m*
Vase *f* vase *m*
Vater *m* père; **~land** *n* patrie *f*
väterlich paternel
Vegeta|rier *m*, **&risch** végétarien; **~tion** *f* végétation
Veilchen *n* violette *f*
Vene *f* veine
Ventil *n* *Tech* soupape *f*; *e-s Reifens* valve *f*; **~ator** *m* ventilateur
verabred|en ***et ~*** convenir de qc; ***sich ~*** prendre rendez-vous (***mit*** avec); **&ung** *f* rendez-vous *m*
verabschieden *Gäste* dire au revoir à; *Gesetz* voter; ***sich ~*** prendre congé (***von*** de)
ver|achten mépriser; **~ächtlich** méprisant; **&achtung** *f* mépris *m*; **~allgemeinern** généraliser; **~altet** vieilli
veränderlich variable
veränder|n *u* ***sich ~*** changer; **&ung** *f* changement *m*
veranlass|en pousser (***zu*** à); *anordnen* ordonner; **&ung** *f* motif *m*
veranstalt|en organiser; **&er** *m* organisateur; **&ung** *f* manifestation
verantwort|en répondre de; ***sich ~*** se justifier (***für*** de);

~lich responsable (***für*** de); **2ung** *f* responsabilité (***für*** de); **~ungslos** irresponsable
verärgert fâché (***wegen*** à cause de)
Verb *n* verbe *m*
Verband *m* association *f*; *Med* pansement; *Binde* bandage; **~(s)kasten** *m* trousse *f* de premiers soins; **~(s)zeug** *n* pansements *m/pl*
verbergen cacher
verbesser|n améliorer; *berichtigen* corriger; **2ung** *f* amélioration; correction
Verbeugung *f* révérence
ver|biegen tordre; ***sich ~*** se déformer; **~bieten** défendre; **~billigt** à prix réduit
verbinden (re)lier; (ré)unir; *Wunde* panser; *Tel* ***ich verbinde*** (***Sie***) je vous passe la communication
verbindlich *bindend* obligatoire; *gefällig* obligeant
Verbindung *f mit j-m* relation; *mit et* lien *m*; *Verkehrs2* jonction; *Zug a* liaison; *Tel* communication
ver|bleit contenant du plomb; **~blüfft** stupéfait; **~blühen** se faner; **~bluten** perdre tout son sang; **~borgen** *adj* caché
Verbot *n* défense *f*; **2en** défendu; **~sschild** *n* panneau *m* d'interdiction
Verbrauch *m* consommation *f*; **2en** consommer; **~er** *m* consommateur; **~ermarkt** *m* hypermarché
Verbrech|en *n* crime *m*; **~er** *m*, **2erisch** criminel
verbreit|en répandre; **~ern** élargir; **2ung** *f* diffusion
verbrenn|en brûler; **2ung** *f* combustion; *Med* brûlure; *Leichen2, Müll2* incinération
verbringen *Zeit* passer
verbünd|en ***sich ~*** s'allier (***mit*** à); **2ete(r)** *su* allié(e)
verbürgen ***sich ~ für*** se porter garant de
Verdacht *m* soupçon
verdächtig suspect; **~en** suspecter (***e-r Sache G*** de qc)
verdammen condamner
verdanken devoir (***j-m et*** qc à q)
verdauen digérer (*a fig*)
verdaulich ***leicht ~*** digeste
Verdauung *f* digestion; **2sbeschwerden** *f/pl* troubles *m/pl* digestifs
Verdeck *n Kfz* capote *f*; **2en** couvrir
verderb|en abîmer; *Freude* gâcher; *Preise* casser; *v/i Lebensmittel* s'abîmer; **~lich** périssable
verdienen *Geld* gagner; *Lob* mériter
Verdienst[1] *n* mérite *m*
Verdienst[2] *m* gain
ver|doppeln doubler; **~dorben** pourri; **~dunkeln** obscurcir; **~dünnen** diluer; *Wein* couper; **~dursten** mourir de soif; **~edeln** *Bot* greffer

verehr|en vénérer; **2er** *m* admirateur; **2ung** *f* vénération
vereidigen assermenter
Verein *m* association *f*; **2baren** convenir de; *Termin a* fixer; **~barung** *f* accord *m*; **2fachen** simplifier; **2igen** (ré)unir; **~igung** *f* (ré)union
ver|einzelt sporadique; *Fälle* isolé; **~eitert** purulent; **~engen sich ~** se rétrécir; **~erben** laisser (en mourant); *Krankheit* transmettre
verfahren procéder; **sich ~** se tromper de route; **2** *n* procédé *m*, *jur* procédure *f*
Verfall *m* délabrement; *Hdl* échéance *f*; **2en** *Gebäude* se délabrer; *ungültig werden* (se) périmer; *adj* délabré; périmé; **~sdatum** *n* date *f* limite de consommation; **~(s)tag** *m* échéance *f*
verfass|en rédiger; **2er** *m* auteur; **2ung** *f Pol* constitution
verfaulen pourrir
ver|fehlen *Ziel*, *Zug*, *j-n* manquer; *Weg*, *Tür* se tromper de; **~filmen** porter à l'écran; **~fliegen, ~fließen** *Zeit* passer; **~flucht** maudit
verfolg|en poursuivre (*a jur*); *Pol* persécuter; *Spur*, *Ereignisse* suivre; **2er** *m* poursuivant; **2ung** *f* poursuite
verformen sich ~ se déformer
verfrüht prématuré
verfüg|bar disponible; **~en** disposer (**über** *A* de)
Verfügung *f* **j-m et zur ~ stellen** mettre qc à la disposition de q
verführ|en séduire; inciter (**zu** à); **~erisch** séduisant
vergangen passé; **2heit** *f* passé *m*
Vergaser *m* carburateur
vergeb|en *verzeihen* pardonner; *geben* donner (**an j-n** à q); **~ens** en vain; **~lich** inutile, vain; *adv* en vain
vergehen *Zeit* passer; **2** *n jur* délit *m*
Vergeltung *f* récompense; *Rache* revanche
ver|gessen oublier; **~gesslich** oublieux; **~geuden** gaspiller; **~gewaltigen** violer
vergewissern sich ~ s'assurer (**e-r Sache** *G* de qc)
vergießen *Blut*, *Tränen* verser; *verschütten* renverser
vergift|en (**sich ~** s')empoisonner; *Med* (s')intoxiquer; **2ung** *f* empoisonnement *m*; *Med* intoxication
Vergissmeinnicht *n* myosotis *m*
Vergleich *m* comparaison *f*; *jur* compromis; **2en** comparer (**mit** à, avec)
Vergnügen *n* plaisir *m*; **mit ~** avec plaisir; **viel ~!** amuse-toi (amusez-vous) bien!
vergnüg|t gai; **2ungspark** *m* parc *m* d'attractions
ver|goldet doré; **~graben** enterrer; **~griffen** *Buch* épuisé
vergrößer|n agrandir; **2ung** *f* agrandissement *m* (*a Fot*)

Ver|günstigung *f* avantage *m*; **~gütung** *f* remboursement *m*; *Summe* rémunération
verhaft|en arrêter; **≈ung** *f* arrestation
verhalten *sich* ~ se comporter; ≈ *n* comportement *m*
Verhältnis *n* *Größen*≈ rapport *m*; *persönliches* rapports *m*/*pl* (**zu** avec); *Liebes*≈ liaison *f*; **~se** *pl* conditions *f*/*pl*; **≈mäßig** relativement
verhand|eln négocier (**über** *et A* qc); **≈lung** *f* négociation; *jur* débats *m*/*pl*
ver|hängnisvoll fatal; **~hasst** détesté; **~heimlichen** dissimuler; **~heiratet** marié
verhindern empêcher; **verhindert sein** être retenu
Verhör *n* interrogatoire *m*; **≈en** interroger; *sich* ~ mal entendre
verhungern mourir de faim
verhüt|en empêcher, prévenir; **≈ungsmittel** *n* contraceptif *m*
verirren *sich* ~ s'égarer
Verjährung *f* prescription
Verkauf *m* vente *f*; **≈en** vendre; **zu** ~ à vendre
Verkäuf|er *m* vendeur; **~erin** *f* vendeuse; **≈lich** à vendre
Verkehr *m* circulation *f*; *mit j-m* relations *f*/*pl*; *Geschlechts*≈ rapports *m*/*pl* sexuels
verkehren *Bus usw* circuler; *mit j-m* ~ être en relations avec q
Verkehrs|amt *n*, **~büro** *n* office *m* du tourisme; **~hindernis** *n* entrave *f* à la circulation; **~insel** *f* refuge *m*; **~meldung** *f* message *m* routier
Verkehrsmittel *n* moyen *m* de transport; *öffentliche* ~ *pl* transports *m*/*pl* en commun
Verkehrs|polizei *f* police de la route; **≈reich** *Straße* à grande circulation; **~stockung** *f* encombrement *m*; **~teilnehmer** *m* usager de la route; **~unfall** *m* accident de la route; **~zeichen** *n* panneau *m* de signalisation
verkehrt à l'envers; *falsch* faux
ver|klagen *j-n* porter plainte contre; **~kleiden** *Tech* revêtir; *sich* ~ se déguiser; **~kleinern** réduire; **~kommen** *adj Gebäude* délabré; *Lebensmittel* pourri; *Mensch* dépravé; **~körpern** personnifier; **~kraften** supporter; **~krampft** crispé; **~krüppelt** estropié
ver|künden annoncer; *jur Urteil* prononcer; **~kürzen** raccourcir; **~laden** charger; *Mar* embarquer
Verlag *m* maison *f* d'édition
verlangen demander (*et von j-m* qc à q); exiger (qc de q); *Preis a* vouloir (**für** pour); ~ *nach* demander
verlänger|n rallonger; *zeit-*

lich prolonger; **≈ung** *f* rallongement *m*; prolongation; **≈ungsschnur** *f* rallonge
verlangsamen ralentir
verlassen quitter; *im Stich lassen* abandonner; ***sich auf j-n*** **~** compter sur q
Verlauf *m* cours; **≈en** se dérouler; ***sich*** **~** se perdre
verlegen déplacer; *Wohnsitz usw* transférer; *Termin* remettre (***auf*** *A* à); *Brille* égarer; *adj* embarrassé; **≈heit** *f* embarras *m*
Verleih *m* location *f*; **≈en** *leihen* prêter; *vermieten* louer; *Preis* décerner
verleiten inciter (***zu*** à)
verletz|en (***sich*** **~** se) blesser; **≈te(r)** *su* blessé(e); **≈ung** *f* blessure
verleumd|en calomnier; **≈ung** *f* calomnie
verlieben ***sich*** **~** tomber amoureux (***in j-n*** de q)
verliebt amoureux
verlier|en perdre; **≈er** *m* perdant
verlob|en ***sich*** **~** se fiancer; **≈te(r)** *su* fiancé(e); **≈ung** *f* fiançailles *f*|*pl*
verloren perdu
verlos|en mettre en loterie; *ziehen* tirer au sort; **≈ung** *f* loterie; *Ziehung* tirage *m*
Verlust *m* perte *f*
vermehren augmenter; ***sich*** **~** augmenter; *Biol* se reproduire
vermeiden éviter
Vermerk *m* note *f*
vermiet|en louer; **≈er** *m* loueur; *Zimmer≈* logeur; *Wohnungs≈* propriétaire
ver|mindern diminuer; **~missen** ne pas retrouver; **≈mittlung** *f* médiation; *Büro* agence; *Tel* central *m* téléphonique; *in e-m Betrieb* standard *m*; **≈mögen** *n Fähigkeit* faculté *f*; *Besitz* fortune *f*
vermut|en supposer; **~lich** probablement; **≈ung** *f* supposition
ver|nachlässigen négliger; **~nehmen** *jur* interroger; **~neinen** nier; **~nichten** anéantir; détruire
Vernunft *f* raison
vernünftig raisonnable
veröffentlichen publier
verordn|en *Med* prescrire; **≈ung** *f Med* ordonnance
verpack|en emballer; **≈ung** *f* emballage *m*
verpassen manquer, rater
Verpflegung nourriture *f*
verpflichten obliger; ***sich zu et*** **~** s'engager à faire qc
Verpflichtung *f* obligation
ver|pfuschen *Arbeit* bâcler; *fig* gâcher; **~prügeln** rosser
Verputz *m* crépi; **≈en** crépir
Verrat *m* trahison *f*; **≈en** trahir
Verräter *m* traître
verrechnen compter (***mit*** dans), déduire (de); ***sich*** **~** se tromper (***um e-e Mark*** d'un mark)

Verrechnungsscheck *m* chèque barré
ver|reisen partir en voyage; **~renken** luxer; **~riegeln** verrouiller; **~ringern** diminuer; **~rosten** rouiller
verrückt fou
verrufen *adj* mal famé
Vers *m* vers
versag|en *Kräfte usw* manquer (**j-m** à q); *Motor usw* tomber en panne; *Bremsen* lâcher; *Person* échouer; **≈er** *m* raté
versalzen *adj* trop salé
versamm|eln (**sich ~** se) rassembler; **≈lung** *f* assemblée
Versand *m* expédition *f*; **~haus** *n* maison *f* de vente par correspondance
versäumen manquer; **~, et zu tun** négliger de faire qc
ver|schaffen procurer; **~schenken** faire cadeau de, donner; **~schicken** expédier; **~schieben** déplacer; *zeitlich* remettre (**auf** *A* à)
verschieden différent (**von** de); **~e** plusieurs; **~tlich** à plusieurs reprises
ver|schiffen transporter par bateau; **~schimmelt** moisi
verschlafen ne pas se réveiller (à temps); *Tag* passer à dormir; *Termin* oublier; *adj* somnolent
verschlechter|n (**sich ~** se) détériorer; **≈ung** *f* détérioration
ver|schleppen *Person* déporter; *Krankheit* traîner; **~schließen** fermer à clé; **~schlimmern** (**sich ~** s')aggraver; **~schlossen** fermé (à clé)
verschlucken avaler; **sich ~** avaler de travers
Ver|schluss *m* fermeture *f*; *Fot* obturateur; **≈schlüsselt** codé; **≈schmähen** dédaigner; **≈schmutzen** salir; *Umwelt* polluer; **≈schneit** enneigé; **≈schnüren** ficeler; **≈schollen** disparu; **≈schonen** épargner (**j-n mit et** qc à q); **≈schönern** embellir
verschreiben *Med* prescrire; **sich ~** faire une faute (*en écrivant*)
ver|schrotten mettre à la ferraille; **~schulden** *Unfall* causer; **~schütten** répandre; *j-n* ensevelir; **~schweigen** taire
verschwend|en gaspiller; **~erisch** dépensier; **≈ung** *f* gaspillage *m*
ver|schwiegen discret; **~schwinden** disparaître; **~schwommen** vague; *Fot* flou
Verschwörung *f* conspiration, complot *m*
versehen munir (**mit** de); **sich ~** se tromper
Versehen *n* erreur *f*; **aus ~** = **≈tlich** par inadvertance
ver|senden envoyer; **~senken** *Schiff* couler; **~setzen** *Beamte* muter; *Schüler* faire

passer dans la classe supérieure; *in e-e Lage* mettre; *Schlag* donner; F ***j-n*** **~** poser un lapin à q
verseucht contaminé
versicher|n (***sich*** **~** s')assurer; **2ung** *f* assurance
Versicherungs|beitrag *m* prime *f* d'assurance; **~fall** *m* sinistre; **~gesellschaft** *f* compagnie d'assurances; **~police** *f*, **~schein** *m* police *f* d'assurance
versinken s'enfoncer (***in*** *D* dans)
versöhn|en (***sich*** **~** se) réconcilier; **2ung** *f* réconciliation
versorgen approvisionner (***mit*** en); fournir (en); *Familie* avoir la charge de
verspät|en ***sich*** **~** être en retard; **2ung** *f* retard *m*
ver|sperren barrer; **~spielen** perdre au jeu; **~spotten** se moquer de
versprech|en promettre; **2en** *n*, **2ung** *f* promesse *f*
verstaatlichen nationaliser
Verstand *m* intelligence *f*, entendement; ***den*** **~** ***verlieren*** perdre la raison
verständig|en informer (***von, über*** *A* de); ***sich*** **~** se faire comprendre; *sich einigen* s'entendre (***mit*** avec); **2ung** *f sprachliche* compréhension
verständ|lich compréhensible; *deutlich* intelligible; **2nis** *n* compréhension *f*
verstärk|en renforcer; **2er** *m* amplificateur; **2ung** *f* renforcement *m*
verstauchen ***sich den Fuß*** **~** se fouler le pied
Verstauchung *f* entorse, foulure
Versteck *n* cachette *f*; **2en** (***sich*** **~** se) cacher
verstehen comprendre; ***sich*** **~** s'entendre
Versteigerung *f* vente aux enchères
verstell|bar réglable; **~en** *einstellen* régler; *falsch einstellen* dérégler; *Stimme* déguiser; ***sich*** **~** jouer la comédie
ver|stimmt *Mus* désaccordé; *fig* de mauvaise humeur; **~stohlen** *Blick* furtif; **~stopfen** boucher; *Straße* encombrer; *Med* constiper; **2stopfung** *f Med* constipation; **~storben** mort
Verstoß *m* entorse *f* (***gegen*** à); *jur* infraction (à)
verstoßen *j-n* rejeter; ***gegen et*** **~** pécher contre qc
ver|streichen *Frist* expirer; *Zeit* passer; **~streuen** éparpiller; *verschütten* répandre; **~stümmeln** mutiler
Versuch *m* essai; tentative *f*; *Test* expérience *f*; **2en** essayer; *Schwieriges* tenter
vertagen ajourner
vertauschen échanger (***mit, gegen*** contre)
verteidig|en (***sich*** **~** se) dé-

fendre; **≗er** *m* défenseur; *Sp* arrière; **≗ung** *f* défense
ver|teilen distribuer; **~tiefen** approfondir
Vertrag *m* contrat; *zwischen Staaten* traité; **≗en** supporter; ***sich*** ~ s'entendre
Vertragswerkstatt *f Kfz* garage *m* agréé
vertrau|en avoir confiance (***j-m, auf j-n*** en q); **≗en** *n* confiance *f*; **~lich** confidentiel
vertraut familier
vertreiben chasser; ***sich die Zeit mit et*** ~ passer son temps à faire qc
vertret|en *j-n* remplacer; *Firma, Land* représenter; **≗er** *m* remplaçant; *Hdl, Pol* représentant; **≗ung** *f* remplacement *m*; *Person* remplaçant; *Hdl* représentation
Vertrieb *m* débit, vente *f*
Vertriebene(r) *su* réfugié(e)
ver|trocknen sécher; **~üben** *Verbrechen* commettre; **~unglücken** avoir un accident; **~ursachen** causer
verurteil|en condamner (*a fig*); **≗ung** *f* condamnation
ver|vielfältigen *Text* polycopier; **~vollkommnen** perfectionner; **~vollständigen** compléter; **~wählen** *Tel* ***sich*** ~ faire un faux *od* mauvais numéro
ver|wackelt *Fot* bougé; **~wahrlost** négligé, laissé à l'abandon
verwalt|en administrer; **≗er** *m* administrateur; **≗ung** *f* administration
verwandt parent (***mit*** de); **≗e(r)** *su* parent(e); **≗schaft** *f* parenté
Verwarnung *f* avertissement *m* (*a Sp*); ***gebührenpflichtige*** ~ contravention
verwechs|eln confondre; **≗lung** *f* confusion
ver|weigern refuser; **≗weis** *m Rüge* réprimande *f*; *Hinweis* renvoi (***auf*** *A* à); **~welkt** fané; **~wenden** employer, utiliser; *Zeit, Geld* consacrer (***auf*** *A* à); **≗wendung** *f* emploi *m*, utilisation; **~werten** utiliser; *wieder* ~ récupérer; **~wickeln** impliquer (***in*** *A* dans); **~wirklichen** réaliser
verwirr|en *j-n* déconcerter, troubler; **≗ung** *f* confusion
ver|witwet *Mann* veuf; *Frau* veuve; **~wöhnen** gâter; **≗wunderung** *f* étonnement *m*; **≗wundete(r)** *su* blessé(e); **~wünschen** maudire; **~wüsten** ravager
verzählen *sich* ~ se tromper (*en comptant*)
verzaubern enchanter (*a fig*)
Verzehr *m* consommation *f*; **≗en** consommer
Verzeichnis *n* liste *f*, relevé *m*; *Register* registre *m*
verzeih|en pardonner; *entschuldigen* excuser; **≗ung** *f* pardon *m*; **~!** pardon!, excuse(z)-moi!
Verzicht *m* renoncement (***auf***

A à); **≗en** renoncer (***auf*** *A* à)
Verzierung *f* ornement *m*
verzöger|n retarder; ***sich ~*** avoir du retard; **≗ung** *f* retard *m*
verzollen dédouaner; ***haben Sie etwas zu ~?*** avez-vous quelque chose à déclarer?
verzweif|eln désespérer; **≗lung** *f* désespoir *m*
Vetter *m* cousin
Viadukt *m* viaduc
Video *n* vidéo *f*; **~kamera** *f* caméscope *m*; **~kassette** *f* cassette vidéo; **~rekorder** *m* magnétoscope
Vieh *n* bétail *m*; **~zucht** *f* élevage *m*
viel beaucoup (de); ***sehr ~*** bien de; ***ziemlich ~*** assez (de); ***nicht ~*** peu; ***zu ~*** trop (de)
vielfach multiple; *adv* souvent
vielleicht peut-être
viel|mehr plutôt; **~seitig** étendu; *Mensch* plein de ressources
vier quatre; **≗bettkabine** *f* cabine à quatre lits; **≗eck** *n* quadrilatère *m*; **~eckig** quadrangulaire; F *quadratisch* carré; **~fach** quadruple; **~hundert** quatre cents; **~spurig** *Straße* à quatre voies; **≗taktmotor** *m* moteur a quatre temps
vierte(r, -s) quatrième
Viertel *n* quart *m*; *Stadt≗* quartier *m*; **~jahr** *n* trimestre *m*; **~stunde** *f* quart *m* d'heure
vierzehn quatorze; ***~ Tage*** quinze jours
vierzig quarante
Villa *f* villa
violett violet
Violine *f* violon *m*
Virus *n*, *m* virus *m*
Visitenkarte *f* carte (de visite)
Visum *n* visa *m*
Vogel *m* oiseau; **~käfig** *m* cage *f*
Vokabel *f* mot *m*; **~n** *pl* vocabulaire *m*
Vokal *m* voyelle *f*
Volk *n* peuple *m*
Volks|fest *n* fête *f* populaire; **~hochschule** *f* université populaire; **~kunst** *f* art *m* folklorique; **~lied** *n* chant *m* populaire, folklorique; **~republik** *f* république populaire; **~schule** *f* école primaire; **~tanz** *m* danse *f* populaire; **≗tümlich** populaire; **~wirtschaft(slehre)** *f* économie politique
voll plein; *gefüllt* rempli; *ganz* entier; *betrunken* F rond; ***~ und ganz*** totalement; ***~ tanken*** faire le plein
voll|automatisch entièrement automatique; **≗bart** *m* barbe *f*; **~enden** achever
Vollgas *n* ***~ geben*** appuyer sur le champignon
völlig *adv* complètement, entièrement
voll|jährig majeur; **≗kasko-**

versicherung *f* assurance tous risques; **~kommen** parfait; *adv s* **völlig**; **&kornbrot** *n* pain *m* complet; **&macht** *f* procuration; **&milch** *f* lait *m* entier; **&mond** *m* pleine lune *f*; **&narkose** *f* anesthésie générale; **&pension** *f* pension complète; **~ständig** complet; **~zählig** complet
Volumen *n* volume *m*
von (*D*) de; *beim Passiv* par; *grüßen* **~ mir** de ma part; **~ ... bis** de ... à; **~ ... ab** (*od* **an**) à partir de
voneinander l'un de l'autre
vor *örtlich* devant; *zeitlich* avant; **~ drei Tagen** il y a trois jours; **Viertel ~ drei** trois heures moins le quart
Vorabend *m* veille *f*
voran en tête, en avant; **~gehen** marcher en tête (*D* de); précéder (**e-r Sache** qc); *Arbeit* avancer
Voranschlag *m* devis
voraus j-m ~ sein avoir de l'avance sur q; **s-r Zeit ~ sein** être en avance sur son temps; **im ~** à l'avance; *zahlen* d'avance
vorausgehen partir le premier
vorausgesetzt ~, dass ... à condition que ... (+ *subj*)
voraus|sagen prédire; **~sehen** prévoir; **&setzung** *f* *Vorbedingung* condition; *Annahme* supposition; **~sichtlich** probable; **&zahlung** *f* avance
Vorbehalt *m* réserve *f*
vorbei *adv zeitlich* fini; *örtlich* **~** passé (**an** *D* devant)
vorbei|fahren, ~gehen passer (**an** *D* devant); *besuchen* passer (**bei** chez); **~lassen** laisser passer
vorbe|reiten préparer; **&reitung** *f* préparation; **~stellen** réserver, retenir; **&stellung** *f* réservation
vorbeug|en prévenir (**e-r Sache** *D* qc); **sich ~** se pencher en avant; **&ungsmaßnahme** *f* mesure préventive
Vorbild *n* modèle *m*; **&lich** exemplaire
Vorderachse *f* pont *m* avant
vordere(r, -s) de devant
Vorder|grund *m* premier plan; **~rad** *n* roue *f* avant; **~seite** *f* devant *m*, façade; **~sitz** *m* siège avant
Vor|druck *m* imprimé; **&eilig** précipité; **&eingenommen** partial; **&erst** en attendant, pour le moment
Vorfahrt *f* priorité; **~sstraße** *f* route prioritaire
Vorfall *m* incident
vorfinden trouver
vorführ|en présenter; *Film, Dias* projeter; **&ung** *f* présentation; *Film&* projection
Vor|gang *m* processus; *Ereignis* événement; **~gänger** *m* prédécesseur
vorgehen *handeln* procéder; *geschehen* se passer; *Uhr*

avancer; *den Vorrang haben* avoir la priorité
Vorgesetzte(r) *su* supérieur(e)
vorgestern avant-hier
vorhaben avoir l'intention de; ≈ *n* projet *m*
vorhanden existant; *verfügbar* disponible; ~ ***sein*** exister
Vor|hang *m* rideau; **~hängeschloss** *n* cadenas *m*
vorher avant; **~gehend** précédent; **≈sage** *f Wetter≈* prévisions *f/pl*; **~sehen** prévoir
vorhin tout à l'heure
vorig dernier
Vorkenntnisse *f/pl* notions
vorkomm|en *geschehen* arriver; *existieren* exister; *j-m erscheinen* sembler, paraître; **≈nis** *n* événement *m*
Vorkriegszeit *f* avant-guerre *m*
vorlad|en convoquer; *als Zeuge a* citer; **≈ung** *f* convocation, citation
Vor|lage *f Muster* modèle *m*; **≈lassen** laisser passer (devant); **≈läufig** provisoire; *adv* pour le moment; **≈legen** *Urkunde* présenter; *Plan, Vorschlag* soumettre
vorles|en lire (***j-m et*** qc à q); **≈ung** *f* cours *m* magistral
vorletzte(r, -s) avant-dernier, avant-dernière
Vorliebe *f* prédilection (***für*** pour)
vorlieb ~ ***nehmen mit*** (*D*) se contenter de
vor|liegen être là, exister; **≈marsch** *m* progression *f*; **~merken** prendre note de
Vormittag *m* matin; ***heute*** ~ ce matin; ***gestern*** ~ hier matin; ***am Samstag*** ~ samedi matin
vormittags le matin
Vormund *m* tuteur
vorn devant; *an der Spitze a* en tête; ***nach*** ~ en avant; ***von*** ~ de face; *zeitlich* depuis le début; ***von*** ~ ***anfangen*** recommencer (à zéro)
Vorname *m* prénom
vornehm distingué
vornehmen ***sich*** ~ avoir l'intention (***et zu tun*** de faire qc)
vornherein ***von*** ~ dès le début
Vorort *m* banlieue *f*; **~zug** *m* train de banlieue
Vor|rang *m* priorité *f*; **~rat** *m* provisions *f/pl* (***an*** *D* de); *Hdl* stock (de); **≈rätig** en stock; **~recht** *n* privilège *m*; **~richtung** *f* dispositif *m*; **~ruhestand** *m* préretraite *f*; **~runde** *f Sp* éliminatoires *f/pl*; **~saison** *f* basse saison; **~satz** *m* résolution *f*; **≈sätzlich** délibéré(ment)
Vorschein *m* ***zum*** ~ ***kommen*** apparaître
Vorschlag *m* proposition *f*; **≈en** proposer
vor|schreiben prescrire; **≈schrift** *f* prescription; **~schriftsmäßig** réglementaire

Vorschuss *m* avance *f*
vorsehen prévoir; ***sich*** **~** prendre garde (***vor*** *D* à)
Vorsicht *f* prudence; **~**! attention!; **~ig** prudent; **~shalber** par précaution; **~smaßnahme** *f* précaution
Vor|sitz *m* présidence *f*; **~sitzende(r)** *su* président(e)
Vorsorg|euntersuchung *f* *Med* examens *m/pl* de dépistage; **~lich** prévoyant; *adv* par précaution
Vor|speise *f* 'hors-d'œuvre *m*, entrée; **~spiel** *n Mus* prélude *m* (*a fig*); **~sprung** *m* *Arch* avancée *f*; *fig* avance *f*; **~stadt** *f* banlieue; **~stand** *m* comité directeur, direction *f*
vorstellen *j-n* présenter; *Uhr* avancer; ***sich et*** **~** (s')imaginer qc
Vorstellung *f* présentation; *Idee* idée; *Theater* représentation; *Kino* séance
Vorstellungsgespräch *n* entretien *m* d'embauche
Vorstrafen *f/pl* antécédents *m/pl*
vorstrecken *Geld* avancer
Vorteil *m* avantage; **~haft** avantageux
Vortrag *m* conférence *f*
vortrefflich excellent
vorüber passé; **~gehen** passer; **~gehend** passager
Vor|urteil *n* préjugé *m*; **~verkauf** *m Theater* location *f*; **~wahl(nummer)** *f Tel* indicatif *m*; **~wand** *m* prétexte
vorwärts en avant; **~** ***kommen*** avancer, faire des progrès
vor|weisen présenter; **~werfen** reprocher (***j-m et*** qc à q); **~wiegend** *adv* principalement; **~wort** *n* préface *f*; **~wurf** *m* reproche; **~zeichen** *n* signe *m* précurseur; **~zeigen** présenter; **~zeitig** anticipé; **~ziehen** *Termin* avancer; *lieber mögen* préférer, aimer mieux; **~zug** *m* préférence *f*; *Vorteil* avantage; **~züglich** excellent
vulgär vulgaire
Vulkan *m* volcan

W

Waage *f* balance; **~recht** horizontal
wach éveillé (*a fig*); **~** ***werden*** se réveiller
Wache *f* garde
Wacholder *m* genièvre
Wachs *n* cire *f*
wachsam vigilant; **~keit** *f* vigilance
wachsen[1] pousser; *Kind, Tier* grandir; *zunehmen* augmenter
wachsen[2] *Ski* farter
Wächter *m* gardien

Wackelkontakt *m* faux contact
wackeln *Tisch* être bancal; *Zahn* bouger
Wade *f* mollet *m*
Waffe *f* arme
Waffel *f* gaufre
Waffenschein *m* permis de port d'armes
wagen oser (***et zu tun*** faire qc); *et* risquer
Wagen *m* voiture *f*; *Güter*2 wagon; **~heber** *m* cric
Waggon *m* wagon
Wagnis *n* risque *m*
Wahl *f* choix *m*; *Pol* élection; ***nach ~*** au choix; *Hdl* ***zweite ~*** deuxième choix
wähl|en choisir; *bsd Pol* élire; *abstimmen* voter (***j-n*** pour q); *Tel* composer le numéro; **2er** *m* électeur; **2erin** *f* électrice; **~erisch** difficile (***in*** *D* sur)
Wahl|fach *n* matière *f* facultative; **~heimat** *f* patrie d'adoption; **~kampf** *m* campagne *f* électorale; **~lokal** *n* bureau *m* de vote; **2los** au hasard
Wahnsinn *m* folie *f*; **2ig** fou; F *sehr groß* terrible; *Schmerzen, Angst* atroce
wahr vrai, véritable; ***nicht ~?*** hein?
während *prp* (*G*) pendant; *cj* pendant que
Wahr|heit *f* vérité; **2nehmen** percevoir; *bemerken* remarquer; *Gelegenheit* profiter de
wahrscheinlich probable(ment); **2keit** *f* vraisemblance, probabilité
Währung *f* monnaie
Wahrzeichen *n* emblême *m*
Waise *f* orphelin(e) *m(f)*
Wal *m* baleine *f*
Wald *m* forêt *f*; *kleinerer* bois; **~brand** *m* incendie de forêt; **2ig** boisé; **~sterben** *n* mort *f* des forêts; **~weg** *m* chemin forestier
Wall *m* rempart
Wallfahrt *f* pèlerinage *m*
Walnuss *f* noix
Walze *f Straßen*2 rouleau *m* compresseur
Walzer *m* valse *f*
Wand *f* mur *m*; *Trenn*2 cloison; *Fels*2 paroi
Wandel *m* changement
Wander|ausstellung *f* exposition itinérante; **~karte** *f* topoguide *m*, carte des sentiers de (grande) randonnée
wandern faire une (des) randonnée(s)
Wander|ung *f* randonnée, marche; **~weg** *m* sentier de (grande) randonnée
Wand|schrank *m* placard; **~teppich** *m* tapisserie *f*
Wange *f* joue
wanken chanceler, vaciller
wann quand; ***seit ~?*** depuis quand?; ***bis ~?*** jusqu'à quand?
Wanne *f* cuve; *Bade*2 baignoire
Wanze *f* punaise

Wappen *n* armoiries *f/pl*
Ware *f* marchandise
Waren|haus *n* grand magasin *m*; **~zeichen** *n* marque *f*
warm chaud
Wärm|e *f* chaleur; **2en** (ré)chauffer; **~flasche** *f* bouillotte
Warmhaltekanne *f* thermos
Warn|blinkanlage *f* feux *m/pl* de détresse; **~dreieck** *n* triangle *m* de présignalisation; **2en** avertir; mettre en garde (**vor** *D* contre); **~streik** *m* grève *f* d'avertissement; **~ung** *f* avertissement *m*; *Hinweis* avis *m* (**vor** *D* de)
Warteliste *f* liste d'attente
warten attendre (***auf j-n*** q); *Maschinen* entretenir; **2** *n* attente *f*
Wärter *m* gardien
Warte|saal *m*, **~zimmer** *n* salle *f* d'attente
Wartung *f* entretien *m*; *Tech a* maintenance
warum pourquoi
Warze *f* verrue
was *fragend* qu'est-ce que (*Subjekt* qu'est-ce qui); *relativ* ce que (*Subjekt* ce qui); *wieviel* combien; F *etwas* quelque chose; **~ *für ein(e)*** quel(le)
Wasch|anlage *f Kfz* lavage *m* automatique; **2bar** lavable; **~becken** *n* lavabo *m*
Wäsche *f* linge *m*; *Unter*2 linge de corps; *das Waschen* lavage *m*; (***große***) **~** lessive; **~klammer** *f* pince à linge
waschen (***sich*** **~** se) laver; *Wäsche* faire la lessive
Wäsche|rei *f* blanchisserie; **~korb** *m* corbeille *f* à linge; **~ständer** *m* séchoir à linge; **~trockner** *m* sèche-linge
Wasch|lappen *m* gant de toilette; **~maschine** *f* machine à laver, lave-linge *m*; **~mittel** *n*, **~pulver** *n* lessive *f*; **~salon** *m* laverie *f* automatique
Wasser *n* eau *f*; **~bad** *n Kochk* bain-marie *m*; **~ball** *m* water-polo; **2dicht** imperméable; **~fall** *m* cascade *f*; **~flugzeug** *n* hydravion *m*; **~hahn** *m* robinet; **~kraftwerk** *n* centrale *f* hydro-électrique; **~kühlung** *f* refroidissement *m* par eau; **~leitung** *f* conduite d'eau; **~melone** *f* pastèque; **2scheu** qui craint l'eau; **~ski** *m* ski nautique; **~sport** *m* sport nautique; **~spülung** *f* chasse d'eau; **~stand** *m* niveau des eaux; **~stoff** *m* hydrogène; **~verschmutzung** *f* contamination de l'eau; **~waage** *f* niveau *m* à bulle; **~werk** *n* usine *f* hydraulique
waten patauger
Watte *f* coton *m* hydrophile; **~bausch** *m* coton
WC *n* W.-C. *m/pl*
web|en tisser; **2stuhl** *m* métier à tisser
Wechsel *m* changement; *regelmäßiger* alternance *f*;

*Geld*𝟐 change; *Hdl* lettre *f* de change, traite *f*; **~geld** *n* monnaie *f*; **𝟐haft** *Wetter* variable; **~jahre** *n/pl* ménopause *f*; **~kurs** *m* cours du change
wechseln changer; *Blicke, Briefe* échanger
Wechsel|strom *m* courant alternatif; **~stube** *f* bureau *m* de change
weck|en *j-n* réveiller; *et* éveiller; **𝟐er** *m* réveil
weder ~ ... noch ... ni ... ni ...
weg *fort* parti; *verschwunden* disparu; *verloren* perdu; **weit ~** éloigné
Weg *m* chemin; *fig Lösungs*𝟐 moyen; ***sich auf den ~ machen*** se mettre en route
weg|bleiben ne pas venir; **~bringen** emporter
wegen (*G*) à cause de, pour
weg|fahren partir; **~fallen** être supprimé; **~gehen** partir; **~jagen** chasser; **~lassen** supprimer, omettre; **~laufen** se sauver; **~nehmen** enlever; *entwenden* prendre; **~räumen** ranger; **~schicken** envoyer; *j-n* renvoyer; **~schaffen** enlever
Wegweiser *m* poteau indicateur
wegwerf|en jeter; **𝟐flasche** *f* bouteille jetable; **𝟐gesellschaft** *f* société de gaspillage
wegziehen retirer; *umziehen* déménager
Wehen *f/pl* douleurs
wehen *Wind* souffler; *Fahnen, Haare* flotter
wehmütig mélancolique
Wehr *n* barrage *m*
Wehrdienst *m* service militaire; **~verweigerer** *m* objecteur de conscience
wehr|en *sich* ~ se défendre (***gegen*** contre); **~los** sans défense; **𝟐pflicht** *f* service *m* militaire obligatoire
wehtun *j-m* ~ faire mal à q
Weib|chen *n Zo* femelle *f*; **𝟐lich** féminin
weich mou; *Bett, Sessel* moelleux; *Ei* à la coque; *Fleisch* tendre
Weiche *f Bahn* aiguille
Weide *f Vieh*𝟐 pâturage *m*; *Bot* saule *m*; *Korb*𝟐 osier *m*
weiger|n *sich* ~ refuser (***zu*** de); **𝟐ung** *f* refus *m*
weihen consacrer
Weihnachten *n* Noël *m*; ***fröhliche ~!*** joyeux Noël!
Weihnachts|abend *m* veille *f* de Noël; **~baum** *m* arbre de Noël; **~geschenk** *n* cadeau *m* de Noël; **~lied** *n* chant *m* de Noël; **~mann** *m* père Noël
Weih|rauch *m* encens; **~wasser** *n* eau *f* bénite
weil parce que
Weile *f* ***e-e*** ~ quelque temps; ***e-e ganze*** ~ un bon bout de temps
Wein *m* vin; *Bot* vigne *f*; **~bau** *m* viticulture *f*; **~berg** *m* vignoble, vigne *f*; **~berg-**

schnecke *f Kochk* escargot *m* de Bourgogne; **~brand** *m* eau-de-vie *f* de vin, cognac
weinen pleurer
Wein|essig *m* vinaigre de vin; **~glas** *n* verre *m* à vin; **~gut** *n* domaine *m* viticole; **~handlung** *f* négociant *m* en vin; **~karte** *f* carte des vins; **~keller** *m* cave *f* (à vin); **~lese** *f* vendange; **~lokal** *n* bar *m* à vin(s); **~probe** *f* dégustation de vins; **~traube** *f* (grain *m* de) raisin *m*; **~n** *pl* raisin *m*
weise sage
Weise *f* manière, façon; ***auf diese ~*** de cette manière
Weisheitszahn *m* dent *f* de sagesse
weiß blanc; **2brot** *n* pain *m* blanc; **2kohl** *m*, **2kraut** *n* chou *m* blanc; **2wein** *m* vin blanc
weit *Reise, Weg* long; *Kleidung* large; *Tal, Wälder* étendu; *entfernt* loin; ***wie ~ ist es von hier nach ...?*** il y a combien de kilomètres d'ici à ...?; ***von ~em*** de loin
weiter plus loin; ***~!*** continue(z)!; ***etwas ~ links*** un peu plus à gauche; ***und so ~*** et cetera, et ainsi de suite
weitere(r, -s) *sonstige* autre; *spätere(r, -s)* ultérieur; ***bis auf ~s*** jusqu'à nouvel ordre
weiter|fahren continuer (sa route); *Auto, Zug* repartir; **~gehen** ***~!*** circulez!; **~kommen** avancer; **~machen** continuer; **~reisen** continuer le voyage
weit|sichtig presbyte; **2winkelobjektiv** *n* grand-angle *m*
Weizen *m* froment
welche(r, -s) *fragend* quel(le); *alleinstehend u nach prp* lequel, laquelle; *relativ* qui (*A* que)
welken se faner
Wellblech *n* tôle *f* ondulée
Welle *f* vague (*a fig*); *Phys* onde
Wellen|länge *f Radio* longueur d'onde; **~linie** *f* ligne ondulée; **~reiten** *n* surf *m*; **~sittich** *m* perruche *f*
Welt *f* monde *m*; **~all** *n* univers *m*; **~anschauung** *f* vision du monde; **2berühmt** célèbre dans le monde entier; **~karte** *f* mappemonde; **~krieg** *m* guerre *f* mondiale; **~meister** *m* champion du monde; **~meisterschaft** *f* championnat *m* du monde; **~raum** *m* espace; **~reise** *f* tour *m* du monde; **~rekord** *m* record mondial; **~stadt** *f* grande métropole; **2weit** mondial(ement)
wem à qui; ***von ~?*** de qui?
wen qui; ***für ~?*** pour qui?
Wende *f* tournant *m*; **~kreis** *m Geogr* tropique; *Kfz* rayon de braquage
Wendeltreppe *f* escalier *m* en colimaçon
wenden tourner; *Kfz* faire

demi-tour; ***sich ~ an*** (*A*) s'adresser à

wenig peu (de); ***ein ~*** un peu (de); ***~er*** moins (de); ***am ~sten*** le moins; ***~stens*** *mindestens* au moins; *einschränkend* du moins

wenn *Bedingung* si; *zeitlich* quand; ***selbst ~*** même si

wer qui; *derjenige* (*diejenige*) celui (celle) qui

Werbe|agentur *f* agence de publicité; **~fernsehen** *n* publicité *f* télévisée; **~kampagne** *f* campagne publicitaire

werbe|n faire de la publicité (***für*** pour); **2spot** *m* spot publicitaire

Werbung *f* publicité

werden devenir; ***er wird kommen*** il viendra; ***er würde kommen*** il viendrait; *Passiv* ***verkauft ~*** être vendu

werfen jeter, lancer

Werft *f* chantier *m* naval

Werk *n* ouvrage *m*; *Gesamt*2 *u fig* œuvre *f*; *Fabrik* usine *f*; **~statt** *f* atelier *m*; *Kfz* garage *m*; **~tag** *m* jour ouvrable; **2tags** en semaine; **~zeug** *n* outil *m*

wert *~ sein* valoir (***et*** qc)

Wert *m* valeur *f*; ***im ~ von*** d'une valeur de; ***~ legen auf*** (*A*) attacher de l'importance à

wert|los sans valeur; **2papiere** *n/pl* valeurs *f/pl*, titres *m/pl*; **2sachen** *f/pl* objets *m/pl* de valeur; **~voll** précieux

Wesen *n Lebe*2 être *m*; *Eigenart* nature *f*; *Kern* essence *f*

wesentlich essentiel

weshalb pourquoi

Wespe *f* guêpe

wessen de qui

Weste *f* gilet *m*

Westen *m* ouest; *Pol* Ouest

westlich de l'ouest, occidental; ***~ von*** à l'ouest de

Wettbewerb *m* concours (*a Sp*); *Hdl* concurrence *f*

Wett|e *f* pari *m*; **2en** parier (***um et*** qc)

Wetter *n* temps *m*; **~bericht** *m* bulletin météorologique, météo *f*; **~lage** *f* conditions *f/pl* atmosphériques; **~vorhersage** *f* prévisions *f/pl* météorologiques

Wett|kampf *m* compétition *f*; **~lauf** *m*, **~rennen** *n* course *f*; **~streit** *m* concours

Whisky *m* whisky

wichtig important; **2keit** *f* importance

wickeln enrouler (***um A*** autour de); *ein*~ envelopper (***in A*** dans); *Kind* langer

wider (*A*) contre; **~legen** réfuter; **~lich** dégoûtant, répugnant; **~rechtlich** illégal; **~rufen** *Geständnis* rétracter; **~setzen *sich ~*** s'opposer (à); **~sinnig** absurde; **~spenstig** récalcitrant; **~sprechen** contredire (***j-m*** q); **2spruch** *m* contradiction *f*

Widerstand *m* résistance *f* (***gegen*** à); **~skämpfer** *m* résistant
Widerwill|e *m* aversion *f* (***gegen*** pour); **2ig** à contrecœur
widm|en (***sich*** ~ se) consacrer (à), (se) vouer (à); *Buch* dédier; **2ung** *f* dédicace
wie *fragend* comment; *vergleichend* comme; ~ ***viel*** combien (de); ~ ***lange?*** combien de temps?
wieder de nouveau; ~ ***beleben*** ranimer, réanimer; ~ ***erkennen*** reconnaître; ~ ***finden*** retrouver; ~ ***gutmachen*** réparer; ~ ***sehen*** revoir; ~ ***verwerten*** recycler
Wiederauf|bau *m* reconstruction *f*; **~bereitung** *f* retraitement *m*
wieder|bekommen récupérer; **2belebungsversuche** *m/pl* tentatives *f/pl* de réanimation; **~bringen** rapporter; **~geben** rendre; **2gutmachung** *f* réparation
wiederherstellen rétablir; *Fassade usw* restaurer
wiederhol|en répéter; **2ung** *f* répétition
Wiedersehen ***auf*** **~!** au revoir!
Wieder|vereinigung *f* réunification; **~verwertung** *f* recyclage *m*; **~wahl** *f* réélection
Wieg|e *f* berceau *m*; **2en** peser; *Baby* bercer
Wien Vienne
Wiese *f* pré *m*; *Rasen* pelouse
wieso pourquoi
wild sauvage
Wild *n* gibier *m*; **~dieb** *m*, **~erer** *m* braconnier; **~leder** *n* daim *m*; **~nis** *f* désert *m*; **~schwein** *n* sanglier *m*; **~westfilm** *m* western
Wille *m* volonté *f*
willkommen bienvenu
willkürlich arbitraire
wimmeln fourmiller (***von*** de)
wimmern gémir
Wimper *f* cil *m*; **~ntusche** *f* mascara *m*
Wind *m* vent; **~beutel** *m* choux à la crème
Windel *f* couche
wind|geschützt à l'abri du vent; **~ig** venteux; **2mühle** *f* moulin *m* à vent; **2pocken** *pl* varicelle *f*; **2schutzscheibe** *f* pare-brise *m*; **2stärke** *f* force du vent; **2stille** *f* calme *m*; **2stoß** *m* rafale *f*; **2surfen** *n* planche *f* à voile
winken faire signe (***j-m*** à q)
Winkel *m* angle; *Ecke* coin
Winter *m* hiver; ***im*** ~ en hiver; **~fahrplan** *m* horaire d'hiver; **2lich** hivernal; *Kleidung* d'hiver; **~mantel** *m* manteau d'hiver; **~monat** *m* mois d'hiver; **~reifen** *m/pl* pneus neige; **~schlussverkauf** *m* soldes *m/pl* d'hiver; **~sport** *m* sports *m/pl* d'hiver; **~zeit** *f* *Uhrzeit* heure *f* d'hiver
Winzer *m* vigneron
winzig minuscule

wir nous
Wirbel *m* tourbillon; *fig* remous *m/pl*; *Anat* vertèbre *f*; **~säule** *f* colonne vertébrale; **~sturm** *m* cyclone
wirken avoir un effet (**auf** *A* sur); faire son effet; ***jung ~*** faire jeune
wirklich réel(lement); *echt* vrai(ment); **2keit** *f* réalité
wirk|sam efficace; **2ung** *f* effet *m*; **~ungslos** inefficace; **~ungsvoll** efficace
wirr confus
Wirsing(kohl) *m* chou frisé
Wirt(in) *m(f)* *Gast2* restaurateur *m*, restauratrice *f*; *Haus2* propriétaire; *Zimmer2* logeur *m*, logeuse *f*
Wirtschaft *f* économie; *Gast2* café-restaurant *m*; **~erin** *f* gouvernante; **2lich** économique; *sparsam* économe
Wirtshaus *n* auberge *f*
wisch|en essuyer; **2lappen** *m* torchon
wissen savoir; ***~ lassen*** faire savoir; **2** *n* savoir *m*
Wissenschaft *f* science; **~ler** *m* savant; **2lich** scientifique
wissentlich *adv* sciemment
witter|n flairer; **2ung** *f* flair *m* (*a fig*); *Wetter* temps *m*
Witw|e *f* veuve; **~er** *m* veuf
Witz *m* plaisanterie *f*
wo où
Woche *f* semaine; ***in zwei ~n*** dans quinze jours
Wochen|arbeitszeit *f* heures *f/pl* de travail hebdomadaires; **~ende** *n* week-end *m*; **2lang** *adv* pendant des semaines; **~tag** *m* jour de la semaine; *Werktag* jour ouvrable
wöchentlich hebdomadaire; ***zweimal ~*** deux fois par semaine
Wodka *m* vodka
wo|durch par quoi; *relativ* ce qui; **~gegen** contre quoi; **~her** d'où; **~hin** où
wohl bien; *wahrscheinlich* sans doute; ***sich ~ fühlen*** se sentir bien
Wohl *n* bien *m*; ***zum ~!*** à ta (votre) santé!
Wohl|befinden *n* bien-être *m*; **2behalten** saint et sauf; **2habend** aisé; **2schmeckend** savoureux; **~stand** *m* aisance *f*; **2tuend** bienfaisant; **~wollen** *n* bienveillance *f*
Wohn|anhänger *m* caravane *f*; **~block** *m* pâté de maisons
wohn|en habiter; **2gebiet** *n* zone *f* résidentielle; **~haft** domicilié (**in** *D* à); **2haus** *n* immeuble *m*; **2mobil** *n* camping-car *m*; **2ort** *m* lieu de résidence; **2sitz** *m* domicile; **2ung** *f* appartement *m*; **2wagen** *m* caravane *f*; **2zimmer** *n* (salle *f* de) séjour *m*, salon *m*
Wolke *f* nuage *m*
Wolken|bruch *m* trombe *f* d'eau; **~kratzer** *m* gratte-ciel; **2los** sans nuages
wolkig nuageux

Wolle *f* laine
wollen vouloir; ***lieber ~*** aimer mieux, préférer
Wolljacke *f* cardigan *m*
wo|mit avec quoi; **~nach** après quoi; *gemäß* d'après quoi
woran à quoi; *relativ* dont
worauf sur quoi; *zeitlich* là-dessus; ***~ wartest du?*** qu'est-ce que tu attends?
wor|aus *Material* en quoi; *relativ* dont; d'où; **~in** en quoi, dans quoi, où
Wort *n* mot *m*; ***in ~en*** en toutes lettres
Wörterbuch *n* dictionnaire *m*
wörtlich littéral
worüber sur quoi
worum ***~ geht es?*** de quoi s'agit-il?
wo|von de quoi; *relativ* dont; **~vor** de quoi; **~zu** à quoi; *warum* pourquoi
Wrack *n* épave *f* (*a fig*)
wringen tordre
Wucher *m* usure *f*
wucher|n *Biol* proliférer; **℞preis** *m péj* prix exorbitant, prohibitif; **℞ung** *f Med* excroissance; *Geschwulst* tumeur
Wuchs *m* croissance *f*; *Gestalt* taille *f*
Wucht *f* force; *Heftigkeit* violence; ***mit voller ~*** de toute sa force
wuchtig massif; *Schlag* violent
wühlen fouiller (***in*** *D* dans)
Wulst *m* bourrelet
wund écorché; ***sich ~ reiben*** s'écorcher
Wunde *f* blessure
Wunder *n* miracle *m*; **℞bar** merveilleux
wundern ***sich ~*** s'étonner (***über*** *A* de)
Wundstarrkrampf *m* tétanos
Wunsch *m* désir; *Hoffnung* souhait
wünschen désirer; *wollen* vouloir (avoir); ***j-m et ~*** souhaiter qc à q
wünschenswert souhaitable
Würd|e *f* dignité; **℞ig** digne (***e-r Sache*** *G* de qc); **℞igen** apprécier
Wurf *m* jet; *Zo* portée *f*
Würfel *m Math* cube; *Spiel℞* dé; **~becher** *m* gobelet (à dés)
würfeln jouer aux dés
Würfelzucker *m* sucre en morceaux
Wurm *m* ver; **℞stichig** *Holz* vermoulu; *Obst* véreux
Wurst *f* saucisse; *Hart℞* saucisson *m*; *Aufschnitt* charcuterie
Würstchen *n* saucisse *f*
Würze *f* assaisonnement *m*; *fig* sel *m*, piment *m*
Wurzel *f* racine
würz|en assaisonner; **~ig** épicé, relevé
wüst *Gegend* désert; *unordentlich* en désordre
Wüste *f* désert *m*
Wut *f* rage, colère
wütend furieux (***auf j-n*** contre q); ***~ werden*** se mettre en colère

Z

Zacke *f* dent; *e-s Sterns* branche
zaghaft craintif, timide
zäh(e) tenace; *Fleisch* coriace
Zahl *f* nombre *m*; **2bar** payable; **2en** payer
zähl|en compter; **2er** *m* compteur
Zahl|karte *f* mandat-carte *m*; **2los** innombrable; **2reich** nombreux; **~tag** *m* jour de paie; **~ung** *f* paiement *m*
Zählung *f* comptage *m*
Zahlungs|anweisung *f* mandat *m* de paiement; **~bedingungen** *f/pl* conditions de paiement; **~frist** *f* délai *m* de paiement; **~mittel** *n* moyen *m* de paiement
zahm apprivoisé
zähmen apprivoiser (*a fig*)
Zahn *m* dent *f*; **~arzt** *m* dentiste; **~bürste** *f* brosse à dents; **~ersatz** *m* prothèse *f* dentaire; **~fleisch** *n* gencive *f*; **~pasta** *f* dentifrice *m*
Zahnrad *n* roue *f* dentée; **~bahn** *f* train *m* à crémaillère
Zahnschmerzen *m/pl* **~ *haben*** avoir mal aux dents
Zahnstocher *m* cure-dent
Zander *m* sandre
Zange *f* pince, tenailles *f/pl*
zanken *sich* **~** se disputer, se quereller (***um et*** pour qc)
zänkisch querelleur
Zäpfchen *n Anat* luette *f*; *Med* suppositoire *m*
Zapfen *m Tech* bouchon; *Kiefern2* pomme *f* de pin
Zapfsäule *f* pompe à essence
zart *weich* tendre; *zerbrechlich* délicat; *sanft* doux; **2gefühl** *n* délicatesse *f*
zärtlich tendre; **2keit** *f* tendresse
Zauber *m* magie *f* (*a fig*); *böser* **~** sortilège; **~er** *m* magicien; **2haft** ravissant; **~künstler** *m* prestidigitateur
zaubern pratiquer la magie
zaudern hésiter
Zaum *m* bride *f*
Zaun *m* clôture *f*
z. B. (*zum Beispiel*) p. ex. (*par exemple*)
ZDF (*Zweites Deutsches Fernsehen*) deuxième chaîne de la télévision publique allemande
Zebrastreifen *m* passage pour piétons
Zecke *f* tique
Zehe *f* orteil *m*
zehn dix; **~te(r, -s)** dixième; **2tel** *n* dixième *m*
Zeichen *n* signe *m*; *verabredetes* signal *m*; **~block** *m* bloc à dessin; **~papier** *n* papier *m* à dessin; **~trickfilm** *m* dessin animé
zeichn|en dessiner; **2ung** *f* dessin *m*

Zeigefinger *m* index
zeigen montrer
Zeiger *m* aiguille *f*
Zeile *f* ligne
Zeit *f* temps *m*; *Uhr*≈ heure; ***zur*** ~ en ce moment; ***keine*** ~ ***haben*** ne pas avoir le temps; ***eine*** ~ ***lang*** pour un certain temps
zeit|gemäß moderne; **~genössisch** contemporain
Zeitkarte *f* (carte d')abonnement *m*
zeitlich ~ ***begrenzt*** limité dans le temps
zeitlos *Kleidung* classique
Zeit|lupe *f* ralenti *m*; **~plan** *m* emploi du temps; **~punkt** *m* moment; **~raum** *m* période *f*; **~schrift** *f* revue
Zeitung *f* journal *m*
Zeitungs|anzeige *f* petite annonce; **~artikel** *m* article de journal; **~kiosk** *m* kiosque à journaux
Zeit|verlust *m*, **~verschwendung** *f* perte *f* de temps; **~vertreib** *m* passe-temps; **≈weise** de temps en temps; **~wort** *n* verbe *m*
Zelle *f* cellule; *Tel* cabine
Zellstoff *m* cellulose *f*
Zelt *n* tente *f*; ***im*** ~ sous la tente
zelten camper
Zelt|lager *n* camping *m*; **~platz** *m* terrain de camping
Zement *m* ciment
Zensur *f* censure; *Note* note
Zentimeter *m od n*, **~maß** *n* centimètre *m*
Zentner *m* demi-quintal
zentral central
Zentral|e *f* direction centrale; *Tel* standard *m*; **~heizung** *f* chauffage *m* central
Zentrum *n* centre *m*; *Stadt*≈ *a* centre-ville *m*
zer|brechen (*v/i* se) casser; (se) briser; **~brechlich** fragile; **~drücken** écraser
Zeremonie *f* cérémonie
zer|fallen *Gebäude* tomber en ruine; **~fetzen** déchirer; **~fließen** fondre; **~fressen** ronger; *Chem* corroder; **~kleinern** broyer; **~knittern** froisser, chiffonner; **~kratzen** *Haut* égratigner; *Möbel* rayer; *mit Nägeln* griffer; **~legbar** *Tech* démontable; **~legen** décomposer; *Tech* démonter; **~platzen** crever, éclater; **~quetschen** écraser; **~reißen** (*v/i* se) déchirer
zerr|en tirer (avec violence) (***an*** *D* sur); **≈ung** *f Med* claquage *m*
zer|rüttet *Ehe* ruiné; **~schlagen** casser; **~schneiden** découper; **~setzen** décomposer; **~springen** se briser
Zerstäuber *m* vaporisateur
zerstör|en détruire; **≈ung** *f* destruction
zerstreuen (***sich*** ~ se) disperser; *fig* (se) distraire
zerstreut *fig* distrait
Zerstreuung *f fig* distraction
zer|stückeln mettre en mor-

ceaux; *Grundbesitz* morceler; **~teilen** diviser; **~treten** écraser (du pied); **~trümmern** démolir, casser
Zerwürfnis *n* brouille *f*
Zettel *m* bout de papier
Zeug *n* F *péj* truc(s) *m/pl*; *Plunder* bazar *m*; ***dummes*** **~** bêtises *f/pl*
Zeug|e *m* témoin; **2en** témoigner (***von D*** de); **~in** *f* témoin *m*; **~nis** *n* certificat *m*; *Schul*2 bulletin *m* (semestriel, de fin d'année)
Zickzack *m* ***im*** **~** en zigzag
Ziege *f* chèvre
Ziegel *m* brique *f*; *Dach*2 tuile *f*
Ziegenbock *m* bouc
ziehen tirer; *Zahn* arracher; *Linie* tracer; ***nach Berlin*** **~** aller habiter à Berlin; ***sich in die Länge*** **~** tirer en longueur; ***es zieht*** il y a un courant d'air
Zieh|harmonika *f* accordéon *m*; **~ung** *f* tirage *m*
Ziel *n* but *m*, objectif *m*; *Reise*2 destination *f*; *Sp* arrivée *f*
zielen ***auf j-n*** **~** viser q; ***auf et*** (*A*) **~** viser à (+ *inf*)
Ziel|gruppe *f Werbung* cible; **2los** sans but; **~scheibe** *f* cible; **2strebig** déterminé
ziemlich *adv* assez; plutôt; **~** ***viel*** pas mal (de)
zierlich gracile; *Hände* fin; *anmutig* gracieux
Ziffer *f* chiffre *m*; **~blatt** *n* cadran *m*
Zigarette *f* cigarette
Zigarettenautomat *m* distributeur de cigarettes
Zigarre *f* cigare *m*
Zigeuner(in) *m(f)* gitan(e), bohémien(ne)
Zimmer *n* pièce *f*; *Schlaf*2, *Hotel*2 chambre *f*; **~kellner** *m* garçon d'étage; **~mädchen** *n* femme *f* de chambre; **~mann** *m* charpentier; **~nummer** *f* numéro *m* de la chambre
Zimt *m* cannelle *f*
Zink *n* zinc [zɛ̃g] *m*
Zinn *n* étain *m*
Zins|en *m/pl* intérêts; **~satz** *m* taux d'intérêt
Zipfel *m* coin; *Wurst*2 bout
zirka environ
Zirkel *m* compas; *Gruppe* cercle, club
Zirkus *m* cirque
zischen siffler
Zisterne *f* citerne
Zit|at *n* citation *f*; **2ieren** citer
Zitrone *f* citron *m*
Zitronen|limonade *f* citronnade; **~presse** *f* presse-citron *m*; **~saft** *m* jus de citron
Zitrusfrüchte *f/pl* agrumes *m/pl*
zittern trembler (***vor Kälte*** de froid)
zivil civil; ***in*** **2** en civil; **2bevölkerung** *f* population civile; **2dienst** *m* service civil
Zivil|isation *f* civilisation; **~ist** *m* civil

zögern hésiter
Zoll *m* douane *f*; *Abgabe* droits *m/pl* de douane; **~abfertigung** *f* formalités *f/pl* douanières; **~amt** *n* (bureau *m* de) douane *f*; **~beamte(r)** *m* douanier; **~erklärung** *f* déclaration en douane; **≈frei** 'hors taxes; *Hdl* en franchise douanière; **~kontrolle** *f* contrôle *m* douanier; **≈pflichtig** soumis aux droits de douane
Zone *f* zone
Zoo *m* zoo
Zopf *m* natte *f*, tresse *f*
Zorn *m* colère *f*; **≈ig** en colère
zu *prp* (*D*) à; ~ *j-m* chez; *vor inf* de, à; *adv* trop; *geschlossen* fermé; **~ *Hause*** à la maison, chez moi (toi, *usw*); **~ *Mittag*** à midi; **~ *viel*** trop; **~ *groß*** trop grand; **~ *wenig*** trop peu; ***um* ~** pour (+*inf*); ***Tür* ~!** (fermez) la porte!
Zubehör *n* accessoires *m/pl*
zubereit|en préparer; **≈ung** *f* préparation
zubinden attacher, ficeler (*pour fermer*)
Zubringer|bus *m* navette *f*; **~dienst** *m für Flughafen usw* desserte *f*; **~straße** *f zur Autobahn* bretelle
züchten *Pflanzen* cultiver; *Tiere* élever
zucken tressaillir
Zucker *m* sucre; *Med* **~ *haben*** être diabétique; **~dose** *f* sucrier *m*; **≈krank, ~kranke(r)** *su* diabétique
zucker|n sucrer; **≈rohr** *n* canne *f* à sucre; **≈watte** *f* barbe à papa
zu|decken couvrir (***mit*** de); **~drehen** *Hahn* fermer; **~dringlich** importun
zuerst d'abord; *als erster* le premier
Zufahrt *f* accès *m*; **~sstraße** *f* voie d'accès
Zu|fall *m* 'hasard; **≈fällig** *adv* par 'hasard
zufrieden content (***mit*** de), satisfait (de); **~ *stellen*** satisfaire; **~ *stellend*** satisfaisant
Zufriedenheit *f* satisfaction
Zufuhr *f* approvisionnement *m* (***von*** en)
Zug *m Bahn* train; *von Menschen* cortège; *Luft*≈ courant d'air; *Gesichts*≈, *Charakter*≈ trait; *beim Rauchen* bouffée *f*; *Schach usw* coup; ***in e-m* ~** d'un trait
Zu|gabe *f Theater* bis *m*; **~gang** *m* accès; **≈gänglich** accessible; **≈geben** ajouter; *gestehen* avouer; **≈gehen** se diriger (***auf*** *A* vers); *Tür* se fermer; *geschehen* se passer
Zügel *m* bride *f*; ~ *pl* rênes *f/pl* (*a fig*); **≈los** effréné
Zuge|ständnis *n* concession *f*; **≈stehen** concéder (***j-m et*** qc à q)
Zugführer *m Bahn* chef de train
zugig exposé aux courants d'air
zügig rapide(ment)

zugleich en même temps
Zug|luft *f* courant *m* d'air; **~maschine** *f* tracteur *m*
zugrunde ~ ***gehen*** périr; ~ ***richten*** ruiner
Zugschaffner *m Bahn* contrôleur
zugunsten (*G*) en faveur de
Zug|verbindung *f* communication ferroviaire; **~verkehr** *m* trafic ferroviaire; **~vogel** *m* oiseau migrateur
zu|haben F être fermé; **ˆhälter** *m* souteneur; **~heilen** se fermer; **~hören** écouter (***j-m*** q); **ˆhörer** *m* auditeur; **~jubeln** acclamer (***j-m*** q); **~kleben** *Brief* cacheter; **~knöpfen** boutonner
Zukunft *f* avenir *m*; *Gr* futur *m*; ***in*** ~ à l'avenir
zukünftig futur
Zulage *f* prime (***für*** de)
zu|lassen *erlauben* permettre; *zu et* admettre; *Auto* immatriculer; *Tür* laisser fermé; **~lässig** permis; **ˆlassung** *f* admission (***zu*** à); *Kfz* immatriculation; F *Schein etwa* carte grise
zuletzt à la fin; *als letzter* le dernier; *zum letzten Mal* pour la dernière fois
zuliebe (*D*) pour l'amour de
zumachen fermer
zu|mindest du moins; **~muten** exiger (***j-m et*** qc de q)
Zumutung *f* exigence; ***das ist e-e*** ~ c'est inadmissible
zunächst (tout) d'abord
Zunahme *f* augmentation
Zuname *m* nom de famille
Zünd|holz *n* allumette *f*; **~kabel** *n* câble *m* d'allumage; **~kerze** *f* bougie; **~schloss** *n* contact *m*; **~schlüssel** *m* clé *f* de contact; **~schnur** *f* mèche; **~ung** *f* allumage *m*
zunehmen augmenter; *Person* grossir (***ein Kilo*** d'un kilo)
Zuneigung *f* affection (***zu*** pour)
Zunge *f* langue
zunichte *Pläne usw* ~ ***machen*** réduire à néant
zunutze ***sich et*** ~ ***machen*** exploiter qc
zurechtfinden ***sich*** ~ trouver ses marques; *im Fahrplan* s'y retrouver; *auf e-r Karte* trouver son chemin
zurechtmachen préparer; ***sich*** ~ se (re)faire une beauté
zurück en arrière; *wieder da* de retour; **~bekommen** récupérer; **~bleiben** rester (en arrière); **~bringen** rapporter; **~erstatten** rembourser; **~fahren** retourner; **~führen** ramener; attribuer (***auf*** *A* à); **~geben** rendre; **~geblieben** *fig* attardé; **~gehen** retourner; *abnehmen* baisser; **~gezogen** retiré; **~halten** retenir; **~haltend** réservé
zurück|holen aller rechercher; **~kommen** revenir; **~lassen** laisser; **~legen** *an s-n Platz* remettre; *Geld*

mettre de côté; *Strecke* parcourir; **~nehmen** *Ware* reprendre; *Versprechen* revenir sur; *Beleidigung* retirer; **~rufen** rappeler; **~schicken, ~senden** renvoyer; **~setzen** *Kfz* reculer; **~stellen** *an s-n Platz* remetre; *Uhr* retarder (*um* de); *aufschieben* reporter; **~treten** *v Amt* démissionner; **~weisen** refuser; *Anschuldigung* rejeter; **~werfen** rejeter; **~zahlen** rembourser
zurückziehen (*sich* ~ se) retirer
zusagen *auf ein Angebot, e-e Einladung* accepter; *gefallen* plaire (*j-m* à q); *j-m et* ~ promettre qc à q
zusammen ensemble; **2arbeit** *f* collaboration, coopération; **~bauen** monter; **~binden** lier; **~brechen** s'effondrer; *Verkehr* être paralysé; **2bruch** *m* effondrement; **~fallen** s'écrouler; *zeitlich* coïncider; **~fassen** résumer; **2fassung** *f* résumé *m*; **~fügen** joindre; **~gehören** aller ensemble; **2hang** *m* rapport; *Text2* contexte
zusammenklapp|bar pliant; **~en** (re)plier
zusammen|kommen se réunir; **2kunft** *f* réunion
zusammenpassen aller bien ensemble
Zusammenprall *m* 'heurt; **2en** 'heurter (*mit et* qc)
zusammen|rechnen additionner; **~rücken** se serrer; *Tische* rapprocher; **2schluss** *m* (ré)union *f*
zusammensetz|en assembler; *sich* ~ *aus* (*D*) se composer de; **2ung** *f* composition
zusammenstellen combiner
Zusammenstoß *m* 'heurt; *Kfz* collision *f*; *leichter* accrochage (*a* F *fig*); **2en** 'heurter (*mit et* qc); *Kfz* entrer en collision
zusammen|stürzen s'écrouler; **~treffen** se rencontrer; *zeitlich* coïncider; **~zählen** additionner; **~ziehen** (*sich* ~ se) contracter
Zu|satz *m* addition *f*; **2sätzlich** additionnel
zuschauen *s* ***zusehen***
Zuschauer *m* spectateur
zuschicken envoyer
Zuschlag *m* supplément (*a Bahn*); **2en** *Tür* claquer; **2pflichtig** *Zug* à supplément
zu|schließen fermer à clef; **~schneiden** couper
zu|schnüren *Paket* ficeler; *Schuh* lacer; **~schrauben** visser; **2schrift** *f* lettre; **2schuss** *m* subvention *f*
zusehen regarder (*bei et* qc)
zusehends à vue d'œil
zu|senden envoyer; **~setzen** ajouter; *Geld* perdre
zusicher|n assurer (*j-m et* qc à q); **2ung** *f* assurance
zuspitzen *sich* ~ *fig* devenir critique, s'aggraver

Zustand *m* état
zustande ~ ***bringen*** réussir à faire; ~ ***kommen*** se faire, se réaliser
zuständig compétent
zustehen ***j-m*** ~ appartenir à q, revenir à q
zustell|en *Post* distribuer; *überbringen* remettre; **2ung** *f* distribution; remise
zustimm|en consentir (***e-r Sache*** *D* à qc); **2ung** *f* consentement *m*
zustoßen *j-m* arriver à
Zutaten *f/pl* ingrédients *m/pl*
zuteil|en attribuer (***j-m et*** qc à q); **2ung** *f* attribution
zutrau|en ***j-m et*** ~ croire q capable de qc; **~lich** confiant
zutreff|en être juste; s'appliquer (***auf*** *A* à); **~end** juste
Zutritt *m* accès, entrée *f*
zuverlässig sérieux, fiable; *Freund* sûr; **2keit** *f* fiabilité
Zuversicht *f* confiance; **2lich** confiant, optimiste; *adv* avec confiance
zuviel *s* ***zu***
zuvor *zuerst* d'abord; *vorher* auparavant; **~kommen** devancer (***j-m*** q); prévenir (***e-r Sache*** *D* qc); **~kommend** prévenant
Zuwachs *m* accroissement
zu|weilen parfois; **~weisen** attribuer; **~wenig** *s* ***zu***
zuwider ***j-m*** ~ ***sein*** répugner q
zu|winken faire signe (***j-m*** à q); **~zahlen** payer en plus
zuziehen *Vorhang* tirer, fermer; ***sich*** ~ *Krankheit* contracter, F attraper
zuzüglich en plus
Zwang *m* contrainte *f*; **2los** décontracté, sans façon
zwangs|läufig forcé(ment); **~weise** (de gré ou) de force
zwanzig vingt
zwar il est vrai; ***und*** ~ pour être précis
Zweck *m* but; ***es hat keinen*** ~ cela ne sert à rien
Zwecke *f* punaise
zweck|los inutile; **~mäßig** approprié; *Kleidung* pratique, fonctionnel
zwecks (*G*) en vue de
zwei deux
Zweibett|kabine *f* cabine double; **~zimmer** *n* chambre *f* à deux lits
zwei|deutig ambigu; *Lächeln* équivoque; **~erlei** de deux sortes; **~fach** double
Zweifel *m* doute; **2haft** douteux; **2los** sans aucun doute
zweifeln douter (***an*** *D* de)
Zweifelsfall *m* ***im*** ~ en cas de doute
Zweig *m* rameau; *großer* branche *f* (*a fig*); **~geschäft** *n*, **~stelle** *f* succursale *f*
zwei|gleisig *Bahn* à double voie; **~händig** à deux mains; **~jährig** de deux ans; **~mal** deux fois; **~motorig** bimoteur; **~seitig** bilatéral; **2sitzer** *m* biplace; **~sprachig** bilingue; **~spurig** *Straße* à

deux voies; **~stöckig** à deux étages
zweit ***zu*** **~** à deux
zwei|teilig *Kleidung* deux pièces; **~tens** deuxièmement
Zwerchfell *n* diaphragme *m*
Zwerg *m* nain
Zwetsch(g)e *f* prune
zwicken pincer
Zwieback *m* biscuit
Zwiebel *f* oignon [ɔɲõ] *m*; *Blumen*♀ bulbe *m*
Zwilling *m* jumeau; *Mädchen* jumelle *f*
zwingen forcer (***zu*** à)
Zwirn *m* fil retors
zwischen (*D*, *A*) entre; *mitten unter* parmi; ♀**deck** *n* entrepont *m*; **~durch** entre-temps; ♀**fall** *m* incident
Zwischenlandung *f* escale
Zwischen|raum *m* espace; *Abstand* distance *f*; **~saison** *f* intersaison; **~station** *f* 'halte; **~wand** *f* cloison
Zwischenzeit *f* ***in der*** **~** entre-temps
zwitschern gazouiller
zwölf douze
Zwölffingerdarm *m* duodénum [-ɔm]
Zylinder *m* cylindre; *Hut* chapeau 'haut de forme; **~kopf** *m* culasse *f*
zynisch cynique
Zypresse *f* cyprès *m*
Zyste *f* *Med* kyste *m*
z.Zt (*zur Zeit*) actuellement

Anhang

Zahlwörter — *Adjectifs numéraux*

Grundzahlen — *Nombres cardinaux*

0 zéro *null*
1 un, une *eins*
2 deux *zwei*
3 trois *drei*
4 quatre *vier*
5 cinq *fünf*
6 six *sechs*
7 sept *sieben*
8 huit *acht*
9 neuf *neun*
10 dix *zehn*
11 onze *elf*
12 douze *zwölf*
13 treize *dreizehn*
14 quatorze *vierzehn*
15 quinze *fünfzehn*
16 seize *sechzehn*
17 dix-sept *siebzehn*
18 dix-huit *achtzehn*
19 dix-neuf *neunzehn*
20 vingt *zwanzig*
21 vingt et un *einundzwanzig*
22 vingt-deux *zweiundzwanzig*
23 vingt-trois *dreiundzwanzig*
24 vingt-quatre *vierundzwanzig*
25 vingt-cinq *fünfundzwanzig*
26 vingt-six *sechsundzwanzig*
27 vingt-sept *siebenundzwanzig*
28 vingt-huit *achtundzwanzig*
29 vingt-neuf *neunundzwanzig*
30 trente *dreißig*
31 trente et un *einunddreißig*
32 trente-deux *zweiunddreißig*
40 quarante *vierzig*
50 cinquante *fünfzig*
60 soixante *sechzig*
70 soixante-dix *siebzig*
71 soixante et onze *einundsiebzig*
72 soixante-douze *zweiundsiebzig*
80 quatre-vingt(s) *achtzig*
81 quatre-vingt-un *einundachtzig*
82 quatre-vingt-deux *zweiundachtzig*
90 quatre-vingt-dix *neunzig*
91 quatre-vingt-onze *einundneunzig*
92 quatre-vingt-douze *zweiundneunzig*
100 cent *hundert*
101 cent un *(ein)hunderteins*
102 cent deux *hundertzwei*
200 deux cent(s) *zweihundert*

210 deux cent dix *zweihundertzehn*
300 trois cent(s) *dreihundert*
400 quatre cent(s) *vierhundert*
500 cinq cent(s) *fünfhundert*
600 six cent(s) *sechshundert*
700 sept cent(s) *siebenhundert*
800 huit cent(s) *achthundert*
900 neuf cent(s) *neunhundert*
1000 mille *tausend*
1001 mille un *(ein)tausendeins*
1002 mille deux *(ein)tausendzwei*
1100 onze cent(s) *(ein-)tausendeinhundert*
1311 treize cent onze *(ein-)tausenddreihundertelf*
2000 deux mille *zweitausend*
100 000 cent mille *hunderttausend*
1 000 000 un million *eine Million*

Ordnungszahlen — *Nombres ordinaux*

1er le premier *der erste*
1re la première *die erste*
2e le (la) deuxième
le (la) second(e)
der (die) zweite
3e le (la) troisième
der (die) dritte
4e quatrième *vierte*
5e cinquième *fünfte*
6e sixième *sechste*
7e septième *siebente*
8e huitième *achte*
9e neuvième *neunte*
10e dixième *zehnte*
11e onzième *elfte*
12e douzième *zwölfte*
13e treizième *dreizehnte*
14e quatorzième *vierzehnte*
15e quinzième *fünfzehnte*
16e seizième *sechzehnte*
17e dix-septième *siebzehnte*
18e dix-huitième *achtzehnte*
19e dix-neuvième *neunzehnte*
20e vingtième *zwanzigste*
21e vingt et unième *einundzwanzigste*
22e vingt-deuxième *zweiundzwanzigste*
23e vingt-troisième *dreiundzwanzigste*
24e vingt-quatrième *vierundzwanzigste*
25e vingt-cinquième *fünfundzwanzigste*
26e vingt-sixième *sechsundzwanzigste*
27e vingt-septième *siebenundzwanzigste*
28e vingt-huitième *achtundzwanzigste*
29e vingt-neuvième *neunundzwanzigste*

30e trentième *dreißigste*
31e trente et unième *einunddreißigste*
32e trente-deuxième *zweiunddreißigste*
40e quarantième *vierzigste*
50e cinquantième *fünfzigste*
60e soixantième *sechzigste*
70e soixante-dixième *siebzigste*
71e soixante et onzième *einundsiebzigste*
72e soixante-douzième *zweiundsiebzigste*
80e quatre-vingtième *achtzigste*
81e quatre-vingt-unième *einundachtzigste*
82e quatre-vingt-deuxième *zweiundachtzigste*
90e quatre-vingt-dixième *neunzigste*
91e quatre-vingt-onzième *einundneunzigste*
92e quatre-vingt-douzième *zweiundneunzigste*
100e centième *hundertste*
101e cent unième *hunderterste*
102e cent deuxième *hundertzweite*
200e deux centième *zweihundertste*
300e trois centième *dreihundertste*
400e quatre centième *vierhundertste*
500e cinq centième *fünfhundertste*
600e six centième *sechshundertste*
1000e millième *tausendste*
1001e mille unième *tausenderste*
1002e mille deuxième *tausendzweite*
2000e deux millième *zweitausendste*
100 000e cent millième *hunderttausendste*
1 000 000e millionième *millionste*

Brüche — *Fractions*

$\frac{1}{2}$ (un) demi *ein halb*; la moitié *die Hälfte*
$\frac{1}{3}$ un tiers *ein Drittel*
$\frac{2}{3}$ (les) deux tiers *zwei Drittel*
$\frac{1}{4}$ un quart *ein Viertel*
$\frac{3}{4}$ (les) trois quarts *drei Viertel*
$\frac{1}{5}$ un cinquième *ein Fünftel*
$\frac{1}{8}$ un huitième *ein Achtel*
$\frac{1}{10}$ un dixième *ein Zehntel*
$\frac{9}{10}$ (les) neuf dixièmes *neun Zehntel*

in Dezimalform:
0,5 zéro virgule cinq *null Komma fünf*
7,45 sept virgule quarante cinq *sieben Komma vier fünf*

Französische Maße und Gewichte

Mesures et poids français

Längenmaße

Mesures de longueur

1 mm *millimètre* Millimeter
1 cm *centimètre* Zentimeter
1 dm *décimètre* Dezimeter
1 m *mètre* Meter
1 dam *décamètre* Dekameter
1 hm *hectomètre* Hektometer
1 km *kilomètre* Kilometer

Flächenmaße

Mesures de superficie

1 mm² *millimètre carré* Quadratmillimeter
1 cm² *centimètre carré* Quadratzentimeter
1 dm² *décimètre carré* Quadratdezimeter
1 m² *mètre carré* Quadratmeter
1 km² *kilomètre carré* Quadratkilometer

Raummaße

Mesures de volume

1 mm³ *millimètre cube* Kubikmillimeter
1 cm³ *centimètre cube* Kubikzentimeter
1 dm³ *décimètre cube* Kubikdezimeter
1 m³ *mètre cube* Kubikmeter

Hohlmaße

Mesures de capacité

1 ml *millilitre* Milliliter
1 cl *centrilitre* Zentiliter
1 dl *décilitre* Deziliter
1 l *litre* Liter
1 dal *décalitre* Dekaliter (Dl, dkl)
1 hl *hectolitre* Hektoliter

Gewichte — *Poids*

1 mg *milligramme* Milligramm
1 cg *centigramme* Zentigramm
1 dg *décigramme* Dezigramm
1 g *gramme* Gramm
1 dag *décagramme* Dekagramm (Dg; *österr* dag)
1 hg *hectogramme* Hektogramm
1 kg *kilogramme* Kilogramm
1 q *quintal* Doppelzentner (dz)
1 t *tonne* Tonne

Die Uhrzeit

L'heure

Quelle heure est-il?	Wie spät ist es?
A quelle heure?	Um wie viel Uhr?
1.00 *Il est une heure.*	Es ist ein Uhr *od* Es ist eins.
2.00 *A deux heures.*	Um zwei (Uhr).
3.10 *trois heures dix*	zehn (Minuten) nach drei
4.15 *quatre heures et quart*	Viertel nach vier *od* viertel fünf
5.20 *cinq heures vingt*	zwanzig (Minuten) nach fünf *od* zehn (Minuten) vor halb sechs
6.30 *six heures et demie*	halb sieben
7.40 *huit heures moins vingt*	zwanzig (Minuten) vor acht *od* zehn (Minuten) nach halb acht
8.45 *neuf heures moins le quart*	Viertel vor neun *od* drei viertel neun
9.55 *dix heures moins cinq*	fünf (Minuten) vor zehn
15.35 *quinze heures trente-cinq*	fünfzehn Uhr fünfunddreißig
vers onze heures	ungefähr um elf (Uhr)
à neuf heures précises	pünktlich um neun (Uhr)

Silbentrennung im Französischen

Division des mots en français

Die Trennung eines Wortes am Zeilenende erfolgt im Französischen nach Sprechsilben. Dabei gelten folgende Regeln:

1. Ein einzelner Konsonant zwischen zwei Vokalen tritt zur folgenden Silbe,

   z. B. **di-ri-ger, pay-san, la-va-bo, par-lé, thé-ra-peu-ti-que**

   Ausnahme: Bei x zwischen zwei Vokalen wird im allgemeinen nicht getrennt,

   z. B. **Saxon**

2. Von zwei oder mehr Konsonanten zwischen zwei Vokalen tritt nur der letzte Konsonant zur folgenden Silbe,

   z. B. **par-tir, ex-cur-sion, res-ter, doc-ker, chas-seur, nom-mer, ail-leurs** (mouilliertes l ist trennbar), **cons-cience, subs-tan-tif** (auch etymologische Trennung **con-science, sub-stantif** ist möglich, aber nicht üblich).

Dabei gelten folgende Ausnahmen:

a) Konsonant + l oder + r werden nicht getrennt,

   z. B. **ci-ble, es-clan-dre, an-glais, dé-sas-tre, af-freux, ins-truit**

b) Die einen einzigen Laut darstellenden Konsonantenpaare ch, gn, ph, th werden nicht getrennt.

   z. B. **ro-cher, ga-gner, or-tho-gra-phe**

3. Mehrere aufeinanderfolgende Vokale werden nicht getrennt,

   z. B. **théâ-tre, prière, sec-tion, voyage, muet, croyons, louaient**

Ausnahme: Eine Vorsilbe kann vom Stamm getrennt werden,
z. B. **pré-avis, an-ti-al-coo-li-que**

4. Ein einzelner Vokal eines Wortes kann nicht abgetrennt werden,
z. B. **état, abré-ger, oser**
Ausnahme: Nach Elision ist Trennung möglich,
z. B. **qu'a-vec**

5. Nach dem Apostroph darf nicht getrennt werden,
z. B. **au-jour-d'hui, puis-qu'il**

Die französischen Departements

Les départements français

01* **Ain** [ɛ̃] (**l'** *m*)
02 **Aisne** [ɛn] (**l'** *f*)
03 **Allier** [alje] (**l'** *m*)
04 **Alpes-de-Haute-Provence** (**les** *f/pl*)
05 **Hautes-Alpes** [otzalp] (**les** *f/pl*)
06 **Alpes-Maritimes** (**les** *f/pl*)
07 **Ardèche** (**l'** *f*)
08 **Ardennes** (**les** *f/pl*)
09 **Ariège** (**l'** *f*)
10 **Aube** (**l'** *f*)
11 **Aude** (**l'** *m*)
12 **Aveyron** [avɛrõ] (**l'** *m*)
13 **Bouches-du-Rhône** (**les** *f/pl*)
14 **Calvados** [-os] (**le**)
15 **Cantal** (**le**)
16 **Charente** (**la**)
17 ***Charente-Maritime*** (**la**)
18 **Cher** [ʃɛr] (**le**)
19 **Corrèze** (**la**)
2A **Corse-du-Sud** (**la**)
2B **Haute-Corse** (**la**)
21 **Côte-d'Or** (**la**)
22 **Côtes d'Armor** (**les** *f/pl*)
23 **Creuse** (**la**)
24 **Dordogne** (**la**)
25 **Doubs** [du] (**le**)

---

* Die Kennziffer des Departements erscheint in den beiden letzten Ziffern der französischen Autonummern (z. B. ***3471 CN 91***) sowie in den beiden ersten Ziffern der 5stelligen französischen Postleitzahlen (z. B. ***Abbeville 80100***).

26 **Drôme** (*la*)
27 **Eure** [œr] (*l' f*)
28 **Eure-et-Loir** (*l' m*)
29 **Finistère** (*le*)
30 **Gard** (*le*)
31 **Haute-Garonne** (*la*)
32 **Gers** [ʒɛrs] (*le*)
33 **Gironde** (*la*)
34 **Hérault** [ero] (*l' m*)
35 **Ille-et-Vilaine** (*l' f*)
36 **Indre** (*l' f*)
37 **Indre-et-Loire** (*l' f*)
38 **Isère** (*l' f*)
39 **Jura** (*le*)
40 **Landes** (*les f/pl*)
41 **Loir-et-Cher** (*le*)
42 **Loire** (*la*)
43 **Haute-Loire** (*la*)
44 **Loire-Atlantique** (*la*)
45 **Loiret** (*le*)
46 **Lot** [lɔt] (*le*)
47 **Lot-et-Garonne** (*le*)
48 **Lozère** (*la*)
49 **Maine-et-Loire** (*le*)
50 **Manche** (*la*)
51 **Marne** (*la*)
52 **Haute-Marne** (*la*)
53 **Mayenne** [majɛn] (*la*)
54 **Meurthe-et-Moselle** (*la*)
55 **Meuse** (*la*)
56 **Morbihan** mɔrbiɑ̃] (*le*)
57 **Moselle** (*la*)
58 **Nièvre** (*la*)
59 **Nord** (*le*)
60 **Oise** (*l' f*)
61 **Orne** (*l' f*)
62 **Pas-de-Calais** (*le*)
63 **Puy-de-Dôme** (*le*)
64 **Pyrénées-Atlantiques** (*les f/pl*)
65 **Hautes-Pyrénées** (*les f/pl*)
66 **Pyrénées-Orientales** (*les f/pl*)
67 **Bas-Rhin** (*le*)
68 **Haut-Rhin** (*le*)
69 **Rhône** (*le*)
70 **Haute-Saône** (*la*)
71 **Saône-et-Loire** [son-] (*la*)
72 **Sarthe** (*la*)
73 **Savoie** (*la*)
74 **Haute-Savoie** (*la*)
75 **Ville de Paris** (*la*)
76 **Seine-Maritime** (*la*)
77 **Seine-et-Marne** (*la*)
78 **Yvelines** (*les f/pl*)
79 **Deux-Sèvres** (*les f/pl*)
80 **Somme** (*la*)
81 **Tarn** (*le*)
82 **Tarn-et-Garonne** (*le*)
83 **Var** (*le*)
84 **Vaucluse** (*le*)
85 **Vendée** (*la*)
86 **Vienne** (*la*)
87 **Haute-Vienne** (*la*)
88 **Vosges** [voʒ] (*les f/pl*)
89 **Yonne** (*l' f*)
90 **Territoire-de-Belfort** (*le*)
91 **Essonne** (*l' f*)
92 **Hauts-de-Seine** [odsɛn] (*les m/pl*)
93 **Seine-Saint-Denis** (*la*)
94 **Val-de-Marne** (*le*)
95 **Val-d'Oise** (*le*)

Buchstabieralphabete

Codes d'épellation

Français

A ***comme Anatole***

B	Berthe	**K**	Kléber	**S**	Suzanne
C	César	**L**	Louis	**T**	Théodore
D	Désiré	**M**	Marie	**U**	Ursule
E	Emile	**N**	Nicolas	**V**	Victor
F	François	**O**	Oscar	**W**	Wagon
G	Gaston	**P**	Paul	**X**	Xavier
H	Henri	**Q**	Québec	**Y**	Yvonne
I	Isidore	**R**	Robert	**Z**	Zoé
J	Jean				

Allemand

A ***wie Anton***

Ä	Ärger	**J**	Julius	**S**	Samuel
B	Berta	**K**	Kaufmann	**Sch**	Schule
C	Cäsar	**L**	Ludwig	**T**	Theodor
Ch	Charlotte	**M**	Martha	**U**	Ulrich
D	Dora	**N**	Nordpol	**Ü**	Übermut
E	Emil	**O**	Otto	**V**	Viktor
F	Friedrich	**Ö**	Ökonom	**W**	Wilhelm
G	Gustav	**P**	Paula	**X**	Xantippe
H	Heinrich	**Q**	Quelle	**Y**	Ypsilon
I	Ida	**R**	Richard	**Z**	Zacharias